Le livre photoshop® CS2 des photographes numériques

Scott Kelby

Titre original : *The Photoshop CS2 book for digital photographers*

Traduction : Philip Escartin

ISBN original : 0-321-33062-5

Publié par **New Riders /Peachpit**

New Riders
800 East 96th Street
Indianapolis, Indiana 46240 USA

COUVERTURE
Felix Nelson

PHOTOS DE COUVERTURE
Scott Kelby et Dave Moser

IMAGES
Les images libres de droits utilisées dans ce livre sont la propriété de
PHOTOS.COM»

Publié par CampusPress
47 bis, rue des Vinaigriers
75010 PARIS
Tél. : 01 72 74 90 00

Mise en pages : Hekla

ISBN : 2-7440-1986-0

CampusPress est une marque de Pearson Education

www.scottkelbybooks.com

A ma formidable femme qui, chaque jour,
fait de moi l'homme le plus heureux du monde.

REMERCIEMENTS

Bien qu'un seul nom apparaisse sur la couverture d'un livre, son existence procède de connexions humaines que je me dois de saluer ici.

Tout d'abord, je voudrais remercier mon épouse Kalebra, qui est une femme extraordinaire et ma joie de vivre. Elle excelle dans tous les domaines, sorte de Midas transformant tout ce qu'elle touche non pas en or, mais en réussite et en bonheur partagé. J'ignore ce qu'elle met dans son café, mais je peux vous assurer que ça marche ! Elle est le genre de femmes pour lesquelles on écrit des chansons d'amour, et il ne fait aucun doute que je suis l'homme le plus heureux du monde de l'avoir épousée.

Ensuite, je voudrais remercier mon fils de huit ans, Jordan. Dieu a comblé notre famille de tant de dons, et ils se reflètent tous dans ses yeux. Je suis très fier de lui, et j'aime le voir grandir et devenir un merveilleux petit gars, avec un cœur grand comme ça !

Je souhaite aussi remercier mon grand frère, Jeffrey, pour l'influence bénéfique qu'il a eue sur ma vie, pour avoir toujours suivi la bonne voie, pour avoir toujours su dire ce qu'il fallait au bon moment et pour ressembler autant à notre père. Je suis honoré de l'avoir en tant que frère et ami.

Mille mercis à toute l'équipe de KW Media Croup, qui donne au quotidien tout leur sens aux termes « engagement » et « travail d'équipe ». Ce sont vraiment des gens pas comme les autres, qui réalisent de grandes choses avec un professionnalisme qui force le respect. Je suis fier de travailler avec eux.

Merci à Dave Moser, dont l'engagement sans faille nous permet de faire toujours mieux, et qui est un modèle pour toute l'équipe. Dave est quelqu'un d'étonnant et de drôle à la fois, mais surtout c'est un excellent ami.

Je décerne une mention spéciale à ma conseillère et éditrice technique, Polly Reincheld. Elle a su regrouper l'ensemble des éléments de ce livre en un contenu limpide, assurant le bon fonctionnement de chaque chose. Ses idées, ses conseils, sa vision et ses encouragements ont participé à la qualité de cet ouvrage. Je suis heureux de sa présence, de ce qu'elle apporte, malgré les chansons de Shania Twain qu'elle fredonne à longueur de journée…

Mes remerciements à Veronica Martin, toute nouvelle recrue de notre équipe, qui a su relever le défi de la relecture de mon travail.

Un grand merci à mon équipe de mise en page et de production. Je voudrais particulièrement remercier mon ami et directeur de création Félix Nelson pour son talent sans bornes, sa créativité infinie et pour toutes ses idées. Merci à Kim Gabriel pour ses capacités d'organisation et à Dave Damstra pour la maquette impeccable du livre.

Merci à Jim Workman, Jean A. Kendra et Pete Katzenberg pour leur soutien et pour avoir géré tous les problèmes tandis que j'écrivais ce livre.

Je remercie spécialement mon assistante Kathy Silver pour m'avoir aidé à me concentrer sur l'essentiel tout en gardant une attitude positive et enthousiaste.

Mille remerciements à Dave Cross et Matt Kloskowski pour leurs idées sans cesse renouvelées, à Chris Main et Barbara Thompson pour avoir su devenir des maillons si importants de la chaîne que nous formons.

Ma reconnaissance va aussi à mes amis Kevin Ames et Jim DiVitale pour avoir pris le temps de me communiquer leurs idées, leurs techniques et leurs concepts. Grâce à eux, ce livre est vraiment différent. Un très grand merci, surtout, à Kevin pour les heures qu'il a passées à me montrer ses techniques de retouche. Un merci très sincère à Eddie Tapp et à Taz Tally pour leur aide dans la rédaction du chapitre consacré à la gestion des couleurs.

Je souhaite remercier tous les photographes, retoucheurs et experts de Photoshop qui m'ont appris tant de choses au fil des ans, et en particulier Jack Davis, Deke McClelland, Ben Willmore, Julieanne Kost, Vincent Versace, David Cuerdon, Robert Dennis, Hélène DeLillo, Félix Nelson, Jim Patterson, Katrin Eismann, Doug Cornick, Manual Obordo, Dave Cross, Dan Margulis, Peter Bauer, Joe Clyda et Russell Preston Brown.

Merci aussi à mes amis chez Adobe : Addy Roff, Julieanne Kost, Cari Gushiken, Gwyn Weisberg, Deb Whitman, John Nack, Kevin Connor, Mark Delman, Tanguy Leborgne, Karen Cauthier, Russell Brady, Mark Dahm, Russell Preston Brown et Terry « T-bone » White.

Merci à Nancy Ruenzel, Scott Cowlin, et à tous les employés de New Riders/Peachpit, qui sont des gens formidables toujours soucieux de sortir d'excellents livres.

Je remercie personnellement Alan Meckler et Adrian Maynard, de JupiterImages, pour m'avoir permis d'utiliser leurs formidables images.

Et surtout je remercie profondément Notre Seigneur Jésus-Christ pour avoir toujours entendu mes prières, pour avoir toujours été là quand j'avais besoin de Lui et pour m'avoir donné une vie merveilleuse et une famille aimante avec laquelle la partager.

A PROPOS DE L'AUTEUR

Scott Kelby

Scott est rédacteur en chef et cofondateur du magazine américain *Photoshop User*, et également rédacteur en chef du magazine de Nikon, *Capture User*, et de *Layers* (le magazine dédié à l'utilisation des produits Adobe). De plus, il préside un réseau d'échanges consacrés à Photoshop, la NAPP *(National Association of Photoshop Professionals)*, ainsi que KW Media Group, Inc., société spécialisée dans la formation et l'édition.

Scott est un auteur reconnu et récompensé ; il a à son actif plus de 26 livres consacrés à Photoshop, à l'imagerie et aux technologies numériques. Ses ouvrages sont les plus vendus dans le monde. L'une de ses dernières parutions est consacrée à l'iPod, le lecteur numérique d'Apple que l'on ne présente plus. En 2004, Scott a reçu la très haute distinction Benjamin Franklin pour la précédente édition du livre que vous avez entre les mains.

Scott est directeur de formation dans les séminaires Photoshop ambulants organisés par Adobe, et conférencier à Photoshop World, une convention semestrielle destinée aux utilisateurs de Photoshop. Il anime des formations sur Photoshop et participe dans le monde entier à des salons et événements liés au graphisme. Enfin, on le retrouve dans une série de DVD de formation à Photoshop.

Pour une information complémentaire à propos de Scott Kelby, visitez son site, en anglais : www.scottkelby.com.

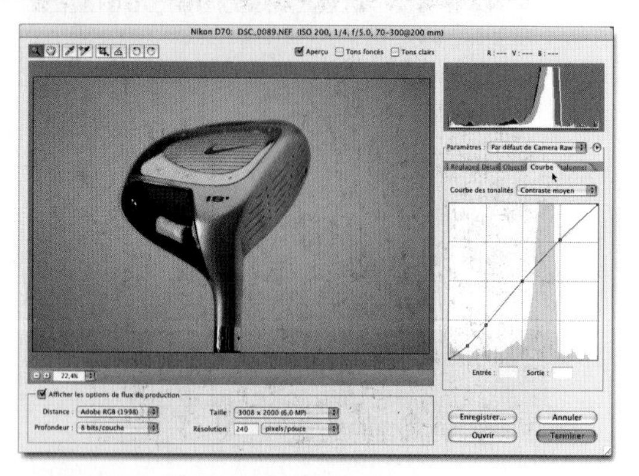

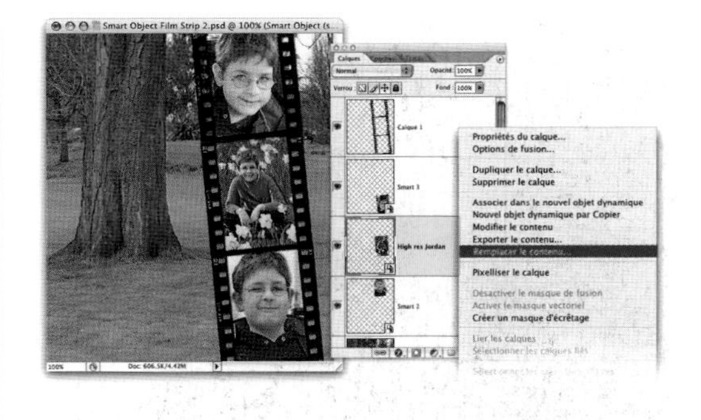

PLAY
SHOOTING MENU
CSM MENU
SET UP

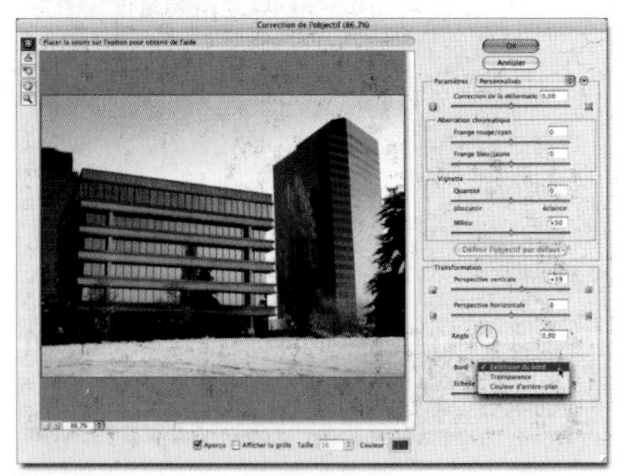

Accentuation
OK
Annuler
Aperçu
Gain
Rayon
pixels
Seuil
niveaux

Blending images 1.jpg @ 100% (Layer 2, Layer Mask/8)
Calques
Normal
Opacité
Verrou
Fond
Calque 2
Calque 1
Arrière-plan

PACIFIC COAST HIGHWAY

CS2_12 - Adobe Bridge

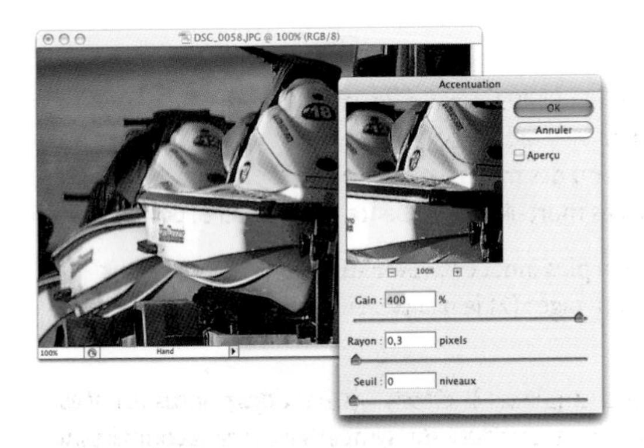
Accentuation
OK
Annuler
Aperçu
Gain : 400 %
Rayon : 0,3 pixels
Seuil : 0 niveaux

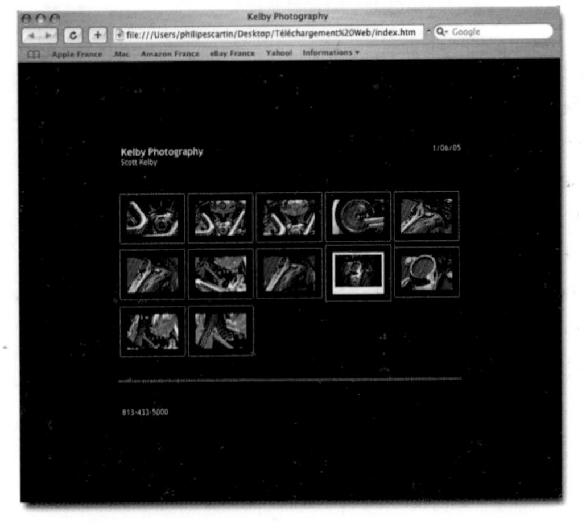
Kelby Photography

ATTENTION : IGNORER CETTE SECTION PEUT NUIRE GRAVEMENT À VOTRE ORDINATEUR

Le bon ordre des choses commence par le début

Je sais que vous êtes impatient de lire le Chapitre 1 et d'approfondir les didacticiels, et êtes tenté d'ignorer cette section fondamentale. Et vous avez plusieurs raisons pour cela : (a) elle ne contient ni photos ni figures ; (b) vous êtes atteint du complexe de Napoléon (je ne sais d'ailleurs pas ce que c'est) ; (c) vous ne lisez que le contenu des menus et des boîtes de dialogue ; (d) votre pouvoir de concentration est si faible que prévenir votre ordinateur de nuisances mortelles ne présente aucun intérêt pour vous.

Pourtant, je vous demande de lire chaque mot de cette section, d'en respecter la plus innocente ponctuation, et ce pour deux raisons majeures : (1) vous avez dépensé pas mal d'argent pour vous offrir cet ouvrage ; (2) je n'ai pas encore trouvé la seconde raison mais cela ne devrait pas tarder.

Plus sérieusement, cette section donne un certain nombre d'informations, par exemple sur le téléchargement des photos utilisées dans le livre pour mener à bien les différents ateliers proposés. Si vous souhaitez recevoir toute ma sympathie et ma reconnaissance, passez quelques minutes à lire cette petite introduction.

Maintenant que je vous sais plongé dans cette lecture, je peux vous donner quelques conseils sur l'utilisation de cet ouvrage pour en tirer le meilleur parti. Ces conseils sont distillés sous la forme d'un auto-entretien qui est le meilleur moyen d'éliminer toute adversité et de se poser les meilleures questions qui trouveront tout naturellement les meilleures réponses.

Bien ! Je mets en marche mon petit dictaphone.

Moi : Scott, avant de commencer, je tenais à vous dire que je vous trouve bien plus grand et élégant que je ne l'imaginais.

Moi : Merci. On me le dit tout le temps.

Moi : Non sérieusement, vous êtes impressionnant.

Moi : Je sais.

Moi : Pouvez-vous nous présenter les nouveautés de Photoshop CS2 ?

Moi : Cette troisième édition du livre est une mise à jour importante. J'ai l'impression d'avoir écrit un nouvel ouvrage, car Adobe a ajouté de nouvelles fonctions qui vont ravir les photographes numériques. Je me devais donc de les traiter en profondeur. Depuis la deuxième version qui date de 2003, j'ai pris de nombreuses photos, et j'ai davantage poussé dans leurs derniers retranchements les fonctionnalités du logiciel.

Moi : En quoi les fonctions de CS2 ont-elles enrichi votre livre ?

Moi : Je consacre un chapitre entier à Camera Raw. Dans la précédente édition, seules six pages lui étaient réservées. La nouvelle puissance de cette fonction justifie mon choix. J'ai également voulu présenter des éléments qu'aucun autre livre sur Photoshop ne traite. C'est ainsi que je démystifie la gestion de la couleur en montrant exactement comment la maîtriser. Avec des instructions précises, vous réussirez à imprimer sur votre périphérique à jet d'encre des couleurs aussi fidèles que celles affichées sur l'écran de votre ordinateur. J'ai également ajouté un chapitre entier sur la création des panoramas, et j'ai transformé une des plus populaires sessions de mon Photoshop World Conference & Expo (« Comment présenter vos travaux comme un professionnel ») en un chapitre complet qui ravira tous les utilisateurs. J'ai également enrichi le chapitre consacré aux effets spéciaux photographiques pour l'amener à un niveau de professionnalisme jamais rencontré ailleurs. Tout l'ouvrage est parsemé de nouvelles astuces, de nouvelles fonctions, de nouveaux conseils, et de techniques avancées que j'ai apprises depuis sa précédente version.

Moi : Pour qui avez-vous rédigé ce livre ?

Moi : Il s'adresse à tous ceux qui pratiquent la photographie à un haut niveau de technicité, et à ceux qui viennent de passer du monde argentique au monde numérique. Comme je présume que les lecteurs connaissent les grands principes de la photo, il n'y a aucune discussion sur les f-stops (diaphs), les objectifs ou le cadrage. Je m'intéresse à ce moment si particulier où la photo quitte l'appareil pour entrer dans Photoshop. Par conséquent, si vous ne savez pas photographier, achetez un autre livre.

Moi : Ce livre respecte-t-il une chronologie précise ?

Moi : Oui, la chronologie respectée par les professionnels pour traiter convenablement leurs photos numériques. Par exemple, un travail cohérent commence par le tri des clichés stockés dans la carte mémoire de l'appareil. Pour cela, je traite de la nouvelle fonction Adobe Bridge qui remplace l'ancien Explorateur de fichiers de Photoshop 7 et CS. Ensuite, j'aborde le sujet de Camera Raw pour tous ceux qui photographient au format RAW. Pour les autres, il suffira de passer directement au redimensionnement et au recadrage qui sont l'étape suivante d'une gestion avertie des photos numériques. Puis, avant de passer à la correction des couleurs ou des imperfections, il faut apprendre à gérer la couleur. Une fois cette gestion maîtrisée, le véritable travail de retouche peut commencer. Enfin, comme pour tout bon travail qui se respecte, nous verrons comment présenter vos œuvres à vos clients.

Moi : Les lecteurs doivent-ils suivre cette chronologie ?

Moi : Absolument pas. Le livre est conçu pour une consultation tous azimuts. Chacun peut étudier les techniques dont il a immédiatement besoin dans son travail.

Moi : Comment avez-vous développé le contenu de ce livre ?

Moi : Chaque année, je forme des milliers de photographes numériques du monde entier. Malgré ma position d'enseignant, lors de chaque séminaire j'apprends de nouvelles choses. Les photographes adorent partager leurs techniques préférées. Ce partage est la meilleure façon d'apprendre, de se perfectionner, et de repousser certaines limites. Ainsi, je parviens à voir au-delà de mon propre enseignement pour l'enrichir continuellement. De plus, je photographie beaucoup ; je suis ainsi confronté à de nouveaux problèmes qui m'obligent à chercher de nouvelles solutions, et donc à découvrir de nouvelles techniques. Dès que je dispose d'astuces pertinentes ou que j'en apprends au contact d'autres utilisateurs, je ne peux m'empêcher de les partager. C'est une maladie dont je suis conscient de la gravité.

Moi : En quoi ce livre diffère-t-il des autres ouvrages consacrés à Photoshop ?

Moi : Il ne s'agit pas d'un livre de plus sur Photoshop. Cet ouvrage n'est pas du genre « dites-moi tout sur ce logiciel », mais plutôt du genre « expliquez-moi comment faire ça »... là est toute la différence. Les photographes y trouveront les réponses aux questions qu'ils me posent dans les stages de formation, par e-mails ou sur des forums. Les lecteurs sauront alors comment exécuter une tâche précise, et comprendront en quoi tel réglage affecte leur image.

Par exemple, la plupart des ouvrages sur Photoshop traitent du filtre Accentuation. Ils expliquent le rôle joué par les curseurs Gain, Rayon et Seuil, exposent la manière dont les pixels sont affectés, etc. Leur grande lacune est qu'ils ne disent pas quelle valeur exacte doit prendre chacun de ces paramètres. Certains livres donnent une plage de valeurs, et vous devez vous débrouiller avec. Ce n'est pas le cas de celui-ci. J'indique toujours les valeurs à appliquer pour obtenir le résultat escompté, c'est-à-dire des paramètres utilisés par les professionnels de la photo. Ainsi, je dis : « Utilisez ces paramètres pour accentuer des personnes, ceux-ci pour accentuer des paysages, et ceux-là pour corriger un problème de mise au point. » Ce sont des explications que je donne aux étudiants dans mes formations, je ne vois donc pas pourquoi je ne les communiquerais pas à mes lecteurs.

Ajoutons à cela que l'accentuation n'est pas une technique qui peut s'expliquer en trois ou quatre pages. Pour cette raison, je lui consacre un chapitre entier qui donne des solutions adaptées aux problèmes de netteté rencontrés dans des circonstances spécifiques. C'est ma façon d'appréhender la transmission d'un savoir. Partant de cela, j'ai écris tout un chapitre sur Camera Raw. Toujours dans la même optique, deux chapitres sont consacrés à Adobe Bridge pour permettre d'en maîtriser tous les aspects. Je suis et veux rester celui qui dit comment faire, et non celui qui se contente d'un « faites-le vous-même ».

Moi : Cela doit demander beaucoup de travail. Avez-vous reçu de l'aide ?

Moi : Lorsque j'ai écris la première édition de ce livre en 2001, j'ai reçu des conseils avisés de deux photographes numériques reconnus – Jim DiVitale, photographe de produits commerciaux, et Kevin Ames, photographe de mode. Ces deux gars sont incroyables. Ils ont partagé leur temps entre leur activité professionnelle et la formation d'autres photographes numériques pour leur dévoiler le vrai miracle de Photoshop.

Lorsqu'ils ont su que j'écrivais cet ouvrage, ils ont proposé de me rencontrer pour me faire part des techniques qu'il serait judicieux d'inclure dans cette nouvelle édition. Leur apport a été d'une aide non seulement appréciable mais tout bonnement fondamentale. Cela n'a pas été une tâche facile, car je voulais satisfaire un peu tout le monde en présentant une vaste gamme de techniques accessibles. Mais je voulais aussi permettre aux professionnels avancés de découvrir des techniques pour résoudre les problèmes spécifiques auxquels ils sont régulièrement confrontés.

Dans cette édition, le chapitre consacré à la gestion de la couleur a profité de conseils d'experts comme Canon Explorer et Eddie Tapp. J'ai aussi consulté mon ami Jim DiVitale, et ai soumis le chapitre final à un expert de Photoshop, Taz Tally, formateur en gestion des couleurs. J'ai également profité d'idées géniales données par Dave Cross et Matt Kloskowski, au sein du magazine *Photoshop User*.

Moi : Ce livre est-il trop qualifié ?

Moi : Pas du tout ! Mon objectif est d'expliquer les choses clairement. Ainsi, quel que soit votre niveau d'expérience de Photoshop, vous pouvez mener à bien tous les ateliers présentés. En lisant ce livre, vous ne pouvez jamais dire : « C'est trop dur pour moi ». Vous affirmerez sans cesse : « Je peux le faire ! ».

Il est vrai que ce livre étudie des techniques avancées. Cependant, cela ne veut pas dire qu'elles soient insurmontables. Cela signifie simplement qu'elles demandent plus d'attention que les autres, et que vous devrez peut-être avoir atteint un certain niveau d'expérience de Photoshop avant d'en découvrir la réelle utilité.

Par exemple, au chapitre consacré à la retouche, j'explique comment supprimer des rides avec l'outil Correcteur. Ce serait une erreur de supprimer toutes les rides d'une personne de 79 ans. Pour conserver un certain réalisme, vous devez laisser des rides, ou du moins réduire leur intensité. Dans ce cas, vous n'utiliserez pas l'outil Correcteur d'une manière basique et rudimentaire. Vous devrez approfondir son fonctionnement pour obtenir l'effet le plus réaliste possible.

Pour aboutir à pareil résultat, la technique avancée utilisée n'est pas aussi complexe qu'on pourrait le croire. Dupliquez le calque Arrière-plan, éliminez toutes les rides avec l'outil Correcteur, puis diminuez le pourcentage d'Opacité du calque pour révéler subtilement les rides présentes sur le calque original d'arrière-plan (voir Chapitre 10). Où est la complexité ? Ce filtre de jouvence numérique est un vrai plaisir à appliquer ; il donne la plus grande satisfaction à l'utilisateur et au modèle. Toute personne utilisant Photoshop sait dupliquer un calque et en réduire l'Opacité. Si vous comprenez l'acception que j'ai du terme *avancé*, vous comprenez alors tous les bénéfices que vous allez tirer de ce livre. Vous allez être capable d'exécuter des techniques de correction et de retouche utilisées par les plus grands photographes numériques de la planète. Tout vous semblera facile, car c'est facile et amusant.

Moi : Que ne contient pas ce livre ?

Moi : J'ai évité d'y mettre des choses que l'on trouve systématiquement dans les autres ouvrages consacrés à Photoshop. Par exemple, aucun chapitre ne traite de la palette Calques, des outils de peinture ou du fonctionnement des 110 filtres. Je focalise mon propos sur ce qui peut servir aux photographes numériques.

Que signifie ce logo ?

Que ce n'est pas pour vous et que vous devez passer votre chemin ! Non ! Plus sérieusement, il est destiné aux utilisateurs qui recherchent des techniques encore plus poussées. Cela ne veut pas dire : « Attention ! Ça va être dur ; vous n'avez pas fini d'en baver ! » C'est une indication pour tous ceux qui souhaitent découvrir des fonctions plus complexes dès que leur connaissance de Photoshop aura atteint un niveau supérieur. Ces techniques demandent un plus grand investissement et permettent d'aboutir à des résultats d'un professionnalisme étonnant.

Moi : Ce livre est-il destiné aux utilisateurs Windows, Mac, ou aux deux ?

Moi : Photoshop étant identique sur Mac et PC, le livre est valable pour les deux plates-formes. Les différences se situent au niveau des raccourcis clavier. Pour cette raison, je les indique systématiquement pour les deux systèmes d'exploitation (d'abord pour Mac, puis pour PC entre parenthèses).

Moi : Que pouvez-vous dire à tous ceux dont la technicité dans Photoshop est déjà d'un haut niveau ?

Moi : Que ce livre n'est destiné à aucune catégorie particulière d'utilisateurs. Si vous utilisez Photoshop depuis dix ans, vous en connaissez toute l'architecture. Il serait plus rapide, dans un atelier, de dire par exemple : « Ouvrez la boîte de dialogue Courbes ». Cependant, je pense à ceux dont l'expérience est moins grande, voire aux débutants. Dans ce cas, je préfère indiquer ceci : « Cliquez sur Image > Réglages > Courbes ». Le néophyte suivra précisément ces instructions, tandis que l'utilisateur avancé en aura déjà anticipé l'exécution. De plus, j'ai constaté que de nombreux photographes numériques sont talentueux, mais un peu perdus quand il s'agit de solliciter telle ou telle commande de Photoshop. Par conséquent, je considère que cette méthode aide tout le monde, et ne pénalise pas les grands connaisseurs du programme.

Moi : Tout le monde est impatient maintenant. Où peut-on télécharger les images ?

Moi : Les photos utilisées dans ce livre proviennent de trois sources. La majorité des clichés sont de mon fait, mais j'en ai aussi demandé à mes amis, et à mon copain Dave Moser, photographe numérique devant l'Eternel. Ma troisième source vient de JupiterImages. Ils m'ont non seulement permis d'utiliser des photos libres de droits (particulièrement utiles pour le chapitre consacré à la retouche puisque je photographie peu de portraits), mais aussi de proposer au téléchargement des versions basse résolution de leurs images reprises dans ce livre. Vous les trouverez à l'adresse suivante : http://www.scottkelbybooks.com/cs2digitalphotographers/. Bien sûr, l'idée est d'appliquer les techniques sur vos propres clichés. Toutefois, pour mener à bien l'ensemble des procédures décrites, et en apprécier le résultat, utilisez les photos à télécharger sur ce site. Si j'ai porté mon choix sur JupiterImages, c'est que cette société dispose d'une quantité impressionnante de photos libres de droits. Allez donc faire un tour sur leur site : www.photos.com/fr.

Moi : Eh bien, Scott, je dois avouer que cet entretien est le plus intéressant que j'aie jamais réalisé.

Moi : Je savais que vous diriez cela.

Photo de Scott Kelby | Exposition : 1/10 s | Focale : 105 mm | Ouverture : f/4.0

L'amour bâtit des ponts

L'essentiel d'Adobe Bridge

Le titre de ce chapitre est tiré de films, de chansons, de poèmes… « L'amour bâtit des pont entre la terre et le ciel… », mais pourtant je vais évoquer une fonction très terre à terre de Photoshop CS2 : Adobe Bridge. Elle remplace l'ancien Explorateur de fichiers. Si vous connaissez mes précédents ouvrages, vous savez que j'aime donner un premier titre poétique, philosophique, humoristique, ou présentant une sorte de pensée du jour. Le sous-titre, quant à lui, indique ce qui va réellement être traité dans le chapitre. Ici, il s'agit du Bridge de Photoshop CS2 qui, comme je le laisse entendre, établit un pont non pas entre la terre et le ciel, mais entre vos fichiers, Photoshop CS2 et d'autres programmes de la nouvelle Suite Créative d'Adobe.

Enregistrement des négatifs numériques

Avant d'étudier le Bridge, vous allez sauvegarder vos négatifs numériques sur CD. N'ouvrez pas vos photos. Contentez-vous de sélectionner les meilleures, puis gravez-les sur un CD. Comme en argentique, le concept du négatif est essentiel : vous devez en prendre le plus grand soin. Graver ces images sur CD écarte toute possibilité de les détruire accidentellement. Voici comment procéder.

Etape 1

Sur le Bureau de votre ordinateur, créez un nouveau dossier. Ensuite, connectez votre lecteur de carte (CompactFlash, SmartCard, etc.) à votre ordinateur.

Etape 2

Double-cliquez sur l'icône de la carte mémoire et localisez les photos à graver. Tout en maintenant la touche Maj enfoncée, cliquez sur la première photo à sélectionner, puis sur la dernière. Toutes les photos situées entre les deux sont sélectionnées. Faites-les glisser et déposez-les sur l'icône du dossier de votre Bureau.

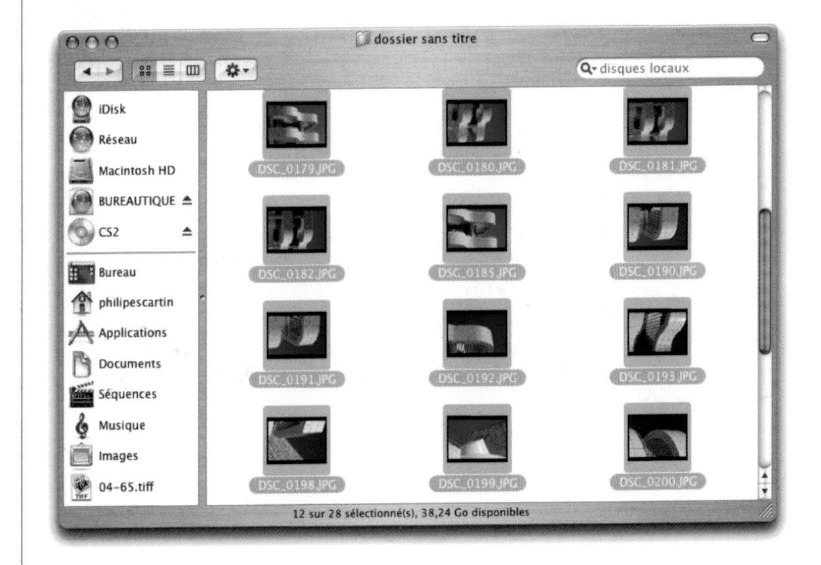

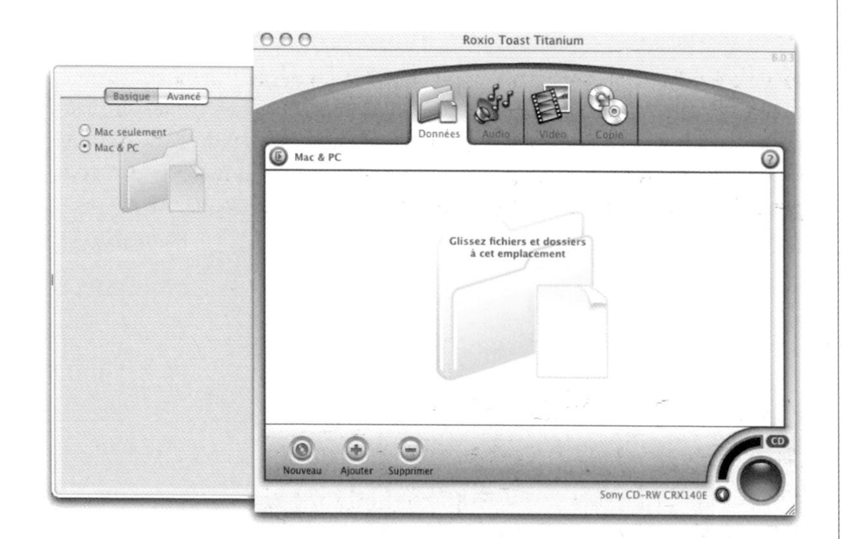

Etape 3

Insérez un CD vierge dans votre graveur. Sur PC, mon programme préféré est Easy CD Creator ; sur Mac, il s'agit de Roxio Toast Titanium dont l'interface est représentée ci-contre. Toast est devenu très populaire grâce à sa convivialité et à son interface de type glisser-déposer. Démarrez votre logiciel de gravure de CD. Localisez le dossier contenant les images stockées sur votre disque dur, puis faites-le glisser vers la fenêtre du logiciel.

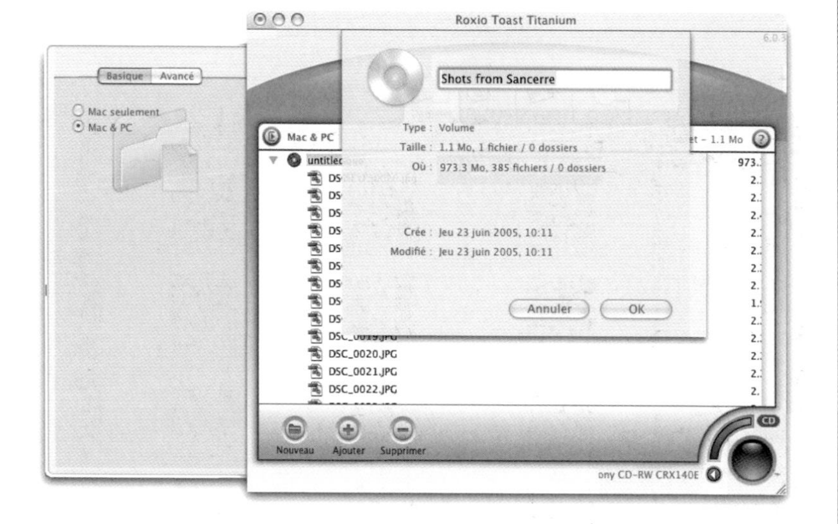

Etape 4

Une fois les images affichées dans la fenêtre de Toast, double-cliquez sur la petite icône de CD et attribuez un nom au CD (le nom apparaît en surbrillance dans l'exemple ci-contre). Il suffit ensuite de cliquer sur le bouton Enregistrer le disque ; Toast se charge du reste des opérations pour produire un jeu de négatifs originaux. Si ces images revêtent une valeur particulière (ou si vous frisez la parano), vous pouvez graver une seconde copie de sauvegarde. L'opération n'entraîne aucune perte de qualité, alors gravez autant d'exemplaires que vous le souhaitez.

Création d'une planche-contact pour le CD

Bien, vous venez de graver un jeu de négatifs numériques. Avant de poursuivre, vous pouvez gagner un temps fou en imprimant à ce stade une planche-contact aux dimensions d'un boîtier de CD. Ainsi, vous saurez ce que contient le CD avant même de l'insérer dans l'ordinateur. La procédure de création d'une telle planche-contact est automatisée : il vous suffit de choisir la présentation, Photoshop se charge du reste.

Etape 1

Dans Photoshop CS, on accède à la Commande Planche Contact II à partir du sous-menu Fichier > Automatisation, ou depuis le menu Outils > Photoshop du Bridge. Cela lance Photoshop puisque Planche Contact II en est une fonction propre, et non un utilitaire du Bridge. Adobe Bridge est une fonction autonome. La boîte de dialogue Planche Contact II apparaît.

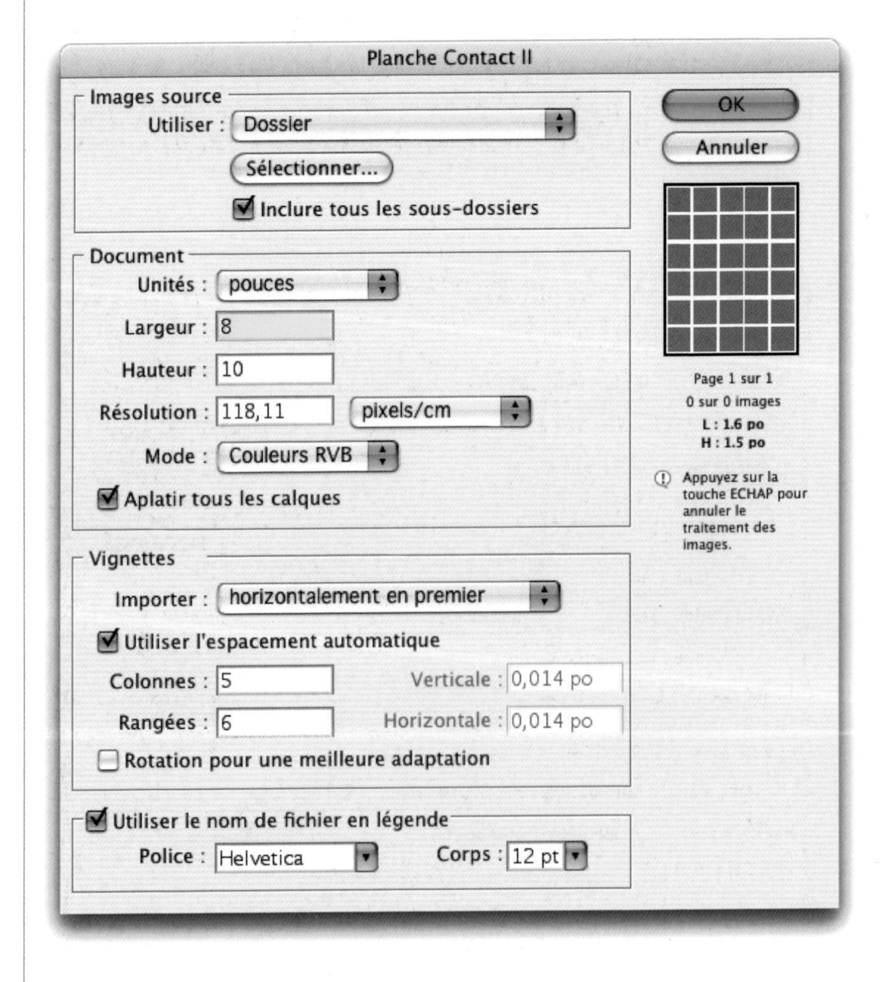

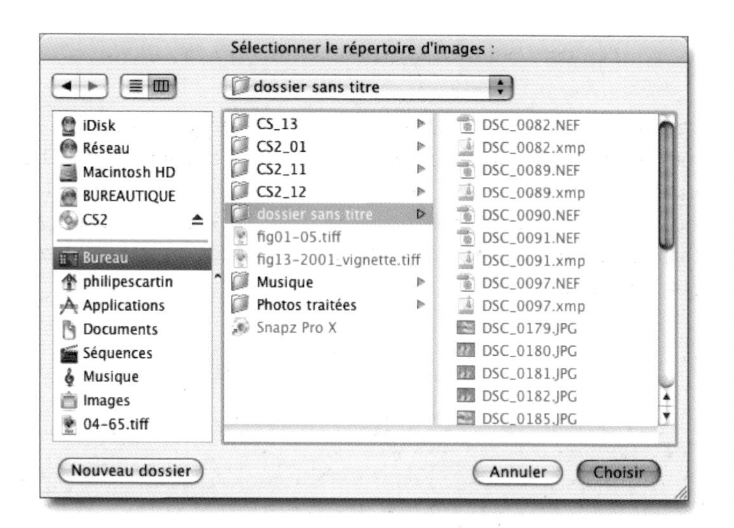

Etape 2

Dans la section Image Source, ouvrez la liste Utiliser et choisissez Dossier. Ensuite, cliquez sur le bouton Sélectionner. Une boîte de dialogue de navigation apparaît. Localisez votre dossier sans titre (celui gravé dans la précédente section) pour y sélectionner les images.

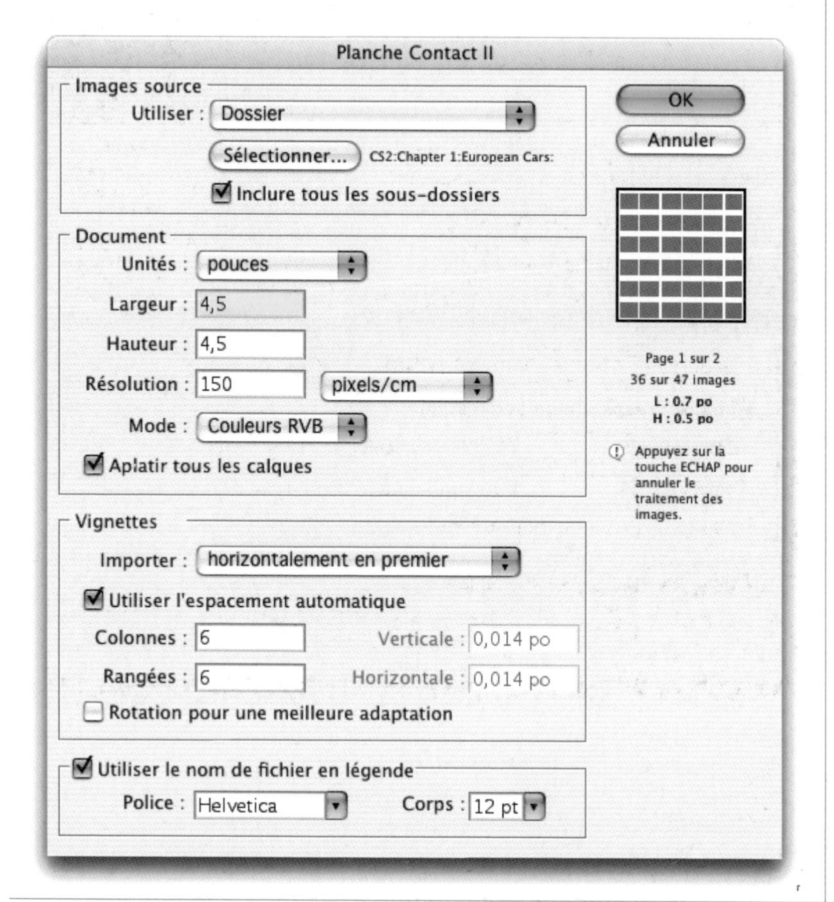

Etape 3

Les autres options de la boîte de dialogue servent à choisir la présentation de la planche-contact. Dans la partie Document, entrez les mesures, Largeur et Hauteur, d'une couverture de CD (les dimensions standard sont 12,065 cm de côté, équivalant à 4,75 pouces, mais je recommande 4,5 × 4,5 pouces). Concernant la résolution des vignettes, je choisis 150 ppp (les vignettes sont si petites qu'elles n'ont pas besoin d'une résolution plus élevée, et le traitement est ainsi plus rapide). Je conserve le mode par défaut Couleurs RVB et j'active l'option Aplatir tous les calques. J'évite ainsi d'aboutir à un énorme document Photoshop avec plusieurs calques. J'ai juste besoin d'un document à imprimer une seule fois, qui ne sera pas conservé.

C'est dans la partie Vignettes que se décide la répartition des miniatures sur la planche-contact (champ Colonnes et Rangées). Le schéma à droite offre un aperçu de cette répartition ; les vignettes y sont représentées par des rectangles gris. Modifiez le nombre de colonnes et de rangées, l'aperçu s'actualise aussitôt.

Enfin, la dernière option en bas permet d'imprimer le nom du fichier sous chaque vignette. Je vous recommande vivement de conserver cette option activée, car vous pourriez avoir besoin un jour de rechercher une photo sur le CD. La vignette permet de savoir si la photo convoitée se trouve sur ce CD. Si elle ne porte pas de nom, il vous faut alors lancer Photoshop CS2 et scruter les images une à une avec le Bridge. En revanche, si vous repérez une photo avec sa vignette *et* son nom, vous n'avez plus qu'à la rechercher sur le disque dur (ou *via* le Bridge). Faites-moi confiance, c'est un gain de temps considérable.

La capture ci-contre présente la sélection d'une taille de police pour l'option Corps (essayez 6 points pour un meilleur résultat). Vous pouvez ainsi choisir la police et le corps des légendes. Le choix de polices est assez limité, mais c'est beaucoup mieux que dans la première version de la fonction Planche Contact.

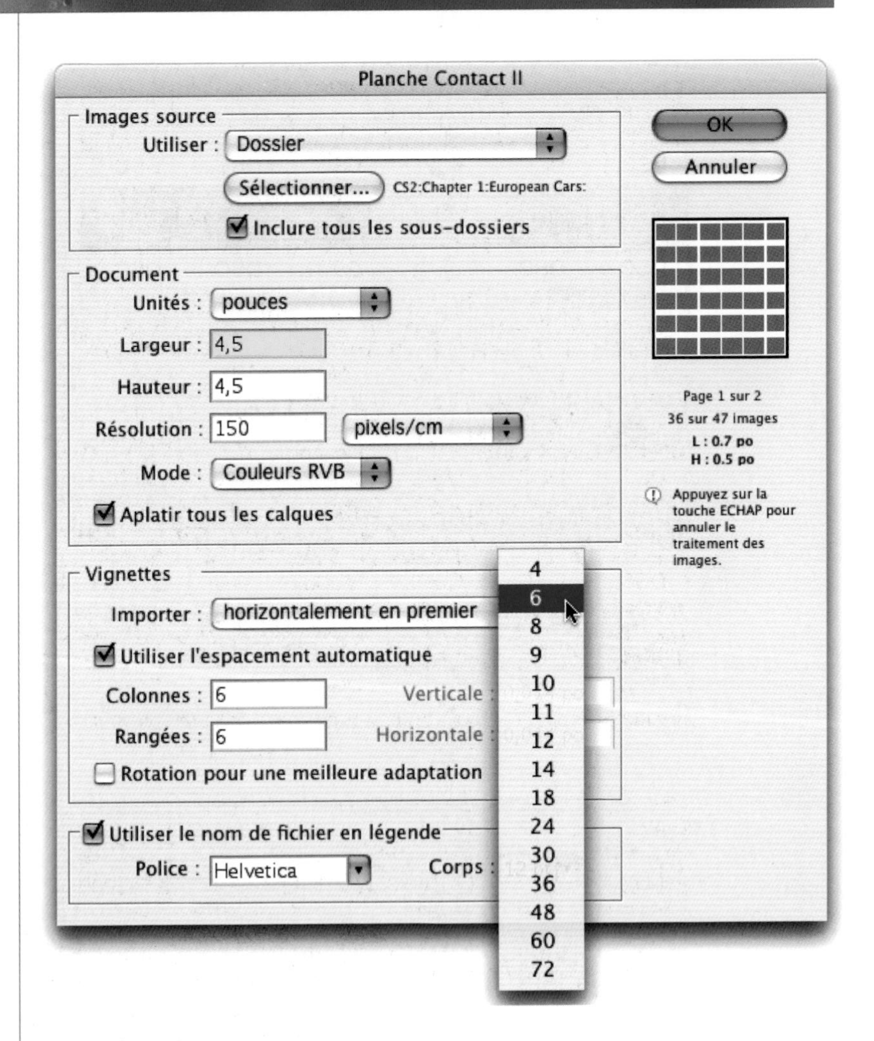

©SCOTT KELBY

Astuce : taille de la police

Lors du choix d'une taille de police pour la légende des vignettes, n'oubliez pas de réduire le corps défini par défaut à 12 points, en le fixant par exemple à 6. C'est la longueur des noms de fichiers attribués par l'appareil photo numérique qui nous oblige à faire cette manœuvre. De quelle taille doit être le lettrage ? Cela dépend. Plus vous souhaitez afficher de vignettes sur la planche-contact, plus la taille de la police doit être petite.

Etape 4

A présent, il suffit d'un clic sur le bouton OK, Photoshop s'occupe du reste. La procédure peut durer une minute environ. Au final, vous obtenez une planche-contact avec des rangées de vignettes identifiées par le nom du fichier correspondant. Notez que les vignettes sont très serrées. C'est pour cette raison qu'il est préférable de créer une planche-contact légèrement plus petite que nécessaire, de manière à ajouter des espaces vides autour des vignettes.

Etape 5

Fixez ici l'espace vide à 0,25 pouce, soit 0,5 cm, autour des vignettes de la planche-contact. Ouvrez le menu Image, et exécutez la commande Taille de la zone de travail. Cochez la case Relative, et saisissez 0,25 pouce dans les champs Largeur et Hauteur. Dans la liste Couleur d'arrière-plan de la zone de travail, choisissez Blanc.

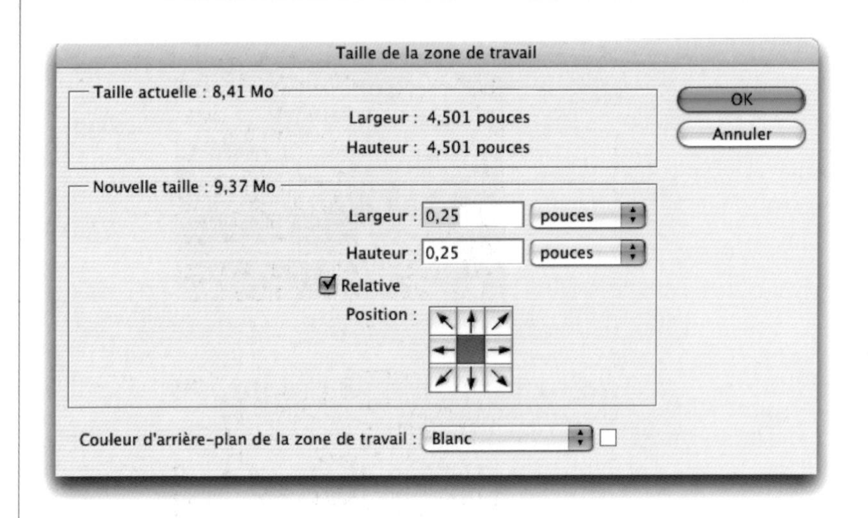

Etape 6

Voici l'aspect de la planche avec un espace vide supplémentaire tout autour de la zone d'affichage. Le contraste avec la précédente planche-contact est saisissant.

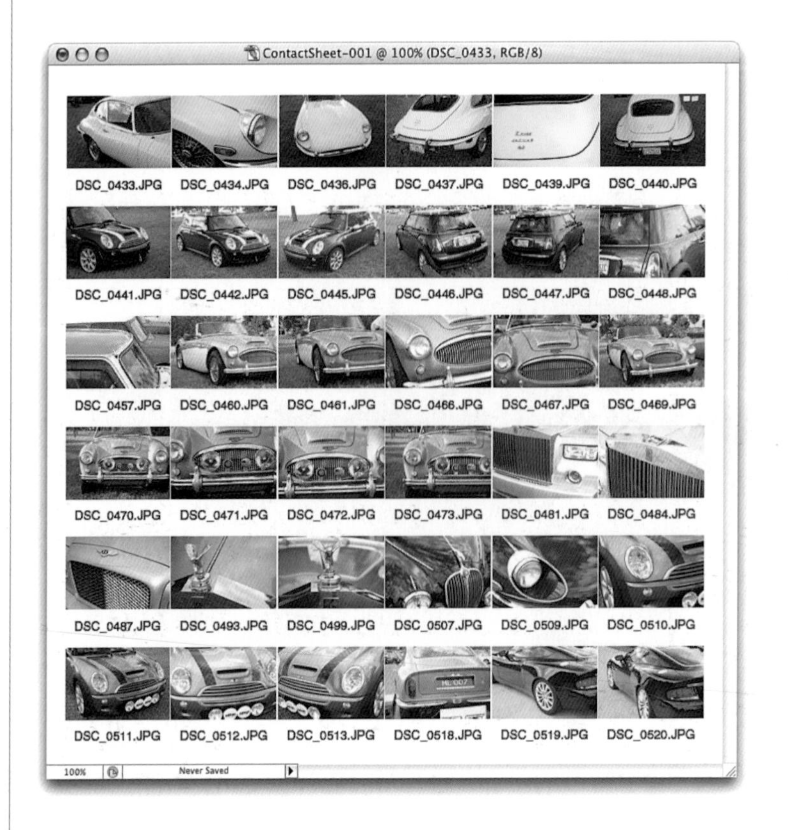

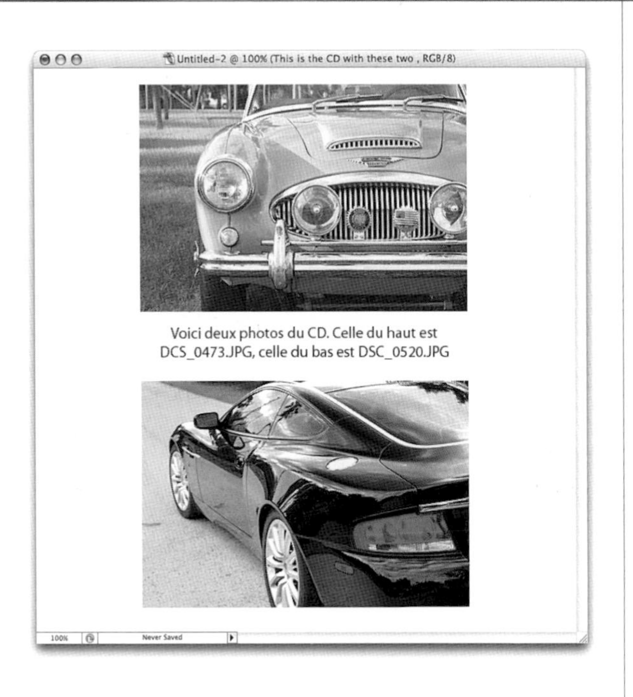

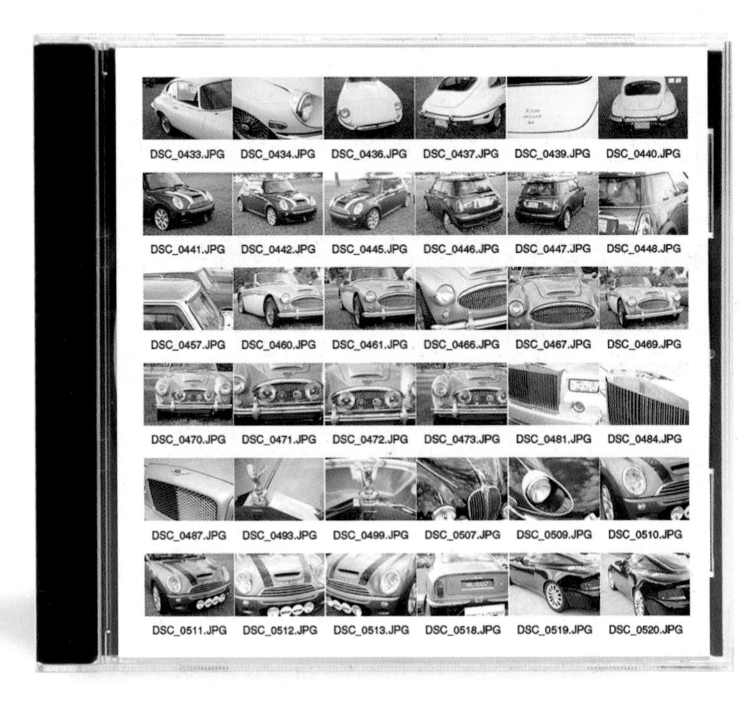

Etape 7

Ce qui suit est plus une astuce qu'une étape. De nombreux photographes ajoutent une seconde planche-contact pour faciliter l'identification des photos. Il suffit pour cela de choisir deux ou trois clichés significatifs du contenu du CD. Ces photos seront utilisées pour la pochette ou insérées comme une sorte de livret dans le boîtier cristal. Etant donné qu'il y a davantage de place pour le texte, il est recommandé d'ajouter une description. Ainsi, le photographe connaît rapidement le contenu du CD de photos.

Note : Si vous n'utilisez que deux ou trois photos, inutile d'invoquer la commande Planche Contact II. Créez un document vierge aux dimensions du boîtier cristal, puis glissez-y les images avec l'outil Déplacement (V). Utilisez l'outil Texte (T) pour insérer une description.

Etape 8

Et voici le résultat au final : la planche-contact imprimée sert de couverture au boîtier du CD.

A la découverte du Bridge

Nous venons de graver un CD et de réaliser une planche-contact pour en identifier le contenu. Nous allons donc ouvrir les images directement à partir du CD grâce à Adobe Bridge. Il s'agit d'une application séparée que vous utiliserez pour trier et classer les images issues de l'appareil photo numérique. Si vous êtes habitué à l'ancien Explorateur de fichiers de Photoshop, vous allez découvrir une fonction plus complète qui crée un lien ténu entre vos fichiers et l'ensemble des applications de la Suite Créative d'Adobe.

Passer à Bridge

Vous accédez à Bridge de trois façons. (1) Depuis Photoshop, cliquez sur l'icône Passer à Bridge, située dans le coin supérieur droit de la Barre d'options, à côté du Conteneur de palette. (2) Dans le menu Fichier, choisissez Parcourir. (3) Utilisez le raccourci clavier Cmd+Maj+O (Ctrl+Alt+O).

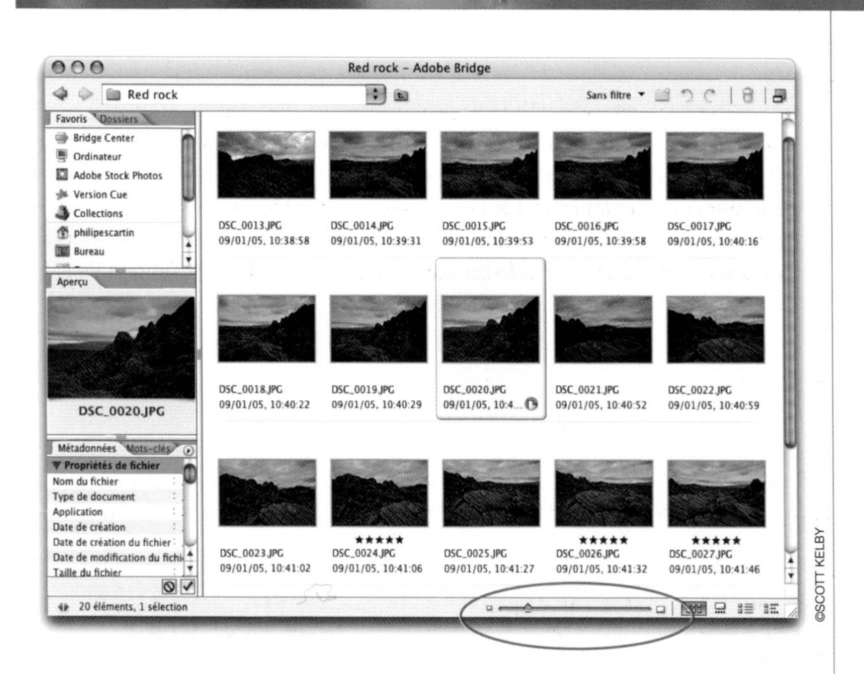

©SCOTT KELBY

Une usine à vignettes

Lorsque vous cliquez sur un dossier d'images (ou sur l'icône d'une carte mémoire, d'un CD d'images, etc.), le Bridge affiche toutes les photos sous forme de vignettes. Plus le dossier contient d'images, plus le Bridge met du temps à effectuer le rendu des vignettes. Pour faciliter l'identification des images, ce rendu se fait de haut en bas. Il se peut qu'en faisant défiler trop vite le contenu de la fenêtre, certaines vignettes ne soient pas encore rendues. Patientez ! Pour modifier la taille des vignettes, faites glisser le curseur Taille de vignette situé en bas de l'interface. Vers la gauche vous réduisez la taille, vers la droite vous l'augmentez.

©SCOTT KELBY

Ouverture des photos dans Photoshop

Pour ouvrir une photo dans Photoshop, double-cliquez sur sa vignette.

Note : Vous pouvez également double-cliquer sur l'aperçu d'une image sélectionnée, affiché sur le côté gauche de la fenêtre.

Pour ouvrir plusieurs photos en même temps, tout en maintenant la touche Maj ou la touche Cmd (Ctrl) enfoncées, cliquez sur les photos à inclure dans la sélection. Une fois la sélection opérée, double-cliquez sur n'importe quelle image. Elles s'ouvriront toutes dans Photoshop.

Astuce : Les touches directionnelles du pavé numérique de votre clavier permettent de naviguer parmi les vignettes de vos photos.

Navigation parmi vos photos avec Bridge

Adobe Bridge dispose de cinq types de « dispositions » différentes qui correspondent à des styles de travail. La disposition par défaut se divise en deux sections principales : (1) la fenêtre qui affiche les vignettes des photos, (2) une zone Panneau, située à gauche (avec des palettes pour naviguer parmi les photos, afficher de plus grandes vignettes et des métadonnées, et ajouter des mots clés). Voyons comment ces deux dispositions facilitent la navigation parmi vos images.

Naviguer parmi les photos

La partie gauche du Bridge se nomme Panneau. Le premier panneau est Favoris. Il donne un accès direct à vos dossiers d'images et d'applications les plus utilisés. Juste à sa droite se trouve le panneau Dossiers. Il permet de localiser les photos présentes sur votre appareil photo numérique, votre carte mémoire, votre disque dur, un CD ou le réseau. L'intérêt de ce panneau est qu'il donne accès aux images de votre appareil photo numérique sans quitter Adobe Bridge. Pour afficher les photos d'un dossier, cliquez dessus.

Enregistrer vos dossiers favoris

Si vous consultez souvent un même dossier, enregistrez-le en tant que favori. Maintenez la touche Ctrl enfoncée (PC : clic droit) et cliquez sur le dossier dans le panneau Dossiers ou dans la fenêtre des vignettes. Dans le menu contextuel, exécutez la commande Ajouter aux favoris. Vous pouvez également glisser-déposer un dossier dans la partie inférieure du panneau Favoris. Dès qu'un dossier se trouve dans les favoris, cliquez sur cet onglet pour y accéder directement.

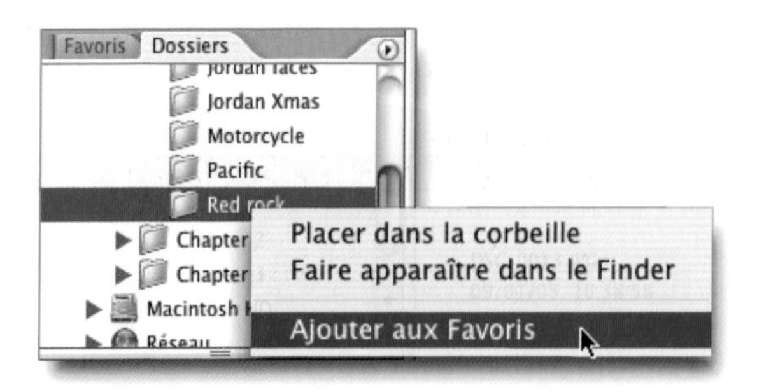

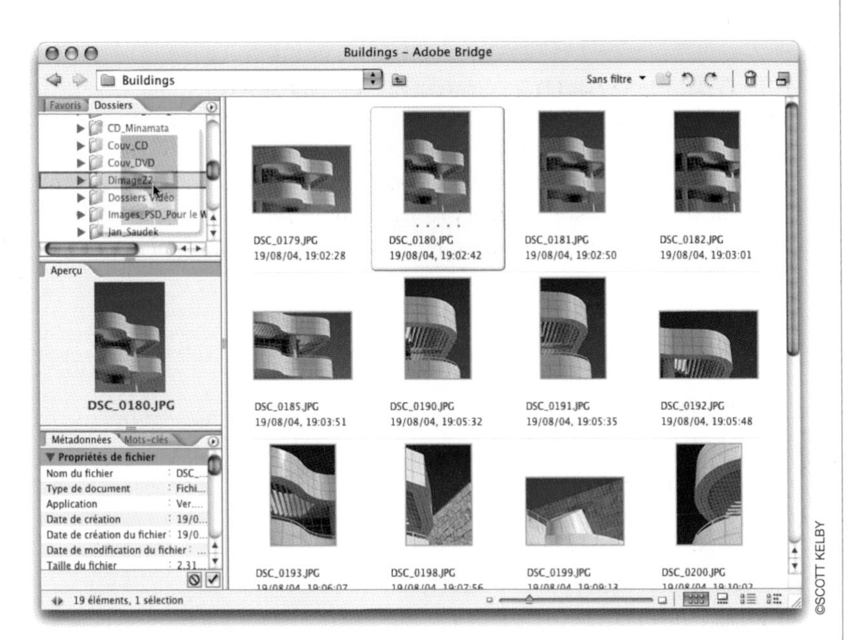

©SCOTT KELBY

Déplacement de la deuxième photo vers le dossier Dimage Z2.

Déplacer des photos de dossier en dossier

Adobe Bridge permet de déplacer vos photos d'un dossier vers un autre. Il suffit de glisser-déposer les vignettes de vos photos jusqu'au dossier de destination affiché dans le panneau Dossiers. La photo en question quitte le dossier sélectionné et prend place dans celui où vous la déposez.

Astuce : Si vous maintenez la touche Option (Alt) enfoncée pendant le déplacement, vous effectuez une copie de la photo.

L'espace de travail idéal pour naviguer

Il existe quatre espaces prédéfinis. Chacun est destiné à l'accomplissement de certaines tâches. Pour rechercher des photos, utilisez l'espace de travail Explorateur de fichiers. Vous l'invoquez dans Adobe Bridge à l'aide de la commande Fenêtre > Espace de travail > Explorateur de fichiers. Une autre méthode consiste à appuyer sur Cmd+F3 (Ctrl+F3). Avec cet espace, seules les palettes Favoris et Dossiers sont visibles sur le côté gauche du Bridge, ce qui facilite la navigation et la sauvegarde des dossiers en tant que favoris.

L'espace de travail Boîte à lumière

L'espace de travail Boîte à lumière masque tous les panneaux du côté gauche, agrandissant ainsi la zone d'affichage des vignettes du dossier sélectionné. Cette disposition est idéale pour le tri des photos et pour choisir celles à conserver ou à supprimer. Activez cet espace de travail à l'aide de la commande Fenêtre > Espace de travail > Boîte à lumière, ou en appuyant sur Cmd+F2 (Ctrl+F2).

Astuce : Pour masquer rapidement les panneaux du côté gauche, cliquez sur la double flèche située dans le coin inférieur droit du Bridge.

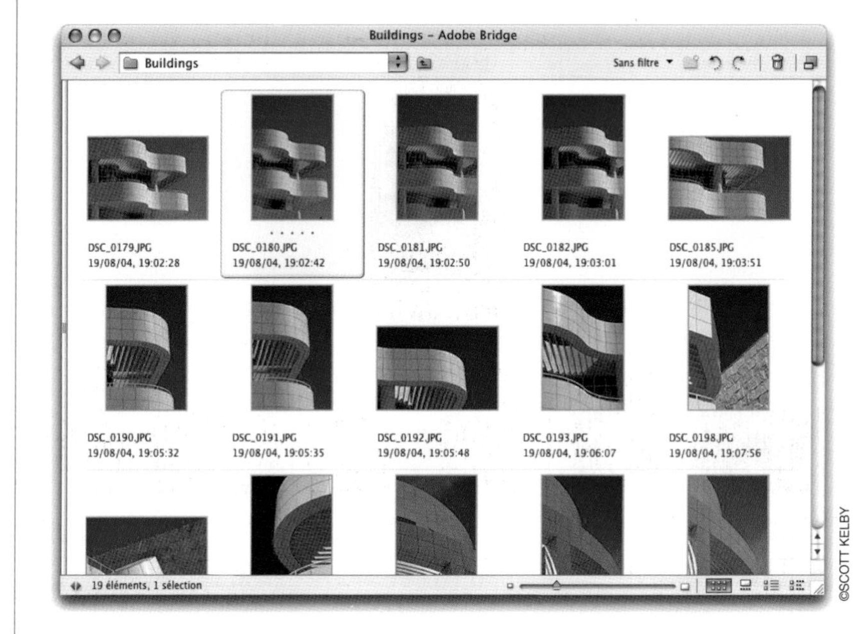

L'espace de travail Métadonnées

L'espace de travail Métadonnées met en avant le panneau Métadonnées, réduisant *de facto* la zone d'affichage des vignettes. (L'intérêt ici est d'afficher et de modifier les métadonnées intégrées à vos images et/ou d'ajouter des mots clés pour en faciliter la recherche.) Affichez cet espace au moyen de la commande Fenêtre > Espace de travail > Métadonnées, ou appuyez sur Cmd+F4 (Ctrl+F4).

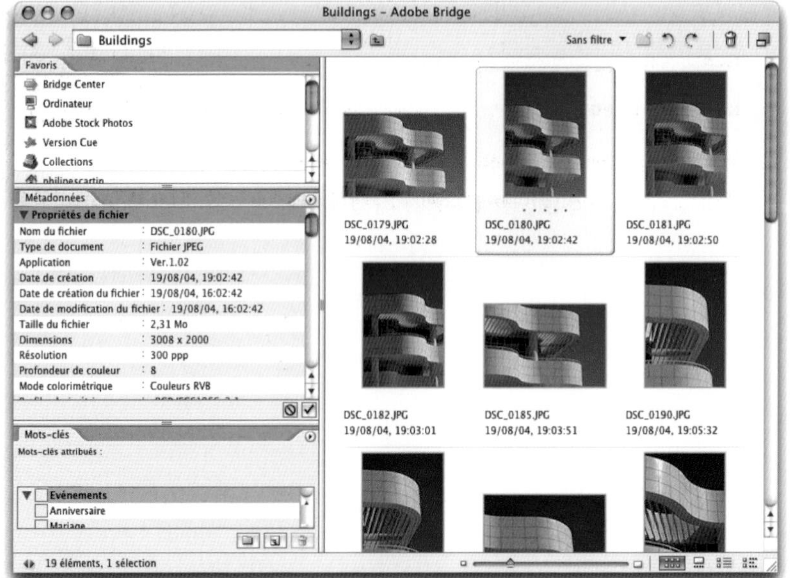

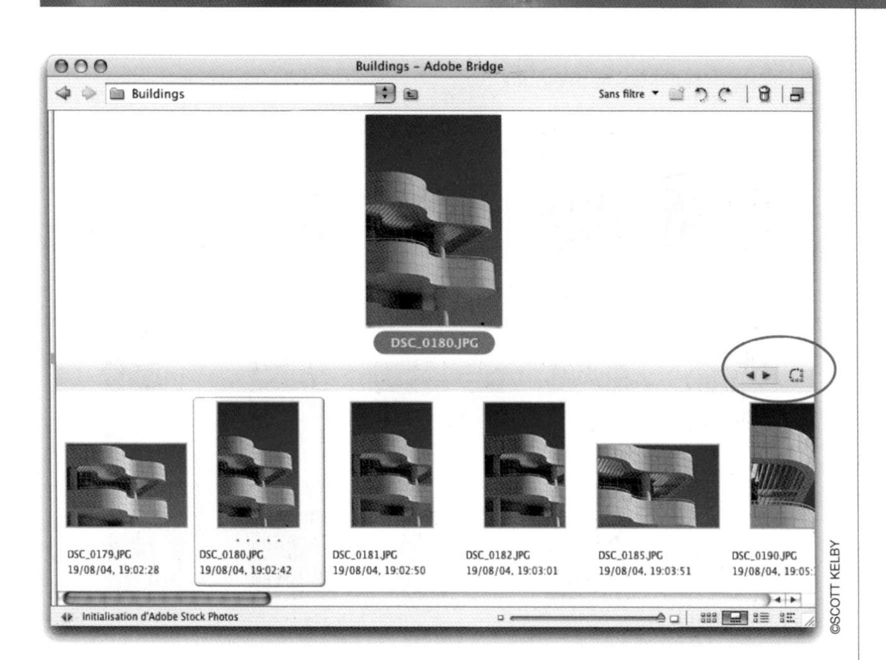

©SCOTT KELBY

L'espace de travail Film fixe

L'espace de travail Film fixe est destiné à l'affichage des photos. Il correspond à la fonction Pellicule de Windows XP. Les vignettes s'affichent dans la partie inférieure, et un aperçu est disponible dans la partie supérieure. Si vous préférez afficher les vignettes sur le côté droit, c'est-à-dire verticalement, cliquez sur l'icône située dans le coin inférieur droit de l'aperçu. Déplacez-vous de vignette en vignette en cliquant sur les flèches gauche/droite situées dans le coin inférieur droit de l'aperçu. Affichez cet espace de travail à l'aide de la commande Fenêtre > Espace de travail > Film fixe, ou en appuyant sur Cmd+F5 (Ctrl+F5).

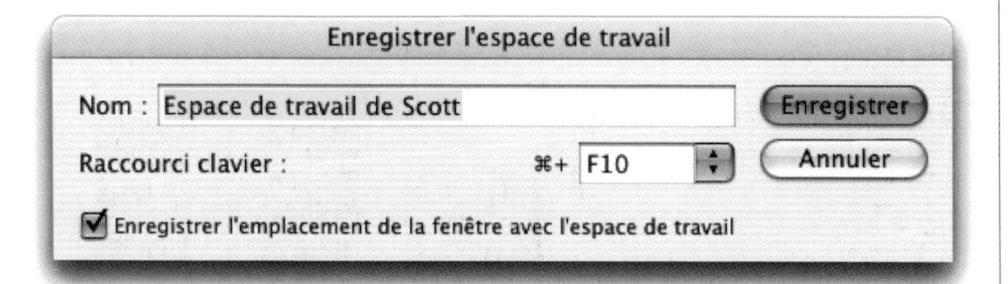

Espace de travail personnalisé

Malgré les quatre espaces de travail prédéfinis, Adobe laisse à l'utilisateur la possibilité de créer l'espace qui répond à ses besoins. D'abord, vous pouvez afficher l'espace par défaut en appuyant sur Cmd+F1 (Ctrl+F1). Pour créer votre espace, commencez par organiser vos panneaux dans la zone gauche. Il suffit soit de déplacer les palettes par leur onglet, soit d'agir sur les séparateurs, et de définir la taille des vignettes. Lorsque l'espace a l'aspect recherché, cliquez sur Fenêtre > Espace de travail > Enregistrer l'espace de travail. Dans la boîte de dialogue qui apparaît, donnez un nom à l'espace, et attribuez-lui une touche de fonction comme raccourci clavier. Cliquez sur le bouton Enregistrer. Désormais cet espace apparaît dans la liste du sous-menu Espace de travail.

Réduire la taille du Bridge

La taille du Bridge se réduit simplement : cliquez sur l'icône Passer en mode réduit, située dans le coin supérieur gauche de la fenêtre. Seules les vignettes sont visibles. L'avantage de cette réduction est que le Bridge devient une application qui s'affiche au premier plan. Ainsi, dans tous les programmes de la Suite Créative, le Bridge apparaît comme une sorte de palette flottante. Pour annuler cet affichage, désactivez l'option Fenêtre réduite toujours visible dans le menu local d'Adobe Bridge.

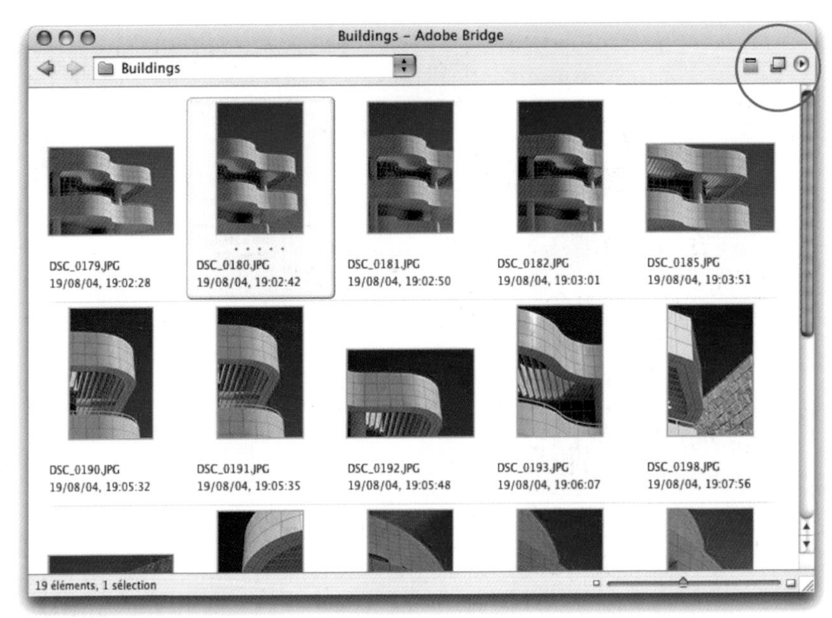

Un Bridge encore plus compact

Vous pouvez afficher un Bridge plus compact en cliquant sur l'icône Passer en mode ultraréduit, située dans le coin supérieur droit de la fenêtre. Cette fois, même les vignettes disparaissent. Il ne reste plus qu'une liste de navigation, les icônes de changement de mode et une flèche d'ouverture du menu local du Bridge. Ce mode est idéal pour ceux qui souhaitent masquer temporairement le Bridge sans le fermer ou en réduire la taille.

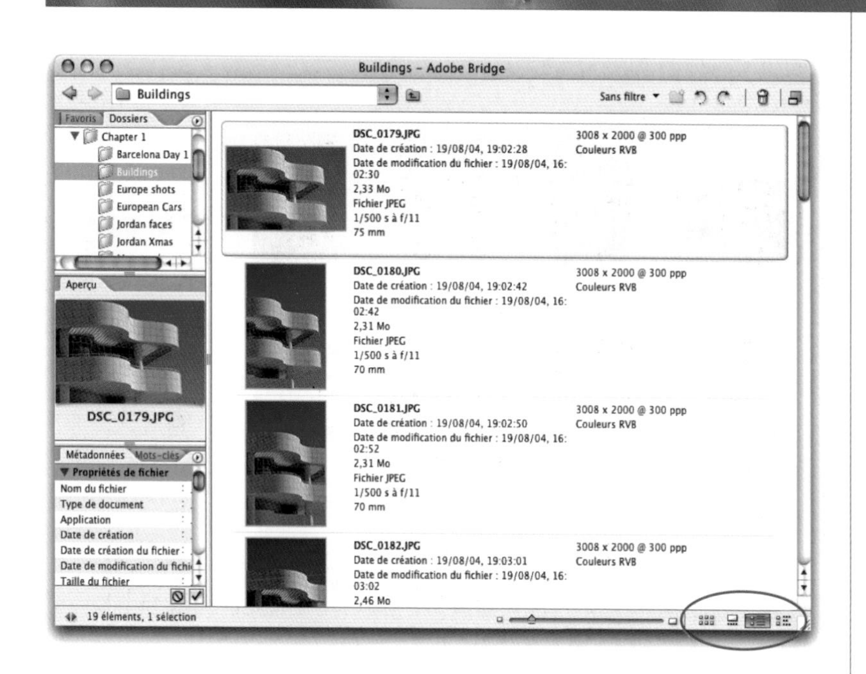

Autres options d'affichage

D'autres options d'affichage sont très utiles. Par exemple, un mode affiche les vignettes et les métadonnées EXIF. Vous y accédez par le menu Affichage > Détails d'Adobe Bridge.

Astuce : Pour ne modifier que l'affichage des vignettes, utilisez les quatre icônes situées en bas à droite de la fenêtre. La première (à partir de la gauche) bascule en mode Boîte à lumière, la deuxième en Film fixe, la troisième en détail, et la quatrième alterne entre les modes Versions et Variante. (Cette dernière fonctionne conjointement avec Version Cue d'Adobe, un utilitaire de la Suite Créative destiné au travail en réseau et au suivi des multiples versions d'un même fichier.)

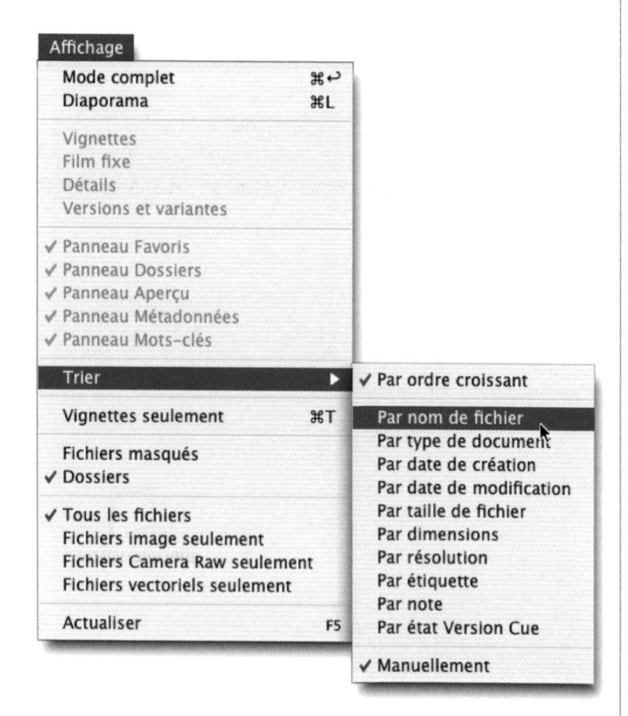

Trier par noms de fichiers, etc.

Adobe Bridge dispose de plusieurs options de tri disponibles dans les menus Affichage et Trier. Vous choisissez alors un tri par ordre alphabétique, par types de fichiers, par tailles de documents, etc. Dès que vous activez une option de la liste, les vignettes sont triées en conséquence.

Personnalisation d'Adobe Bridge

Adobe Bridge peut être personnalisé pour revêtir un aspect qui vous convient mieux. Vous disposez également d'un contrôle sur les informations affichées. Voici comment asservir Adobe Bridge à vos besoins.

Définir l'arrière-plan

Vous avez le choix entre trois arrière-plans : noir, blanc et des nuances de gris. Pour en sélectionner un, ouvrez le menu Bridge (Mac) ou Edition (PC) et cliquez sur Préférences. La section Général de la boîte de dialogue affiche un curseur Arrière-plan dans la rubrique Vignettes. Faites-le glisser jusqu'à ce que l'arrière-plan vous convienne (j'ai choisi un gris moyen). Validez par un clic sur OK.

Choisir les infos

Par défaut, le nom de chaque fichier est inscrit sous les vignettes. Il est possible de l'enrichir de trois lignes supplémentaires d'informations : les métadonnées EXIF de votre appareil photo numérique, ainsi que les métadonnées ajoutées par Photoshop ou dans le Bridge. Commencez par appuyer sur Cmd+K (Ctrl+K) pour ouvrir les Préférences. Dans la section Métadonnées, activez toutes les informations à ajouter, puis sélectionnez une catégorie dans les listes adjacentes.

Astuce : Vous pouvez également masquer les informations affichées sous les vignettes. Appuyez sur Cmd+T (Ctrl+T). Ce raccourci est rapide et pratique. Cela laisse toute la place aux vignettes, car les lignes d'informations encombrent la zone d'affichage. Dans un même espace, vous voyez ainsi davantage de vignettes.

Ajouter des palettes

Le Bridge est conçu pour trois panneaux, mais peut-être avez-vous besoin d'afficher le contenu d'autres palettes. Pour cela, choisissez-les dans le menu Affichage. Ensuite, cliquez sur l'onglet du panneau et faites-le glisser lentement vers le haut (ou le bas s'il est déjà en haut de la zone Panneaux) jusqu'à ce qu'une fine barre apparaisse entre les deux palettes visibles. Lorsque vous relâchez le bouton de la souris, une nouvelle section de palette apparaît. Il est ainsi possible d'afficher simultanément le contenu de cinq panneaux.

Agrandissement de l'aperçu

Le panneau Aperçu affiche une version plus grande de la vignette sélectionnée dans la fenêtre principale. Plusieurs méthodes permettent de transformer l'aperçu du Bridge en un outil plus performant.

Agrandissez : double-cliquez

Dans l'espace de travail par défaut, le panneau Aperçu se situe au centre de la zone des panneaux. Il est si petit que vous vous demandez à quoi il peut bien servir. Vous pouvez facilement l'agrandir en double-cliquant sur l'onglet du panneau Dossiers (ou Favoris). Cette action réduit le contenu de ce panneau, libérant de l'espace pour l'Aperçu. Pour profiter d'un aperçu encore plus grand, double-cliquez sur l'onglet du panneau Métadonnées (ou Mots-clés). Cela marche très bien avec les photos en mode portrait. En revanche, pour les clichés en mode paysage, vous devez élargir l'aperçu. Cliquez sur le séparateur qui délimite la zone des palettes et celle des vignettes et, sans relâcher le bouton de la souris, tirez cette barre verticale vers la droite.

Note : Pour afficher le contenu d'une palette réduite, double-cliquez sur son onglet.

Taille de l'aperçu par défaut.

Réduction des palettes Favoris et Dossiers.

Seul le panneau Aperçu est visible.

Un aperçu élargi pour un meilleur affichage d'une photo en mode paysage.

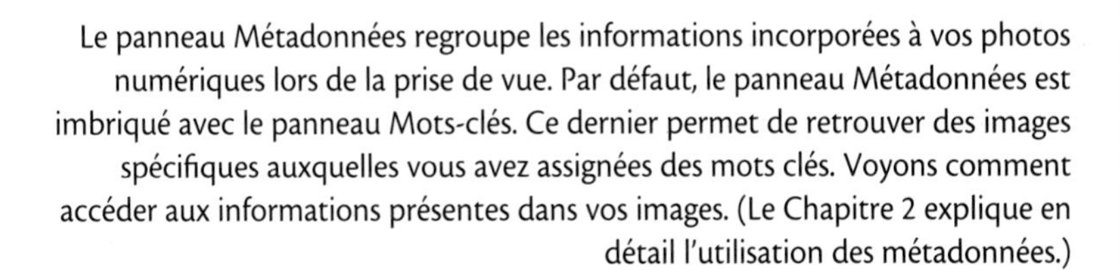

Les métadonnées de vos photos

Le panneau Métadonnées regroupe les informations incorporées à vos photos numériques lors de la prise de vue. Par défaut, le panneau Métadonnées est imbriqué avec le panneau Mots-clés. Ce dernier permet de retrouver des images spécifiques auxquelles vous avez assignées des mots clés. Voyons comment accéder aux informations présentes dans vos images. (Le Chapitre 2 explique en détail l'utilisation des métadonnées.)

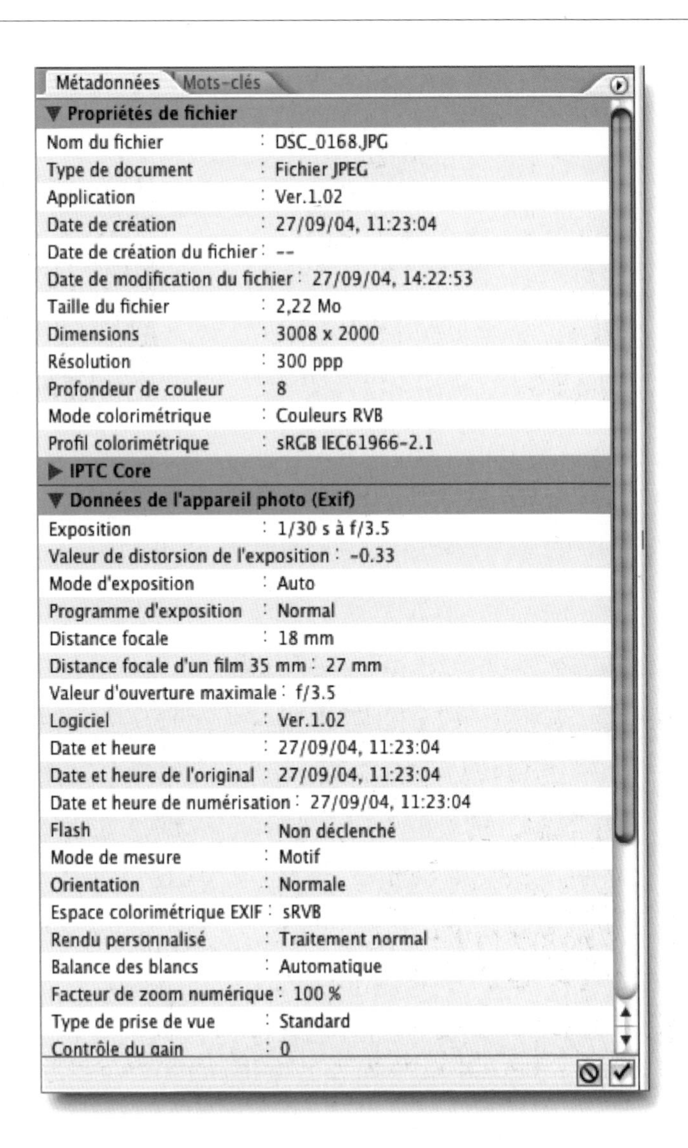

Infos incorporées à vos photos

Lorsque vous prenez des clichés avec votre appareil photo numérique, de nombreuses informations sont incorporées aux fichiers produits : la marque et le modèle de l'appareil, les réglages d'exposition, d'obturation, etc. (ces informations sont appelées *données EXIF*). Lorsque vous ouvrez ces photos dans Photoshop, ces informations s'affichent dans le panneau Métadonnées. Dans la section Propriétés de fichier, vous découvrez les informations incorporées par Photoshop. En dessous, IPTC Core permet d'ajouter vos propres métadonnées (comme le nom de l'auteur, le copyright, etc.), chose que nous verrons en détail au Chapitre 2. La catégorie Données de l'appareil photo (EXIF) affiche les informations intégrées par l'appareil au moment de la prise de vue.

Ajout de mots clés

Par défaut, le panneau Métadonnées est imbriqué avec le panneau Mots-clés. Les mots clés sont importants. Vous les assignez à des images pour retrouver plus facilement celles-ci ultérieurement avec la fonction de recherche d'Adobe Bridge. Par exemple, si vous photographiez des fleurs, vous pouvez ajouter le mot clé « lilas » à toutes les photos de lilas. Pour afficher uniquement ces photos, il suffira de saisir le mot « lilas » dans la boîte de dialogue Rechercher.

Etape 1

Choisissez un espace de travail qui affiche le panneau Mots-clés. Je conseille d'ouvrir le menu Fenêtre > Espace de travail, puis de choisir Rétablir l'espace de travail par défaut. (Vous pourriez également choisir l'espace de travail Explorateur de fichiers.) Dans le volet gauche d'Adobe Bridge, cliquez sur l'onglet Mots-clés.

Etape 2

Dans cette palette, vous constatez la présence de catégories. (Par exemple, la catégorie Evénements contient les rubriques Anniversaire, Remise de diplômes et Mariage.) Si vous avez stocké des photos de l'anniversaire de vos enfants, inutile de créer le mot clé « Anniversaire » puisque cette rubrique existe déjà. Il existe aussi une catégorie Personnes qui contient les prénoms Jean et Michel. Sont-ce les prénoms de vos enfants ? J'en doute, ou alors vous êtes vraiment chanceux.

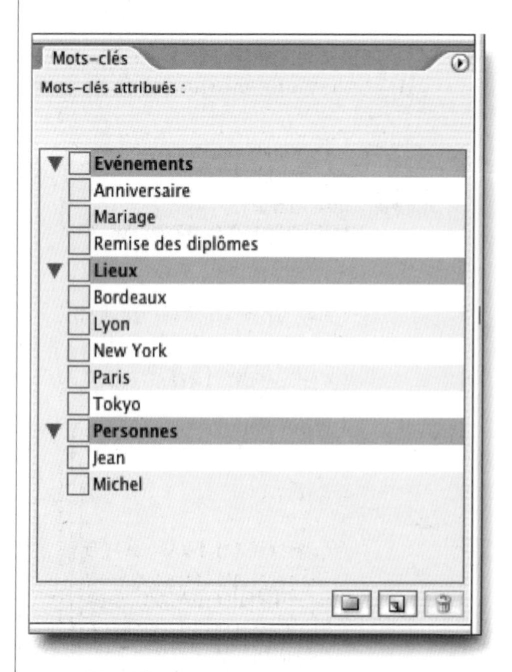

Etape 3

Admettons que votre fils soit prénommé Michel, et que des photos de ce charmant bambin soient affichées dans le Bridge. Pour baliser ces images avec le mot clé « Michel », maintenez la touche Cmd (Ctrl) enfoncée et cliquez sur toutes les photos de Michel. Ensuite, cochez la case située à gauche du mot clé « Michel ». Une boîte de dialogue apparaît. Elle vous indique que l'opération souhaitée est irréversible. Prenez ce risque en cliquant sur Oui. Les photos se voient assigner le mot clé correspondant. Mince ! Votre enfant ne s'appelle pas Michel !

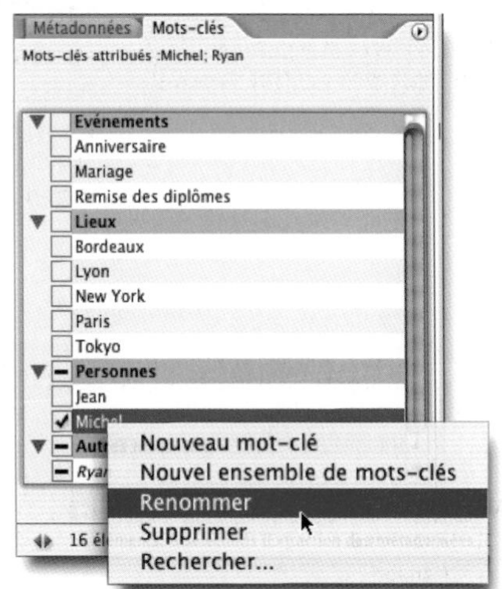

Etape 4

Que faire ? Eh oui, cette fonction n'est destinée qu'aux personnes dont les enfants se prénomment Jean et Michel ! Mais non, voyons, je plaisante ! Ouvrez le panneau Mots-clés et faites un Ctrl+clic (clic droit) directement sur le nom Michel. Dans le menu contextuel, choisissez Renommer. Validez le message d'avertissement par un clic sur OK, et saisissez le prénom voulu. Entérinez la modification en appuyant sur Retour (Entrée).

Note : Vous devez cocher le mot clé redéfini pour l'assigner aux photos sélectionnées.

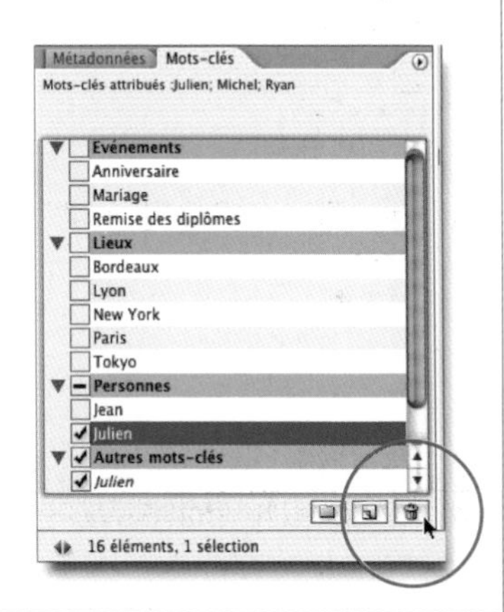

Etape 5

Une fois que tous les mots clés nécessaires à l'identification de vos photos ont été ajoutés, le plus gros du travail est fait. Utilisez ces mots clés pour retrouver vos clichés. Si vous voulez supprimer les catégories par défaut d'Adobe, sélectionnez-les puis cliquez sur l'icône de la poubelle située dans le coin inférieur droit du panneau. Procédez de même pour les mots clés individuels.

Etape 6

Mettez en œuvre vos mots clés. Cliquez sur un dossier contenant des photos, et appuyez sur Cmd+F (Ctrl+F) pour ouvrir la boîte de dialogue Rechercher du Bridge. Dans la liste Critères, choisissez Mots-clés. Si vous ne spécifiez pas de critère, Adobe Bridge effectue sa recherche sur un nom de fichier aussi descriptif que DCS_0434.NEF.

Etape 7

Dans la deuxième liste, choisissez « contient ». Enfin, dans le champ situé juste à droite, saisissez le mot-clé. Cliquez sur le bouton Rechercher. Au bout de quelques secondes, seules les photos balisées avec ce mot clé s'affichent dans la fenêtre des vignettes. (En réalité, elles s'ouvrent dans une fenêtre séparée. Toutefois, pour contraindre leur affichage dans le Bridge, décochez l'option Afficher les résultats dans une nouvelle fenêtre.) Dans cet atelier, nous avons recherché une photo dans un dossier spécifique. Rien ne vous empêche d'effectuer la recherche à la racine d'un disque dur, ou d'un répertoire contenant d'autres dossiers. Dans la boîte de dialogue Rechercher, cliquez sur le bouton Parcourir pour naviguer jusqu'au dossier dans lequel vous voulez lancer votre recherche.

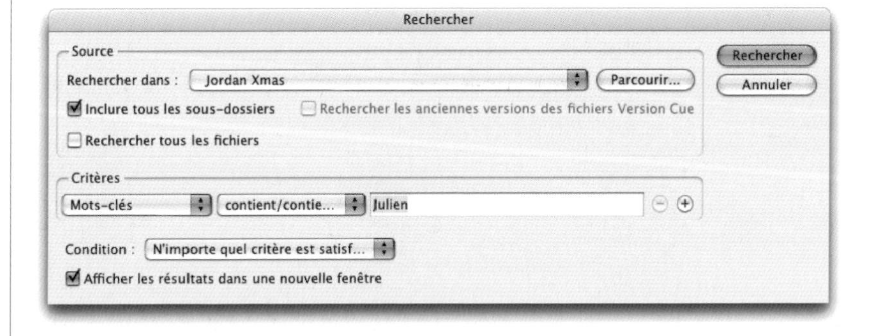

Note :

N'oubliez pas de cocher Inclure tous les sous-dossiers pour que la recherche s'effectue dans tous les dossiers du répertoire ciblé.

©SCOTT KELBY

Etape 8

Maintenant que toutes les vignettes sont là qu'allez-vous faire ? Eh bien modifier les images, trier les vignettes, etc. Pour éviter de lancer cette même recherche pour afficher l'ensemble de ces photos, peut-être serait-il judicieux de créer une « collection ». Pour cela, cliquez simplement sur le bouton Enregistrer comme collection. Dans la boîte de dialogue qui apparaît, nommez la collection, puis cliquez sur Enregistrer. L'affichage de la collection se fera par un clic sur l'icône Collections du panneau Favoris. Le nom et la date de création de cette collection seront affichés avec son icône.

Note : Les collections sont mises à jour en temps réel. Cela signifie que lorsque vous assignez un critère à une image qui correspond au critère de la collection elle-même, cette image y est automatiquement ajoutée.

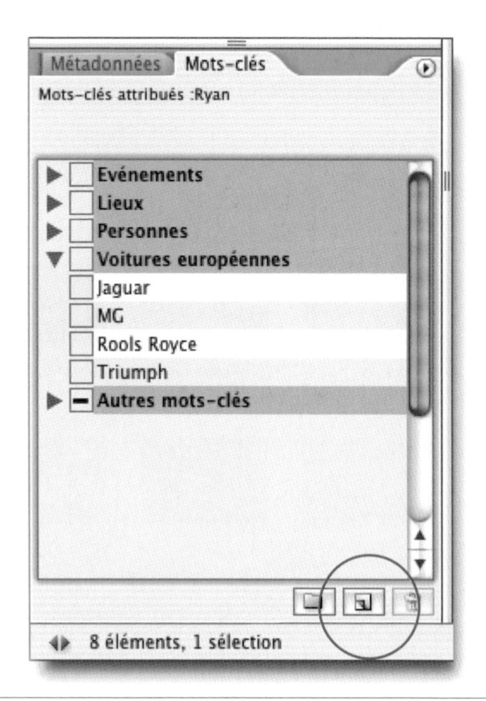

Etape 9

Maintenant que vous savez utiliser (et renommer) les jeux de mots clés par défaut, vous n'aurez pas de mal à comprendre la création de jeux personnalisés. Cliquez sur l'icône Nouvel ensemble de mots-clés du panneau Mots-clés. La rubrique ainsi créée apparaît en surbrillance dans le panneau. Nommez la catégorie (ici « Voitures européennes »), et appuyez sur Retour (Entrée). Ensuite, cliquez sur cette rubrique, puis sur l'icône Nouveau mot-clé. Vous allez ajouter des catégories de mots clés. Nommez ces mots clés comme vous avez nommé les rubriques. Pour ajouter d'autres mots clés, commencez toujours par cliquer sur la rubrique, puis sur l'icône Nouveau mot-clé.

Modification d'un nom individuel

Si vous n'avez qu'une photo à renommer, c'est très simple. Pour modifier d'un seul coup le nom de toute une série d'images, il existe une autre méthode que nous verrons au Chapitre 2. Pour l'instant, voyons comment modifier le nom d'une vignette.

Etape 1

Si un nom du style DSC_1053.jpg ne vous inspire pas, vous pouvez le remplacer par un nom plus évocateur. Dans le Bridge, sélectionnez une vignette et cliquez sur son nom. Elle passe en surbrillance.

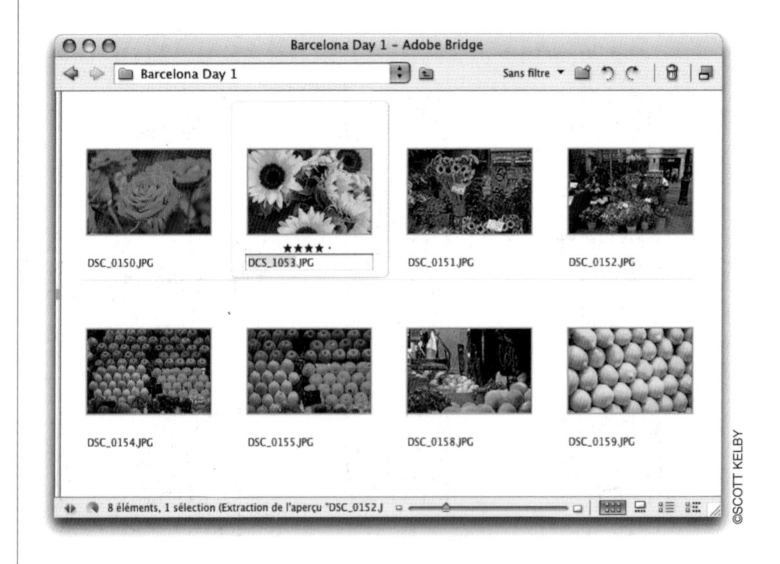

Etape 2

Tapez un autre nom, puis appuyez sur Retour (Entrée). La vignette porte désormais le nouveau nom, plus descriptif. J'ai ainsi remplacé « DSC_1053. jpg » par « Barcelona Daisies.jpg ».

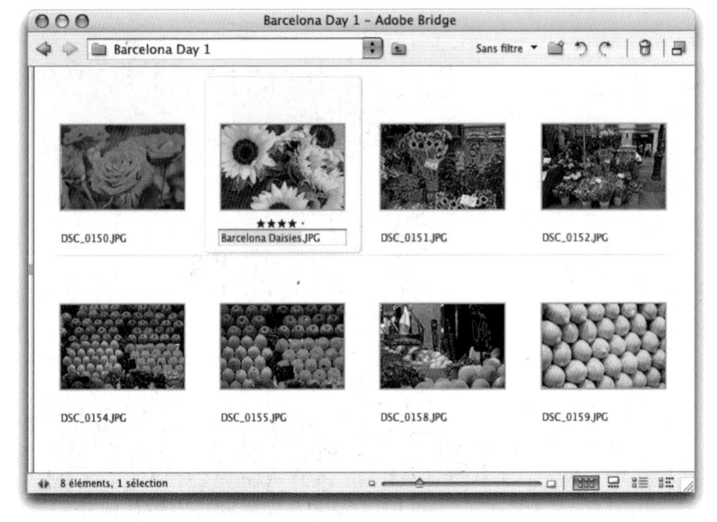

Rotation des images

La rotation de photos dans Adobe Bridge s'effectue par un simple clic sur un bouton. Sachez toutefois que la rotation ne s'applique qu'à la miniature. Cette fonction est particulièrement utile dans le cas de photos en orientation portrait, qui apparaissent « couchées » dans le Bridge ; il faut les faire pivoter pour les remettre dans le bon sens. Une autre commande permet de faire pivoter l'image en plus de la miniature. Voyons ces deux techniques.

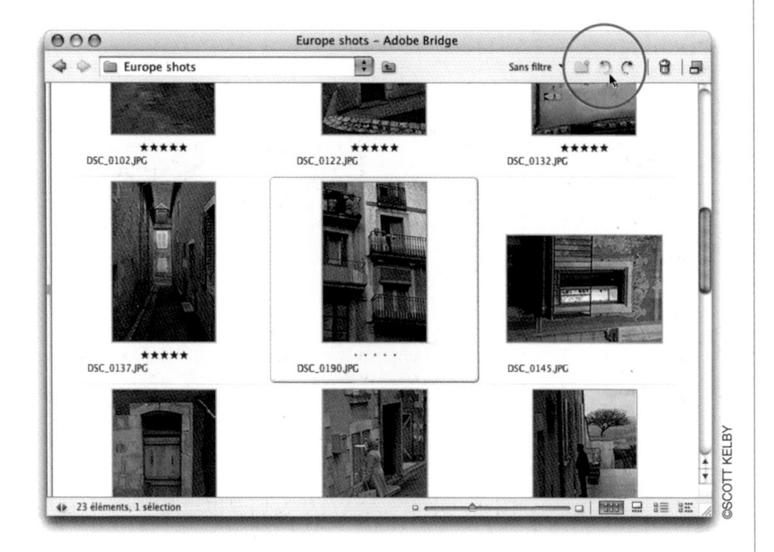

©SCOTT KELBY

Rotation des vignettes

La rotation d'une vignette est un jeu d'enfant : sélectionnez la vignette et cliquez sur l'un des deux boutons de rotation (encerclés de rouge ci-contre) dans le coin supérieur droit du Bridge. Le bouton de droite imprime une rotation dans le sens horaire, et le bouton de gauche dans le sens antihoraire. Vous disposez aussi des raccourcis Cmd+U (Ctrl+U) pour une rotation horaire et Cmd+Maj+U (Ctrl+Maj+U) pour une rotation antihoraire.

Rotation des photos

Je vous rappelle que la rotation ne s'applique qu'à la miniature tant que vous n'ouvrez pas la photo dans Photoshop (vérifiez sur votre disque dur : la photo n'a pas changé d'orientation). Pour faire pivoter une photo sans l'ouvrir, double-cliquez dessus dans le Bridge. Elle s'affiche dans Photoshop avec la rotation appliquée. Il suffit de cliquer sur Fichier > Enregistrer pour que cette rotation soit permanente.

Tri et classement des images

Nous arrivons enfin à la partie la plus distrayante : le tri et le classement des photos. Le tri dans Photoshop 7 était un peu complexe. Il fallait attribuer un rang à chaque photo, sans garantie de voir les photos s'afficher dans un ordre précis. La fonction est plus conviviale dans Photoshop CS, mais elle repose toujours sur un concept de fichiers marqués. Dans CS2, Adobe a mis en place un savant mélange des meilleures fonctionnalités de Photoshop 7 et CS.

Technique n° 1 : **Glisser-déposer**

En photo, le tri se résume souvent à différencier les clichés que l'on juge bons de ceux que l'on juge mauvais. En règle générale, les utilisateurs souhaitent afficher les bonnes photos en premier dans le Bridge. Les mauvaises apparaissant en queue de peloton. Vous pouvez procéder manuellement à cette organisation, par simple glisser-déposer des vignettes. Par exemple, si vous voulez qu'une vignette de deuxième rangée apparaisse sur la première, cliquez dessus et faites-la glisser vers la rangée supérieure. Une barre verticale permet de visualiser l'emplacement final de la vignette. Ce type de tri est possible lorsque vous gérez un nombre limité de photographies (pas plus de 24). En revanche, lorsque vous devez trier les 1 Go de photos d'une carte mémoire, la tâche est fastidieuse.

©SCOTT KELBY

Technique n° 2 : **Classement avec des étoiles**

Lorsque vous triez une grande quantité de photos, il est préférable de les marquer plutôt que de les déplacer manuellement. Pour effectuer un classement qualitatif des images, cliquez sur la photo concernée. Cinq petits points s'affichent sous la vignette. Cliquez sur un des points sans relâcher le bouton de la souris. Une étoile apparaît. Faites glisser le pointeur vers la droite jusqu'à ce que cinq petites étoiles s'affichent. Vous venez de classer une image. Il est également possible d'assigner plusieurs étoiles en cliquant directement sur la plus élevée, par exemple la cinquième. Ce classement peut se faire avec les raccourcis clavier suivants : Cmd+5 (Ctrl+5), +4, +3, etc. Pour assigner le même nombre d'étoiles à plusieurs photos à la fois, sélectionnez-les, puis cliquez sur le nombre d'étoiles voulu de l'une d'elles. Toutes les photos auront un niveau de classement identique.

Note : Les fichiers sauvegardés en lecture seule ne peuvent pas être marqués.

©SCOTT KELBY

Utiliser cette classification

Une fois que les photos ont été marquées avec des étoiles, vous pouvez les trier. Par exemple, pour afficher uniquement vos meilleurs clichés, cliquez sur les mots « Sans filtre » dans le coin supérieur droit de la fenêtre des vignettes. Dans la liste qui apparaît, choisissez Eléments avec 5 étoiles, ce qui a pour effet de limiter l'affichage aux vignettes disposant de cinq étoiles. Vous pouvez procéder avec les raccourcis clavier Option+5 (Ctrl+Alt+5), +4, +3, etc. selon les photos que vous voulez consulter.

Technique n° 3 : **Etiqueter les photos**

Supposons que parmi les dernières photos importées dans le Bridge, vous en ayez classé 37 avec cinq étoiles. Mais parmi celles-ci, n'y en a-t-il pas qui soient meilleures que d'autres ? Comment effectuer un classement dans un classement ? En assignant des étiquettes de couleur. Ainsi, les meilleures photos seront identifiées par cinq étoiles rouges.

Etape 1

Pour ajouter des étiquettes, faites un Ctrl+clic (clic droit) sur vos photos sélectionnées. Dans le menu contextuel, ouvrez le sous-menu Etiquette. Les couleurs proposées sont Rouge, Jaune, Vert, Bleu et Violette. Chacune de ces étiquettes a un équivalent clavier (Cmd/Ctrl+6, +7, etc.) à l'exception de Violette (sans doute la couleur de la honte que vous n'utiliserez que pour les pires photographies).

Etape 2

Une fois que les photos sont filtrées (donc seules celles possédant cinq étoiles sont présentes dans la fenêtre), cliquez sur l'option Avec filtre (qui remplace Sans filtre). Cette fois, choisissez Etiquette rouge. Seules les vignettes disposant de cinq étoiles et d'une étiquette rouge apparaissent.

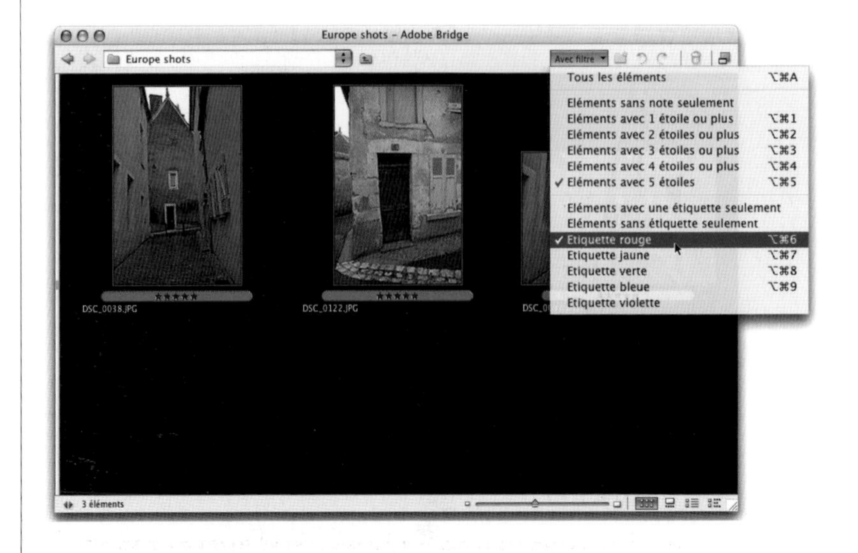

J'ai fait passer le niveau de classement de cinq à quatre étoiles.

Un classement paresseux

Il n'est pas rare que le classement d'une photo vous paraisse inapproprié. Pour augmenter le niveau de classement d'une image, sélectionnez-la, et appuyez sur Cmd+Maj+E (Ctrl+Maj+E). En revanche, si vous pensez qu'une ou plusieurs photos ne feront jamais la couverture d'un magasine national, diminuez leur niveau de classement en appuyant sur Cmd+E (Ctrl+E).

Note : Le titre « Un classement paresseux » tient au fait qu'Adobe Bridge est assez lent pour actualiser les modifications d'une classification.

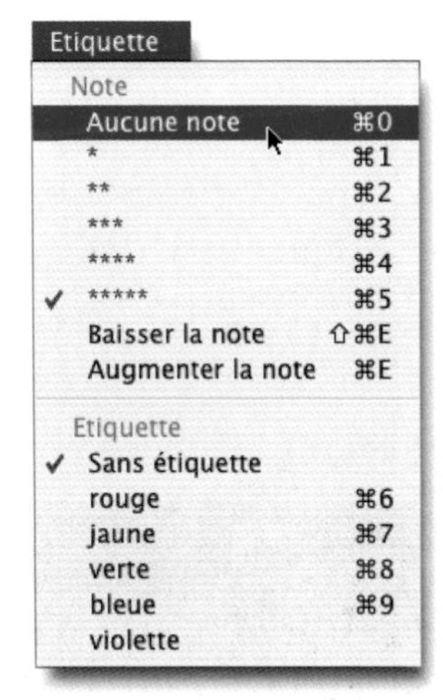

Supprimer un classement

Pour supprimer le classement d'une photo, cliquez sur sa vignette et appuyez sur Cmd+0 (zéro) [Ctrl+0]. Cette opération ne supprimera pas l'étiquette. Pour cela, vous devez faire un Cmd+clic (clic droit) sur l'image et choisir Sans étiquette dans le menu contextuel.

Astuce : Bien que vous ne puissiez pas changer les couleurs des étiquettes, vous pouvez modifier leur nom dans la boîte de dialogue Préférences. Sur Mac, vous y accédez par le menu Bridge ; sur PC par le menu Edition. Dans les catégories listées sur la gauche, choisissez Etiquettes. Dans les champs adéquats, saisissez les nouveaux noms.

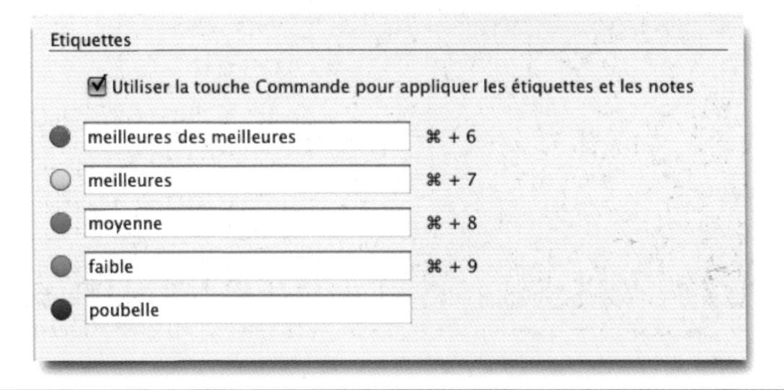

Inverser le classement

Vous constatez que l'ordre du classement va des meilleures photos aux plus mauvaises. Pour effectuer un classement inverse, ouvrez le menu Affichage. Déroulez le contenu du sous-menu Trier et sélectionnez Par note. Vos vignettes sont classées selon leur nombre d'étoiles. Par défaut les cinq étoiles sont placées en premier. Cela s'explique par le fait que l'option Par ordre croissant est active par défaut. Pour effectuer un tri en ordre décroissant, ouvrez de nouveau le sous-menu Trier et décochez cette option.

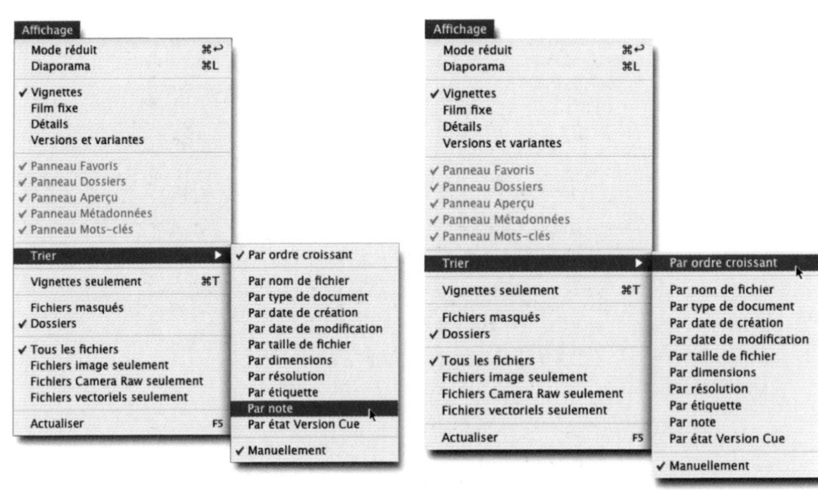

Effectuez un tri par note. *Désactivez l'option Par ordre croissant.*

Actualiser

Si vous insérez une carte mémoire ou un CD, ils s'affichent généralement dans le panneau Dossiers. Je dis « généralement », car si Adobe Bridge est ouvert quand vous insérez ces éléments, l'actualisation n'est pas automatique. Si le panneau Dossiers est affiché et que vous ne voyiez pas le contenu de la carte ou du CD, cliquez sur le menu local de cette palette et exécutez la commande Actualiser. Adobe Bridge actualise le contenu du panneau Dossiers.

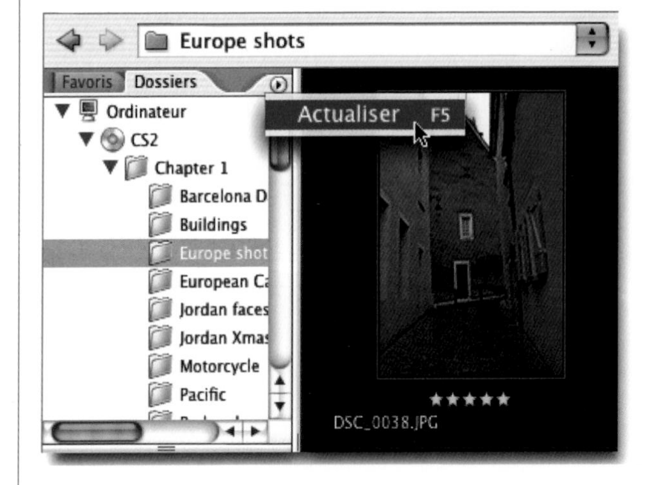

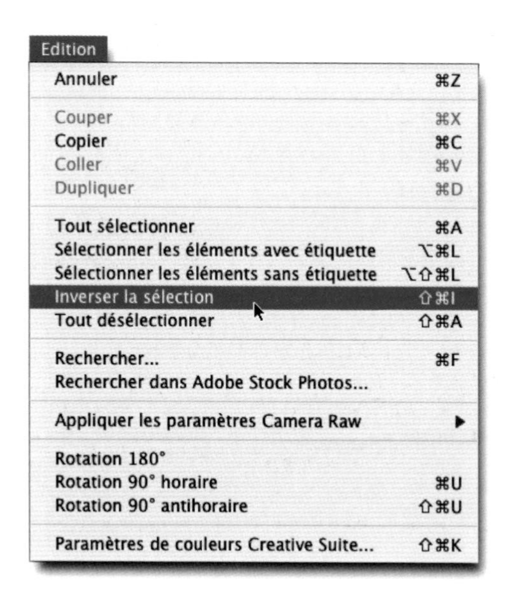

Autres astuces concernant les vignettes

Voici quelques astuces qui ne sont pas suffisamment importantes pour mériter un atelier, mais qui pourront vous servir.

Inverser la sélection des photos

Supposons que vous ayez sélectionné manuellement six photos, et que finalement vous vouliez sélectionner toutes les autres à l'exception de ces six-là. Il suffit d'invoquer la commande Inverser la sélection du menu Edition.

Dupliquer des fichiers

Vous souhaitez copier rapidement un fichier ? Cliquez sur sa vignette et appuyez sur Cmd+D (Ctrl+D). Une vignette de cette copie apparaît dans le Bridge à côté de l'originale. Le terme « copie » est ajouté à son nom. Pour dupliquer plusieurs fichiers, sélectionnez-les, puis exécutez ce même raccourci.

Ouvrir depuis le disque dur

Pour ouvrir une image dans Adobe Bridge depuis un dossier de votre disque dur, glissez-déposez le dossier dans le panneau Aperçu. Les photos de ce dossier s'ouvrent dans le Bridge.

Suppression dans Adobe Bridge

Si l'une des photos est si mauvaise qu'elle ne mérite même pas d'être conservée au dernier rang, il est préférable de la supprimer, ce qui évite d'encombrer inutilement le disque dur. Il existe plusieurs méthodes pour cela, toutes très simples.

Première option

Si vous avez gravé un CD de vos originaux sortis tout droit de l'appareil photo, vous disposez donc d'une sauvegarde de vos négatifs numériques, ce qui vous autorise à éliminer les images dont vous ne voulez pas. Il vous suffit de sélectionner la vignette de la photo indésirable dans Adobe Bridge et d'appuyer sur Cmd+ Suppr (Ctrl+Retour arrière). Un message demande confirmation de la suppression ; cliquez sur OK. Photoshop déplace le fichier depuis son dossier vers la Corbeille (où il restera jusqu'à ce que vous vidiez la Corbeille du système).

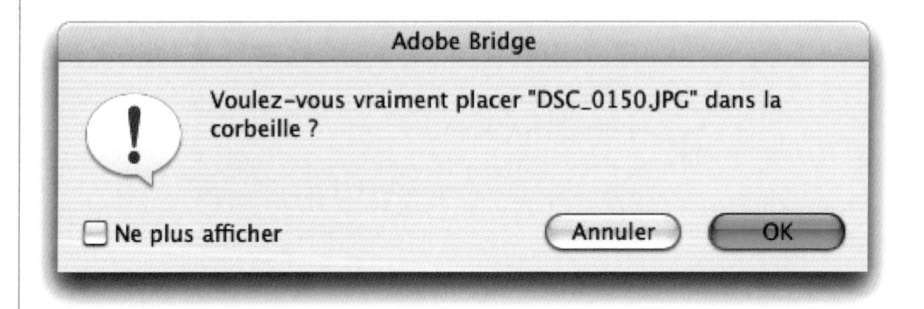

Deuxième option

Après avoir sélectionné au moins un fichier, cliquez sur le bouton de la Corbeille dans la barre d'outils d'Adobe Bridge.

Troisième option

Enfin, il reste la méthode élémentaire : sélectionnez la commande Placer dans la corbeille du menu Fichier d'Adobe Bridge (ou Envoyer à la corbeille sous Windows).

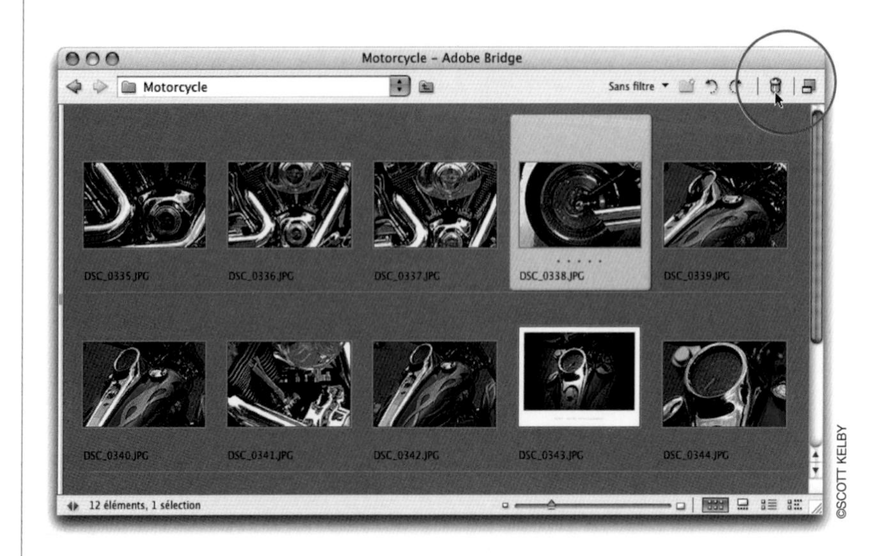

Photo de Scott Kelby

Exposition : 1/50 s | Focale : 300 mm | Ouverture : f/5.7

Les clés du pont

Adobe Bridge : techniques avancées

Je suis fier que vous en soyez arrivé là. Vous faites maintenant partie de l'élite, de ces personnes auxquelles je voue une certaine admiration pour ne pas dire une admiration certaine. Ce chapitre se consacre aux fonctions avancées d'Adobe Bridge dont les bases ont été étudiées au Chapitre 1. Etant donné que les bases, c'est-à-dire une certaine normalité des techniques, ne vous suffisent pas, vous voulez aller encore plus loin. Seul le dépassement des limites vous intéresse. Je sens qu'autour de vous les femmes vous admirent et les hommes vous envient.

Diaporamas en plein écran

L'une de mes fonctions préférées est la diffusion de mes photos sous forme d'un diaporama en plein écran. Sa lecture est automatique, en boucle, ou contrôlée manuellement. Le plus important est que vous pouvez modifier des photos sans l'interrompre. Seuls quelques effets de transition manquent à l'appel, mais ce n'est pas cela qui va gâcher notre plaisir.

Diaporama automatique

Tout en maintenant la touche Cmd (Ctrl) enfoncée, cliquez sur les photos à inclure dans le diaporama. Pour entrer dans le mode Diaporama, appuyez sur Cmd+L (Ctrl+L). La première photo de la sélection s'affiche en plein écran. Pour lancer la lecture du diaporama, appuyez sur la barre d'espacement. Pour quitter cette diffusion, appuyez sur Esc (Echap).

©SCOTT KELBY

Diaporama manuel

Il est possible de visionner les photos manuellement. Pour cela, au lieu de presser la barre d'espacement, utilisez les touches directionnelles du pavé de votre clavier. Pour passer à la diapo suivante, appuyez sur la flèche Droite (ou Bas) ; pour revenir à la précédente, appuyez sur la flèche Gauche (ou Haut). Pour parcourir les diapositives individuellement, cliquez sur l'écran avec le bouton de la souris.

Attention : Les raccourcis indiqués correspondent à un clavier QWERTY. Vous devez donc y substituer vous-même les touches correctes. Ainsi, A correspond à Q, et Z à W.

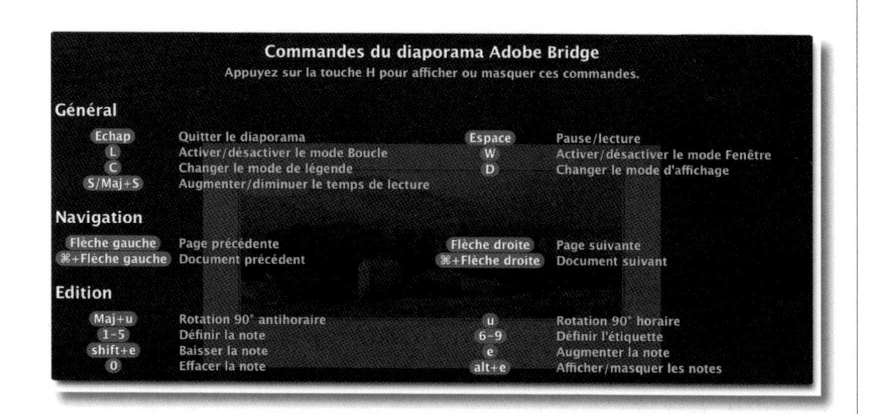

Commandes les plus importantes

En mode Diaporama, appuyez sur la touche H pour afficher un récapitulatif des raccourcis clavier permettant de contrôler sa diffusion. Testez la touche Z qui bascule le diaporama en plein écran en une magnifique petite diffusion dans une fenêtre flottante. Si vous utilisez des images haute résolution, appuyez une ou deux fois sur la touche D pour qu'elles s'affichent correctement en plein écran.

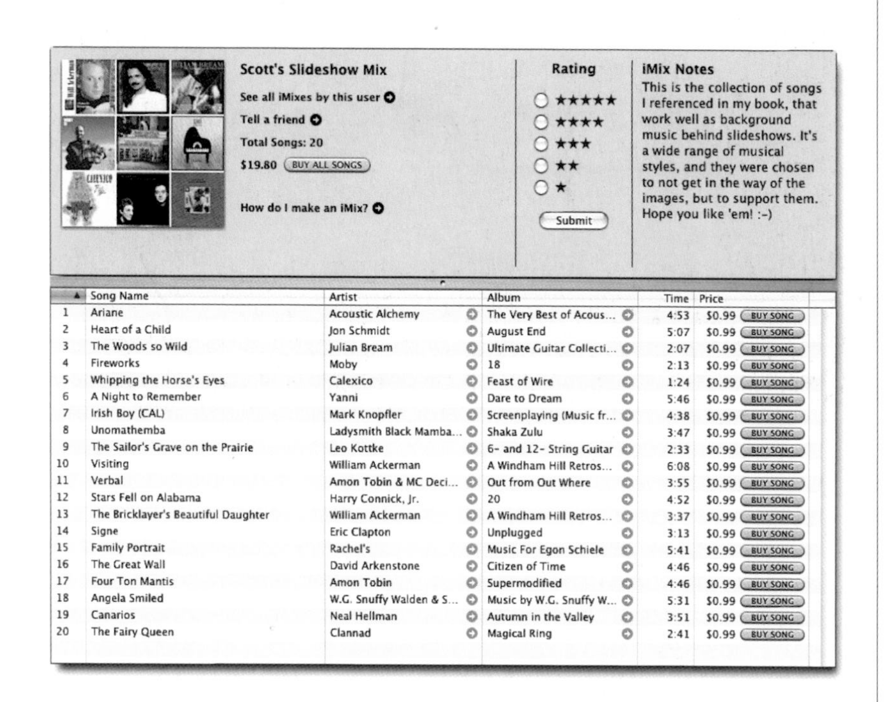

Ajouter un fond sonore

Je sais ce que vous pensez : « Quels progrès si Adobe Bridge permet en plus d'ajouter une musique au diaporama ! » Ce n'est pas aussi simple que cela. L'astuce consiste à ouvrir votre lecteur multimédia (par exemple iTunes) et à lancer la lecture d'une musique. Ensuite, vous créez votre diaporama avec Adobe Bridge, et vous l'exécutez. Le diaporama profite d'une illustration sonore. Si cela vous intéresse, et pour la modique somme de 0,99 $, vous pouvez télécharger le morceau « Scott's Slideshow Mix » en exécutant iTunes et en lançant une recherche sur cette musique. Je l'ai spécialement publiée pour vous permettre d'accompagner vos diaporamas.

Consultation et modification des métadonnées

Adobe Bridge de Photoshop CS2 offre un accès direct aux informations intégrées par l'appareil photo numérique et à celles ajoutées par Photoshop au moment de l'ouverture du fichier. Ces deux séries de données forment les métadonnées d'une photo. Voyons brièvement de quoi elles se composent, et surtout comment les modifier pour y intégrer des infos personnelles.

Palette Métadonnées

La palette située dans le coin inférieur gauche du Bridge affiche les métadonnées de la photo sélectionnée. Les deux séries de métadonnées qui vous intéressent probablement sont essentiellement les Propriétés de fichier (informations définies par Photoshop, décrivant le poids, la dernière date de modification, les dimensions de la photo, etc.) et les données de l'appareil photo, qu'on appelle données EXIF, regroupées sous le nom de Données de l'appareil photo (EXIF). EXIF signifie *Exchangeable Image File*. Ces données sont automatiquement incorporées à la photo au moment de la prise de vue. Elles indiquent notamment le nom du fabricant et le modèle de l'appareil photo, d'où provient l'image, le temps d'exposition, l'ouverture du diaphragme, le déclenchement éventuel du flash, la vitesse d'obturation, et j'en passe. Le troisième type de métadonnées est IPTC. Vous pouvez les modifier, donc incorporer des informations personnelles concernant vos fichiers numériques, du moment qu'ils ne sont pas en mode lecture seule.

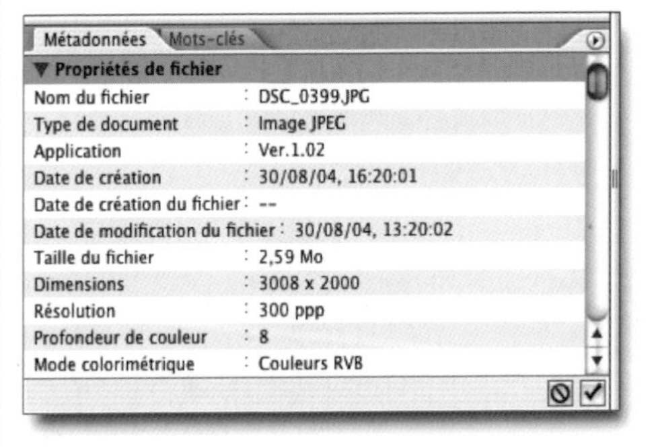

Les métadonnées de la palette Propriétés de fichier représentent les infos que Photoshop intègre dans vos photos.

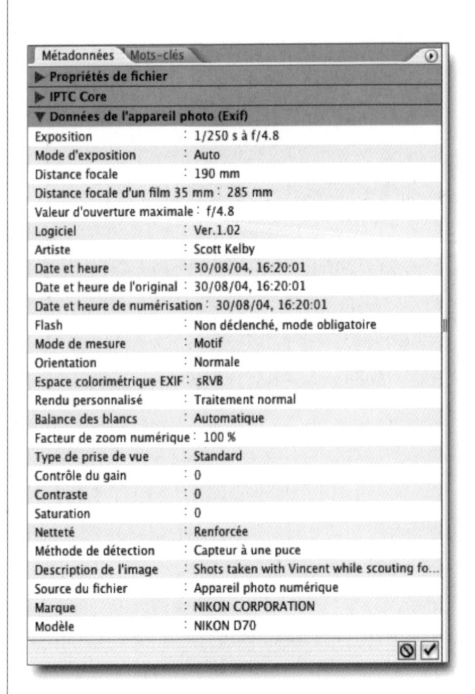

Les données EXIF sont intégrées au fichier par l'appareil photo, tandis que les données IPTC sont des informations que vous ajoutez.

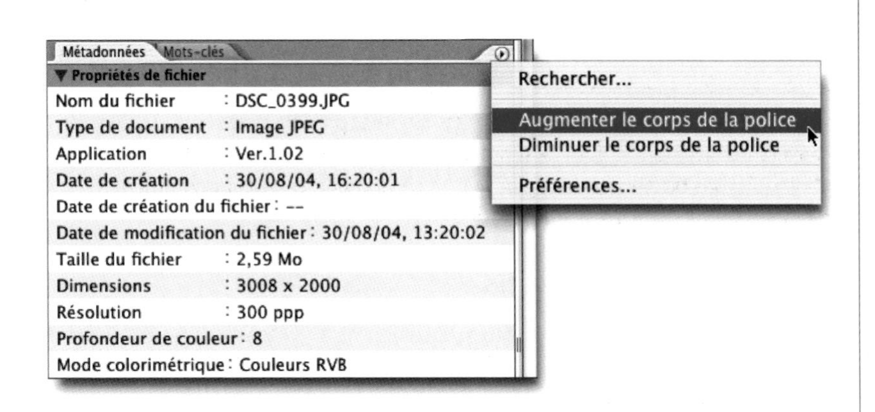

Infos plus lisibles avec une police plus grande

Il y a tant de données associées à chaque photo qu'Adobe a dû prévoir une police de taille minuscule pour leur affichage dans la palette Métadonnées. Si vous avez du mal à déchiffrer ces données, grossissez la taille de la police en choisissant Augmenter le corps de police dans le menu de la palette (voir ci-contre). Si le texte paraît encore trop petit, relancez la même commande, autant de fois que nécessaire pour votre confort visuel.

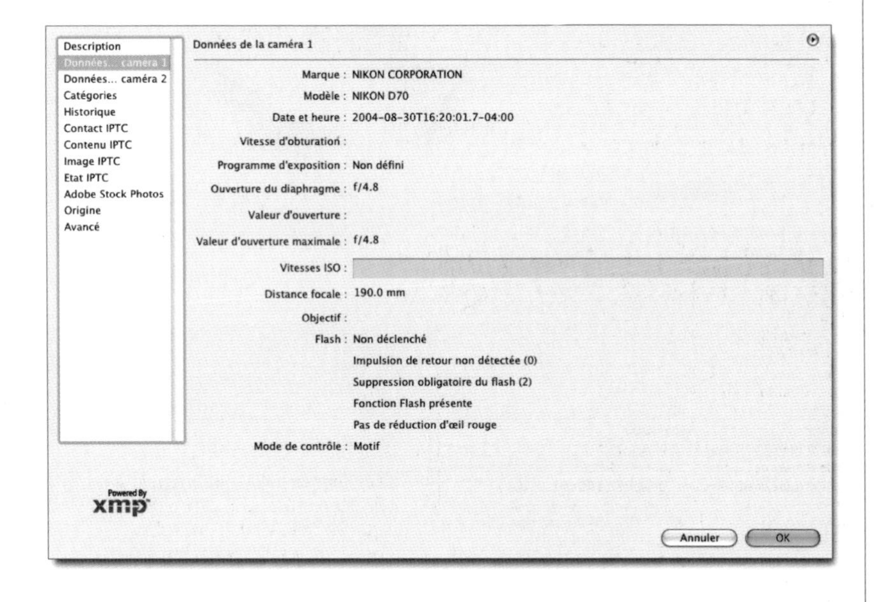

Accès aux métadonnées en dehors de l'Explorateur

Vous pouvez afficher les métadonnées d'une photo en exécutant la commande Informations du menu Fichier d'Adobe Bridge ou de Photoshop. Dans la boîte de dialogue qui apparaît, cliquez sur Données… caméra 1 dans la liste de gauche ; vous obtenez les données EXIF les plus courantes. Ensuite, cliquez sur Données… caméra 2 pour accéder à des informations plus techniques. Ici, les informations sont présentées de façon claire et intelligible. Si toutefois vous préférez visualiser une longue liste de données EXIF, cliquez sur Avancé, à gauche, puis sur le triangle (ou le signe +) devant les mots Propriétés EXIF.

Personnalisation des métadonnées

Parmi les métadonnées, une série spéciale, nommée IPTC Core, sert à intégrer des données personnelles pour les informations de copyright entre autres. Pour y accéder, faites défiler la liste de la palette Métadonnées et cliquez sur le triangle devant IPTC Core. L'icône du crayon signale les données modifiables. Pour saisir des informations personnelles, cliquez dans le champ à modifier, juste à droite des deux-points. Un champ de saisie apparaît alors (voir ci-contre, en haut). Insérez-y vos informations personnelles.

Métadonnées Mots-clés
Créateur : Code postal :
Créateur : Pays :
Créateur : Téléphone(s) :
Créateur : Adresse(s) électronique(s) :
Créateur : Site(s) Web :
Titre : Villes au crépuscule
Description : Manhattan
Code rubrique IPTC : 14/05/05
Auteur de la description : Scott Kelby
Date de création :
Domaine :
Scène IPTC :
Emplacement :
Ville :
Etat/Province :
Pays :

Personnalisation des champs de métadonnées

La liste des champs IPTC contient bien plus de champs que n'en utilise le photographe moyen. Par conséquent, affichez uniquement les champs indispensables. Ouvrez le menu local de la palette Métadonnées, et choisissez Préférences. Dans la boîte de dialogue homonyme, affichez le contenu de IPTC Core. Seuls les champs cochés apparaîtront dans la palette. Activez l'option Masquer les champs visibles. Lorsque vous cliquerez sur OK, seuls les champs cochés seront affichés.

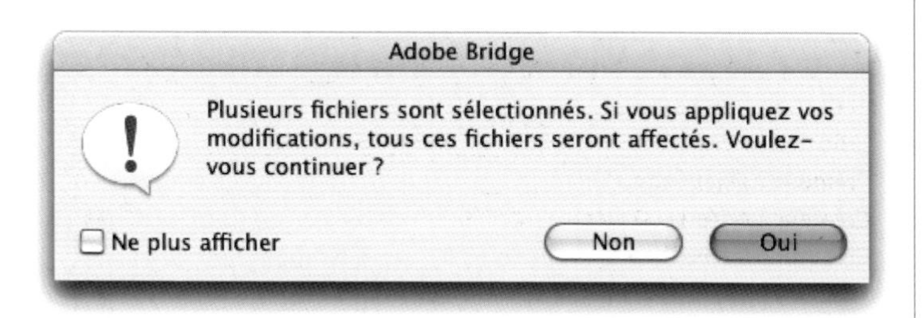

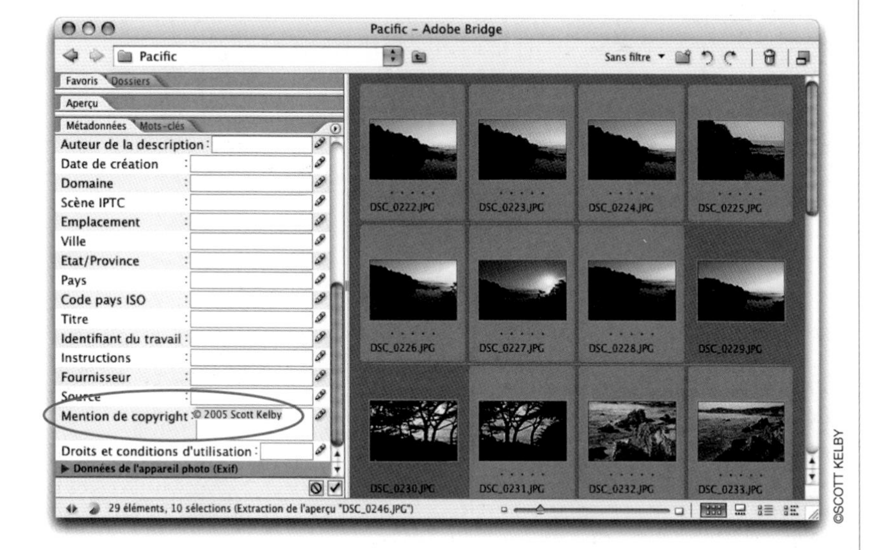

©SCOTT KELBY

Personnalisation simultanée des métadonnées de plusieurs photos

Si vous prévoyez de définir vos informations de copyright (ou d'autres données IPTC) pour un grand nombre de photos, vous risquez d'y consacrer beaucoup de temps. Heureusement, il existe une solution rapide pour spécifier en une seule opération les mêmes métadonnées pour tout un groupe de photos. Dans Adobe Bridge, cliquez sur la première photo du groupe, et maintenez enfoncée la touche Cmd (Ctrl) pendant que vous sélectionnez les autres photos concernées. Ensuite, dans la palette Métadonnées, affichez la série IPTC Core et cliquez dans le champ Mention de copyright. Le message d'alerte illustré ci-contre apparaît pour vous prévenir que l'opération va s'appliquer à tous les fichiers sélectionnés. Cliquez sur le bouton Oui, puis tapez vos informations de copyright. Enfin, appuyez sur Entrée. Les nouvelles métadonnées s'enregistrent avec tous les fichiers sélectionnés. Parfait !

Changement de nom global

Adobe Bridge permet de modifier les noms des fichiers d'un dossier entier. Ainsi, vous n'êtes pas obligé de conserver les noms ésotériques du style DSC_0486.JPG, DSC_0487.JPG et DSC_0488.JPG qui sont attribués automatiquement par l'appareil photo numérique. Vous pouvez les remplacer par un nom plus évocateur, tel que Nadine portrait 01, Nadine portrait 02, etc. Ce qui est fantastique avec Adobe Bridge est que la procédure est automatisée.

Etape 1

Vous pourriez sélectionner les images une à une tout en maintenant la touche Cmd (Ctrl) enfoncée, mais il est probable que vous aurez besoin de renommer toutes les photos ouvertes dans Adobe Bridge. Je vous conseille donc d'ouvrir le menu Edition du Bridge pour y choisir Tout sélectionner (voir ci-contre) ou d'utiliser le raccourci Cmd+A (Ctrl+A). Toutes les vignettes du dossier apparaissent en surbrillance. Dans le menu Outils d'Adobe Bridge, sélectionnez Changement de nom global.

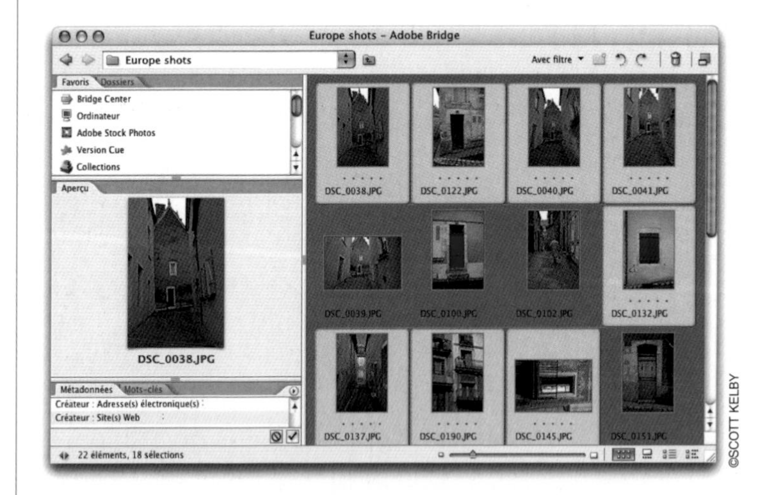

Etape 2

Une fois la boîte de dialogue Changement de nom global à l'écran, vous allez choisir la destination des fichiers renommés. Vous avez le choix entre renommer les photos dans le même dossier (si vous travaillez à partir d'un CD, cette première option n'est pas disponible) ou renommer et déplacer les fichiers vers un autre dossier. Si vous optez pour le déplacement, cliquez sur le bouton Parcourir afin de choisir le dossier de destination des fichiers renommés. Dans la boîte de dialogue, localisez le dossier dans lequel les clichés seront déplacés ou copiés après leur changement de nom. (La copie de fichiers dans un autre dossier est une nouveauté de CS2.)

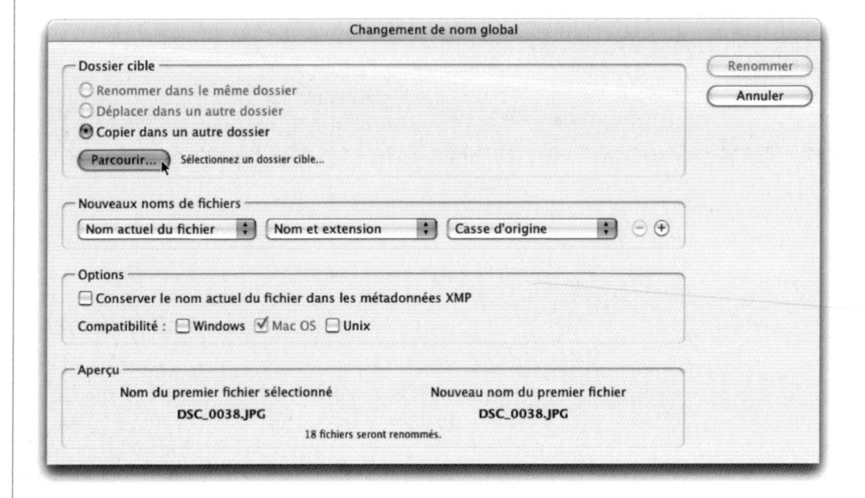

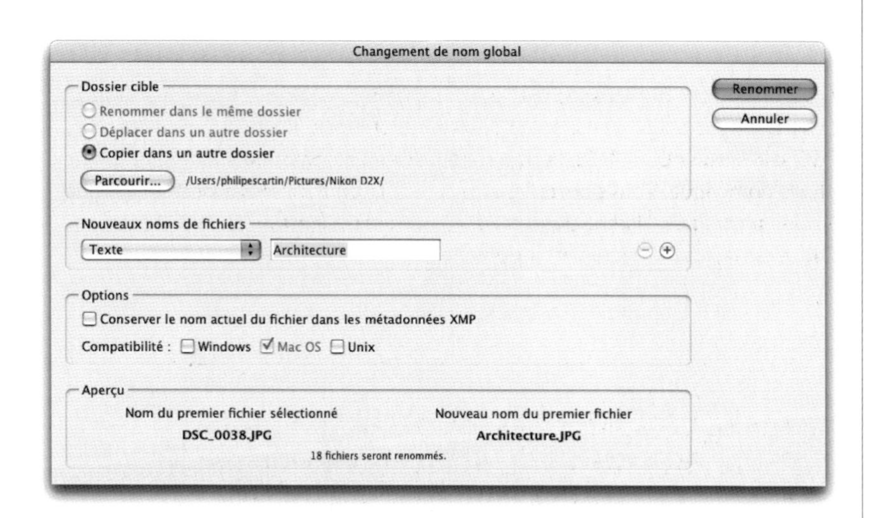

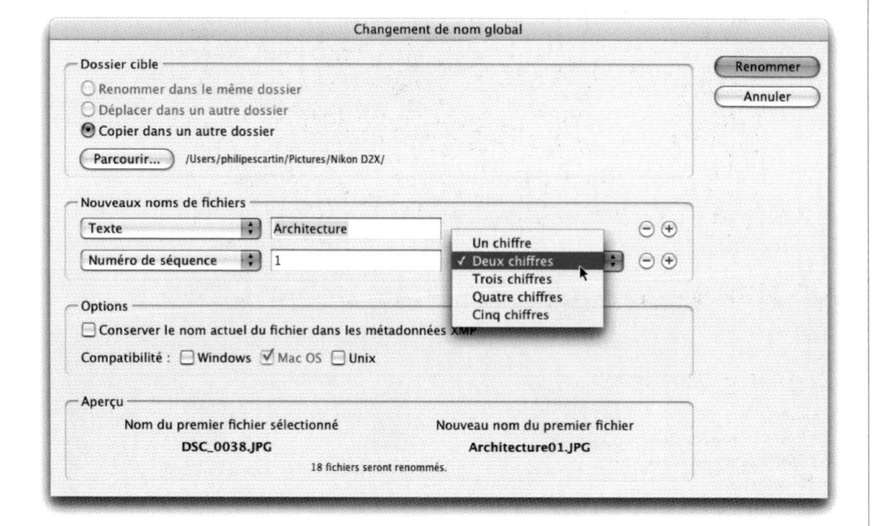

Etape 3

Dans la partie Nouveaux noms de fichiers, le premier champ en haut à gauche sert à définir le nouveau nom (dans l'exemple ci-contre, je vais renommer le lot de photos Architecture). Cliquez dans le champ pour l'activer, puis tapez un nom. Dans la partie inférieure de la boîte de dialogue, la section Aperçu permet d'apprécier le nom avant et après modification. Attendez avant de cliquer sur Renommer.

Etape 4

Dans un dossier, il est impossible que deux fichiers portent le même nom. Une extension est obligatoire. Ainsi, pour ajouter une série numérique derrière le nom du fichier, cliquez sur le signe plus (+) à droite du champ textuel. Dans la première liste du nouveau jeu d'options, choisissez Numéro de séquence, de manière à automatiser l'incrémentation des chiffres ajoutés. Dans le champ central, saisissez le chiffre de départ, par exemple 1. Enfin, dans la dernière liste, définissez le nombre de chiffres à ajouter (ici j'ai opté pour deux chiffres, signifiant que deux chiffres supplémentaires formeront le nom du fichier). Regardez la zone d'aperçu. Le nouveau nom du premier fichier sera « Architecture01.JPG », celui du deuxième « Architecture02.JPG », et ainsi de suite.

Astuce : Cliquez sur le signe (+) afin d'ajouter un nouveau jeu d'options. Dans la première liste, choisissez Nom actuel du fichier, ce qui ajoute le nom original du fichier à la fin du nouveau nom. Dans la catégorie Options, de cocher Conserver le nom actuel du fichier dans les métadonnées XMP. Cela permet de retrouver facilement le fichier d'origine.

Etape 5

Lancez le Changement de nom global par un clic sur Renommer. Toute modification effectuée dans le même dossier s'apprécie instantanément dans Adobe Bridge. En revanche, si le changement de nom est ponctué d'un déplacement des fichiers, le dossier en cours se vide. Pour apprécier le changement, ouvrez le panneau Dossiers d'Adobe Bridge, puis le dossier de destination. Vos fichiers profitent désormais d'un nom bien plus évocateur.

Etape 6

La fonction Changement de nom global n'agit pas uniquement sur les vignettes mais directement sur le nom des fichiers. Pour le vérifier, quittez Adobe Bridge et rendez-vous dans le dossier qui contient les photos sur le disque dur. Pas de surprise, les fichiers portent le nom que vous venez de leur attribuer.

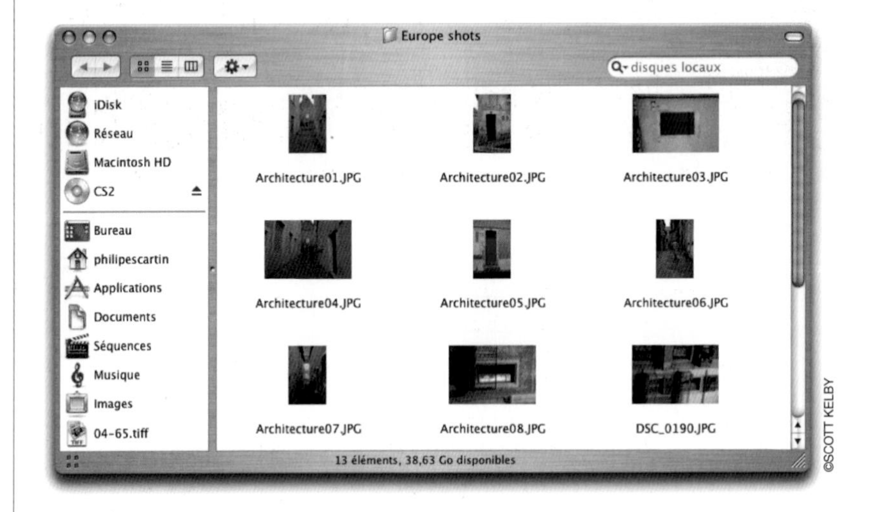

Création de modèles de métadonnées

Vous n'allez pas passer votre temps à saisir des données dans Adobe Bridge. Grâce aux modèles de métadonnées, vous incorporerez automatiquement toutes les informations que vous avez l'habitude d'ajouter aux photos, comme le copyright, le contact, le site Web, etc. Un clic de souris suffira à fournir les informations contenues dans un modèle.

©SCOTT KELBY

Etape 1

Dans Adobe Bridge, localisez la photo à partir de laquelle vous allez créer votre modèle. Ensuite, cliquez sur sa vignette.

Etape 2

Dans le menu Fichier du Bridge, cliquez sur Informations. La boîte de dialogue qui apparaît contient une liste de catégories de métadonnées qui disposent chacune d'un certain nombre de champs de saisie. Entrez-y les données personnelles qui peupleront votre modèle. Les informations saisies seront appliquées à toutes les autres images du dossier. Ne cliquez pas encore sur OK.

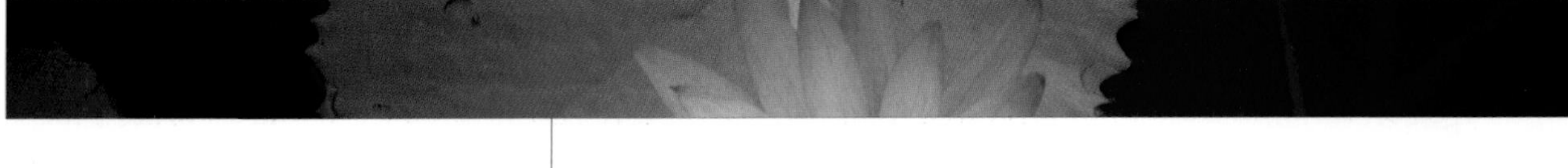

Etape 3

Ouvrez le menu local de la boîte de dialogue Informations. Exécutez-y la commande Enregistrer le modèle de métadonnées.

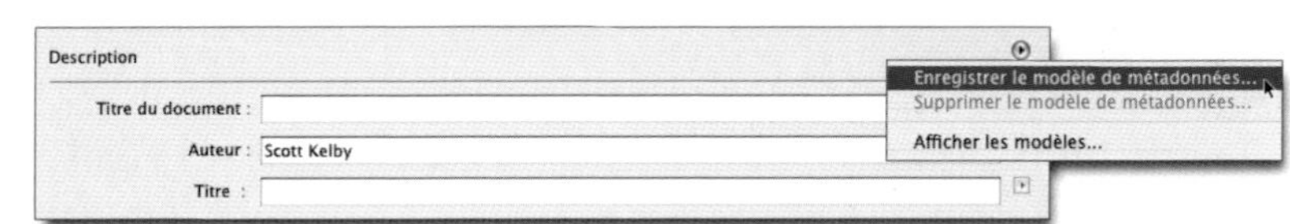

Etape 4

Cette action ouvre la boîte de dialogue du même nom. Nommez votre modèle, puis cliquez sur Enregistrer. Dans la boîte de dialogue Informations, cliquez sur OK.

Etape 5

Pour utiliser ce modèle, ouvrez le menu Edition d'Adobe Bridge et cliquez sur Inverser la sélection. Toutes les photos sont sélectionnées à l'exception de celle qui a permis de créer le modèle.

Etape 6

Pour ajouter vos métadonnées personnelles à ces photos, ouvrez le menu Outils du Bridge et cliquez sur Ajouter des métadonnées. Dans le menu adjacent, choisissez le nom de votre modèle.

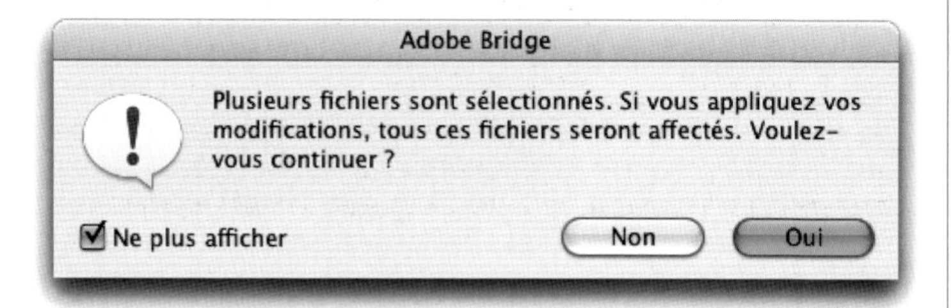

Etape 7

Un message vous alerte sur le fait que les informations vont être incorporées à toutes les images sélectionnées. Si c'est votre souhait, cliquez sur Oui. Pour éviter l'affichage de cette boîte de dialogue ultérieurement, cochez la case Ne plus afficher. Dès que vous cliquez sur Oui, les métadonnées définies dans le modèle sont appliquées aux images sélectionnées.

Astuce : Lorsque vous insérez des informations avec Ajouter des métadonnées, sachez qu'elles ne remplacent pas celles déjà fournies. Par exemple, si la photo à laquelle vous ajoutez des informations *via* un modèle contient déjà un copyright, celui-ci ne sera pas remplacé par celui du modèle. Pour cela, vous devez choisir Remplacer les métadonnées.

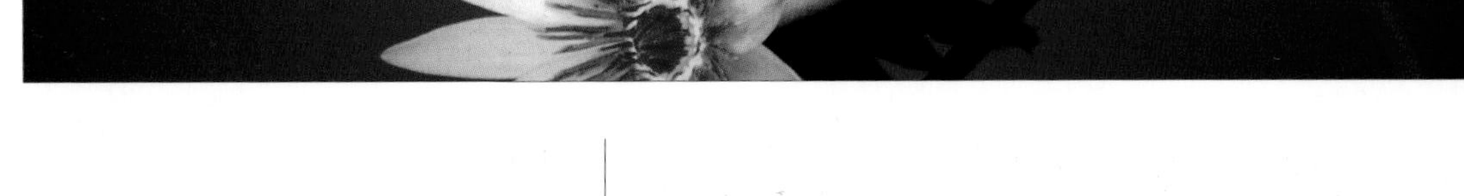

Suppression de métadonnées

Techniques avancées
Pour les PROS !

Les métadonnées incluent des informations très personnelles que vous ne voulez peut-être pas porter à la connaissance de certaines personnes. Ainsi, un client n'a pas besoin de connaître le modèle de votre appareil photo numérique, le type de l'objectif et les réglages de prise de vue. Voici comment supprimer des métadonnées.

Etape 1

Dans la fenêtre des vignettes d'Adobe Bridge, cliquez sur la photo dont les métadonnées doivent disparaître. Puis, dans la palette Métadonnées, parcourez la catégorie Données de l'appareil photo (EXIF). Double-cliquez sur la photo pour l'ouvrir dans Photoshop.

Etape 2

Dans Photoshop, cliquez sur Fichier > Nouveau. La boîte de dialogue homonyme s'ouvre. Ne la fermez pas. Dans le menu Fenêtre, sélectionnez le nom de votre photo. Cette action copie les dimensions, la résolution et le mode colorimétrique de la photo dans la boîte de dialogue Nouveau. Cliquez sur OK pour créer un nouveau document reprenant les mêmes caractéristiques que votre photo.

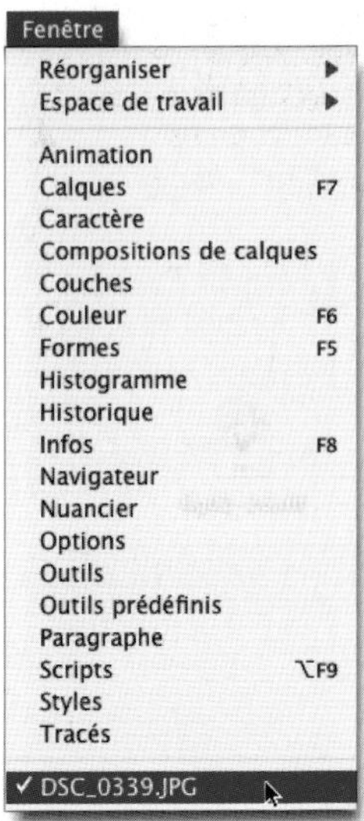

Etape 3

Affichez votre photo d'origine. Appuyez sur V pour activer l'outil Déplacement. Maintenez la touche Maj enfoncée et glissez-déposez cette photo dans le document vide. La touche Maj ajuste parfaitement l'image à la fenêtre du document. Fusionnez les calques en appuyant sur Cmd+E (Ctrl+E).

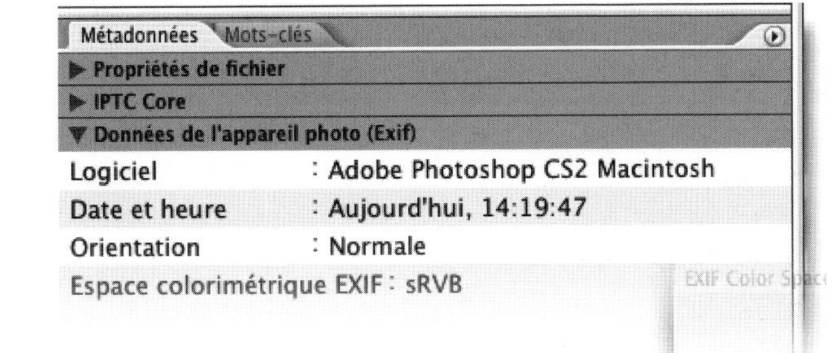

Etape 4

Avant de quitter Photoshop, cliquez sur Fichier > Informations. Dans la boîte de dialogue qui apparaît, cliquez sur Données… caméra 1 et Données… caméra 2. Vous constatez que leurs champs sont vides. Pour vérifier cela dans Adobe Bridge, sauvegardez la photo, puis ouvrez la palette Métadonnées du Bridge. Les Données de l'appareil photo (EXIF) ont disparu. Si vous devez régulièrement procéder à cette suppression de métadonnées, je vous conseille de créer un script.

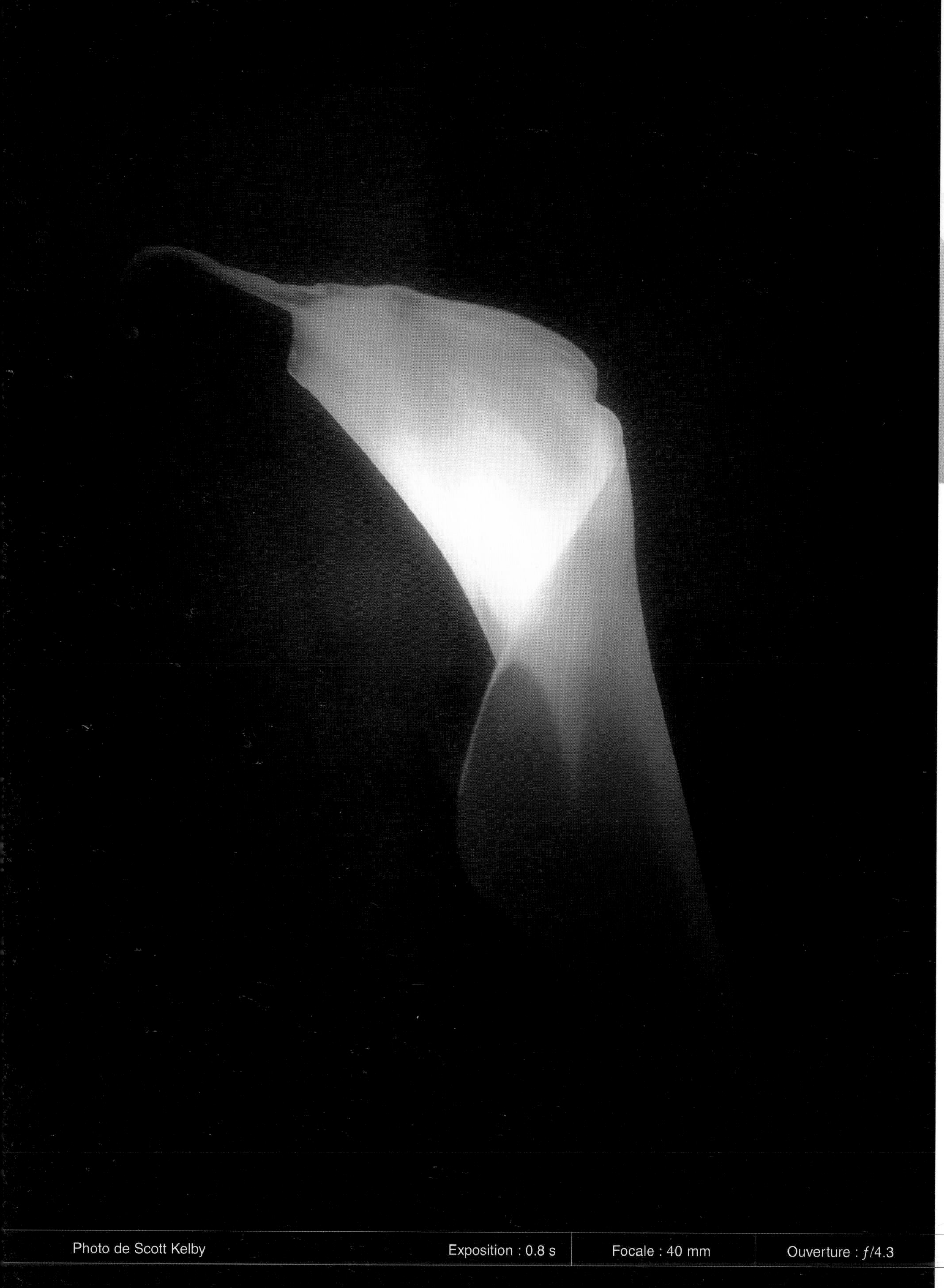

Photo de Scott Kelby | Exposition : 0.8 s | Focale : 40 mm | Ouverture : f/4.3

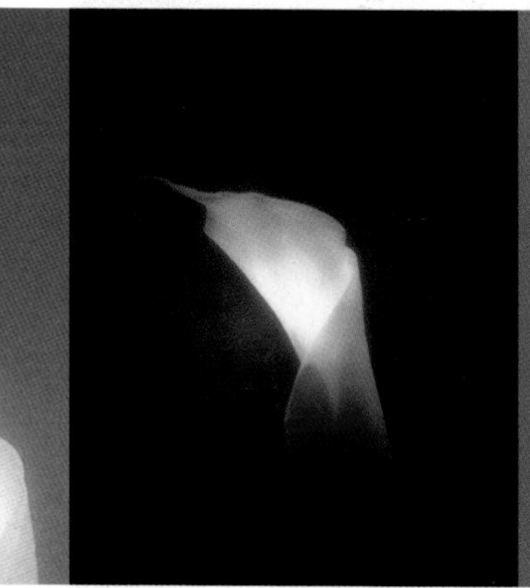

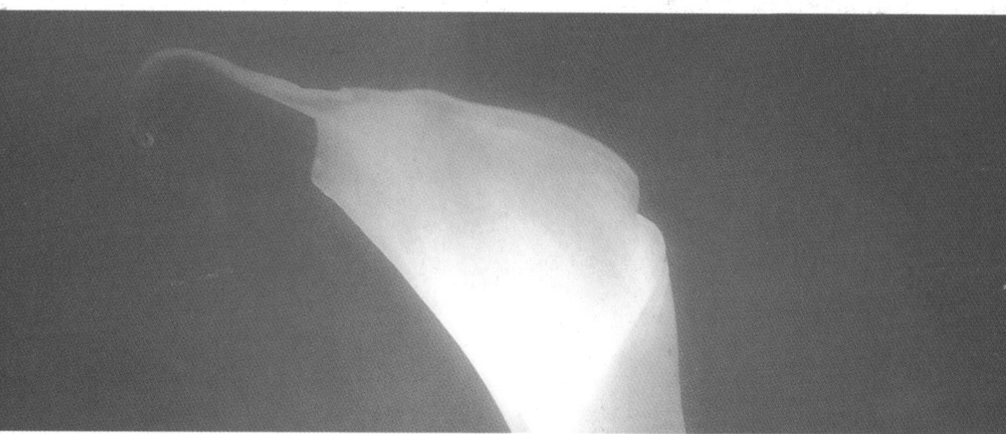

Brut de brut
Maîtriser Camera Raw

Ce chapitre est entièrement consacré à la fonction Camera Raw, et ce pour deux raisons principales : (1) Camera Raw est une des nouvelles fonctions majeures de CS2 ; (2) j'ai besoin de pages supplémentaires pour remplir mon contrat.

Ce chapitre est-il destiné à tous ? Non ! Il est réservé aux personnes qui prennent des photos au format RAW. Or, ce format n'est pas à la portée de tout le monde. Par exemple, si vous faites partie de ces photographes qui maîtrisent l'exposition et la balance des blancs à la perfection, photographiez au format JPEG haute qualité. Cependant, pour tous les autres lecteurs, le format RAW permet de régler, dans Photoshop, les multiples problèmes générés par les dizaines de paramètres disponibles sur un appareil photo numérique. Nous pouvons affirmer sans contradiction possible que le format RAW est à la photo numérique ce que le *négatif* est à la photo argentique.

Présentation de Camera Raw

La photographie argentique procède d'un tirage papier effectué d'après un négatif qui ne subit aucune détérioration pendant cette opération. La fonction Camera Raw de Photoshop transforme votre ordinateur en labo photo puisque vous y importez une image RAW non traitée, c'est-à-dire l'équivalent numérique d'un négatif. Dans une interface particulière, vous effectuez toutes les corrections possibles – l'exposition, la balance des blancs, etc. – pour créer un « tirage » original qui s'affichera dans Photoshop. De son côté, le fichier RAW reste intact. Pour travailler ainsi, vous devez prendre vos photos numériques au format RAW.

Etape 1

Vous pouvez ouvrir une image Camera Raw soit en double-cliquant sur l'image en question, soit en appuyant sur Cmd+R (Ctrl+R) une fois le cliché sélectionné dans Adobe Bridge. Vous pouvez aussi passer par la commande Ouvrir du menu Fichier de CS2. Dans tous les cas, l'image s'affiche dans l'interface de Camera Raw.

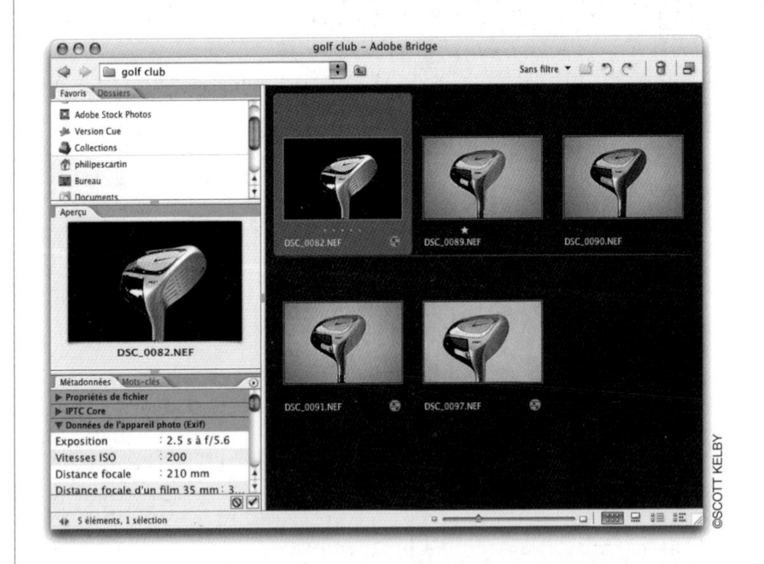

©SCOTT KELBY

Etape 2

Si vous voulez ouvrir plusieurs photos RAW depuis le Bridge, sélectionnez toutes les images concernées (Mac : Cmd+clic ; PC : Ctrl+clic). Ensuite, double-cliquez sur l'une d'elles. Cette photo s'ouvre dans la fenêtre d'aperçu pour subir vos modifications. Les autres photos apparaissent sur le côté gauche de la boîte de dialogue Camera Raw. Pour modifier l'un d'elles, il suffit de cliquer dessus.

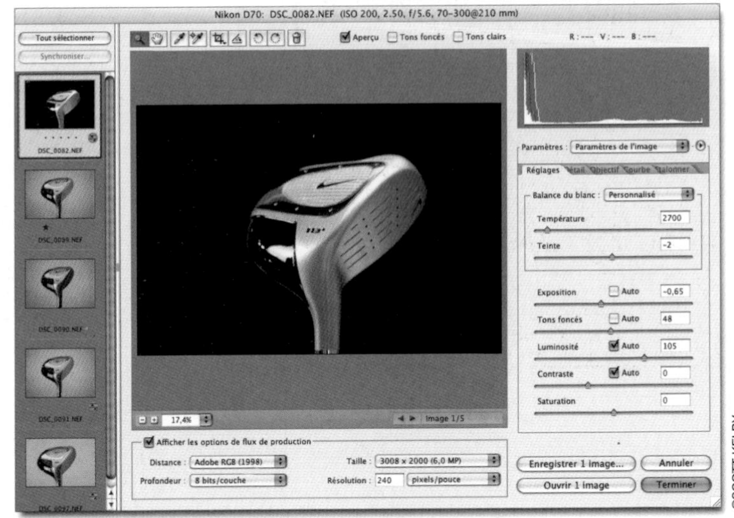

©SCOTT KELBY

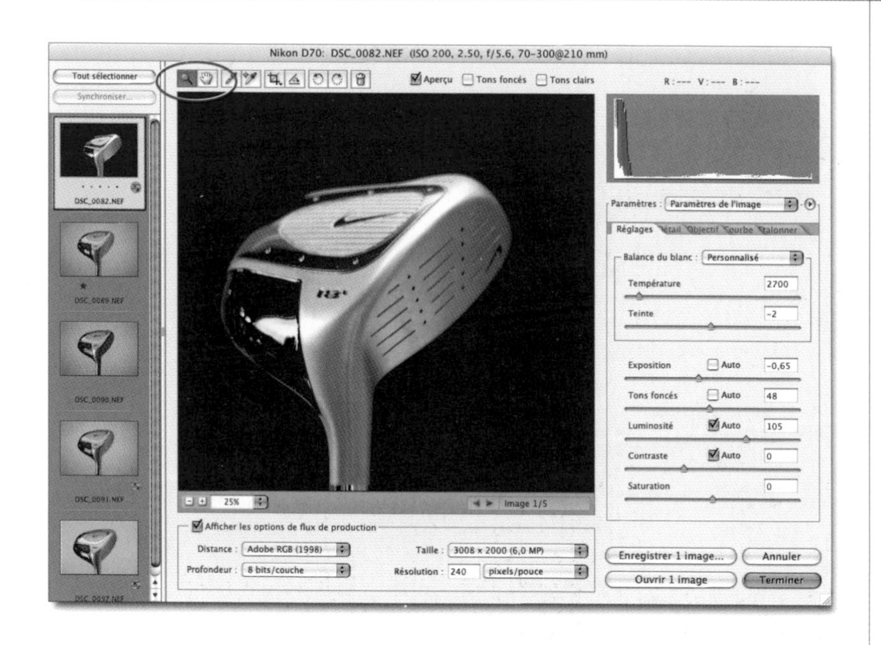

Etape 3

Voici quelques raccourcis qui permettent de tirer profit de la zone d'aperçu. Vous disposez d'un outil Zoom qui fonctionne comme celui de Photoshop. Double-cliquez dessus pour afficher l'image à 100 %. Pour vous déplacer dans une image agrandie, maintenez la barre d'espacement enfoncée : l'outil Zoom se transforme en outil Main. Cliquez et faites glisser le contenu de l'aperçu pour afficher une zone spécifique de l'image. Pour afficher entièrement l'image dans cette zone, double-cliquez sur l'outil Main, ou appuyez sur Cmd+0 (zéro) [Ctrl+0]. Effectuez un zoom avant à l'aide des touches Cmd++ (plus) [Ctrl++], et un zoom arrière avec Cmd+- (moins) [Ctrl+-]. Faites pivoter la photo vers la gauche ou la droite en appuyant respectivement sur les touches L ou R.

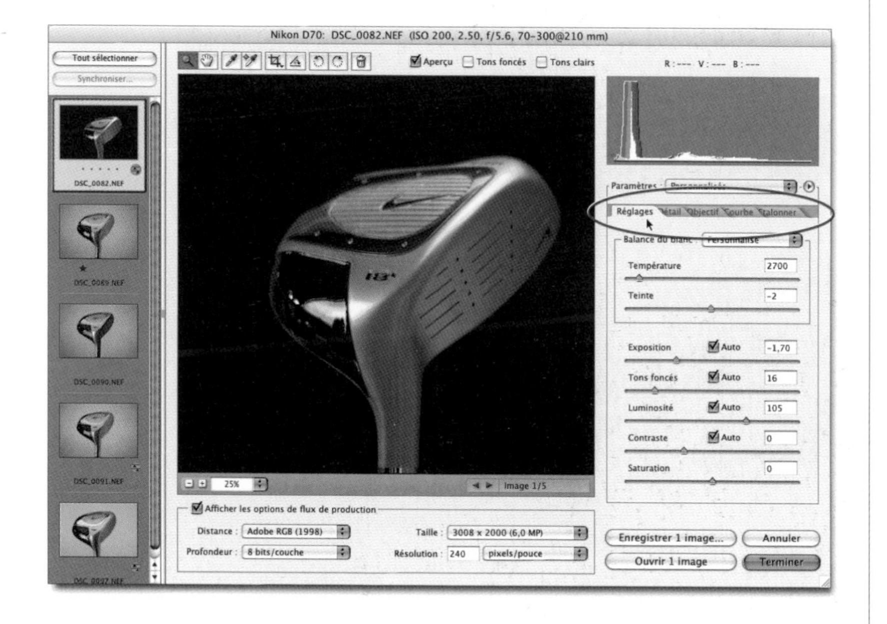

Etape 4

Vous effectuez vos modifications avec les paramètres situés sur le côté droit de l'interface. Cinq onglets proposent diverses options dont les plus importantes sont regroupées sous l'onglet Réglage (cliquez dessus pour afficher son contenu).

Astuce : Vous constatez que les cases à cocher Auto sont actives par défaut. Pour corriger vos images, je conseille de les désactiver dès l'ouverture du fichier. Ensuite, ouvrez le menu Paramètres et exécutez la commande Enregistrer les nouveaux paramètres par défaut de Camera Raw. Désormais, lorsque vous ouvrirez une photo dans cette interface, les cases Auto seront inactives.

Etape 5

Commençons avec le paramètre Balance du blanc. A l'ouverture de la photo dans Camera Raw, Photoshop affiche, dans la liste Balance du blanc, les réglages de balance des blancs effectués lors de la prise de vue. Si la balance est correcte, ne changez rien. Par contre, en cas d'imperfection (ou simplement pour voir comment fonctionne ce réglage), sélectionnez un des paramètres prédéfinis de la liste. La photo reflète instantanément la modification.

Etape 6

Vous pouvez régler manuellement cette balance en agissant sur les curseurs Température et Teinte. Pour rendre l'image plus bleue, faites glisser le curseur Température vers la gauche. Pour lui donner plus de chaleur, faites-le glisser vers la droite. Le paramètre Teinte fonctionne de la même manière mais avec différentes couleurs : en le faisant glisser vers la gauche, vous ajoutez du vert, et vers la droite, du rouge. Ces deux curseurs permettent d'obtenir une balance des blancs très personnelle.

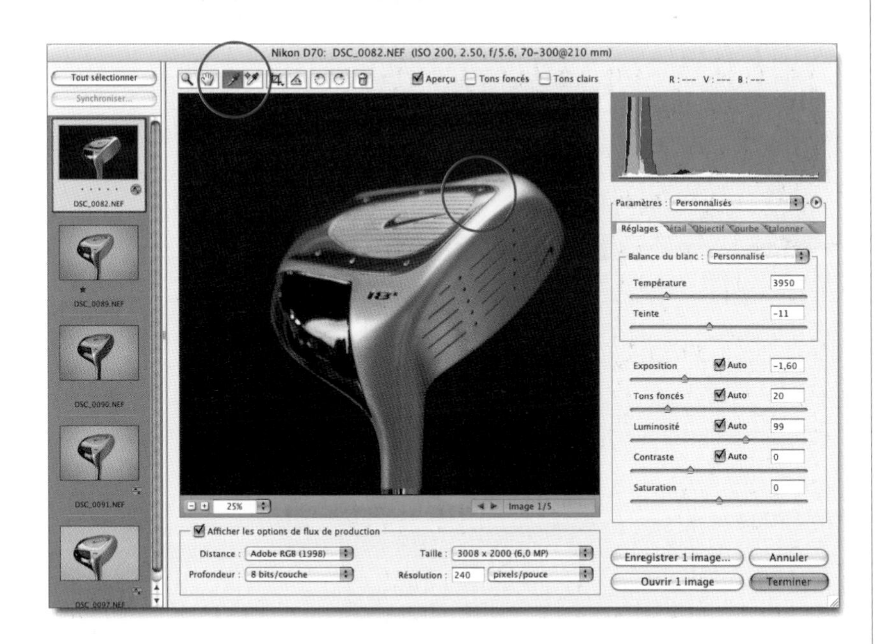

Etape 7

Vous pouvez ajuster la balance des blancs avec l'outil Balance du blanc (pipette) situé en haut de la boîte de dialogue Camera Raw. Activez cet outil en appuyant sur la lettre I, puis cliquez sur une zone neutre de la photo (choisissez de préférence une zone gris clair présentant quelques détails).

Astuce : Pour vous aider à identifier cette couleur neutre, j'ai inclus un nuancier noir/gris/blanc à la fin de ce livre. Détachez-le ! Placez ce nuancier dans l'environnement que vous voulez photographier et prenez la photo. Lorsque vous ouvrez ce fichier RAW dans Camera Raw, cliquez sur le carré gris neutre avec l'outil Balance du blanc. Une fois l'étalonnage effectué, recadrez la photo en supprimant le nuancier. (Le Chapitre 6 étudie l'utilisation de ce nuancier.)

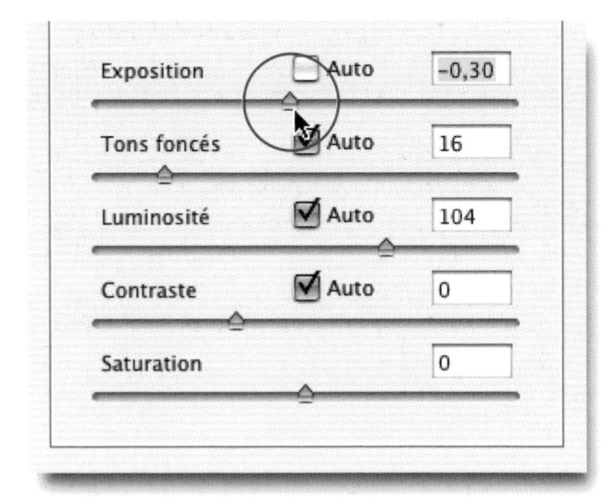

Etape 8

Procédons aux ajustements de tonalité qui sont situés sous la section Balance du blanc. Le curseur du haut (certainement le plus utilisé de Camera Raw) ajuste l'exposition de votre image. Vous pouvez l'augmenter de quatre f-stops (ou diaphs) et la diminuer de deux. Ainsi, une valeur Exposition de +1,50 augmente la tonalité de un f-stop et demi. Ici, seul votre œil permet de décider du bon réglage : faites glisser le curseur et observez l'image dans l'aperçu. Toutefois, il existe d'autres fonctions qui permettent d'effectuer un réglage plus objectif de l'exposition.

Etape 9

Vous trouverez une aide précieuse dans la case Auto de CS2. Cette fonction tente d'exposer correctement l'image à votre place. Le résultat est souvent probant. Pour comparer l'image d'origine et sa correction, cochez et décochez plusieurs fois la case Auto. Sur cette image, l'exposition augmente de 1,40 lorsque vous cochez la case. Si ce réglage automatique ne vous convient pas, voici une autre manière de procéder…

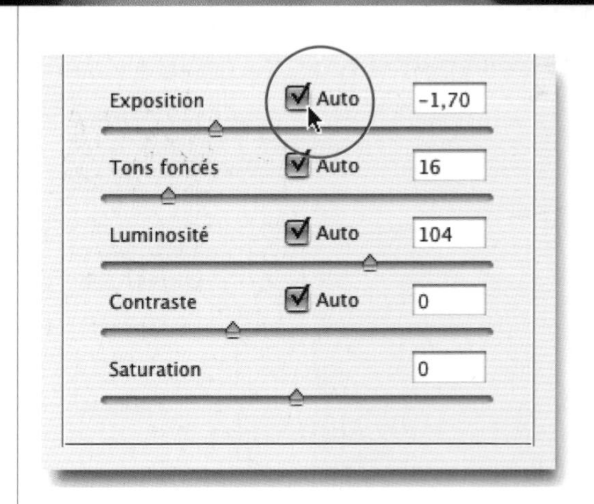

Etape 10 (Exposition)

Cette méthode me permet de savoir jusqu'où je peux aller dans l'augmentation ou la diminution de l'exposition. Ainsi, je suis certain de n'écrêter aucun ton clair ou foncé. Pour cela, tout en maintenant la touche Option (Alt) enfoncée, cliquez sur le curseur Exposition. (Déplacer un curseur désactive la case Auto.) L'écran devient noir. Si quelque chose apparaît en blanc (ou en rouge, vert ou bleu), cela signifie que les tons clairs sont écrêtés, c'est-à-dire que vous en perdez les détails – cela n'est pas grave sur des reflets produits, par exemple, par le soleil sur les phares chromés d'une voiture. Pour supprimer cet écrêtement, faites glisser lentement le curseur vers la droite (sans relâcher la touche Option/Alt) jusqu'à ce qu'apparaissent uniquement les zones naturellement surexposées. Dans cet atelier, la valeur –0,70 est correcte, alors qu'en Auto elle était de –1,70. Je pourrais m'en contenter et même appliquer une valeur plus faible. En revanche, si je vais plus loin, je risque de perdre d'importants détails.

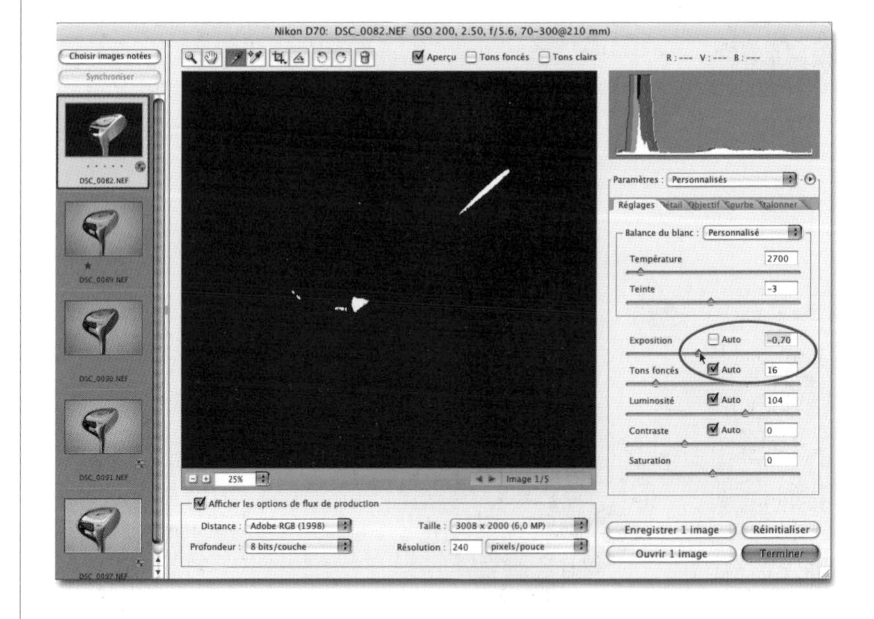

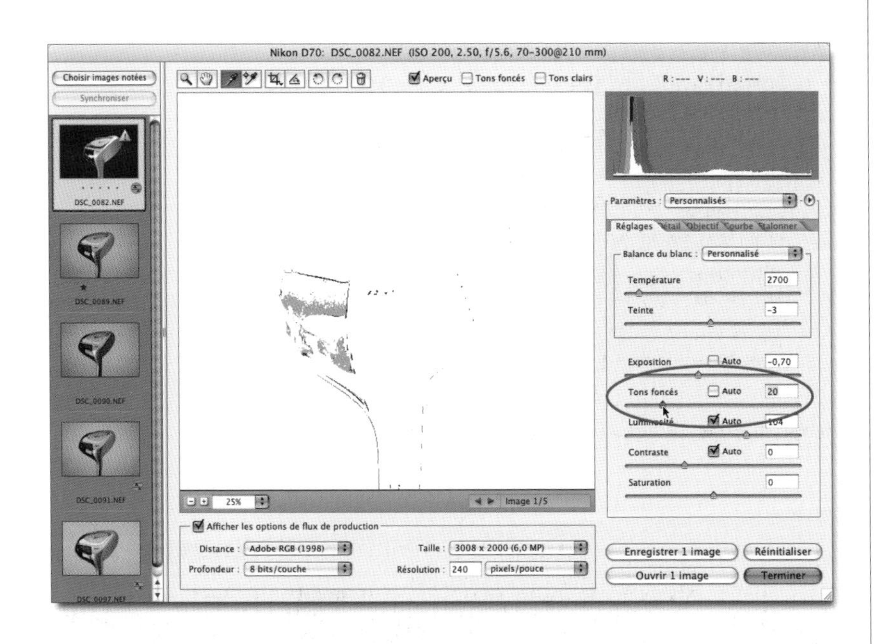

Etape 11 (Tons foncés)

Maintenant que l'exposition est corrigée, protégeant *de facto* l'écrêtement des tons clairs, voyons comment gérer les tons foncés. Utilisez le curseur Tons foncés. Faites-le glisser vers la droite pour augmenter les tons foncés de votre photo. Là encore, la case Auto permet un ajustement rapide, mais vous pouvez aussi utiliser la technique Option+glisser (Alt+glisser). Cette fois, l'aperçu affiche en noir les zones foncées ne présentant aucun détail. Si vous observez d'autres couleurs (comme du rouge, du vert ou du bleu), cela indique la présence d'un écrêtement des couleurs. Si cet écrêtement est dommageable, faites glisser le curseur vers la gauche pour réduire la quantité de tons foncés. Sinon, faites glisser le curseur vers la droite jusqu'à ce qu'apparaissent quelques zones écrêtées.

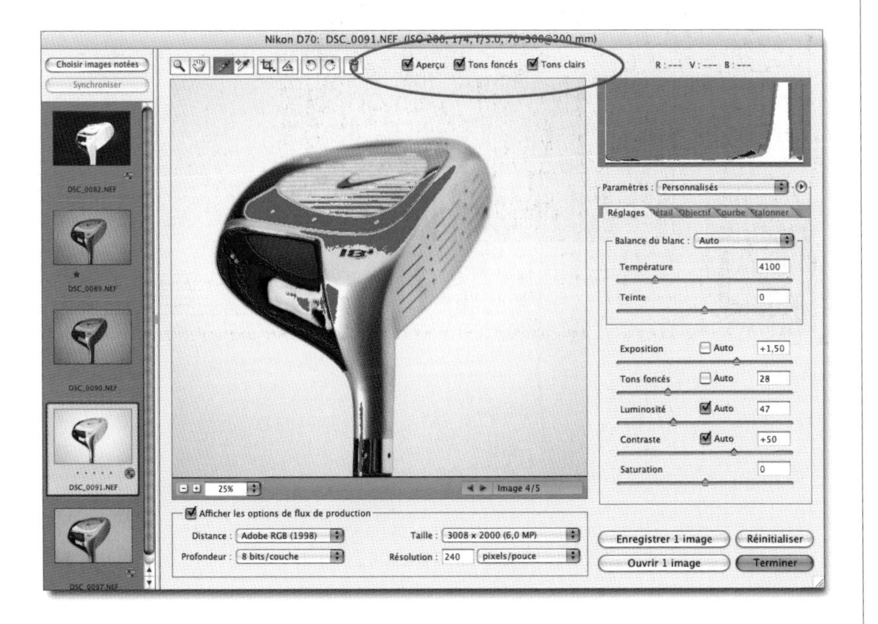

Astuce : Dans CS2, Adobe a jouté une fonction qui évite l'écrêtement des tons clairs et foncés. Elle prend la forme de deux cases à cocher situées en haut de la boîte de dialogue Camera Raw : l'une concerne les tons foncés, et l'autre les tons clairs. Lorsque vous les activez, les zones claires écrêtées s'affichent en rouge, et les zones sombres en bleu. Vous identifiez d'un coup d'œil les parties sensibles de votre image.

Etape 12 (Luminosité)

Tout comme vous venez d'ajuster les tons clairs et les tons foncés, contrôlez les tons moyens avec le curseur Luminosité. Je déconseille ici l'activation de la case Auto qui a tendance à uniformiser les tonalités de l'image. Toutefois, testez-la en la cochant et en la décochant pour bien apprécier son incidence sur la photo. Personnellement, je préfère ici faire glisser le curseur vers la droite (au-dessus de 50) pour éclaircir les tons moyens, ou vers la gauche (en dessous de 50) pour les assombrir.

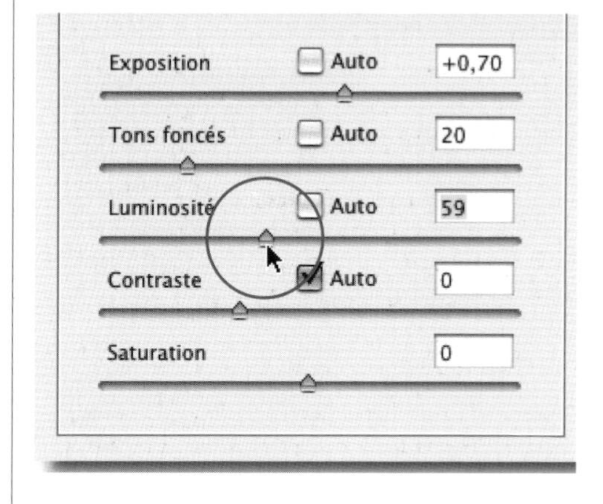

Etape 13 (Contraste)

Le curseur Contraste augmente ou réduit le contraste de l'image. Faites-le glisser vers la droite pour l'augmenter, et vers la gauche pour le diminuer. La case Auto n'ajoute pas assez de contraste. Par conséquent, je lui préfère un ajustement manuel en me fondant sur l'aperçu et l'histogramme.

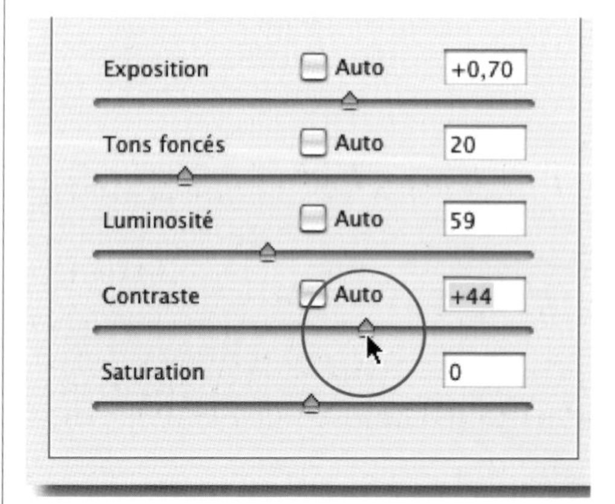

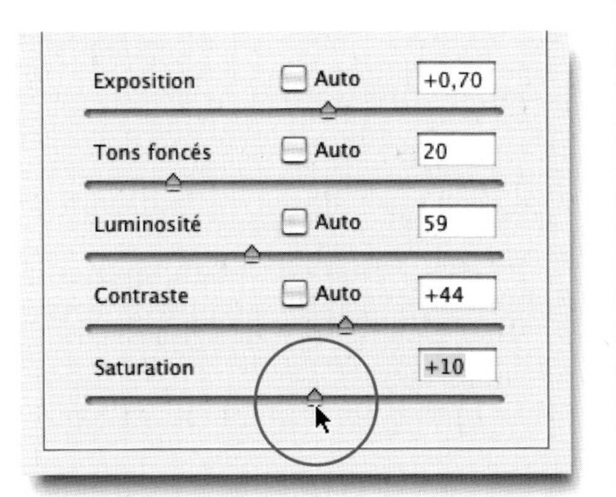

Etape 14 (Saturation)

Le curseur Saturation agit sur l'intensité des couleurs. Si vous le faites glisser vers la droite, vous augmentez cette intensité ; vers la gauche, vous la diminuez jusqu'à obtenir une image aux teintes délavées. Je préfère agir sur la couleur dans Photoshop plutôt que dans Camera Raw. C'est un parti pris. Rien ne vous empêche d'ajuster la saturation dans cette interface. Je n'y procède que si d'autres réglages réalisés dans Camera Raw affectent significativement les couleurs originales. Le paramètre Saturation n'a pas de case Auto.

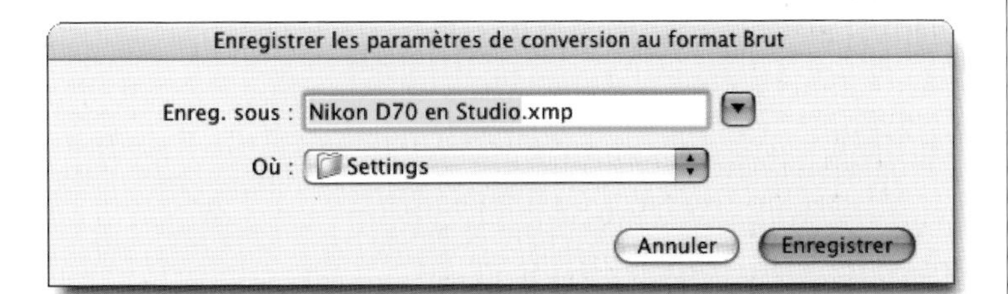

Etape 15

Supposons que vous ayez correctement modifié votre photo en affinant ce négatif numérique que représente le format RAW. Il serait dommage de perdre le bénéfice de ce labeur. Je vous invite à sauvegarder ces réglages pour les appliquer rapidement à toutes les photos prises dans les mêmes conditions, qui devraient toutes présenter les mêmes imperfections. Cliquez sur la flèche placée en regard de la liste Paramètres. Dans ce menu local, exécutez la commande Enregistrer les paramètres. Donnez un nom significatif au réglage et cliquez sur Enregistrer. Désormais, ce groupe de réglages apparaît dans la liste Paramètres.

Taille et résolution dans Camera Raw

Puisque vous créez et traitez vos propres images, il semble logique de pouvoir en définir la résolution, la taille, l'espace colorimétrique et le nombre de bits par couches. Pour définir ces paramètres, cochez la case Afficher les options de flux de production. Voici comment utiliser ces options.

Etape 1

Vous avez réglé les problèmes d'exposition et de tonalité et vous avez corrigé les imperfections dues à l'objectif. Globalement, l'image correspond maintenant à ce que vous vouliez. L'étape suivante consiste à déterminer sa résolution, sa taille, etc. Pour cela, cochez la case Afficher les options de flux de production, située dans le coin inférieur gauche de l'interface. Commençons par la taille. Par défaut, elle reprend les valeurs affichées dans la liste Taille, c'est-à-dire la taille originale de la photo déterminée par les mégapixels de votre appareil photo numérique. Dans cet atelier elle est de 3 008 × 2 000 pixels.

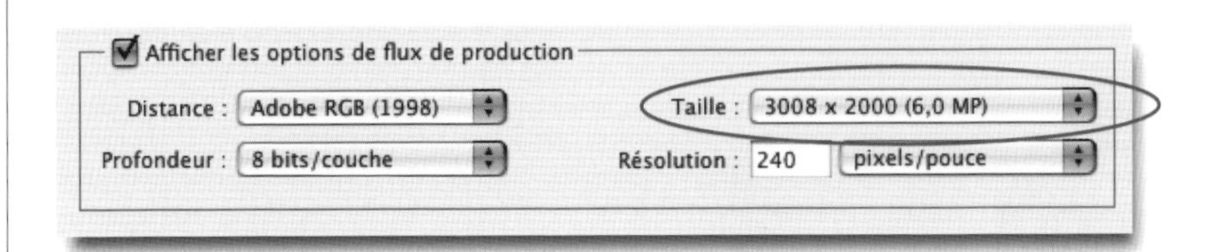

Etape 2 (Taille)

Si vous ouvrez la liste Taille, vous découvrez différentes tailles d'images que Camera Raw peut appliquer à votre fichier d'origine. Celles qui présentent un signe + permettent d'augmenter la taille, et celles présentant un signe - de la réduire. Dans les deux cas, le redimensionnement n'altérera pas la qualité. Les nombres entre parenthèses représentent la taille exprimée en mégapixels. Pour éviter de « flouter » ou de pixelliser l'image en l'agrandissant, je conseille d'appliquer la taille supérieure la plus proche de celle de l'original.

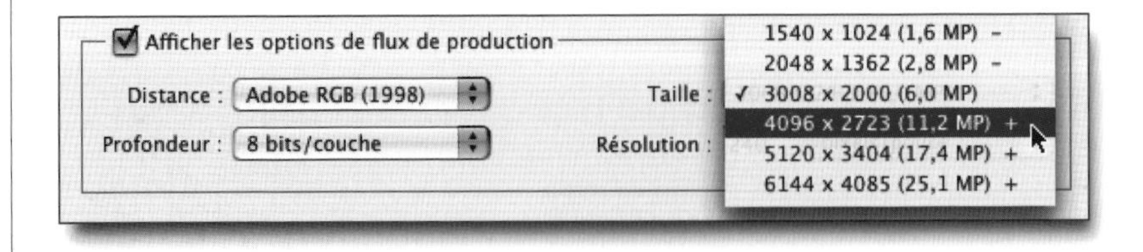

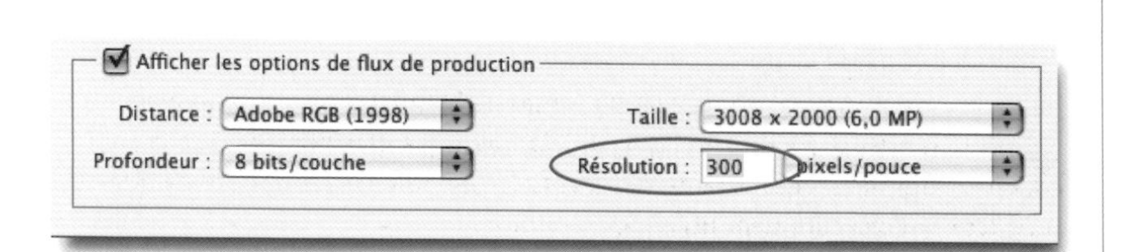

Etape 3 (Résolution)

Sous la liste Taille, vous découvrez le champ Résolution. La résolution est un sujet très vaste auquel j'ai consacré un DVD de formation. Par conséquent, je ne saurais l'approfondir ici. Toutefois, voici quelques règles élémentaires à respecter. Si vous destinez votre photo à une impression professionnelle, appliquez 300 ppp. Si vous procédez à un tirage de 20 × 25 cm ou moins avec votre imprimante jet d'encre, appliquez également une résolution de 300 ppp. Pour des images plus grandes (comme 35 × 50 comptez pour une résolution maximale de 240 ppp. Quelle que soit votre décision, vous n'y êtes pas lié pour l'éternité. En effet, il sera possible de modifier la taille et la résolution dans Photoshop.

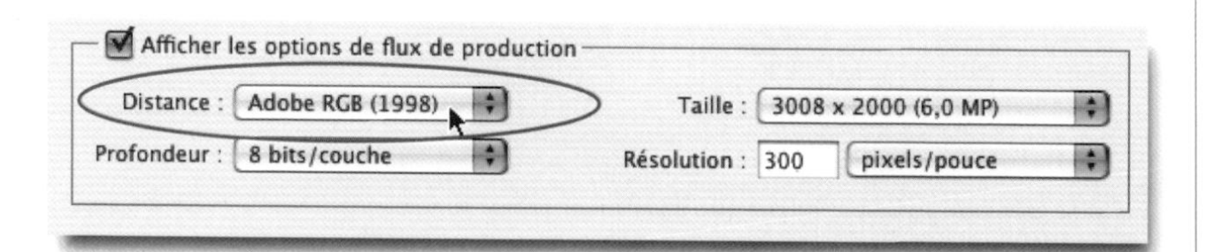

Etape 4 (Espace et profondeur)

Le choix de l'espace colorimétrique est simple : Adobe RGB (1998). C'est l'espace généralement utilisé par les photographes, car sa plage de couleurs (ou gamme) est supérieure à celle de l'espace sRVB, et il permet d'obtenir des impressions jet d'encre tout à fait remarquables (contrairement à l'espace ProPhoto RGB qui offre d'ajouter des couleurs que ne peut pas reproduire une imprimante !). Pour la Profondeur, choisissez 8 Bits/couche. Bien que les professionnels de la photographie prônent le 16 bits par couche, sachez que cette profondeur empêche d'utiliser une grande partie des outils et des fonctions de Photoshop. Ajoutons à cela que la taille du fichier fait environ le double de celle obtenue avec un fichier 8 bits, ce qui ne manque pas de ralentir les performances du programme et d'accaparer de l'espace sur le disque dur.

Recadrer avec Camera Raw

Photoshop CS2 permet de recadrer les images dans Camera Raw. Toutefois, ce recadrage diffère de celui que vous pouvez effectuer dans Photoshop.

Etape 1

L'image étant ouverte dans Camera Raw, activez l'outil Recadrage. Cliquez sur cet outil et ne relâchez pas le bouton de la souris. Un menu contextuel apparaît. Si vous choisissez Normal, l'outil se comporte comme celui de Photoshop : vous définissez la zone à recadrer. Vous pouvez également opter pour un recadrage prédéfini. Lorsque vous définissez la zone à recadrer, la liste Taille (section Afficher les options de flux de production, en bas de la boîte de dialogue Camera Raw) se transforme en Taille de recadrage. Elle affiche les dimensions de la zone sélectionnée et en communique l'équivalent en mégapixels.

Note : Il faut avoir déjà tracé une zone de recadrage sur l'image.

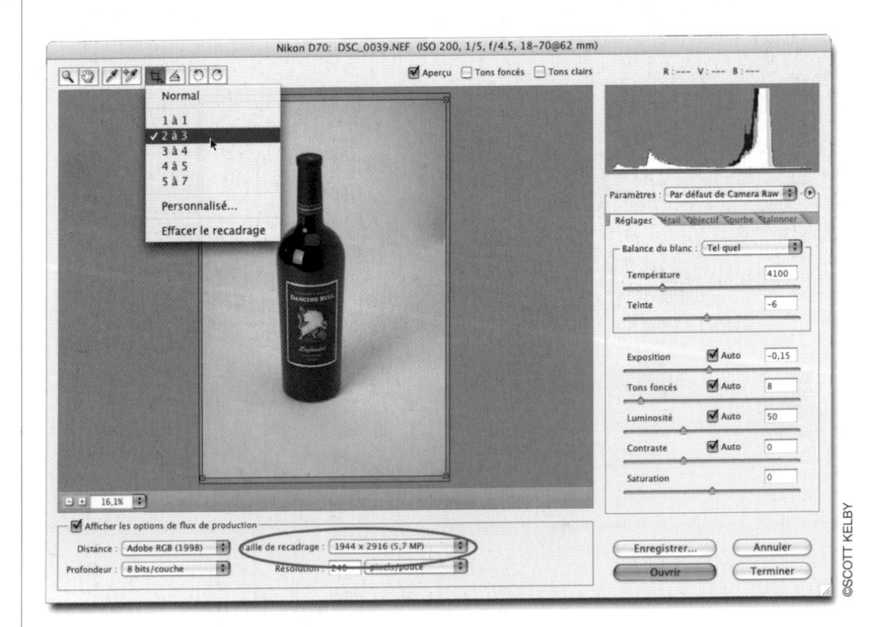

Etape 2

Pour recadrer avec des dimensions très précises (6 × 4, 8 × 10, etc.), cliquez sur l'outil Recadrage et ne relâchez pas le bouton de la souris. Dans le menu contextuel, choisissez Personnalisé. Dans la boîte de dialogue Recadrage personnalisé, changez l'unité de mesure en centimètres, puis saisissez les dimensions exactes. Vous pouvez exprimer cette taille en pixels, en centimètres, en pouces, ou sous la forme d'un rapport hauteur/largeur personnalisé.

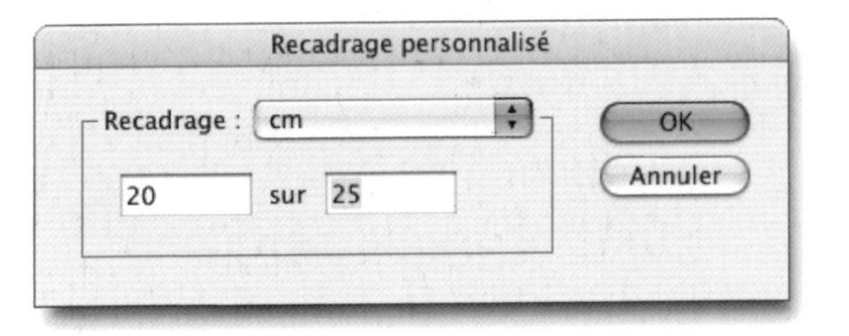

Etape 3

Si vous appliquez un recadrage prédéfini, la hauteur et la largeur s'ajustent proportionnellement pour maintenir ce rapport. Avec ce type de recadrage, vous définissez simplement une orientation verticale ou horizontale. En d'autres termes, l'image sera recadrée en modes portrait ou paysage. Si, après avoir défini un recadrage vertical, vous préférez un recadrage horizontal (mode paysage et non plus portrait), cliquez sur un des angles et faites pivoter la zone de recadrage. Vous pouvez changer de valeurs : tout en maintenant la touche Ctrl enfoncée (clic droit), cliquez dans la zone à recadrer. Cela ouvre un menu contextuel où vous choisissez un autre rapport hauteur/largeur. Pour annuler le recadrage en cours, appuyez sur l'une des touches Esc (Echap) ou Suppr (Retour arrière) de votre clavier.

Etape 4

Dès que vous cliquez sur le bouton Ouvrir de Camera Raw, l'image est recadrée selon vos paramètres et s'ouvre dans Photoshop. Si vous cliquez sur le bouton Terminer, le contour du recadrage reste dans le fichier, mais l'image n'est pas recadrée – à la réouverture de ce même fichier RAW, vous verrez le contour du recadrage.

Recadrage Astuce 1

Si vous cliquez sur Enregistrer alors qu'un recadrage est en cours, la boîte de dialogue Options d'enregistrement apparaît. Si vous choisissez Photoshop dans la liste Format, l'option Conserver les pixels recadrés s'affiche. Sélectionnez-la et cliquez sur Enregistrer. Lorsque vous rouvrirez cette image, elle sera recadrée, mais placée sur un calque modifiable (donc autre que le calque *Arrière-plan*). Le reste de l'image, c'est-à-dire la partie supprimée, reste accessible. Il suffit d'appuyer sur la touche V pour activer l'outil Déplacement, et de la faire glisser dans la fenêtre du document pour reconstituer l'image d'origine.

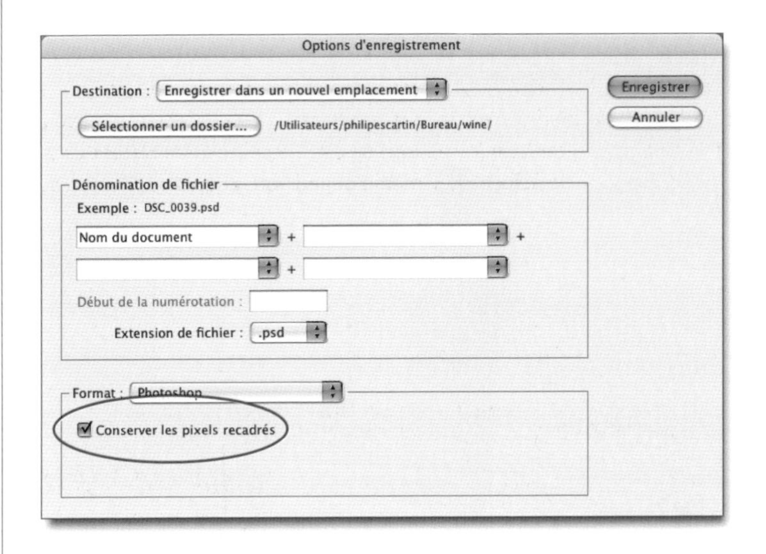

Recadrage Astuce 2

Si plusieurs photos sont ouvertes dans Camera Raw, vous pouvez les recadrer en une seule opération. Cliquez sur le bouton Tout sélectionner situé au-dessus des vignettes des images. Ensuite, utilisez l'outil Recadrage pour définir le contour du recadrage dans la zone d'aperçu. Vous constaterez alors que les vignettes des images s'ornent d'une petite icône Recadrage indiquant qu'elles seront recadrées au moment de leur ouverture ou de leur enregistrement.

Recadrage Astuce 3

Pour afficher uniquement le contenu de la zone recadrée, double-cliquez sur l'outil Recadrage.

Redresser des photos dans Camera Raw

Adobe a jouté à Camera Raw une fonction de redressement très simple qui ne requiert qu'un clic de souris. Le plus compliqué ici est de savoir annuler l'action de l'outil Redressement, car les informations de cette manipulation restent dans le fichier RAW même quand vous cliquez sur Terminer.

©SCOTT KELBY

Etape 1

Ouvrez l'image à redresser. Il doit bien évidemment s'agir d'une photo au format RAW. Dans la boîte à outils de Camera Raw, activez l'outil Redressement, à droite de l'outil Recadrage. Cliquez sur l'image et faites glisser l'outil sur la ligne d'horizon de votre photo.

Etape 2

Lorsque vous relâchez le bouton de la souris, l'aperçu affiche la photo pivotée et redressée. La modification n'est pas encore effective. Elle ne le sera qu'à l'ouverture du fichier dans Photoshop. Pour le moment, une bordure montre comment va s'effectuer la transformation. Si vous cliquez sur Enregistrer ou Terminer, les informations concernant le redressement seront enregistrées avec le fichier. Ainsi, lorsque vous ouvrirez de nouveau l'image dans Camera Raw, la bordure sera présente.

Astuce : Pour annuler votre redressement, cliquez sur l'outil Recadrage. Ensuite, appuyez sur la touche Esc (Echap) du clavier. La bordure disparaît. Cependant, pour conserver la modification, cliquez sur le bouton Ouvrir. La photographie pivotée et redressée s'affiche parfaitement dans Photoshop, prête à subir de nouvelles modifications.

Automatiser les traitements dans Camera Raw

Dans Camera Raw de Photoshop CS2, vous disposez d'un niveau d'automatisation poussé. Ainsi, lorsque vous appliquez des modifications à une image, vous pouvez facilement les reproduire sur d'autres tout en accomplissant diverses tâches dans le programme.

Technique n° 1

Cette première méthode montre comment modifier plusieurs images RAW en leur appliquant les mêmes paramètres sans être obligé de les ouvrir dans Photoshop. Cela est possible avec Adobe Bridge. Tout en maintenant la touche Cmd (Ctrl) enfoncée, cliquez sur les vignettes des images à modifier. Ensuite, appuyez sur Cmd+R (Ctrl+R) pour les ouvrir dans Camera Raw. Vous ne passez pas par Photoshop. Cliquez sur le bouton Tout sélectionner, situé dans le coin supérieur gauche de la boîte de dialogue Camera Raw. Toutes les photos ouvertes sont sélectionnées. Désormais, chaque modification apportée à l'image active se répercutera sur les autres.

Astuce : Lorsque vous cliquez sur le bouton Enregistrer *x* images (et que vous choisissez vos réglages dans la boîte de dialogue Options d'enregistrement), Camera Raw effectue un traitement par lots des fichiers pendant la correction de vos images. Une barre d'état s'affiche au-dessus du bouton Enregistrer *x* images. Cliquez dessus pour savoir où en est le traitement des images.

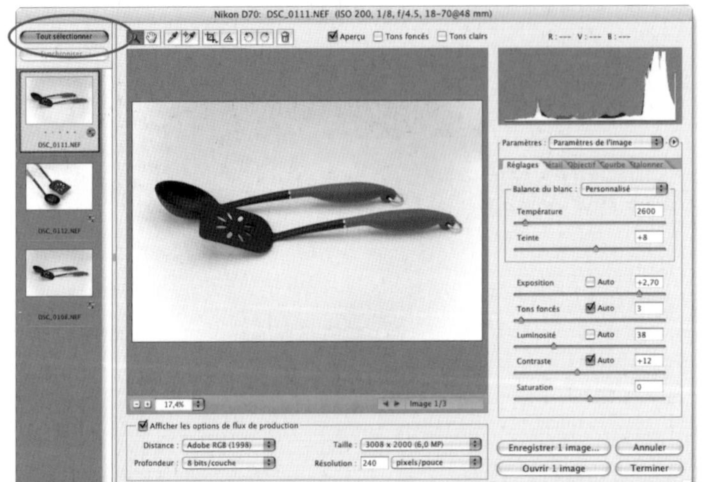

Technique n° 2

Si vous appliquez un réglage à une photo prise avec un appareil particulier et dans des conditions d'éclairage spécifiques (comme un Nikon D70 sous le soleil), vous pouvez sauvegarder vos modifications et les appliquer d'un clic à d'autres images RAW grâce à la fonction Bridge. Commencez par sauvegarder les paramètres en invoquant la commande Enregistrer les paramètres du menu Paramètres. Pour appliquer ces réglages à d'autres images, cliquez sur cette photo dans le Bridge. Allez dans le menu Edition. Dans Appliquer les paramètres Camera Raw, choisissez les réglages préalablement sauvegardés. C'est tout !

Technique n° 3

Si vous avez modifié un fichier RAW, vous pouvez retrouver les paramètres par défaut de votre appareil photo en cliquant sur la photo dans Adobe Bridge. Ensuite, ouvrez le menu Edition. Dans Appliquer les paramètres Camera Raw, choisissez Effacer les paramètres Camera Raw. Cette action annule vos modifications et restaure les réglages d'origine, pas ceux de votre appareil photo numérique.

Technique n° 4

Vous pouvez copier et coller les réglages réalisés dans Camera Raw sur n'importe quel fichier du Bridge. Commencez par cliquer sur la vignette de la photo à modifier. Ensuite, ouvrez le menu Edition du Bridge. Dans Appliquer les paramètres Camera Raw, choisissez Copier les paramètres Camera Raw. Ensuite, tout en maintenant la touche Cmd (Ctrl) enfoncée, cliquez sur les vignettes des photos RAW auxquelles vous voulez appliquer les mêmes réglages. Ouvrez le menu Edition ; sous Appliquer les paramètres Camera Raw, choisissez Coller les paramètres Camera Raw. Cela affiche une boîte de dialogue demandant si vous voulez appliquer tout ou partie des réglages. Dans la liste Sous-ensemble, choisissez ce que vous voulez exécuter, ou activez et désactivez les réglages à appliquer. Validez par un clic sur OK. Les paramètres actifs s'appliquent aux images sélectionnées.

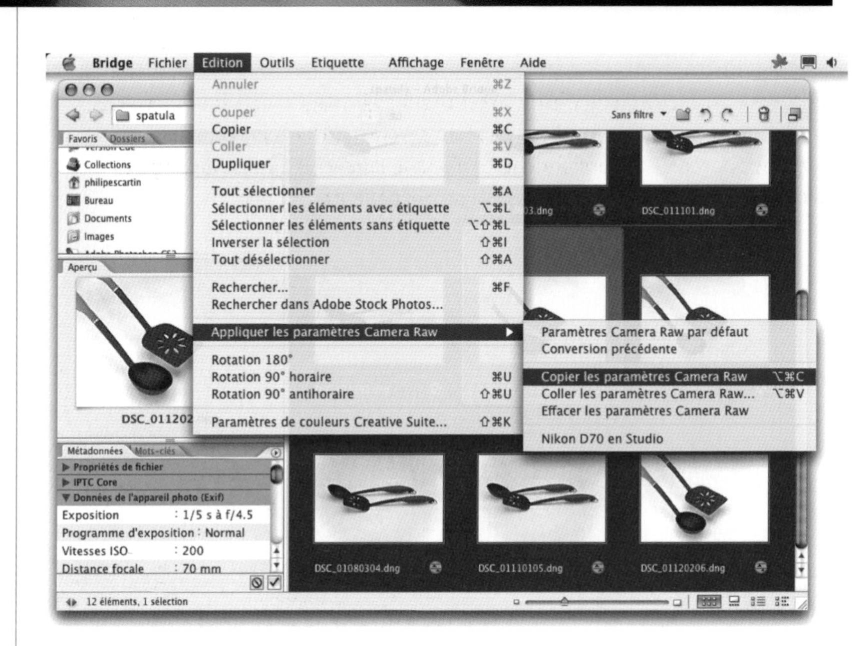

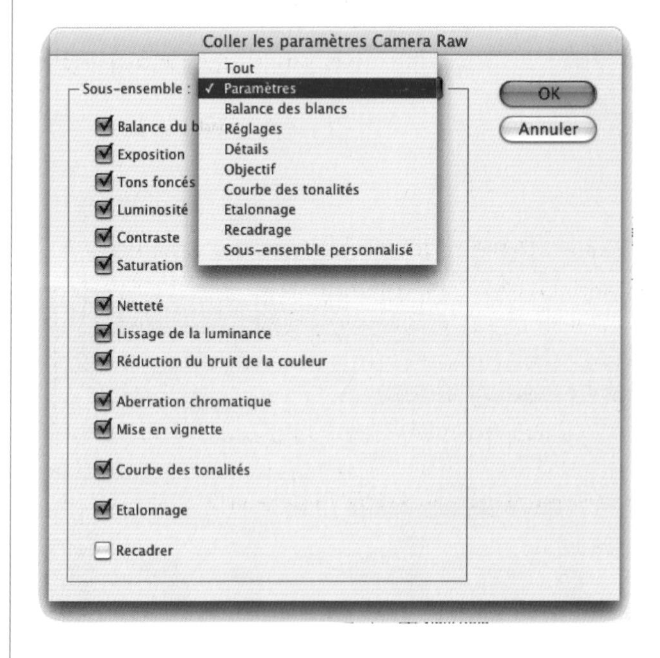

Accentuer dans Camera Raw

Bien que Camera Raw permette d'accentuer votre image à une étape précoce du processus de correction, il vous appartient de décider d'y procéder ou non. Certains photographes prétendent qu'il faut le faire ici, d'autres non. Agissez selon vos convictions personnelles et votre expérience.

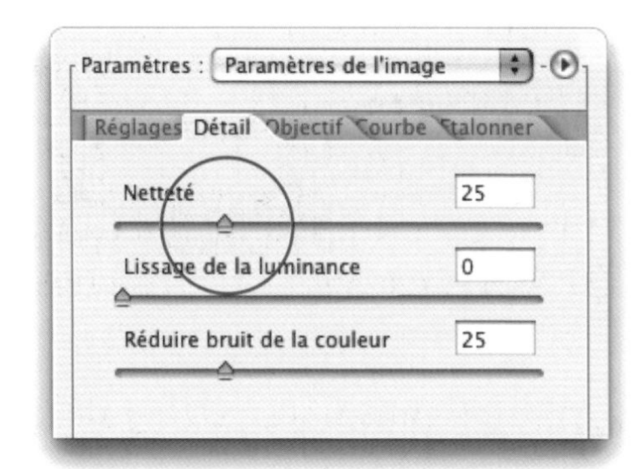

Etape 1

Camera Raw renforce légèrement la netteté de vos photos dès que vous les ouvrez. Pour connaître l'importance de cette accentuation, cliquez sur l'onglet Détail, et jetez un œil sur le curseur Netteté. Pour accentuer davantage, faites glisser ce curseur vers la droite. (Si vous effectuez cette modification, veillez à afficher votre image à 100 % dans la zone d'aperçu, pour bien apprécier l'impact de l'accentuation.)

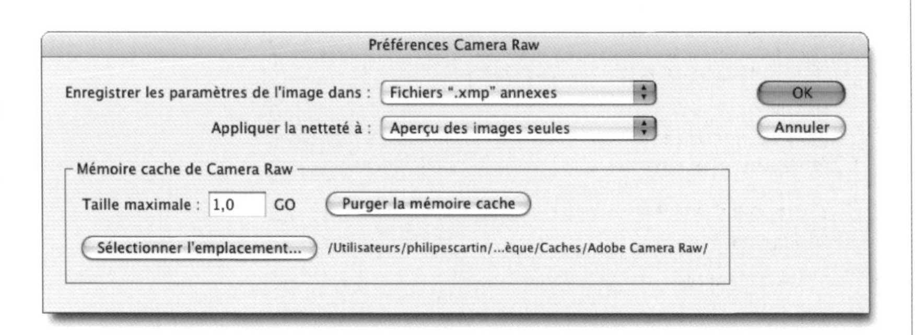

Etape 2

Maintenant que vous savez comment renforcer la netteté d'une image, je conseille de fixer le paramètre Netteté à 0 %, et ce, pour deux raisons. La première est que vous ne disposez que d'un seul curseur et que vous devez donc vous contenter de son action. La seconde est qu'il paraît logique d'accentuer une image une fois toutes les autres corrections apportées. Cependant, si vous voulez voir l'image accentuée sans appliquer ce réglage au fichier, appuyez sur Cmd+K (Ctrl+K). Dans la liste Appliquer la netteté de la boîte de dialogue Préférences Camera Raw, choisissez Aperçu des images seules.

Ajuster la couleur (Calibration)

Dans Camera Raw, tout est conçu pour modifier l'exposition, la luminosité, la netteté ou la balance des blancs. Mais que faire si votre photo est trop rouge, ou si la balance des blancs est correcte mais que la photo est encore trop bleue ? Voici quelques pistes à explorer.

Etape 1

Après modification de l'exposition, de la luminosité, etc., une partie de votre image est encore trop rouge. Pour corriger ce problème, ouvrez l'onglet Etalonner. Faites glisser le curseur Saturation du rouge vers la gauche, afin de réduire la quantité de rouge sur toute la photo. Si le rouge n'a pas la bonne teinte, contentez-vous de faire glisser le curseur Teinte rouge jusqu'à ce que vous obteniez la couleur souhaitée (en plaçant ce curseur entièrement sur la droite, vous obtenez un orange).

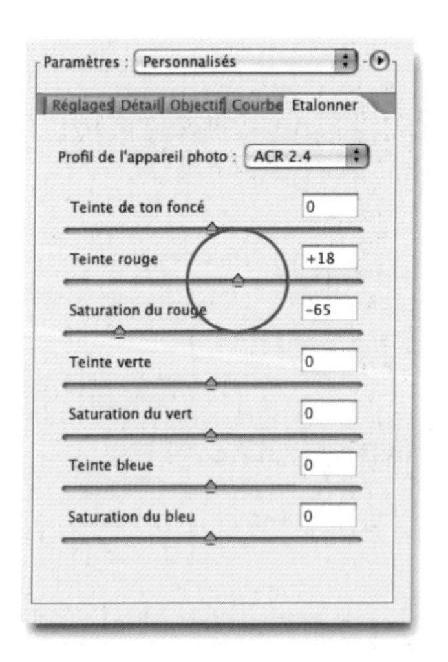

Etape 2

Si toutes les images de votre appareil photo numérique présentent le même problème, enregistrez cette calibration en exécutant la commande Enregistrer le sous-ensemble de paramètres du menu local Paramètres. Dans la boîte de dialogue qui apparaît, décochez tout excepté Etalonnage (ou choisissez cette option dans la liste Sous-ensemble). Validez par un clic sur Enregistrer. A présent, vous pouvez appliquer ces paramètres aux autres images prises avec votre appareil photo numérique. Notez que vous pouvez ajuster les bleus et les verts de la même manière.

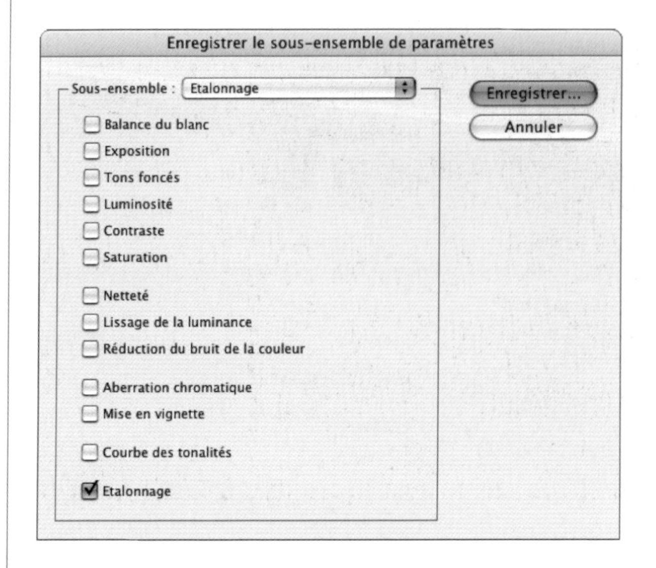

Réduction du bruit dans Camera Raw

Lors du traitement des images, il n'est pas rare de constater la présence d'un bruit numérique qui prend la forme de points rouges et verts ou de motifs colorés. Vous pouvez le réduire directement dans Camera Raw.

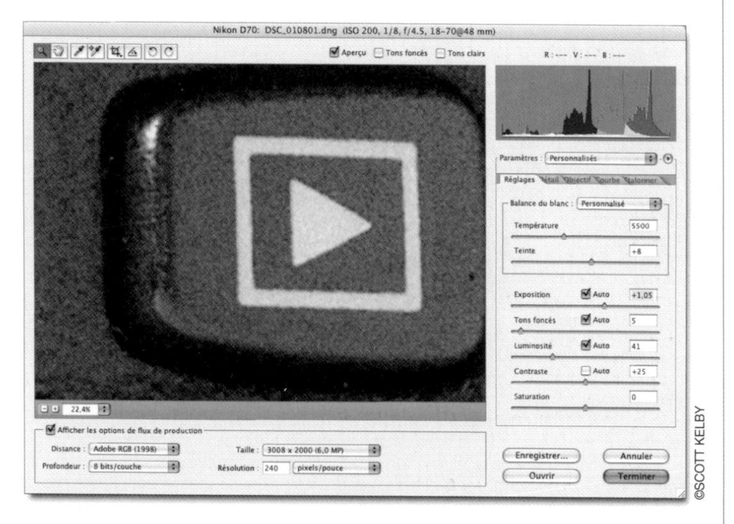

Etape 1

Ouvrez une image présentant un bruit numérique. Appuyez sur Z pour activer l'outil Zoom, puis zoomez sur le bruit. Deux types de bruits peuvent être corrigés dans Camera Raw : (1) le bruit d'une valeur ISO élevée, qui apparaît dans des conditions d'éclairage faible ; (2) le bruit de la couleur, qui peut se révéler même dans des conditions tout à fait ordinaires – ce bruit étant plus fréquent sur certains appareils photo numériques que d'autres.

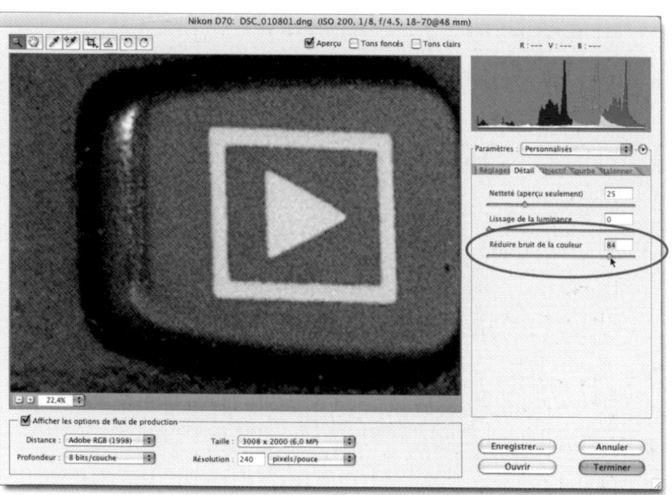

Etape 2

Cliquez sur l'onglet Détail. Pour réduire le bruit de la couleur, faites glisser vers la droite le curseur Réduire bruit de la couleur. Vous constatez qu'il fait un excellent travail malgré une légère diminution de l'intensité générale de la couleur. Il est donc important d'effectuer un zoom arrière pour voir si la modification n'a pas trop altéré la couleur de l'image. Si le bruit est présent dans les zones foncées (bruit ISO), agissez sur le curseur Lissage de la Luminance. Procédez soigneusement, car cette réduction a tendance à atténuer l'image, donc à créer du flou.

Bracketing avec Camera Raw

Si vous avez oublié d'utiliser la fonction de bracketing (exposition automatique différenciée), simulez-la dans Camera Raw. Ensuite, ouvrez ces clichés dans Photoshop de manière à composer une image qu'une seule exposition ne saurait générer. Voici comment procéder.

Etape 1

Ouvrez l'image RAW à laquelle vous souhaitez appliquer la technique du bracketing. Dans cet atelier, la bouilloire est trop sombre, mais l'arrière-plan est parfait. Nous allons commencer par agir sur les tons clairs de cette première image. Augmentez la valeur des paramètres Exposition et Luminosité en faisant glisser les curseurs vers la droite (les cases Auto se désactivent automatiquement). Désormais, la bouilloire est bien exposée. Validez les réglages par un clic sur le bouton Ouvrir de la boîte de dialogue Camera Raw pour afficher l'image dans Photoshop.

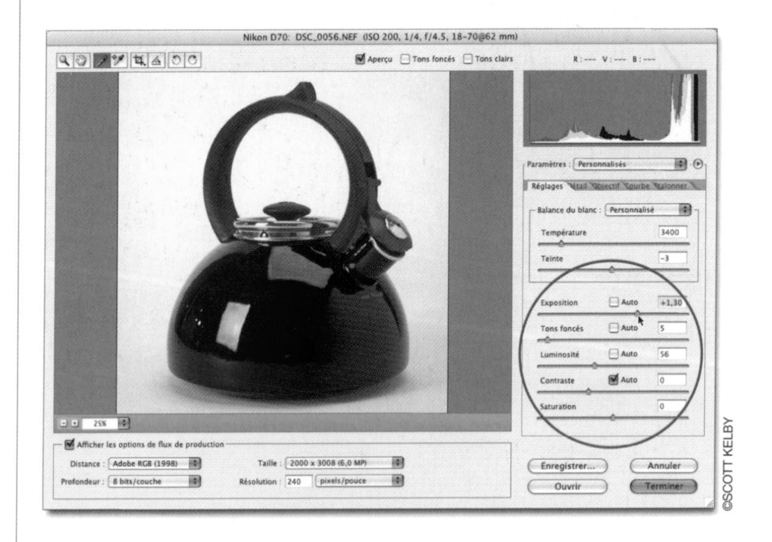

Etape 2

Revenons à Adobe Bridge, et ouvrons de nouveau ce fichier RAW dans Camera Raw. Nous allons maintenant corriger les tons foncés en réduisant l'Exposition, en augmentant les Tons foncés et en diminuant la Luminosité et le Contraste. Cela donnera plus de profondeur à l'image dont les zones sombres conservent des détails, et dont l'arrière-plan est d'un gris magnifique. Dès que l'image vous semble correcte, cliquez sur le bouton Ouvrir pour l'afficher dans Photoshop.

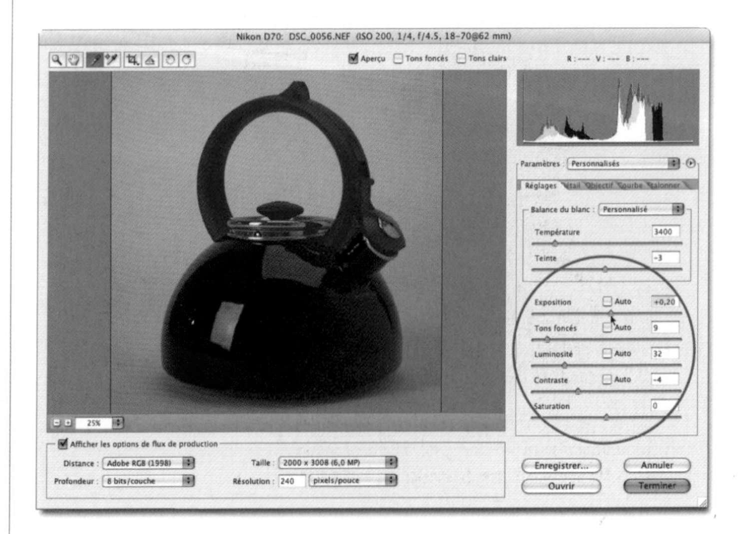

Etape 3

Deux versions de l'image sont ouvertes dans Photoshop : l'une avec les tons clairs améliorés, et l'autre avec les tons foncés. Disposez les fenêtres de manière à afficher les deux photos simultanément.

Etape 4

Appuyez sur V pour activer l'outil Déplacement. Maintenez la touche Maj enfoncée et glissez-déposez la version la plus sombre de l'image sur la plus claire. Maintenir la touche Maj enfoncée permet d'aligner parfaitement les deux photos. Dans la palette Calques, l'image sombre se trouve au-dessus de l'image claire. Vous pouvez fermer la fenêtre de la photo sombre sans enregistrer une quelconque modification.

Etape 5

Tout en maintenant la touche Option (Alt) enfoncée, cliquez sur l'icône Ajouter un masque de fusion de la palette Calques. Cela place un masque noir sur l'image la plus sombre. Vous ne voyez plus que l'image la plus claire du calque d'arrière-plan.

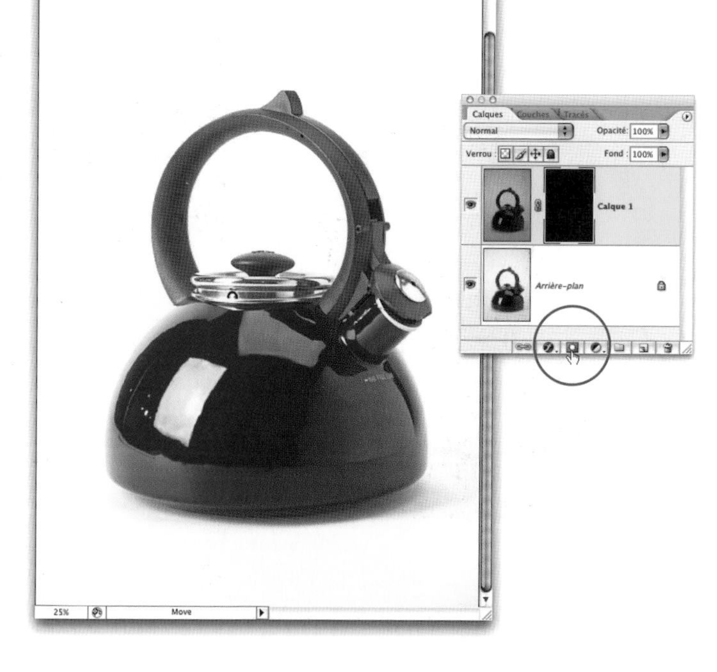

Etape 6

Vous devez maintenant « révéler » les zones les plus foncées là où vous pensez qu'elles sont nécessaires. Appuyez sur la lettre B pour activer l'outil Pinceau. Dans le menu local des pinceaux de la Barre d'options, choisissez une forme de taille moyenne et aux contours adoucis. Ensuite, appuyez sur D pour définir le blanc comme couleur de premier plan. Peignez alors sur les parties de la photo qui doivent être plus sombres (ici, la base de la bouilloire). Le fait de peindre en blanc sur le masque de fusion révèle la version sombre de l'image.

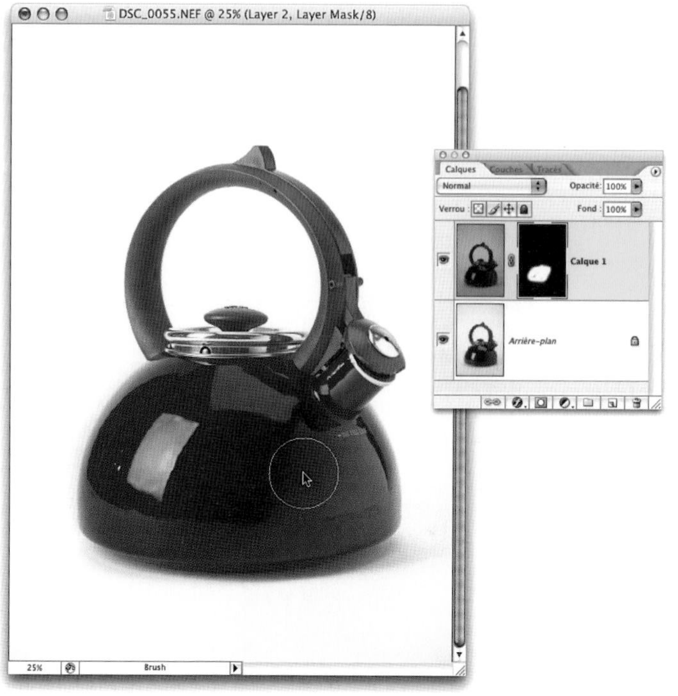

Etape 7

Peignez jusqu'à ce que vous obteniez un compositing parfait entre les deux versions de l'image. Si les parties foncées semblent trop intenses, diminuez légèrement l'Opacité du calque (palette Calques). Vous devez obtenir une image semblable à celle représentée ci-contre. L'objet et l'arrière-plan sont parfaitement exposés. La meilleure photo procède d'un savant compositing de deux expositions différentes redéfinies dans Camera Raw.

Corriger les aberrations chromatiques

Nous parlons d'aberrations chromatiques quand des teintes « parasites » apparaissent sur les bords des objets photographiés. Cette frange est généralement rouge, verte ou bleue. Dans tous les cas, il est souhaitable de s'en débarrasser. Camera Raw propose une fonction prédéfinie qui fait un excellent travail.

Etape 1

Ouvrez la photo RAW présentant des aberrations chromatiques (franges colorées) et appuyez sur Z pour activer l'outil Zoom de la boîte de dialogue Camera Raw. Effectuez un zoom avant sur une zone présentant ce type de frange. Dans cet atelier, j'ai zoomé sur le journal dont la frange rouge saute aux yeux.

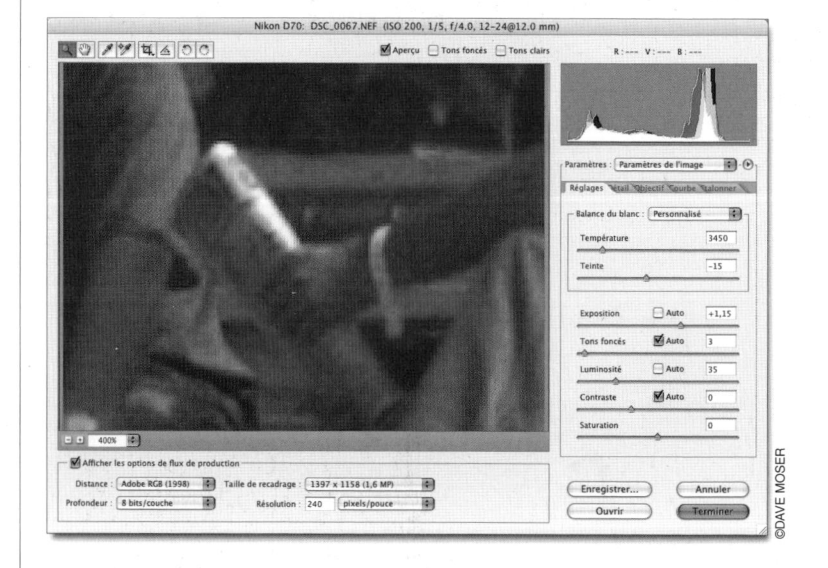

©DAVE MOSER

Etape 2

Pour supprimer cette frange, cliquez sur l'onglet Objectif de manière à accéder aux curseurs Aberration chromatique. Le curseur supérieur corrige les franges rouges ou cyan, tandis que celui du bas s'occupe des bleues ou jaunes.

Astuce : Avant d'effectuer une correction chromatique, cliquez sur l'onglet Détail et fixez la valeur Netteté à 0 %. En effet, la netteté génère des franges colorées.

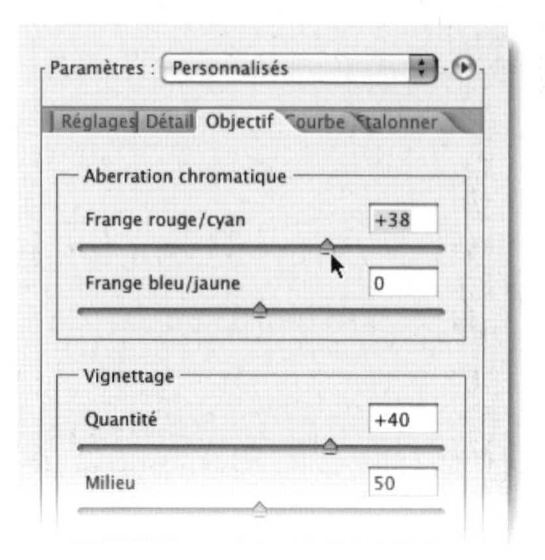

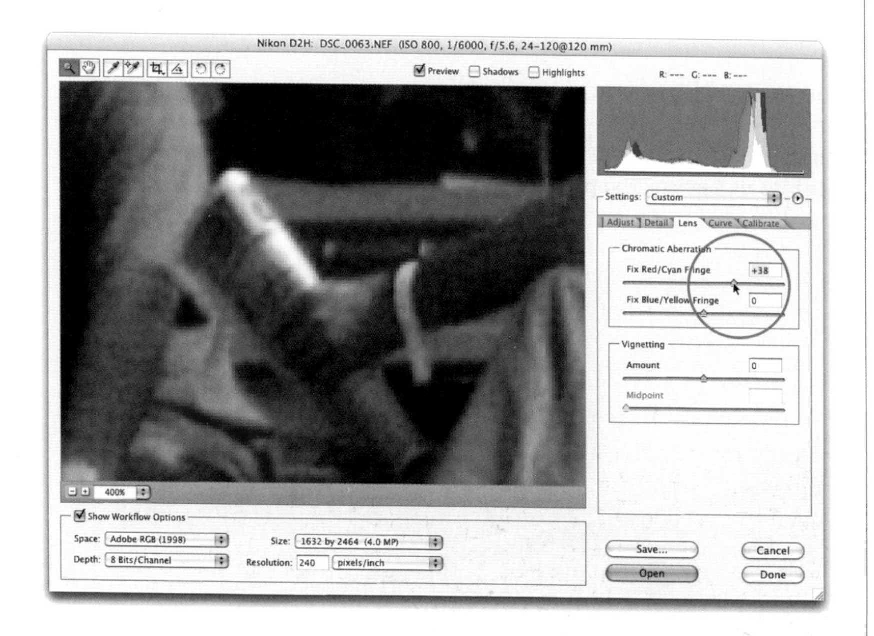

Etape 3

Etant donné que cette frange est rouge, faites glisser le curseur supérieur vers la droite (c'est-à-dire vers le Cyan) pour l'éliminer.

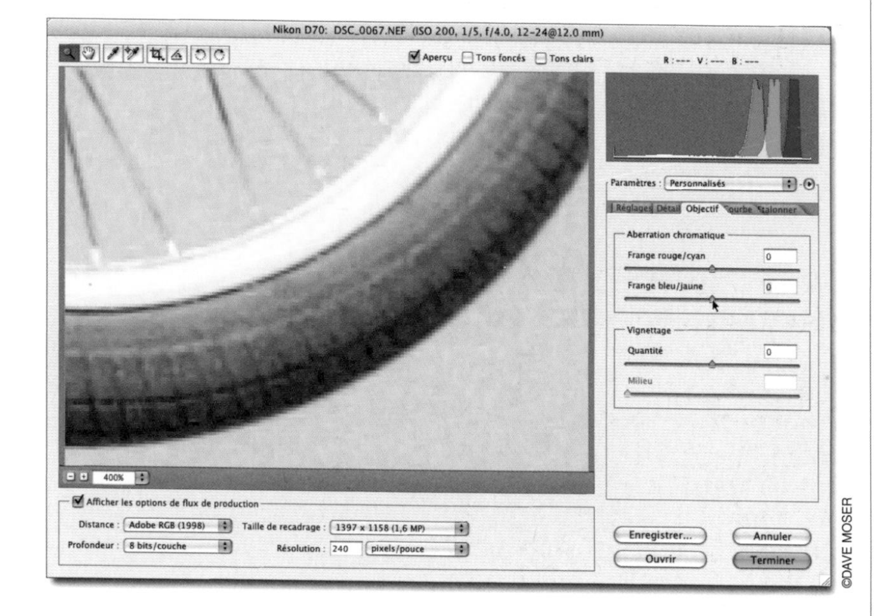

Astuce : Voici une astuce pour repérer facilement les franges. Tout en maintenant la touche Option (Alt) enfoncée, cliquez sur un des curseurs. L'aperçu n'affiche plus que les couleurs Rouge/Cyan ou Bleu/Jaune de l'image. Par exemple, cette photo présente une frange violette à la base du pneu. En appuyant sur Option (Alt) et en cliquant sur le curseur Bleu/Jaune, vous isolez cette frange. Vous pouvez alors faire glisser le curseur vers la gauche pour neutraliser cette aberration chromatique. L'aperçu permet de voir si la frange a bien disparu.

Régler le contraste avec des courbes

En plus du curseur Contraste que nous avons utilisé précédemment, Photoshop CS2 vous permet de créer vos propres courbes de contraste. Vous disposez ainsi d'un contrôle absolu sur le contraste de vos images. Ces paramètres personnalisés pourront être sauvegardés sous forme de réglages prédéfinis.

Etape 1

Dans Camera Raw, ouvrez l'image dont vous voulez modifier le contraste avec des courbes. Ensuite, cliquez sur l'onglet Courbe. Par défaut, la valeur du paramètre Courbe des tonalités est fixée sur Contraste moyen.

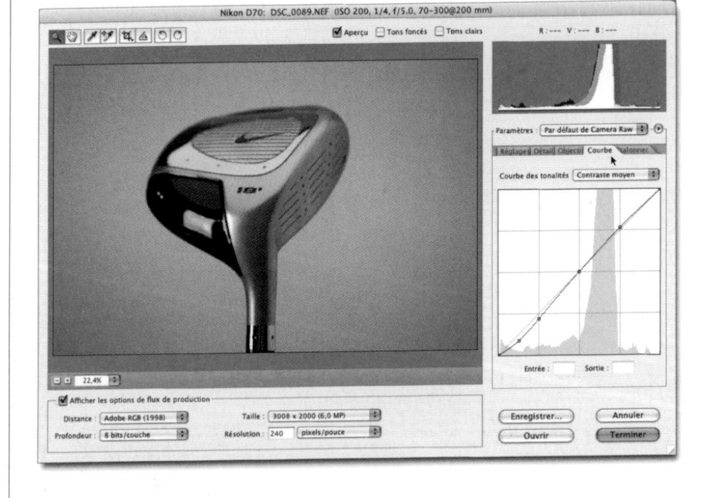

Etape 2

Pour renforcer le contraste de l'image, choisissez Contraste fort dans la liste Courbe des tonalités.

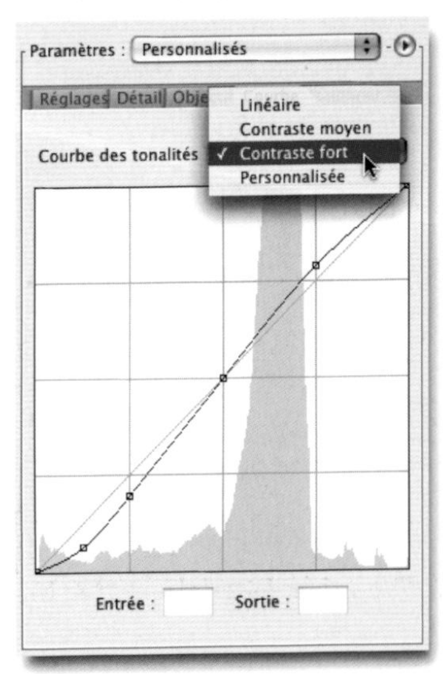

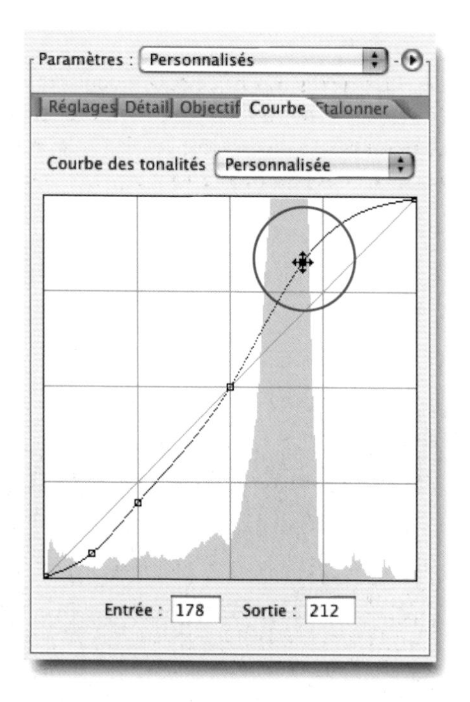

Etape 3

Si vous êtes un habitué des courbes et que vous vouliez créer une courbe personnalisée, commencez par modifier une des courbes prédéfinies. Il suffit de déplacer les points de réglage. Cette action bascule la liste Courbe des tonalités en Personnalisé. Vous voici libre de modifier la courbe à votre convenance. En revanche, si vous préférez partir d'une courbe neutre, choisissez Linéaire dans cette liste. Vous affichez une courbe rectiligne. Pour ajouter des points de réglage, cliquez directement sur la courbe. Pour en supprimer, faites glisser les points en dehors de la courbe.

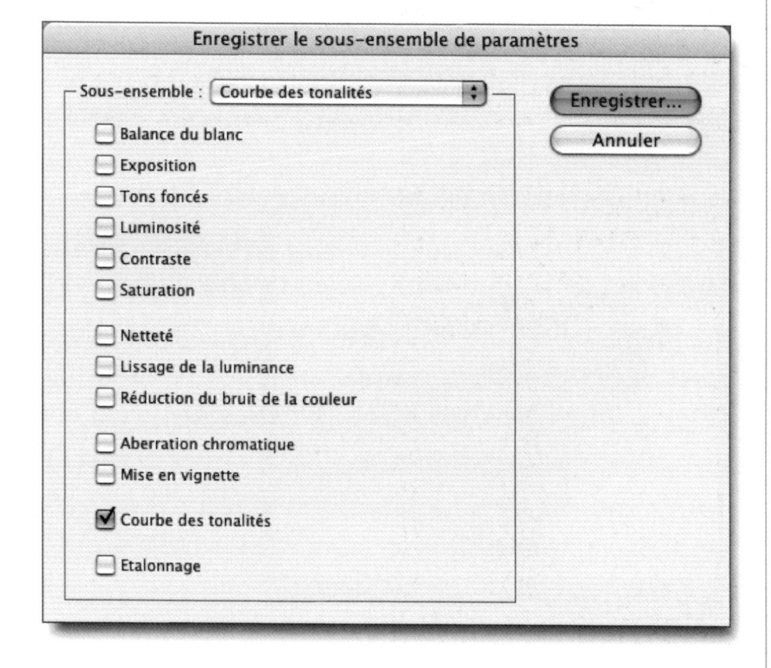

Etape 4

Si vous créez une courbe que vous voulez appliquer à d'autres images, vous ne pouvez malheureusement pas l'ajouter à la liste Courbe des tonalités. En revanche, vous pouvez enregistrer ce réglage en exécutant la commande Enregistrer le sous-ensemble de paramètres du menu local Paramètres. Vous accédez à une boîte de dialogue dans laquelle vous sélectionnez les réglages à sauvegarder. Dans cet atelier, choisissez Courbe des tonalités dans la liste Sous-ensemble. Cliquez sur Enregistrer et nommez le fichier. Désormais, vous pourrez charger cette courbe personnalisée depuis le menu local Paramètres.

Corriger (ou créer) un vignettage

On parle de vignettage lorsque les angles d'une photo sont plus sombres que les autres parties de l'arrière-plan. En fonction du caractère de la photo, le vignettage est un avantage ou un inconvénient. Mon appréciation est la suivante : si seuls les coins de la photo sont sombres, je considère qu'il s'agit d'un problème et je le corrige. Cependant, parfois je veux attirer l'attention sur une zone spécifique de l'image. Pour cela, je génère un effet de vignettage. Je vais donc augmenter le vignettage d'origine pour en faire un effet esthétique et non plus un problème d'objectif. Voici comment corriger ou créer un vignettage.

Etape 1

Sur la photo RAW représentée ci-contre, vous constatez que les angles sont plus foncés que les autres parties de l'arrière-plan. Ce vignettage provient de l'objectif de l'appareil. Vous n'y êtes pour rien, à moins que vous n'ayez acheté un objectif bon marché qui amplifie cet effet.

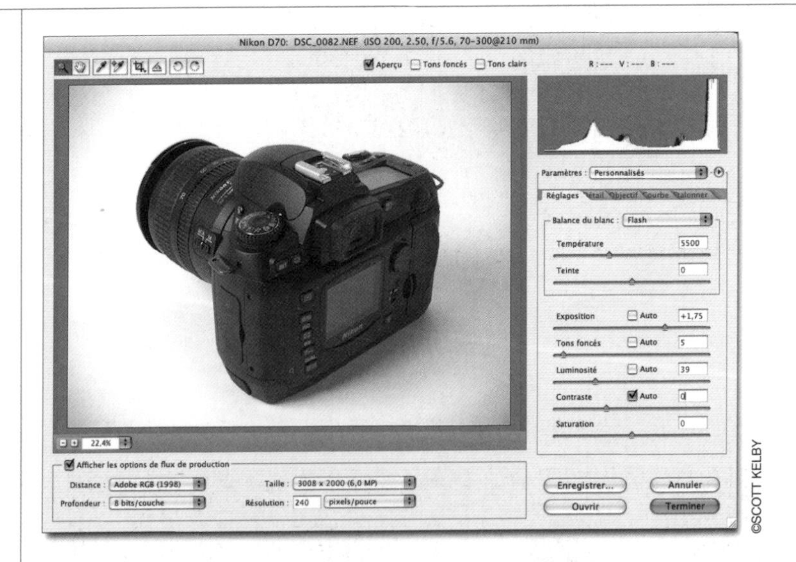

©SCOTT KELBY

Etape 2

Pour éliminer ce vignettage, cliquez sur l'onglet Objectif. Vous accédez aux options Vignettage. Faites glisser le curseur Quantité vers la droite jusqu'à ce que le vignettage disparaisse. Dès que vous commencez ce déplacement, le curseur Milieu devient actif. Il détermine la portée de cette correction, c'est-à-dire jusqu'où elle va produire son effet dans l'image. Faites-le glisser vers la droite pour éclaircir encore plus cette zone de la photo.

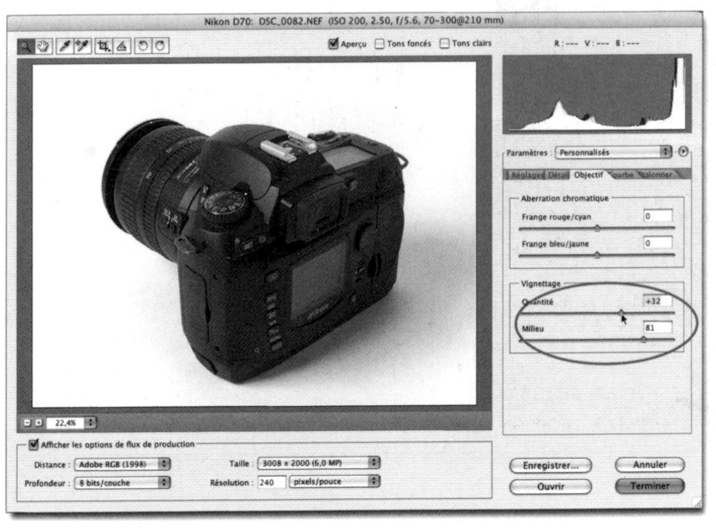

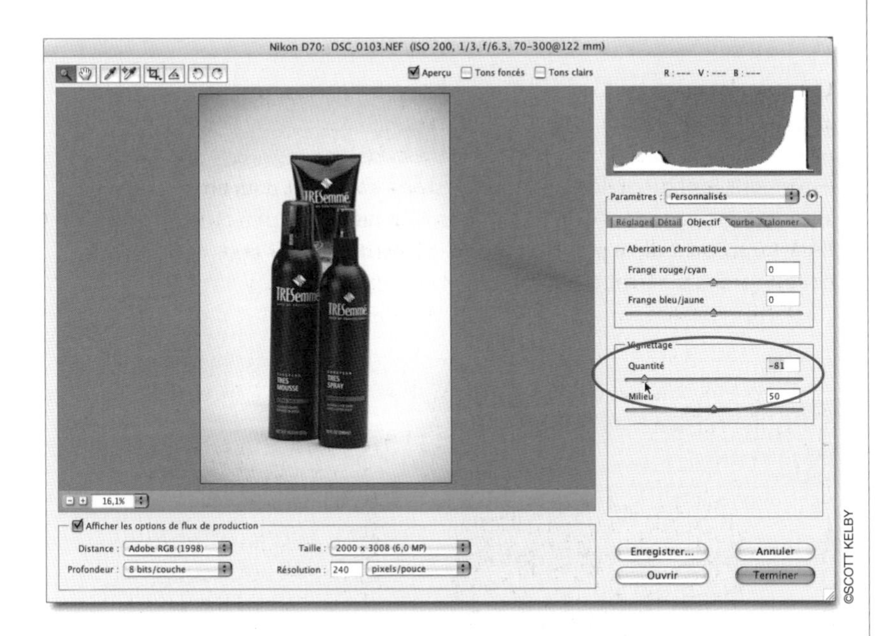

Etape 3

Ajoutons maintenant un vignettage pour focaliser l'attention sur une partie de l'image. (Au Chapitre 11, « Effets spéciaux », je montre comment obtenir un effet identique sans passer par Camera Raw.) Cette fois, dans la section Vignettage, faites glisser le curseur Quantité vers la gauche. Vous observez l'apparition progressive d'une vignette sur la photo. Pour éviter que cela ne ressemble à un défaut dû à l'objectif, vous devez pousser plus loin votre intervention.

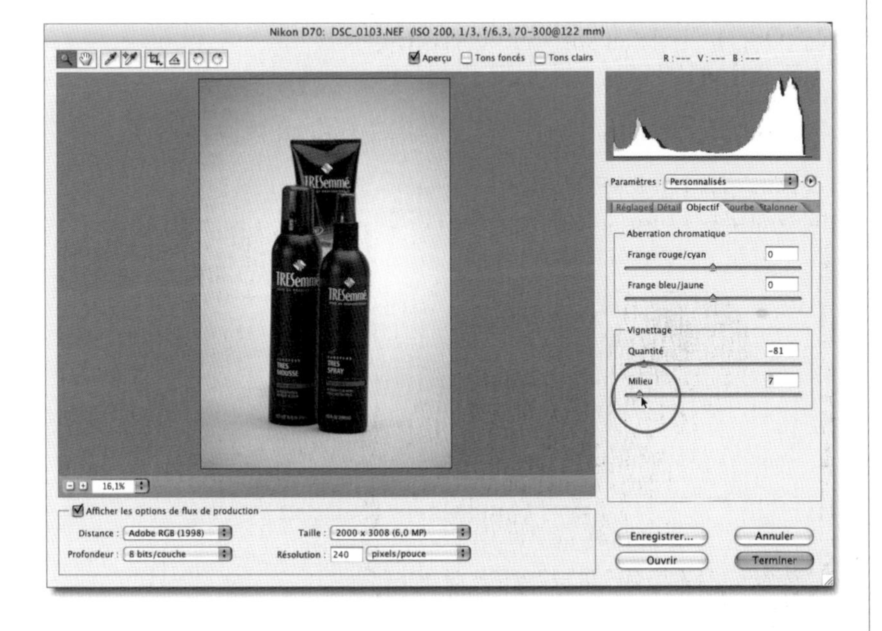

Etape 4

Pour donner l'impression que le vignettage est un effet d'éclairage subtil, faites glisser le curseur Milieu vers la gauche. Vous augmentez la taille du vignettage, créant un effet très esthétique. Vous venez d'apprendre deux techniques pour le prix d'une !

Enregistrer des fichiers RAW au format Digital Negative (DNG)

Nous devons parler du format de fichier RAW, car il ne s'agit pas d'un format unique. Chaque fabricant d'appareil photo numérique a le sien. Cela n'est pas un problème en soi mais soulève malgré tout des questions. Que se passe-t-il si un constructeur arrête de développer ou de suivre un format pour en privilégier un autre ? Que faire si, dans quelques années, vous ne pouvez plus ouvrir vos fichiers RAW ? Conscient de ce problème, Adobe a créé le format Digital Negative (DNG) pour un archivage longue durée de vos images RAW.

Etape 1

Au moment de la rédaction de cet ouvrage, aucun fabricant majeur d'appareils photo numériques ne permettait d'enregistrer les fichiers RAW au format DNG d'Adobe. La seule chose que vous puissiez faire est de sauvegarder dans ce format depuis la boîte de dialogue Camera Raw. Cliquez sur le bouton Enregistrer. Vous accédez à la boîte de dialogue Options d'enregistrement dont la partie inférieure permet de sélectionner le format de fichier. Il suffit de choisir DNG dans la liste Format.

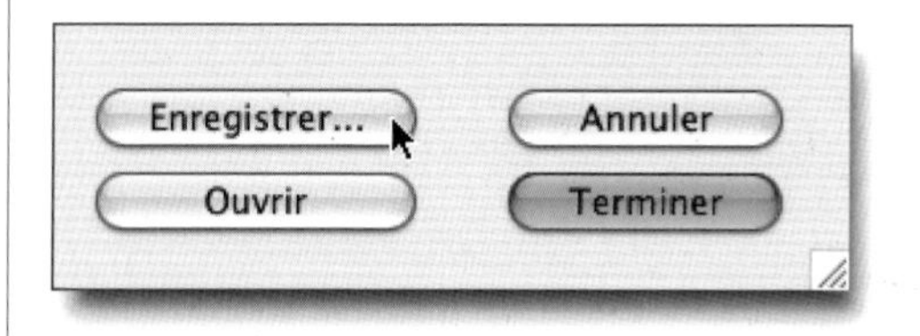

Etape 2

Vous pouvez ausssi choisir d'incorporer le fichier RAW d'origine dans le fichier DNG, ce qui produira un fichier plus volumineux. En revanche, cette incorporation permet de récupérer le fichier original en cas de besoin. Il existe également une option de compression, dite « Compressé (sans perte) ». Cela signifie que la compression n'altère pas la qualité de l'image comme le fait, par exemple, la compression JPEG. Vous pouvez d'ailleurs inclure un aperçu JPEG. Une fois vos options définies, cliquez sur Enregistrer pour générer un fichier d'archive au format DNG que vous pourrez ouvrir sans problème dans Photoshop (ou avec l'utilitaire gratuit DNG, d'Adobe).

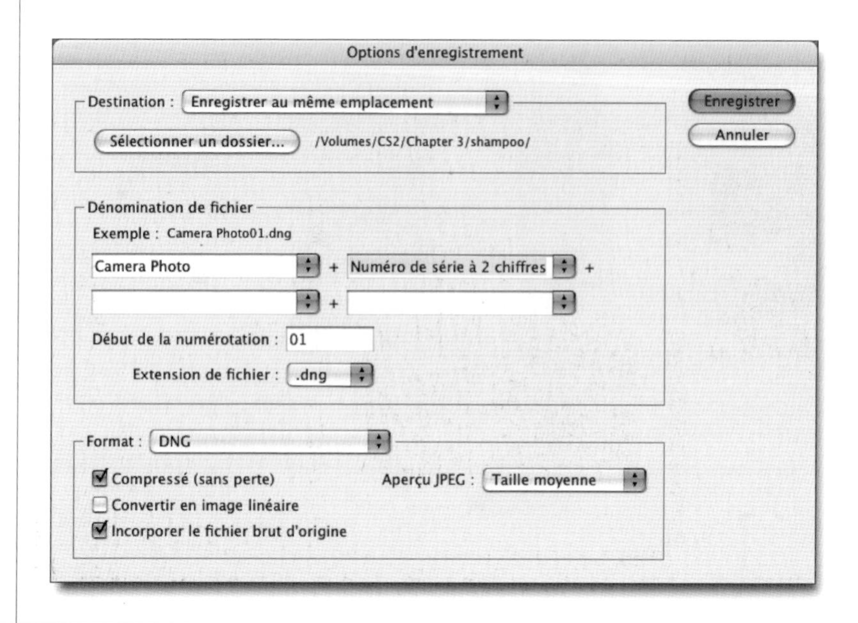

Photoshop CS2 est la première version du programme à compiler des images 32 bis HDR (*High Dynamic Range*). Aujourd'hui, il s'agit davantage d'une technique de prévisualisation que d'un outil réellement utile. En effet, aucun moniteur et aucune imprimante ne sont capables de traiter la plage de couleurs de ces images. Un jour viendra où cela sera possible. Pour le moment, voyons comment utiliser la fonction HDR pour épater nos amis photographes.

HDR et fusion d'exposition

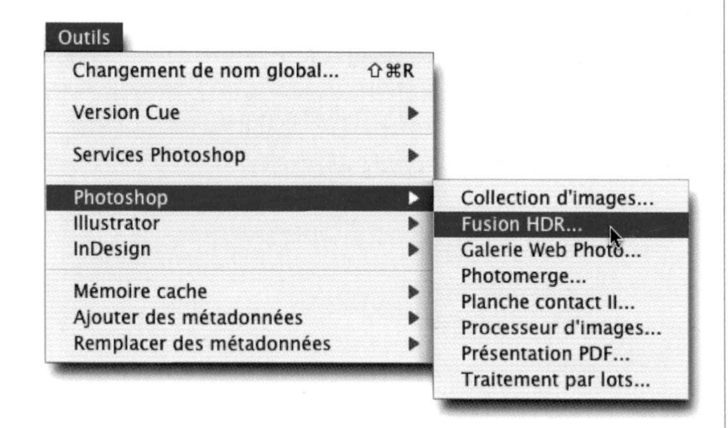

Etape 1

La magie du HDR est de pouvoir fusionner plusieurs clichés d'une même scène (pris avec un trépied) affichant différentes valeurs d'exposition (je parle ici de temps d'exposition, et non d'ouverture du diaphragme). Ensuite, ces photos sont fusionnées pour créer une « mégaphoto » dont la plage dynamique excède ce que l'œil humain peut percevoir, et ce que les écrans et les imprimantes peuvent reproduire. Pour cette première étape, photographiez plusieurs fois la même scène avec des temps d'exposition différents, comme 1/100, 1/250, 1/500, etc. Ouvrez ensuite vos photos à partir d'Adobe Bridge. Dans le menu Outils, cliquez sur Photoshop > Fusion HDR.

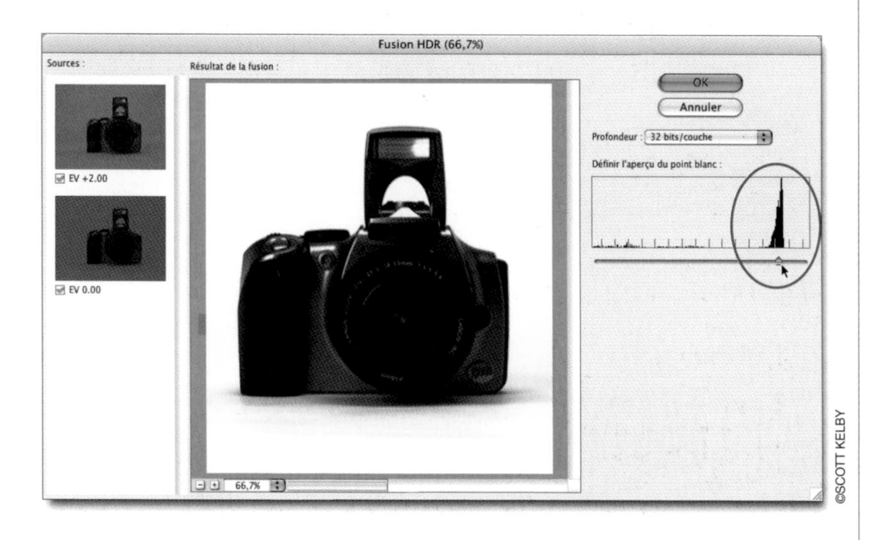

Etape 2

Le résultat de la fusion s'affiche dès l'ouverture de la boîte de dialogue $Merge to HDR. Les photos apparaissent sous forme de vignettes dans le volet gauche de la boîte de dialogue. Un curseur permet de régler le point blanc. Vous pouvez également choisir la profondeur binaire. Si vous conservez la valeur 32 bits par défaut, un nombre limité d'outils et de fonctions seront disponibles dans Photoshop CS2.

Photo de Dave Moser | Exposition : 1/60 s | Focale : 120 mm | Ouverture : f/5.7

XXL
Redimensionnement et recadrage

Je pense qu'un chapitre entier doit être consacré au redimensionnement et au recadrage pour apprendre à préserver la qualité des images. Les manipulateurs d'images numériques savent combien la taille et la manière de redimensionner les photos sont importantes. En revanche, le recadrage, de par ses techniques relativement simples, ne justifie pas un chapitre à lui seul. Pour cette raison, un tiers de celui-ci suffira à vous en expliquer toutes les fonctions.

Recadrage des photos

Généralement, la première chose à faire après le classement des photos dans Adobe Bridge est de recadrer les images. Photoshop CS2 propose différentes méthodes. Nous commencerons par étudier les plus complexes pour finir par des techniques plus simples et plus rapides.

Etape 1

Appuyez sur la lettre C pour activer l'outil Recadrage.

Etape 2

Dans la photo, tracez un cadre de sélection délimitant la zone à recadrer. Toute la partie de l'image qui sera supprimée est assombrie. N'essayez pas d'obtenir une sélection précise ; il est facile de la redéfinir avec les poignées de redimensionnement affichées dans les angles et au centre de chaque côté du cadre.

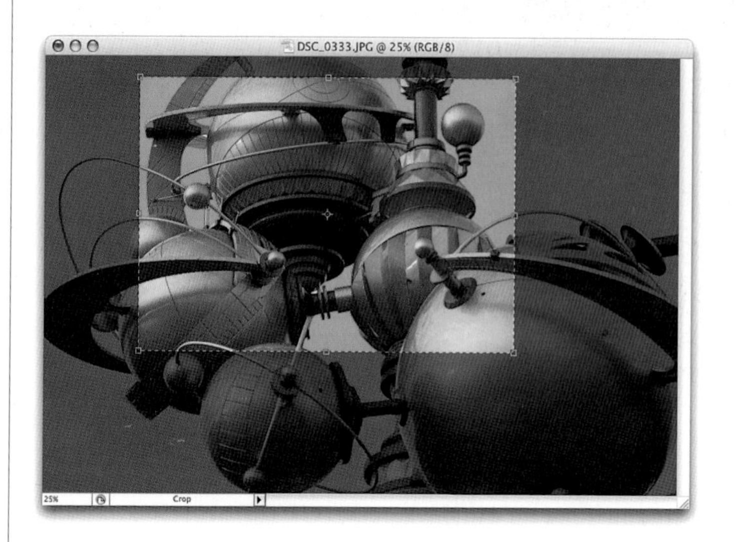

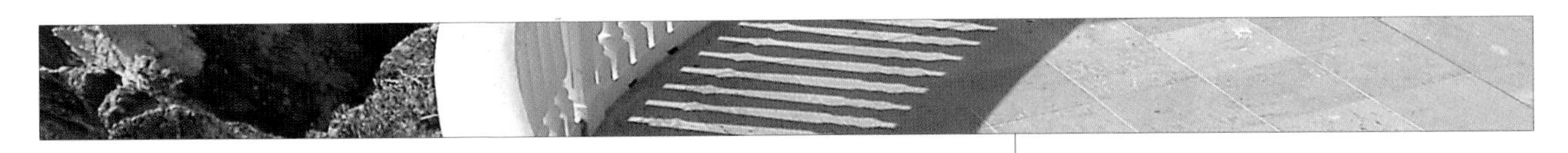

Astuce : Pour que la zone supprimée n'apparaisse pas dans une couleur plus sombre, appuyez sur la touche Barre oblique inverse (*Backslash*) de votre clavier. Appuyez de nouveau dessus pour assombrir cette partie de l'image.

Etape 3

Une fois le cadre défini, faites-le pivoter en plaçant le curseur à proximité d'un bord extérieur. Quand il prend la forme d'une double flèche incurvée, cliquez et faites-le glisser dans le sens de la rotation à imprimer au cadre. Cet outil permet de recadrer et de faire pivoter une photo.

Etape 4

Une fois le recadrage défini, appliquez-le en appuyant sur la touche Retour (Entrée).

Astuce : Si le cadre de sélection ne vous convient pas, supprimez-le en appuyant sur la touche Esc (Echap), en cliquant sur le bouton Annuler le recadrage en cours dans la Barre d'options, ou en activant un autre outil. Cette action affiche un message demandant si vous voulez ou non recadrer l'image avant de quitter ce mode. Si vous ne voulez pas recadrer, cliquez sur le bouton Non.

Astuce : Une autre manière de recadrer consiste à définir une sélection avec l'outil Rectangle de sélection (M). Une fois le cadre de sélection défini, cliquez sur Image > Recadrer. Appuyez sur Cmd+D (Ctrl+D) pour supprimer le cadre de sélection.

Recadrage et règle de trois

La « règle de trois » est une astuce de photographe qui permet de réaliser des compositions très intéressantes. Mentalement, vous divisez en trois l'image affichée dans le viseur de votre appareil photo. Ensuite, vous placez l'horizon sur la ligne imaginaire supérieure ou inférieure. Puis, vous positionnez le sujet (ou le point focal) au centre des intersections de ces lignes. Si vous ne parvenez pas à appliquer cette règle dans le viseur, procédez-y ultérieurement dans Photoshop CS2.

©SCOTT KELBY

Etape 1

Ouvrez la photo à recadrer selon cette règle de trois. Etant donné que le recadrage réduit une image, créez un nouveau document plus petit qui reprend la même résolution et le même mode de couleurs. Dans cet atelier, ma photo d'origine mesure 30,48 × 20,25 cm, et le nouveau document a une taille de 20,32 × 15,24 cm.

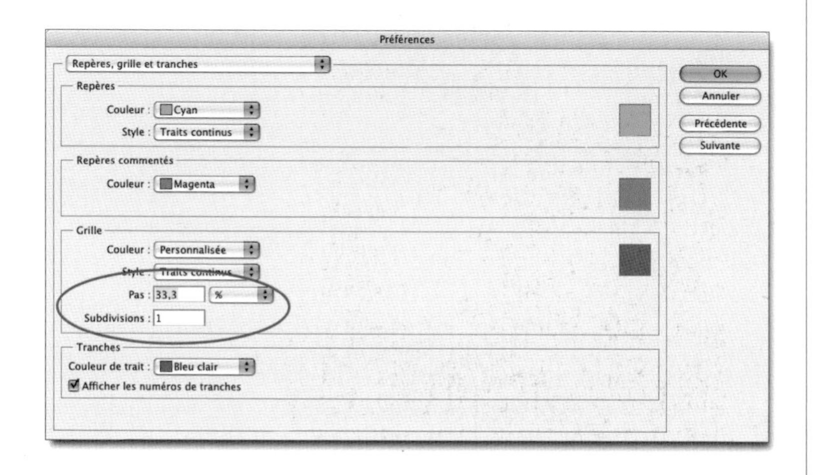

Etape 2

Le nouveau document étant actif, ouvrez le menu Photoshop (Edition) et cliquez sur Préférences. Accédez au contenu de la section Repères, grille et tranche. Dans la section Grille, choisissez % à la place de cm, et entrez un Pas de 33,3. Dans le champ Subdivisions, remplacez 4 par 1, et cliquez sur OK. Vous ne remarquez rien sur votre nouveau document.

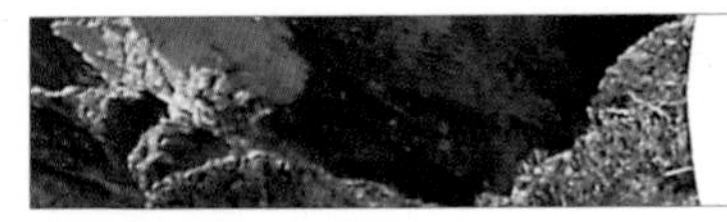

Etape 3

Dans le menu Affichage, choisissez Afficher > Grille. Une grille non imprimable apparaît, reprenant les valeurs définies à la précédente étape. Elle divise l'image en trois parties égales qui vont permettre de réaliser le recadrage de la composition.

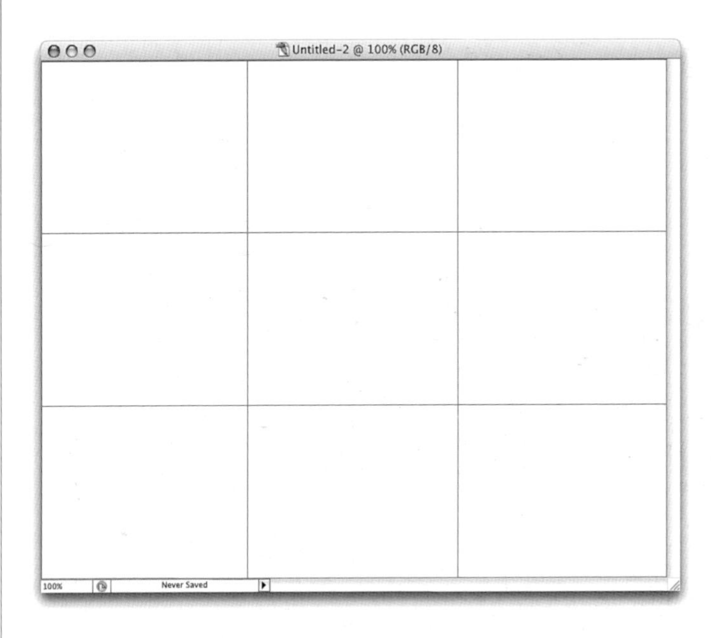

Etape 4

Affichez la photo. Appuyez sur V pour activer l'outil Déplacement. Cliquez sur la photo et faites-la glisser vers le document vide. Avec cet outil, placez la ligne d'horizon sur la ligne inférieure de la grille, en prenant soin que le bateau (point focal) se situe bien à l'intersection de la ligne verticale droite et de la ligne horizontale inférieure. Etant donné que l'image est plus grande que le document, la disposition des éléments de la photo est très variable.

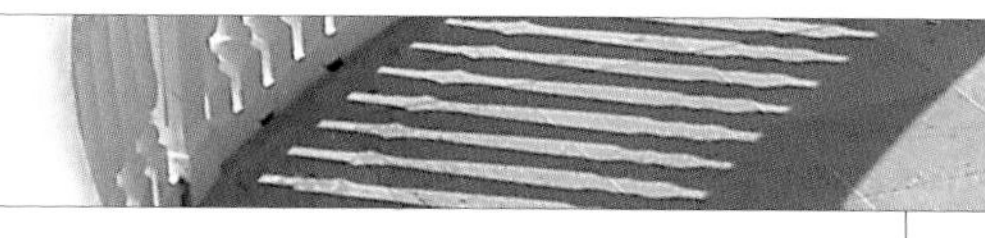

Etape 5

Vous pouvez maintenant éliminer les parties masquées du document. Appuyez sur C pour activer l'outil Recadrage, et tracez un cadre englobant toute l'image affichée dans le document. Appliquez le recadrage en appuyant sur Retour (Entrée). Masquez la grille à l'aide de la commande Affichage > Afficher > Grille, et admirez ce joli recadrage.

Taille spécifique du recadrage

Si vous travaillez pour un client, vous devrez probablement recadrer en respectant des dimensions photographiques standard de manière à insérer facilement les photos dans des cadres.

Etape 1

Supposons que les dimensions d'une photo soient de 40 × 25 cm, et que vous souhaitiez la recadrer en 25 × 20 cm. Activez l'outil Recadrage et concentrez-vous sur sa Barre d'options. Dans les champs Largeur et Hauteur, saisissez la valeur du recadrage en ajoutant l'unité de mesure (« in » pour pouces, « cm » pour centimètres, « px » pour pixels, « mm » pour millimètres, etc.). Appuyez sur la touche Tab pour passer d'un champ à l'autre.

Etape 2

Cliquez dans la photo et tracez le cadre. Vous constatez qu'il est contraint aux valeurs définies dans les champs Largeur et Hauteur de la Barre d'options de l'outil Recadrage. La zone recadrée aura les dimensions 25 × 20 cm, quoi que vous fassiez. La figure ci-contre montre le cadre de sélection défini sous la contrainte.

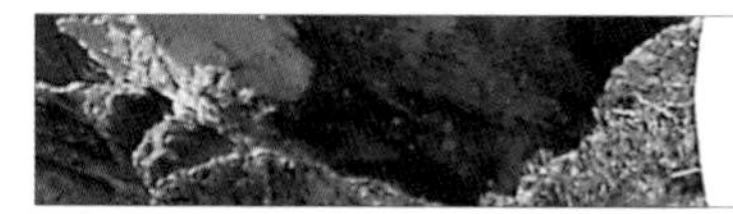

Etape 3

Une fois le cadre affiché, vous pouvez le déplacer. Placez le pointeur de la souris à l'intérieur, cliquez et faites glisser le cadre dans la direction souhaitée, ou bien appuyez sur les flèches directionnelles du pavé numérique pour un déplacement au pixel près. Une fois la zone du recadrage parfaitement positionnée, appuyez sur Retour (Entrée) pour appliquer un recadrage de 25 × 20 cm. (J'ai affiché les règles pour montrer que les dimensions sont respectées.)

Astuce : Les valeurs saisies dans la Barre d'options demeurent tant que vous ne cliquez pas sur le bouton Effacer. Dès que vous y procédez, vous retrouvez un outil Recadrage qui permet de définir librement les zones à recadrer.

Astuce : Si vous souhaitez appliquer la taille et la résolution d'une photo à un autre cliché, commencez par ouvrir l'image à recadrer dans Photoshop. Ensuite, ouvrez la photo aux dimensions idéales. Activez l'outil Recadrage et, dans la Barre d'options, cliquez sur Image 1er plan. Photoshop CS2 affiche la Largeur et la Hauteur de cette image dans la Barre d'options. Il ne reste plus qu'à appliquer l'outil Recadrage sur l'autre image pour définir une zone dont les dimensions seront les mêmes que celles de la photo de référence.

Recadrage avec conservation des proportions

Supposons que vous vouliez recadrer une photo en conservant les mêmes proportions que celles du cliché d'origine. En d'autres termes, l'image sera proportionnellement plus petite. Plutôt que d'effectuer de savants calculs, utilisez une technique visuelle plus rapide et plus simple. (A la différence de ce que j'ai étudié dans le Chapitre 3 sur Camera Raw, cette nouvelle technique ne se limite pas aux fichiers RAW.)

Etape 1

Ouvrez la photo à recadrer. Appuyez sur Cmd+A (Ctrl+A) pour la sélectionner entièrement.

©SCOTT KELBY

Etape 2

Dans le menu Sélection, cliquez sur Transformer la sélection. Vous pouvez redimensionner le cadre de sélection sans altérer l'image.

Sélection
- Tout sélectionner ⌘A
- Désélectionner ⌘D
- Resélectionner ⇧⌘D
- Intervertir ⇧⌘I
- Tous les calques
- Désélectionner les calques
- Calques similaires
- Plage de couleurs...
- Contour progressif... ⌥⌘D
- Modifier ▶
- Etendre
- Généraliser
- Transformer la sélection
- Récupérer la sélection...
- Mémoriser la sélection...

Etape 3

Tout en maintenant la touche Maj enfoncée, cliquez sur un des angles et faites-le glisser vers l'intérieur pour réduire la taille de la sélection. Le fait de maintenir la touche Maj enfoncée permet de respecter les proportions de l'image d'origine. Une fois la taille souhaitée obtenue, placez le curseur dans la sélection. Cliquez dessus et glissez-la pour définir la zone de l'image à conserver. Validez en appuyant sur Retour (Entrée).

Etape 4

Maintenant que la sélection est correcte, cliquez sur Image > Recadrer.

Etape 5

Appuyez sur Cmd+D (Ctrl+D) pour supprimer la sélection. L'image recadrée respecte les proportions de la photo d'origine.

Création d'outils de recadrage prédéfinis

Après l'outil Recadrage, voyons une technique de pro : la création d'outils aux options personnalisées. Une fois que vous aurez concocté un outil avec vos réglages, vous constaterez un gain de temps considérable. Nous abordons ici les techniques liées aux outils prédéfinis, dont l'outil Recadrage (ses options sont réglées en vue d'un effet particulier). Nous allons définir un outil Recadrage de 5 × 7 pouces (la taille peut aussi être exprimée en centimètres). Il vous suffira d'activer l'outil Recadrage prédéfini à 5 × 7 quand vous aurez besoin de cadrer dans ce format.

Etape 1

Appuyez sur la touche C pour activer l'outil Recadrage, puis sélectionnez Outils prédéfinis dans le menu Fenêtre pour afficher la palette Outils prédéfinis. Par défaut, cette palette propose cinq outils prédéfinis pour un recadrage en 300 ppp. Si vous n'avez pas besoin de ces dimensions, faites glisser ces outils vers l'icône de la Corbeille. (Cocher l'option Outil sélectionné, pour n'afficher que les outils prédéfinis de recadrage.)

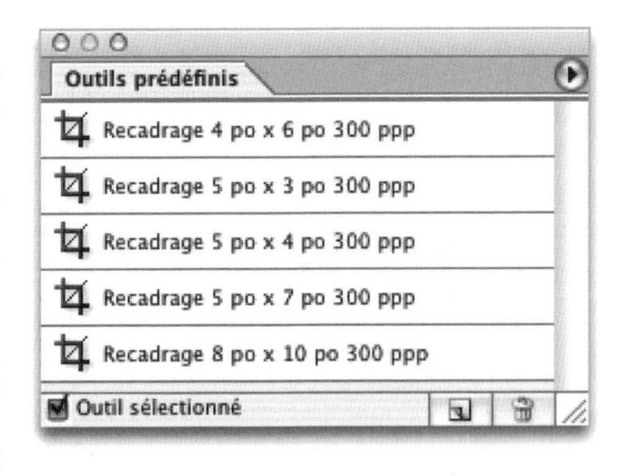

Etape 2

Dans la Barre d'options, entrez les dimensions voulues pour le premier outil prédéfini à créer (cet exemple illustre la définition d'un outil recadrant une petite surface de la taille d'une carte bancaire). Dans le champ Largeur, entrez 2 po. Appuyez sur la touche Tab pour passer au champ suivant, et entrez 2,5 po.

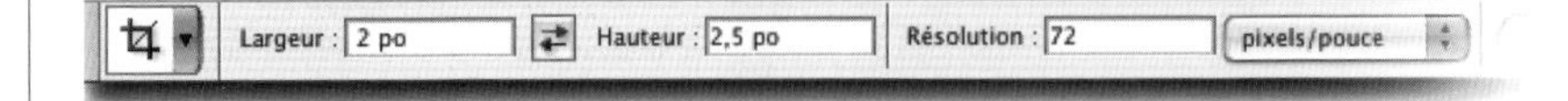

Note : Si l'unité de mesure par défaut de la règle est le pouce, Photoshop ajoute automatiquement « in » après la valeur saisie lorsque vous appuyez sur la touche Tab. Pour définir une autre unité de mesure, ouvrez la boîte de dialogue Préférences à l'aide des touches Cmd+K (Ctrl+K).

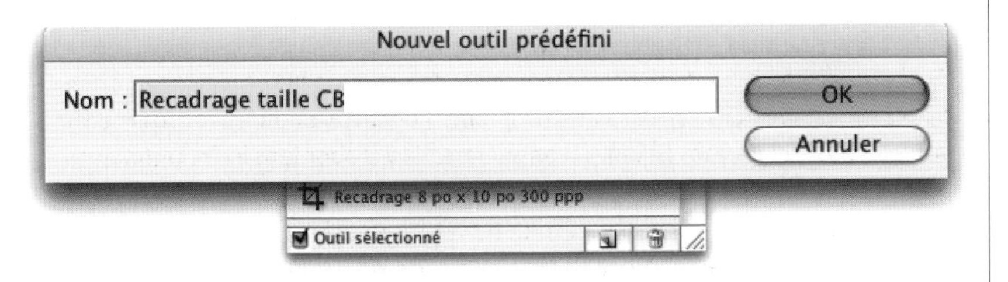

Etape 3

Dans la palette flottante Outils prédéfinis que vous venez d'ouvrir, cliquez sur le bouton de création (qui ressemble au bouton de nouveau calque). Vous affichez ainsi la boîte de dialogue Nouvel outil prédéfini, qui sert à attribuer un nom à l'outil. Entrez le nom « Recadrage taille CB », puis cliquez sur OK pour ajouter l'outil aux outils de recadrage prédéfinis.

Etape 4

Poursuivez cette procédure de création en saisissant de nouvelles valeurs dans les champs Largeur et Hauteur de la Barre d'options, et en cliquant sur le bouton Créer un outil prédéfini. Donnez des noms représentatifs du travail effectué par l'outil (par exemple ajoutez « Portrait » ou « Paysage »).

Astuce : Pour modifier le nom d'un outil prédéfini, double-cliquez dessus dans la palette flottante. Le nom passe en surbrillance. Saisissez le nouveau.

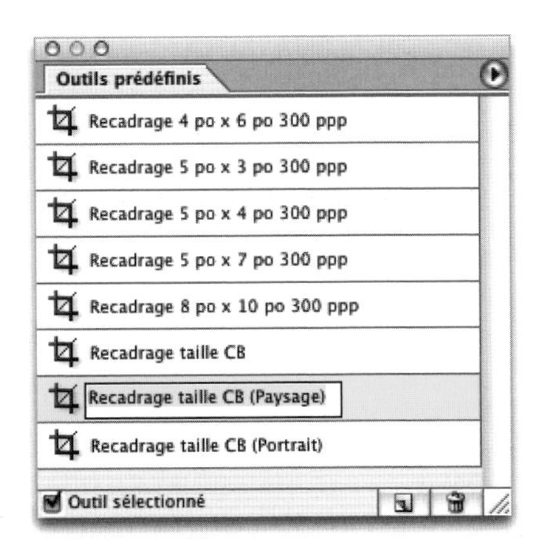

Etape 5

Après la création d'une série d'outils prédéfinis pour le recadrage, vous pourriez avoir envie de modifier leur ordre dans la liste. Pour cela, choisissez Gestionnaire des paramètres prédéfinis dans le menu Edition. Dans le Gestionnaire qui apparaît, sélectionnez Outils dans la liste Type, puis faites défiler la liste jusqu'à atteindre vos outils de recadrage. A présent, il vous suffit de déplacer les noms par glissement. Validez par un clic sur Terminé.

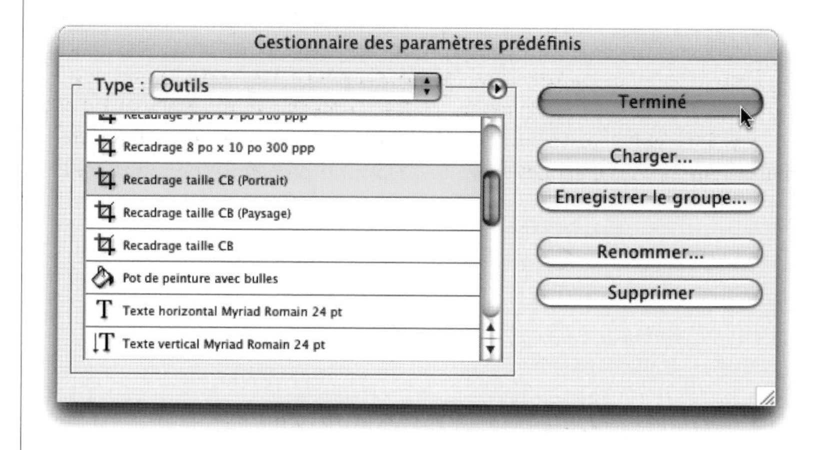

Etape 6

Vos nouveaux outils étant bien en ordre, vous pouvez fermer la palette Outils prédéfinis dont vous n'aurez pas besoin pour activer les outils en question. En effet, vous disposez d'un accès plus rapide par la Barre d'options. Lorsque l'outil Recadrage est activé, un clic sur son icône à l'extrémité gauche de la Barre d'options ouvre la liste des outils prédéfinis (voir ci-contre). Il vous suffit de sélectionner un outil dans la liste, ses réglages apparaissent aussitôt dans la Barre d'options : l'outil est prêt à l'emploi avec des paramètres prédéfinis. Quel gain de temps !

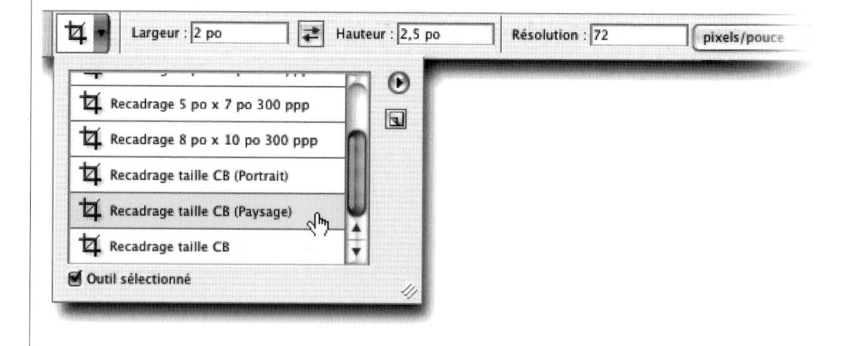

Tailles personnalisées pour les photographes

Dans la boîte de dialogue Nouveau, vous disposez d'un certain nombre de documents dont la taille, exprimée en pouces, est prédéfinie, par exemple 2 × 3, 4 × 6, 5 × 7 et 8 × 10. Le problème est qu'on ne vous propose pas une autre orientation. Apprenez à créer des tailles de documents prédéfinies personnalisées.

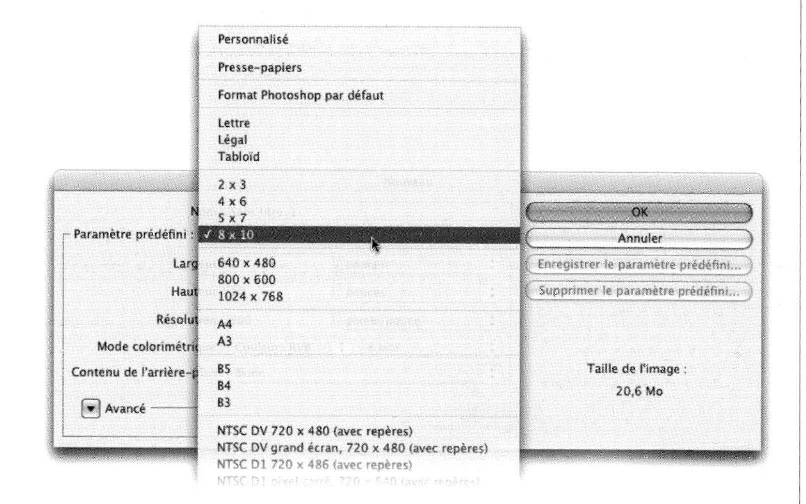

Etape 1

Dans le menu Fichier, choisissez Nouveau. Ouvrez la liste Paramètre prédéfini. Vous y voyez les quatre dimensions réservées aux photographes. Elles sont en mode portrait, avec une résolution de 300 ppi. Pour utiliser un format paysage affichant une résolution moindre, vous devez le créer.

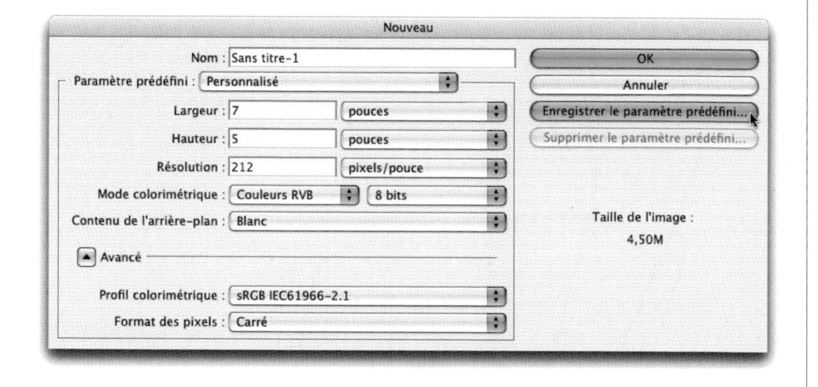

Etape 2

Supposons que vous souhaitiez obtenir un format 5 × 7, en paysage. Commencez par saisir la valeur 7 dans le champ Largeur, puis 5 dans le champ Hauteur. Choisissez un Mode colorimétrique, et spécifiez une résolution (ici j'ai choisi 212 ppi, ce qui est largement suffisant pour imprimer mes images prépresse). Pour entériner ces réglages, cliquez sur Enregistrer le paramètre prédéfini.

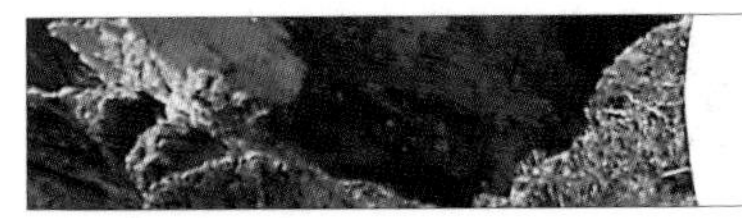

Etape 3

La boîte de dialogue Nouveau document prédéfini s'affiche. Activez les paramètres à inclure.

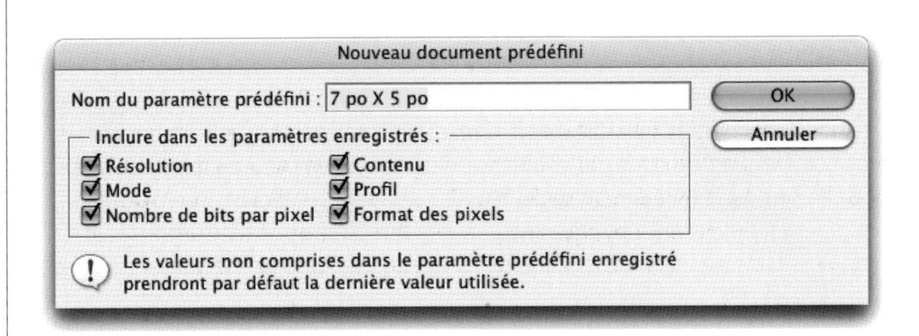

Etape 4

Cliquez sur OK. Ouvrez la boîte de dialogue Nouveau et la liste Paramètre prédéfini. Vous y trouvez le vôtre.

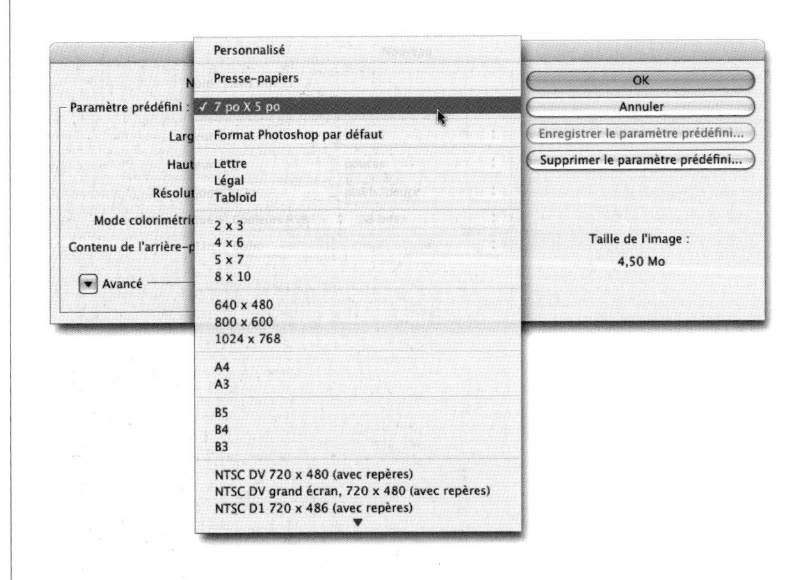

Etape 5

Pour supprimer une préconfiguration, ouvrez la boîte de dialogue Nouveau. Sélectionnez l'un de vos paramètres prédéfinis, puis cliquez sur le bouton Supprimer le paramètre prédéfini. Photoshop CS2 demande confirmation de cette action. Cliquez sur Oui !

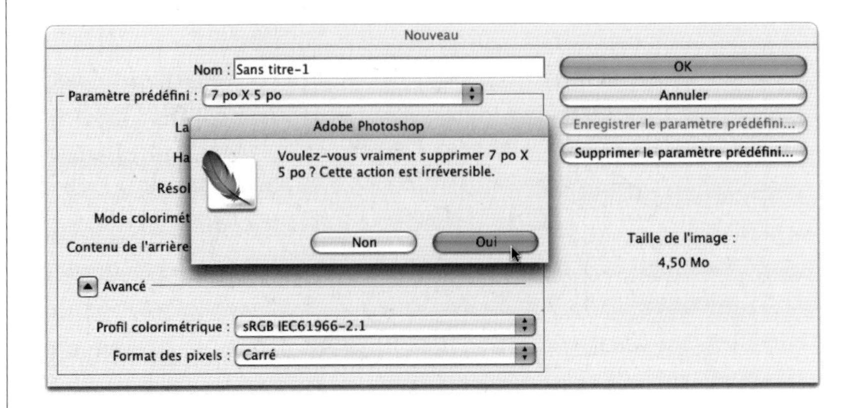

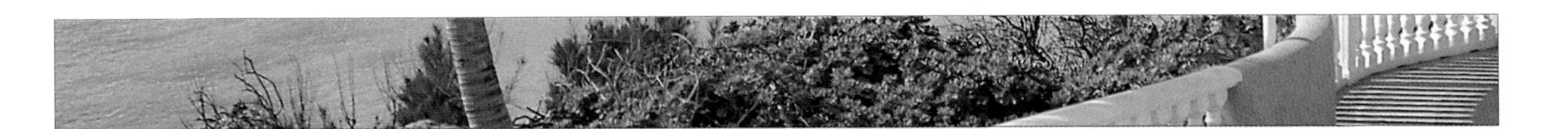

Redimensionnement des clichés numériques

Si vous avez l'habitude de redimensionner des photos scannées, vous constaterez vite que l'opération diffère dans le cas d'images provenant d'un appareil photo numérique. Cela s'explique par la différence de résolution : au minimum 300 ppp pour les photos scannées mais seulement 72 ppp pour les clichés numériques (de grandes dimensions physiques mais de basse résolution). L'astuce consiste à réduire la taille des clichés numériques tout en augmentant leur résolution, sans nuire à la qualité.

Etape 1

Ouvrez le cliché numérique que vous souhaitez redimensionner. Appuyez sur Cmd+R (Ctrl+R) pour afficher les règles. La photo de l'exemple ci-contre mesure environ 28,22 cm de large et 42,44 cm de haut.

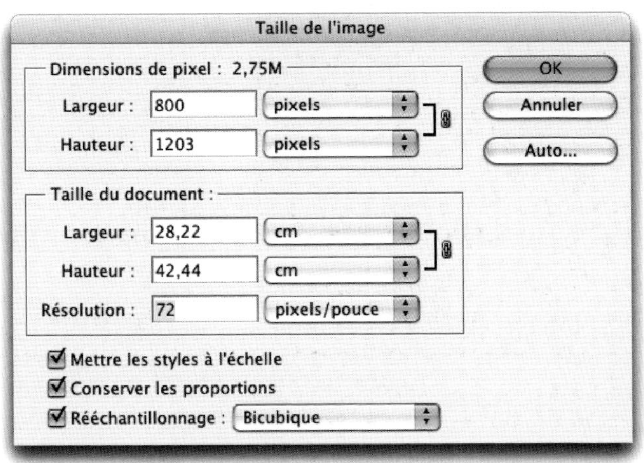

Etape 2

Ouvrez le menu Image et choisissez Taille de l'image. Vous obtenez la boîte de dialogue illustrée ci-contre. Ici, la résolution est définie à 72 pixels par pouce (ppp) dans la partie Taille du document. 72 ppp est une basse résolution qui convient pour les images à afficher sur écran (diaporama ou site Web). Mais elle est trop faible pour produire une image de qualité chez un imprimeur ou sur une imprimante à jet d'encre ou laser.

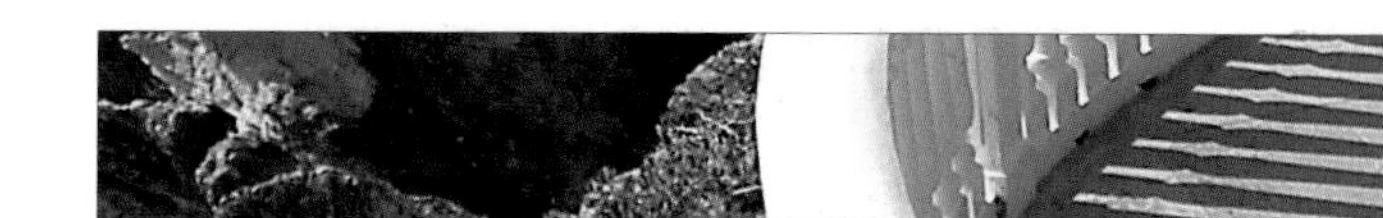

Etape 3

Si je veux imprimer cette photo sur papier, je dois augmenter sa résolution. Si je me contente de modifier la valeur de résolution (200 ou 300 ppp), j'obtiens une image plus floue, car ce rééchantillonnage nuit à la qualité. Pour cette raison, je prends garde de désactiver l'option Rééchantillonnage (activée par défaut). Ainsi, lorsque je définis une résolution plus élevée, Photoshop réduit proportionnellement la largeur et la hauteur du document. Retenez qu'une réduction des dimensions entraîne une augmentation de la résolution, puisque nous conservons le même nombre de pixels avec le Rééchantillonnage désactivé, et le tout sans aucune perte de qualité.

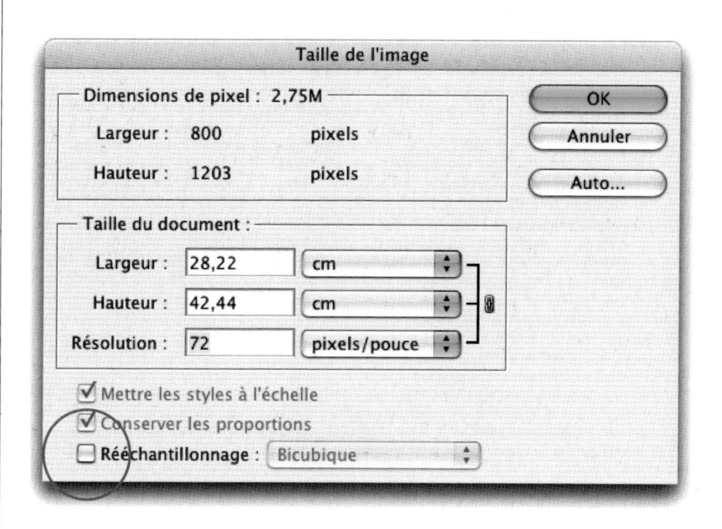

Etape 4

Ici, j'ai désactivé l'option Rééchantillonnage, puis entré la valeur 150 dans le champ Résolution (pour une sortie sur une imprimante à jet d'encre, cette résolution est largement suffisante, malgré les apparences). Avec une résolution de 150 ppp, je peux imprimer une photo de 13, 55 cm en largeur sur 20,37 cm en hauteur. Un léger recadrage permettra d'obtenir une photo de 13 × 20.

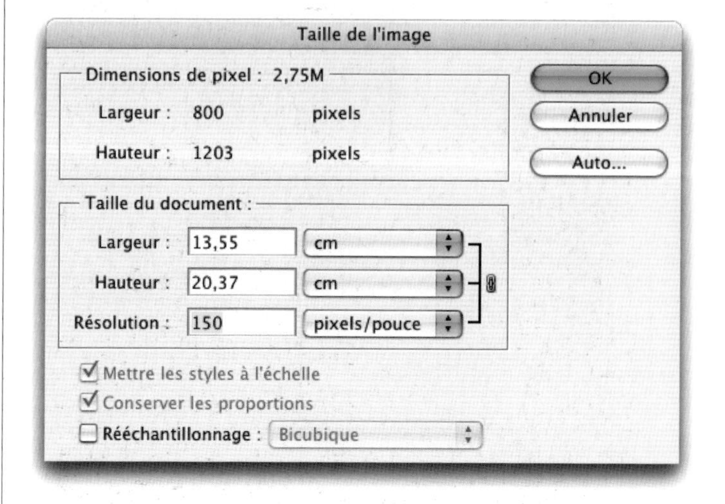

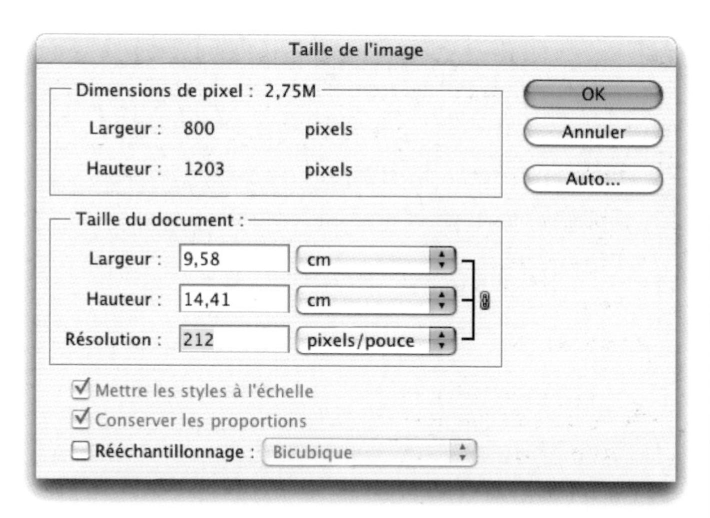

Etape 5

Ci-contre, la boîte de dialogue Taille de l'image présente les valeurs de la même image, mais cette fois avec une résolution de 212 ppp (pour une sortie sur presse). Remarquez que l'image ne fait plus 9,58 cm de large, tandis que la hauteur est passée à 14,41 cm.

Etape 6

Après un clic sur OK, vous ne voyez aucun changement manifeste dans l'image ; elle apparaît de la même taille à l'écran. Observez la règle : vous constatez que la photo ne mesure plus que 9,58 cm de large sur 14,41 cm de haut.

L'intérêt de cette technique de redimensionnement sans rééchantillonnage est triple : (1) on adapte les dimensions physiques à un support classique – la photo tient désormais dans un format A4 ; (2) on produit une résolution suffisante pour un usage professionnel sur presse ; (3) on n'endommage pas l'image.

Note : Ne désactivez pas l'option Rééchantillonnage pour les photos numérisées au scanner. Leur résolution de départ est suffisamment élevée. C'est uniquement pour les clichés numériques qu'il faut désactiver cette option.

Redimensionnement et enregistrement automatiques

Alors que Photoshop CS était relativement récent, Russell Preston Brown (un évangéliste d'Adobe et un fou de Photoshop) a créé un petit utilitaire, appelé Dr. Brown's Processeur d'images, capable de convertir toutes les images d'un dossier en différents formats (par exemple des fichiers PSD devenaient des images JPEG ou TIFF redimensionnés selon les désirs de l'utilisateur). CS2 améliore cette fonction !

Etape 1

Dans le menu Fichier, cliquez sur Scripts et choisissez Processeur d'images. Si vous travaillez dans Adobe Bridge, faites un Cmd+clic (clic droit) sur les photos à traiter. Ensuite, ouvrez le menu Outils, cliquez sur Photoshop, et exécutez Processeur d'images. Il traitera les photos choisies dans Adobe Bridge.

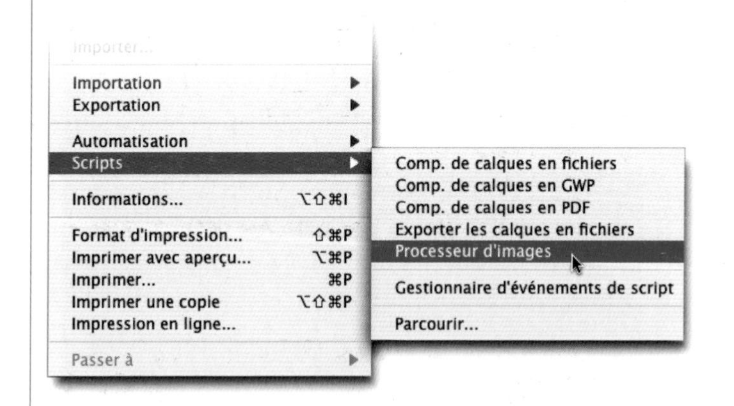

Etape 2

A l'ouverture de la boîte de dialogue Processeur d'images, cliquez sur le bouton Sélectionner un dossier pour localiser celui qui contient les photos à traiter. Validez par un clic sur Choisir. Si des photos sont ouvertes dans Photoshop, activez l'option Utiliser les images ouvertes. En revanche, si les photos ont été choisies dans le Bridge, aucun bouton n'est affiché. Seule une liste récapitule les images qui seront traitées. Ensuite, dans la seconde section, indiquez si les fichiers traités seront enregistrés dans le même dossier ou dans un autre.

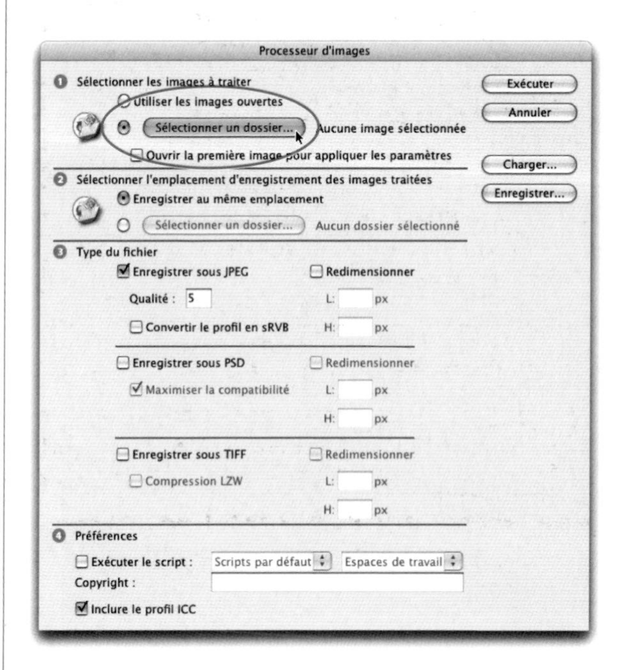

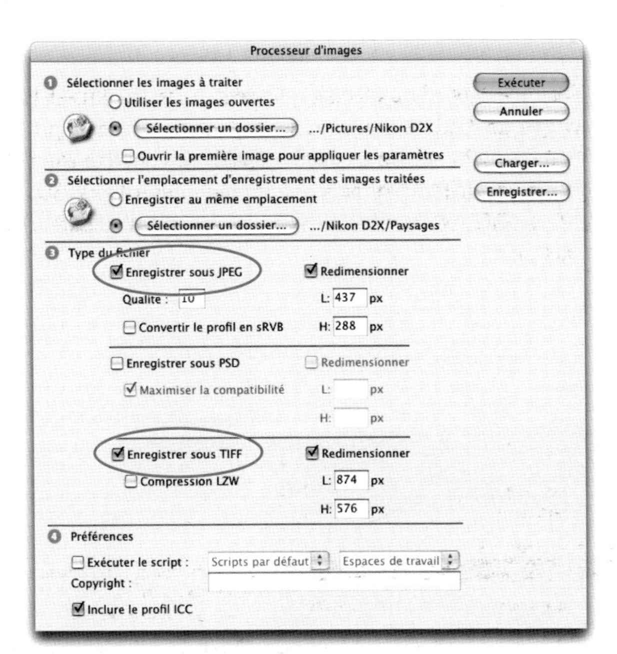

Etape 3

Cette troisième étape est la plus amusante. Vous indiquez le nombre de copies à réaliser et leur format. Si vous cochez les cases Enregistrer sous JPEG, Enregistrer sous PSD et Enregistrer sous TIFF, vous allez créer trois nouvelles copies de chaque photo. Si vous activez Redimensionner (et que vous indiquiez des valeurs dans les champs Largeur et Hauteur), vos copies seront redimensionnées. (Dans cet atelier, je réduis la taille des fichiers JPEG et augmente celle des TIFF, afin de disposer de trois versions différentes des images présentes dans mon dossier d'origine.)

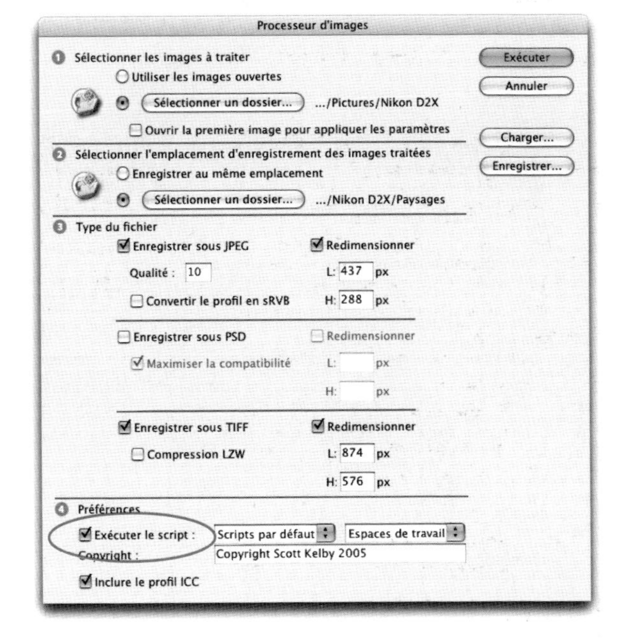

Etape 4

Si vous avez créé un script, vous pouvez l'appliquer aux copies en activant l'option Exécuter le script. Pour intégrer automatiquement vos informations de copyright, saisissez-les dans le champ idoine. Enfin, une dernière option permet d'inclure un Profil ICC. Je vous invite à le faire dans la mesure où je consacre un chapitre entier à la gestion des couleurs dans Photoshop. Cliquez sur le bouton Exécuter et laissez faire !

Briser les règles du redimensionnement

J'ai appris cette technique de mon ami Vincent Versace dont les affiches 60 × 90 cm sont étonnement nettes. Puisque nous utilisons le même appareil photo numérique de 6 mégapixels, je lui ai demandé de me livrer son secret. Je pensais qu'il utilisait un plug-in spécifique, mais il réalise le tout dans Photoshop.

Etape 1

Ouvrez la photo à redimensionner. Cliquez sur Image > Taille de l'image, ou appuyez sur Cmd+Option+I (Ctrl+Alt+I).

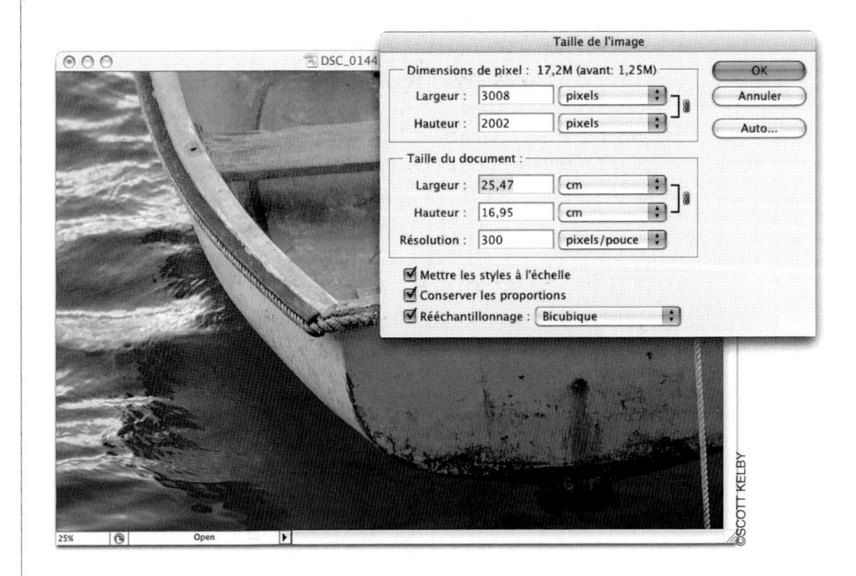

Etape 2

Saisissez les dimensions de votre image finale, en l'occurrence 90 cm de large. Etant donné que l'option Conserver les proportions est active, la hauteur se définit d'elle-même. Bien évidemment, aucune photo ne peut présenter des dimensions exactes. Par conséquent, vous risquez d'avoir une hauteur légèrement inférieure à 60 cm. Si vous tenez vraiment à une hauteur de 60 cm, décochez Conserver les proportions, et saisissez 60 dans le champ Hauteur.

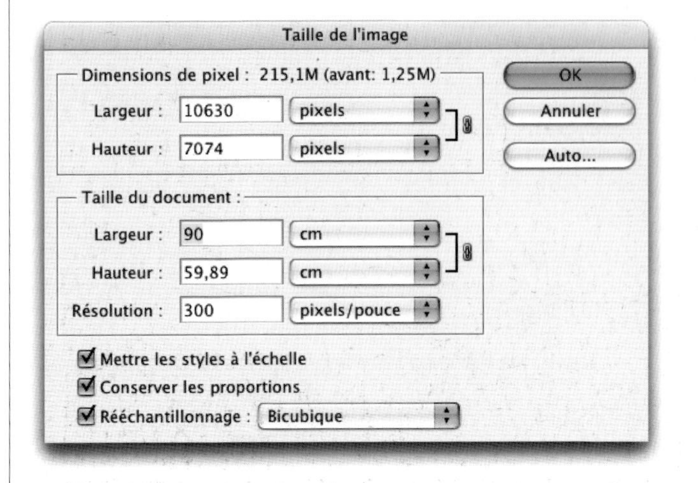

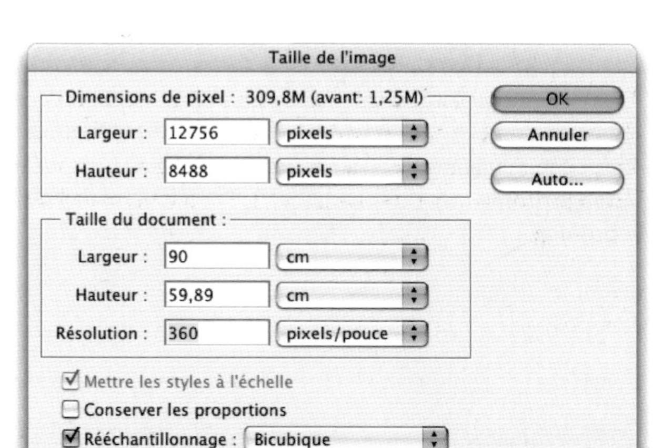

Etape 3

Vous devez augmenter la résolution en saisissant 360 dans le champ adéquat. Vous venez d'enfreindre la grande loi du redimensionnement qui interdit de saisir des valeurs supérieures quand l'option Rééchantillonnage est active. Pourtant, vous n'allez pas en croire vos yeux. Saisissez lesdites valeurs, mais ne cliquez pas sur OK.

Etape 4

De nouveaux types de rééchantillonnages ont été ajoutés à la version CS. Selon Vincent, il ne faut pas utiliser la méthode Bicubique plus lisse recommandée par Adobe. Au contraire ! Dans la liste Rééchantillonnage, choisissez Bicubique plus net. Le résultat est si étonnant que Vincent clame qu'il est inutile d'acheter des plug-in, souvent très chers, qui ne donnent pas un meilleur résultat.

Etape 5

J'ai appliqué cette technique de nombreuses fois et ai obtenu des résultats toujours plus étonnants. Passez à l'action, puis cliquez sur OK. Ensuite, imprimez. Vous m'en direz des nouvelles ! Voici l'image finale redimensionnée en 90 × 60 cm comme le prouvent les règles affichées à l'aide des touches Cmd+R (Ctrl+R).

Réduction de la taille des photos

Vous devez respecter d'autres règles pour réduire la taille d'une image, afin d'en préserver la qualité. Heureusement, cette préservation est plus facile à obtenir que lorsqu'il faut augmenter les dimensions d'une photo.

Réduction de la taille des photos en 300 ppp

Dans ce cas, activez l'option Rééchantillonnage de la boîte de dialogue Taille de l'image, saisissez la taille voulue (ici à peu près 16 × 10), et ne touchez pas à la résolution de 300 ppp. IMPORTANT : ce type de redimensionnement adoucit légèrement l'image. Vous ressentirez le besoin d'appliquer le filtre Accentuation (voir Chapitre 13).

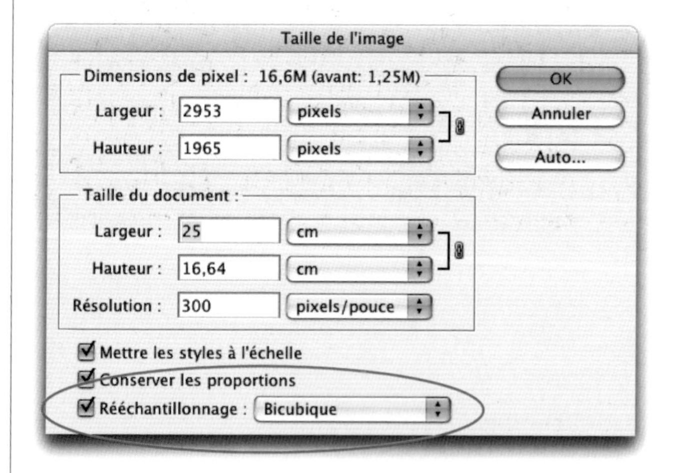

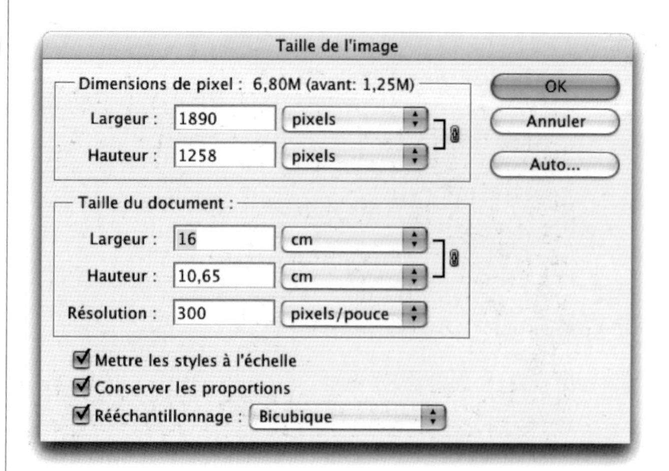

Réduction des photos sans modifier la taille du document

Lorsque vous travaillez avec plusieurs photos disposées sur des calques différents, vous devez réduire les images individuellement pour préserver la taille originale du document. Ainsi, pour réduire la taille d'une image, cliquez sur son calque dans la palette Calques. Veillez à activer l'outil Déplacement (M), puis appuyez sur Cmd+T (Ctrl+T) pour activer le mode Transformation manuelle. Maintenez la touche Maj enfoncée (pour conserver les proportions de l'image) et faites glisser un des angles vers l'intérieur. Dès que la dimension semble correcte, appuyez sur Retour (Entrée). Si l'image apparaît atténuée (léger flou), appliquez à son calque le filtre Accentuation (voir Chapitre 13).

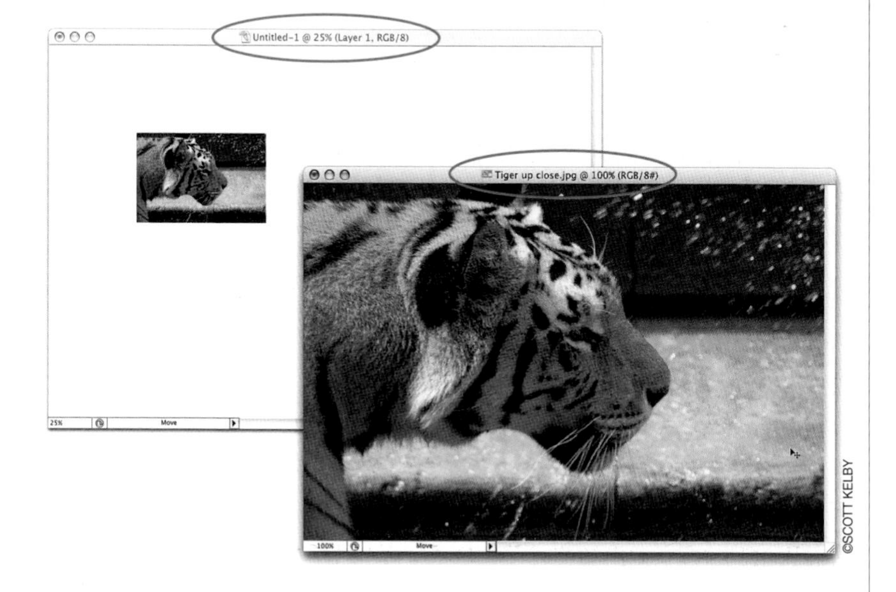

Problèmes de redimensionnement entre documents

Imaginez deux documents qui ont à peu près la même taille quand vous les placez l'un à côté de l'autre dans Photoshop. Cependant, lorsque vous glissez-déposez une photo de 75 ppp (un tigre en l'occurrence) dans un document de 300 ppp (Sans titre-1), la photo apparaît minuscule. Cela tient à la différence de résolution entre les deux documents. Si vous regardez la barre de titre des documents, vous constatez que l'un est affiché à 25 % et l'autre à 100 %. Pour mieux prévoir le résultat du passage d'une photo d'un document à un autre, affichez-les tous les deux à la même taille et dans une résolution identique.

Redimensionnement : objet dynamique

Chaque redimensionnement altère la qualité. CS2 introduit les objets dynamiques qui permettent de placer une photo dans un document ouvert, et de le redimensionner à volonté sans perte de qualité si vous ne dépassez pas la taille de l'image d'origine.

Etape 1

Pour créer un calque objet dynamique, votre document doit être ouvert. Ou bien, pour créer un objet dynamique, ouvrez le menu Fichier et exécutez la commande Importer (vous pouvez importer une photo normale, une photo RAW ou un fichier vectoriel comme les fichiers EPS provenant d'Illustrator).

©SCOTT KELBY

Etape 2

L'image objet dynamique apparaît dans le document avec un cadre de redimensionnement et de rotation. Tout en maintenant la touche Maj enfoncée, cliquez sur un angle et redimensionnez la photo pour qu'elle prenne place dans un cadre de la pellicule. Effectuez une légère rotation, et appliquez cette transformation en appuyant sur la touche Retour (Entrée).

©SCOTT KELBY

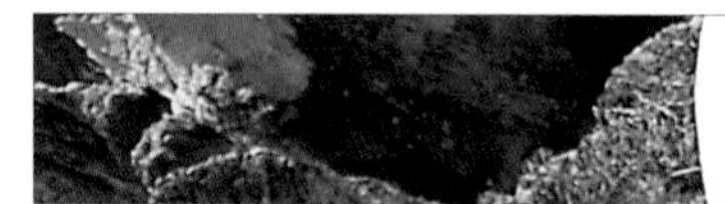

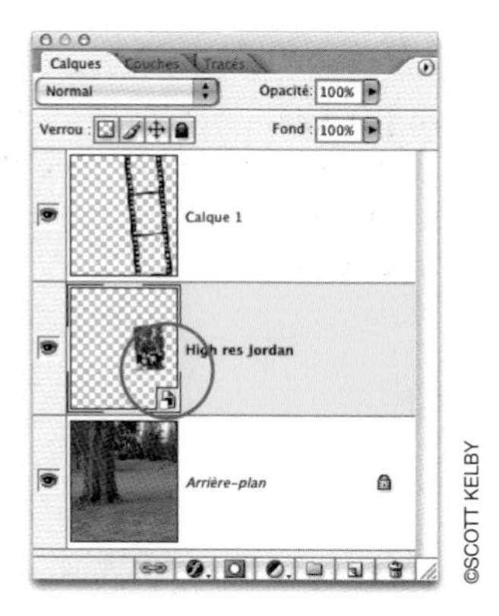

©SCOTT KELBY

Etape 3

Dans la palette Calques, le calque objet dynamique est identifié par une vignette représentant une page cornée.

Etape 4

Comme je ne sais pas ce que je veux, je décide de redresser l'image, puis d'en augmenter les dimensions pour l'utiliser comme arrière-plan de la composition. Appuyez sur Cmd+T (Ctrl+T) pour activer le mode Transformation manuelle. Faites pivoter l'image pour la remettre d'aplomb (comme à l'origine). Tout en maintenant la touche Maj enfoncée, faites glisser un des angles supérieurs de l'image vers l'extérieur pour en augmenter la taille. Lorsque vous validez la transformation, Photoshop CS2 « reprend » votre image originale (qui reste incorporée à votre document), entraînant un redimensionnement sans perte de qualité. N'oubliez pas que si le redimensionnement d'un objet dynamique dépasse la taille de l'image d'origine, vous altérez la qualité.

Etape 5

Vous comprenez la souplesse apportée par les objets dynamiques. Sur la figure de gauche, la photo importée a été redimensionnée manuellement pour s'ajuster à l'arrière-plan, ce qui n'entraîne aucune perte de qualité. Sur la figure de droite, la photo haute résolution a été déposée sur l'arrière-plan. Ensuite, je l'ai redimensionnée en mode Transformation manuelle, ce qui n'a pas manqué de l'abîmer considérablement.

Etape 6

Les objets dynamiques permettent de permuter des photos tout en conservant la faculté de les redimensionner sans perte. Tout en maintenant la touche Ctrl enfoncée (clic droit), cliquez sur le nom du calque dans la palette Calques. (Dans cet atelier, nous remplaçons la photo du centre par une autre.) Dans le menu contextuel, choisissez Remplacer le contenu.

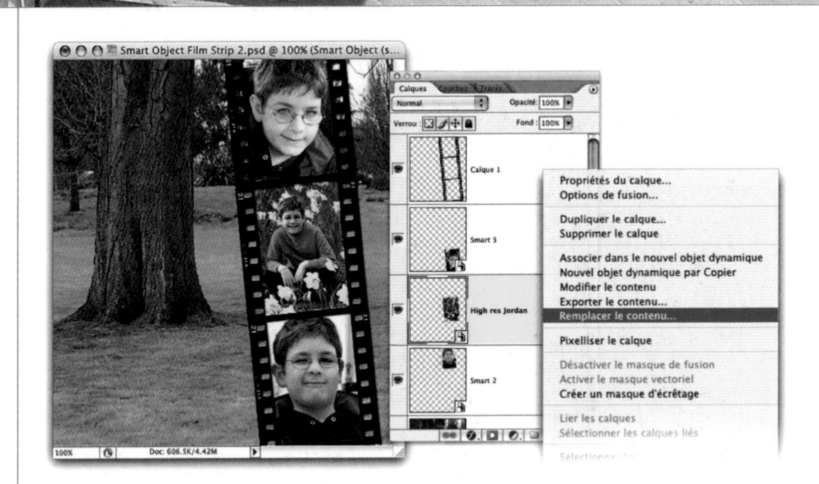

Etape 7

La boîte de dialogue Importer apparaît. Localisez la photo qui va remplacer l'objet dynamique existant, puis cliquez sur le bouton Importer. La photo remplace l'ancienne dans les mêmes proportions et position. Puisqu'il s'agit d'un objet dynamique, vous pouvez le redimensionner sans perte de qualité tant que vous ne dépassez pas la taille du fichier d'origine.

Etape 8

Des images RAW peuvent s'utiliser comme objets dynamiques. Leur grand intérêt est que vous pouvez les modifier dans l'interface de Camera Raw. Ouvrez le menu Fichier et choisissez Importer. Localisez l'image RAW et ouvrez-la dans Camera Raw pour la traiter. Lorsque vous cliquez sur Importer, l'image apparaît sous forme d'un calque d'objet dynamique. Pour effectuer d'autres modifications dans Camera Raw, double-cliquez sur la vignette du calque de la photo.

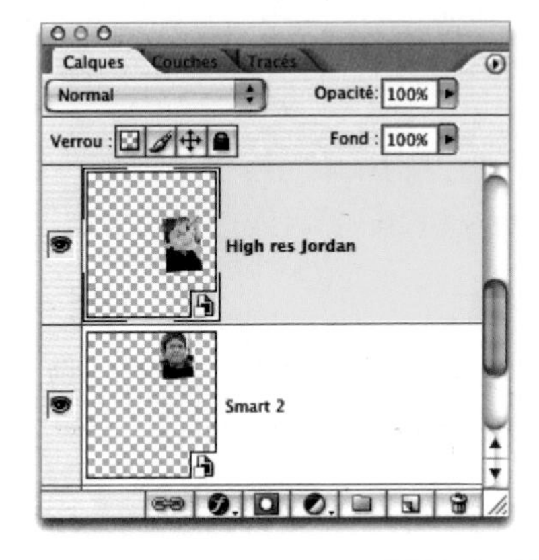

Etape 9

Dans la boîte de dialogue Camera Raw, retraitez l'image. Quand vous cliquez sur OK, le calque de votre objet dynamique est actualisé en conséquence.

Note : Le pourcentage de redimensionnement s'affiche dans les champs Largeur et Hauteur de la Barre d'options du mode Transformation manuelle.

Fichier
Nouveau... ⌘N
Ouvrir... ⌘O
Parcourir... ⇧⌘O
Ouvrir les fichiers récents ▶
Modifier dans ImageReady ⇧⌘M
Fermer ⌘W
Tout fermer ⌥⌘W
Fermer et passer à Bridge... ⇧⌘W
Enregistrer ⌘S
Enregistrer sous... ⇧⌘S
Enregistrer une version...
Enregistrer pour le Web... ⌥⇧⌘S

Etape 10

Les photos normales peuvent être modifiées séparément en double-cliquant sur la vignette de leur calque. Le fichier s'ouvre alors dans Photoshop. Effectuez vos modifications. Ensuite, cliquez sur Fichier > Enregistrer. L'objet dynamique est actualisé pour refléter les modifications.

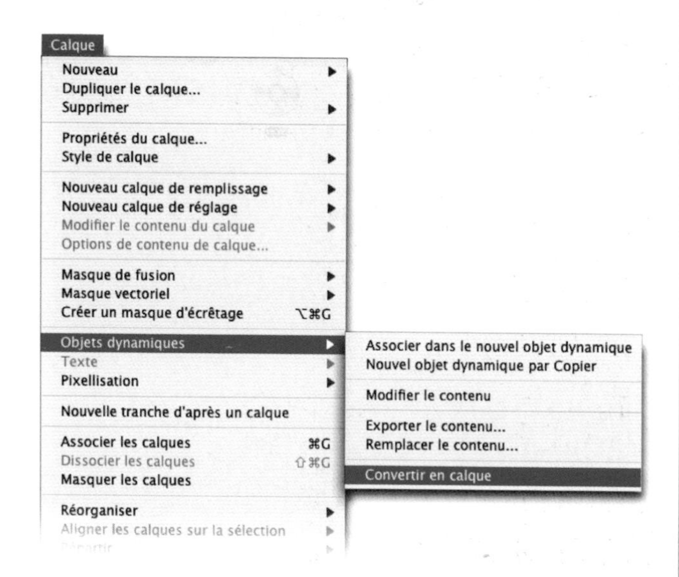

Etape 11

Pour exécuter des modifications standard comme un recadrage, vous devez convertir le calque Objet dynamique en calque normal. Pour cela, cliquez sur Calque > Objets dynamiques > Convertir en calque.

Affichage des poignées de transformation masquées

Que se passe-t-il si vous déposez une grande photo dans un petit document Photoshop ? Vous devez la redimensionner en mode Transformation manuelle. Cependant, comme la photo est plus grande, les fameuses poignées de redimensionnement se situent hors du cadre de l'image. Voici comment les afficher.

Etape 1

Pour les besoins de cet atelier, créez un nouveau document dont vous fixerez la taille à 7 × 5 pouces. Ensuite, ouvrez une photo numérique qui dépasse ces dimensions (elles les dépassent toutes). La photo utilisée ici fait 10 × 6 pouces.

©SCOTT KELBY

Etape 2

Appuyez sur V pour activer l'outil Déplacement. Glissez-déposez la photo dans le nouveau document. Elle apparaît sur son propre calque. Toutefois, comme elle est plus grande que le document, vous n'en voyez qu'une partie. Pour la mettre aux dimensions de ce document, vous devez la redimensionner.

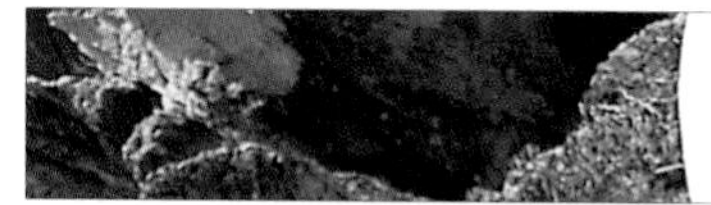

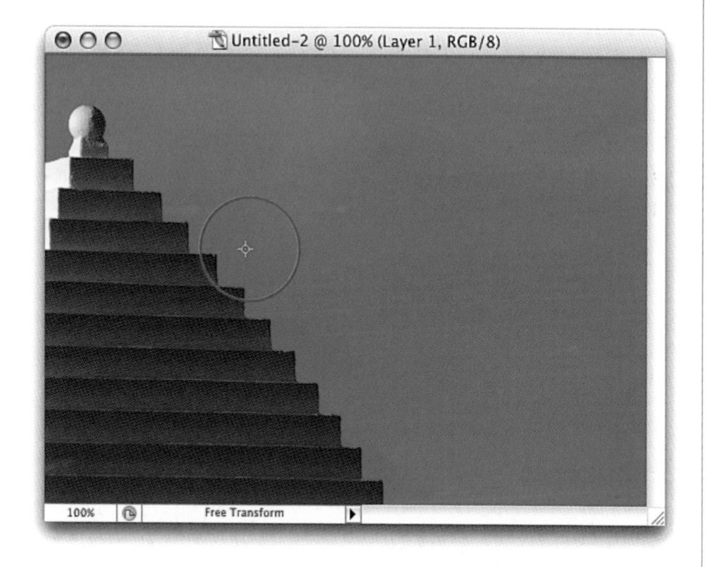

Etape 3

Appuyez sur Cmd+T (Ctrl+T) pour activer l'outil Transformation manuelle. Le problème ici est que les poignées sont masquées. Seul le point central est visible.

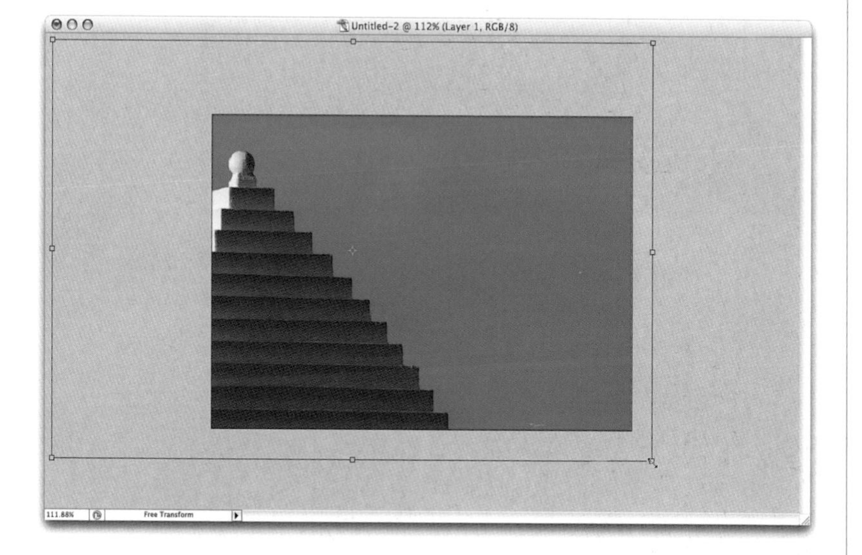

Etape 4

Voici l'astuce : quand la Transformation manuelle est active et que vous ne voyez pas les poignées, appuyez sur Cmd+0 (zéro) [Ctrl+0]. Photoshop redimensionne la fenêtre du document de manière à afficher les poignées de transformation. Sachez cependant que cette astuce ne fonctionne que si la Transformation manuelle est active.

Agrandir la zone de travail avec l'outil Recadrage

Ce titre n'a pas de sens ! Comment agrandir une zone en la recadrant ? C'est ce que je vous invite à découvrir.

Etape 1

Ouvrez l'image dont vous voulez augmenter la taille de la zone de travail. Appuyez sur D pour définir les couleurs de premier et d'arrière-plan par défaut. Appuyez sur Cmd+- (moins) [Ctrl+-] pour effectuer un zoom arrière. Ensuite, appuyez sur F. Une vaste étendue grise entoure la photo.

Note : Si vous travaillez avec plusieurs calques, veillez à activer le calque Arrière-plan.

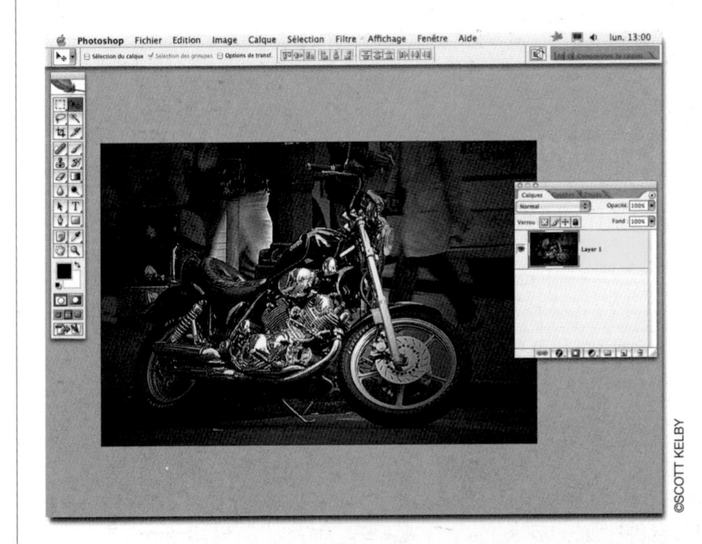

©SCOTT KELBY

Etape 2

Appuyez sur C pour activer l'outil Recadrage. Créez un cadre d'une taille qui importe peu.

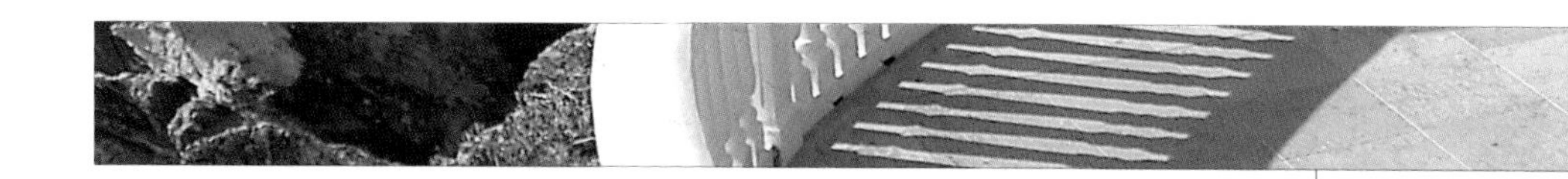

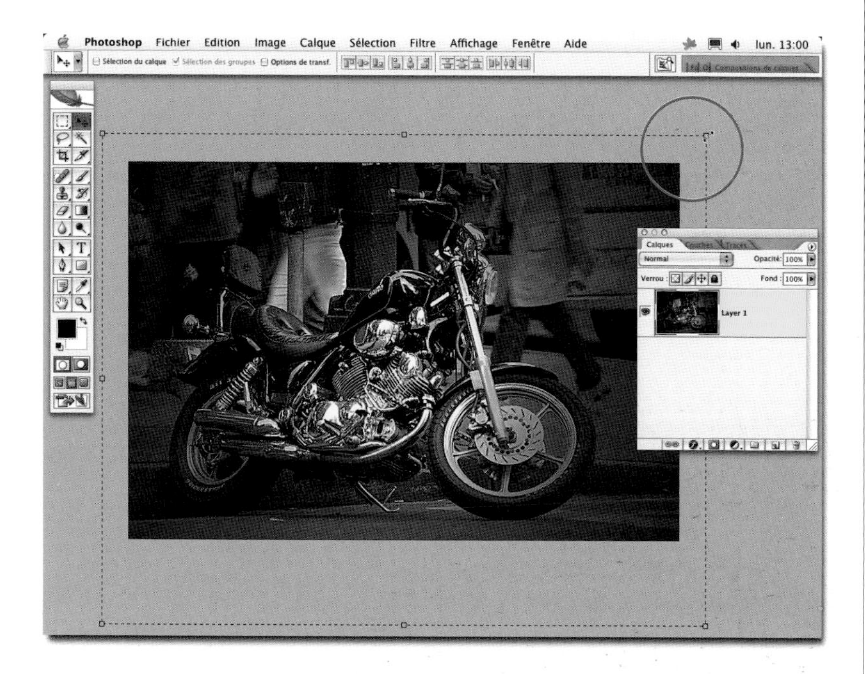

Etape 3

Maintenant, faites glisser les poignées du cadre en dehors de l'image pour englober dans le recadrage une zone grise plus ou moins grande. Cet espace gris sera ajouté à l'image, augmentant *de facto* la taille de la zone de travail.

Etape 4

Appuyez sur Retour (Entrée) pour recadrer. L'espace gris devient blanc. La figure ci-contre montre que j'ai profité de l'agrandissement de la zone de travail pour ajouter un titre à la photo (police Adobe Garamond Condensed), ainsi qu'une adresse (police Futura Extra Bold).

Redresser des photos mal cadrées

Si vous photographiez sans trépied, bon nombre de vos photos doivent être plus ou moins bien cadrées. Voici une méthode rapide pour ajuster une image dont le cadrage est mal défini.

Etape 1

Ouvrez la photo à redresser. Cliquez sur l'outil Pipette et choisissez l'outil Mesure.

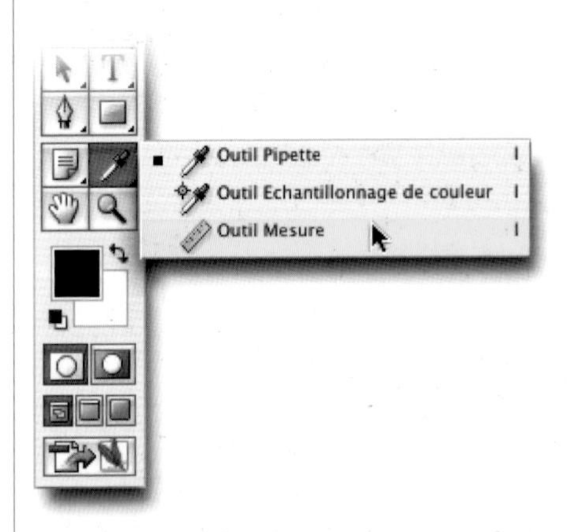

Etape 2

Dans votre photo, essayez de trouver un élément qui, objectivement, devrait être droit (par exemple la corniche inférieure gauche). Faites glisser l'outil Mesure horizontalement de gauche à droite le long de cette bordure. La palette Infos indique l'angle de la ligne. Sachez que Photoshop a déjà mémorisé cet angle nécessaire à l'accomplissement de la prochaine étape.

©SCOTT KELBY

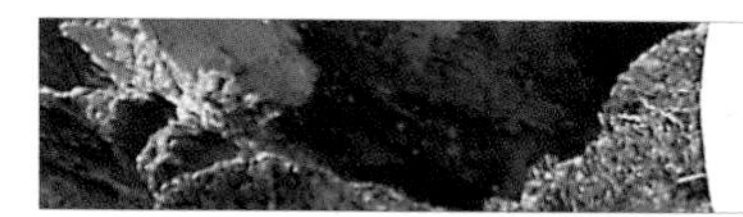

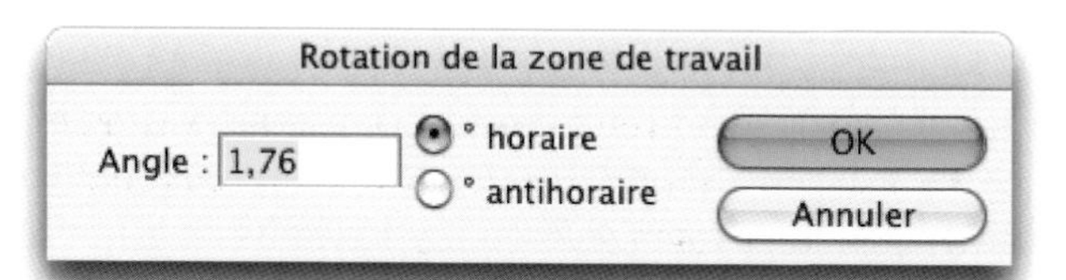

Etape 3

Dans le menu Image, cliquez sur Rotation de la zone de travail > Paramétrée. Photoshop affiche la valeur de l'angle à corriger, précisant même si la rotation est de type horaire ou antihoraire.

Etape 4

Il ne reste plus qu'à cliquer sur le bouton OK. La photo est parfaitement redressée.

Etape 5

Une fois l'image redressée, il faut recadrer la zone de travail pour éliminer les espaces vides. Appuyez sur C pour activer l'outil Recadrage. Délimitez la zone de l'image à conserver et appuyez sur Retour (Entrée).

Astuce : La mesure tracée reste en place sur l'image tant que vous ne l'avez pas faite pivoter. Pour supprimer cette mesure, cliquez sur le bouton Effacer de la Barre d'options.

Recadrage et redressement automatisés

Puisque tout le monde, ou presque, possède dans son grenier un carton plein de vieilles photos de famille, j'ai choisi de vous présenter la nouvelle commande d'automatisation Rogner et désincliner les photos. Le nom est un peu réducteur pour cette commande capable de numériser ensemble plusieurs photos (avec un scanner à plat) avant de les analyser et de les redresser une à une, puis de les copier chacune dans une fenêtre à part.

Etape 1

Placez sur la vitre du scanner autant de photos que possible, puis lancez la numérisation. Cette série de photos apparaît dans un grand document (comme ici). Vous constatez que les photos n'étaient pas bien alignées sur la vitre du scanner, c'est pourquoi certaines apparaissent de travers dans le document Photoshop.

©SCOTT KELBY

Etape 2

Ouvrez le menu Fichier, choisissez Automatisation, puis Rogner et désincliner les photos.

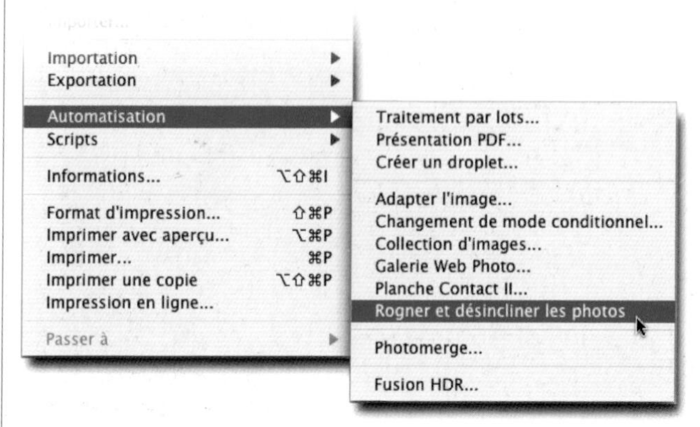

Etape 3

Aucune boîte de dialogue n'apparaît. Photoshop analyse les clichés à la recherche de bords rectilignes, redresse les photos, puis copie chacune dans une fenêtre (voir ci-contre).

Astuce : Si vous avez numérisé ensemble plusieurs photos mais que vous décidiez de recadrer et d'isoler certains clichés seulement, il vous suffit de sélectionner ces images puis de maintenir enfoncée la touche Option (Alt) avant de lancer la commande Rogner et désincliner les photos.

Etape 4

Cette commande d'automatisation s'emploie aussi sur une image seule (comme dans l'exemple ci-contre).

Etape 5

Dans cet exemple, la commande Rogner et désincliner les photos agit sur une seule photo qu'elle redresse et duplique dans un autre document. Le résultat n'est pas parfait. A propos de perfection, j'ai cru remarquer que le résultat est meilleur sur un groupe de photos de mêmes tonalités. Plus les couleurs sont variées, plus Photoshop semble peiner à redresser les images.

Photo de Dave Moser | Exposition : 1/2000 s | Focale : 200 mm | Ouverture : f/2.0

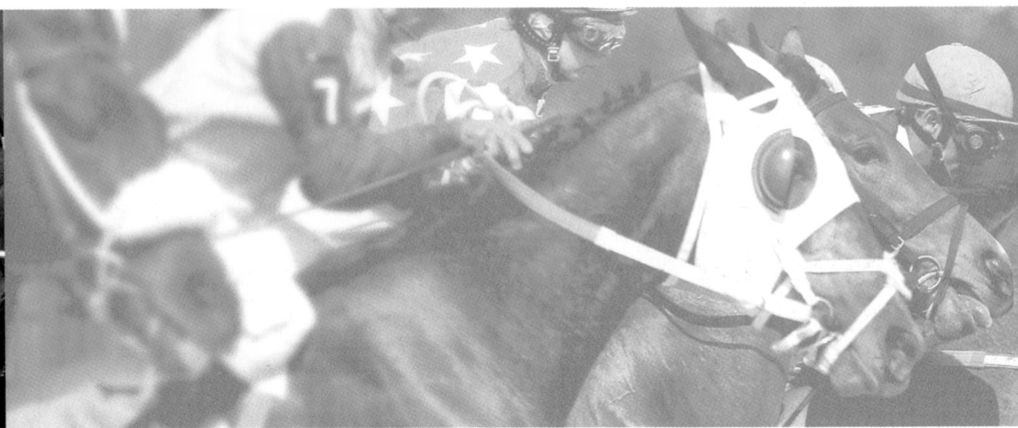

Technicorama
La gestion de la couleur

La gestion de la couleur dans Photoshop est un sujet traité par de nombreux livres. Comment vais-je en condenser le contenu ? C'est très simple : je ne vais pas le faire. Comprenez-moi bien. Décortiquer tous les aspects chromatiques d'une chaîne graphique est un pensum qui endort rapidement le lecteur. Ce qui m'importe est de vous communiquer ici des informations essentielles qui vous seront véritablement utiles. Je souhaite vous épargner de passer des nuits entières à chercher pourquoi votre imprimante refuse obstinément de reproduire le joli rose de ce coucher de soleil. Pour préserver votre sommeil, mon propos se focalise sur une seule chose : configurer Photoshop pour obtenir des impressions jet d'encre conformes à ce qui est affiché sur l'écran de votre ordinateur. Finalement, c'est tout ce qui vous préoccupe !

Paramétrage du mode colorimétrique de votre appareil

Evitons de tomber dans le piège de l'ouvrage technique qui traite en profondeur de tous les aspects de la gestion des couleurs sous Photoshop. Notre objectif est de reproduire sur votre imprimante jet d'encre des couleurs aussi fidèles que celles affichées à l'écran. C'est ce que vous obtiendrez si vous suivez scrupuleusement les instructions de ce chapitre. Je bannis toute théorie sur la gestion des couleurs, les épreuves CMJN ou l'impression en réseau. Il n'y a que vous, votre ordinateur et votre imprimante jet d'encre.

Paramétrer le bon espace colorimétrique de votre appareil

La gestion de la couleur passe par une consistance chromatique de ce que l'on peut appeler la chaîne graphique : de votre appareil photo numérique à Photoshop, puis de Photoshop à votre imprimante, et enfin de votre imprimante à votre papier. Je recommande donc de modifier l'espace colorimétrique sRVB (ou sRGB) par défaut de votre appareil en Adobe RGB – ou Adobe RGB (1998) –, qui est l'espace préféré des photographes utilisant une imprimante jet d'encre. En revanche, si vous photographiez au format RAW, passez cette section, car vous choisirez l'espace colorimétrique dans Camera Raw. Si vous photographiez en JPEG, modifiez dès maintenant les réglages de votre appareil photo nu mérique. L'exemple donné ici repose sur l'utilisation d'un Nikon D70 auquel j'assigne l'espace Adobe RGB (1998).

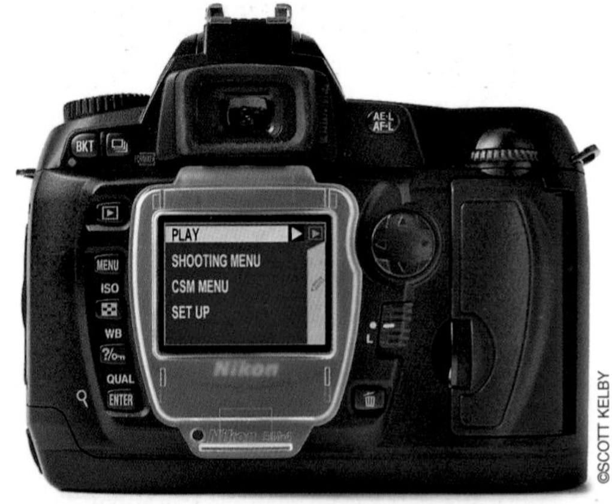

Nikon D70

Etape 1 : A l'arrière de l'appareil, appuyez sur le bouton Menu pour en afficher le contenu sur l'écran LCD.

Etape 2 : Sélectionnez Shooting Menu (prise de vue) et appuyez sur la flèche droite du bouton directionnel.

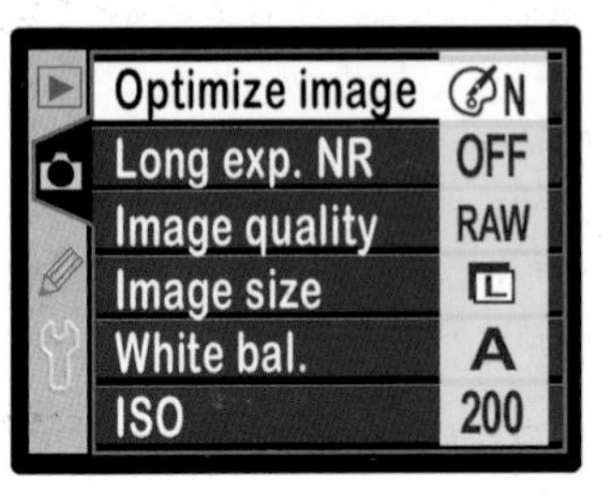

Etape 3 : Dans les options de ce sous-menu, choisissez Optimize Image (optimisation des images) et appuyez sur la flèche droite du bouton directionnel.

Etape 4 : Sélectionnez Custom (personnaliser) et appuyez de nouveau sur la flèche droite.

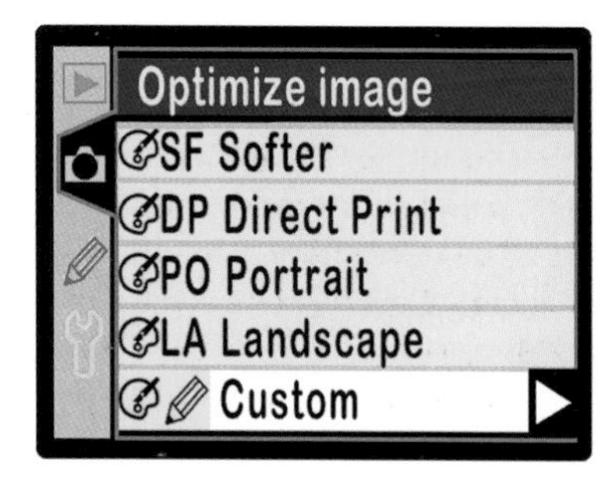

Etape 5 : Dans ce menu, affichez l'option Color Mode (mode colorimétrique) et appuyez sur la flèche droite. (Le « I » placé devant les mots « Color Mode » indique que l'espace actuel est sRGB.)

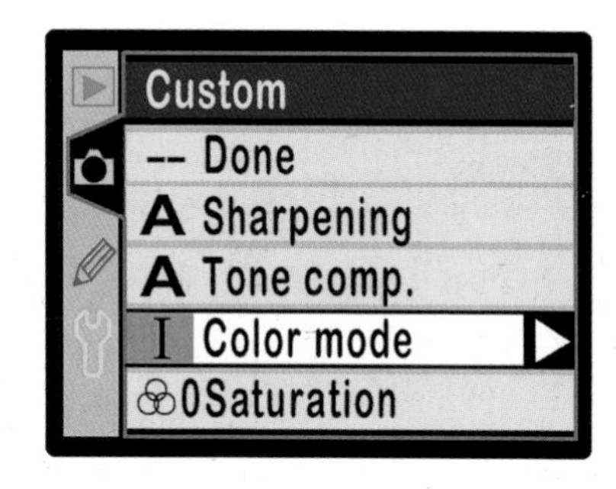

Etape 6 : Sélectionnez II : Adobe RGB, et appuyez de nouveau sur la flèche droite pour activer OK.

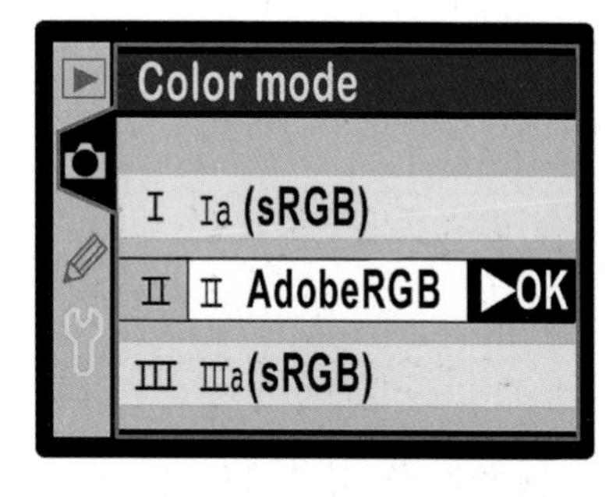

Etape 7 : Lorsque vous appuyez sur le bouton de la flèche droite, vous revenez à l'écran Custom (personnaliser). Cette fois, l'option Color Mode est précédé du symbole II, attestant que vous utilisez désormais l'espace Adobe RGB (1998).

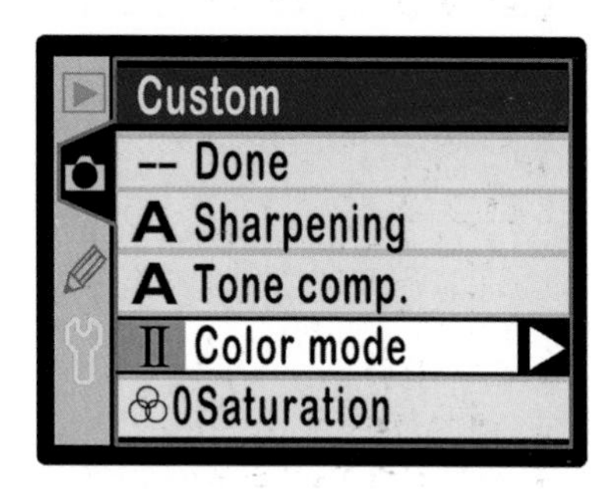

Configuration d'autres appareils

La configuration du Nikon D70 vaut pour la plupart des appareils de ce constructeur dont le D2x et le D100. Sur le site d'accompagnement de cet ouvrage (**www.scottkelbybooks.com/cs2digitalphotographers**), vous trouverez des explications pour les appareils photo numériques les plus répandus. Si le vôtre n'y figure pas, plongez-vous dans son manuel d'utilisation.

Préparation de Photoshop pour Adobe RGB (1998)

Une fois l'appareil photo numérique parfaitement configuré, vous devez mettre Photoshop en adéquation avec lui. L'espace sRGB (que je qualifie de « stupide RGB ») est apparu à une époque où Photoshop s'orientait de plus en plus vers la création Web. Aujourd'hui, nous sommes revenus à des concepts graphiques plus fondamentaux et appropriés aux photographes numériques, avec l'espace Adobe RGB (1998).

Etape 1

Je rappelle que cette configuration intéresse uniquement les sorties finales sur imprimante jet d'encre. Si vous envoyez vos fichiers à un laboratoire de tirage des photos numériques, conservez le mode sRGB (ou sRVB), aussi bien pour l'appareil que pour Photoshop. Si vous ne savez dans quel mode travaille ledit labo, posez-lui la question.

Maintenant, ouvrez le menu Edition et cliquez sur Couleurs.

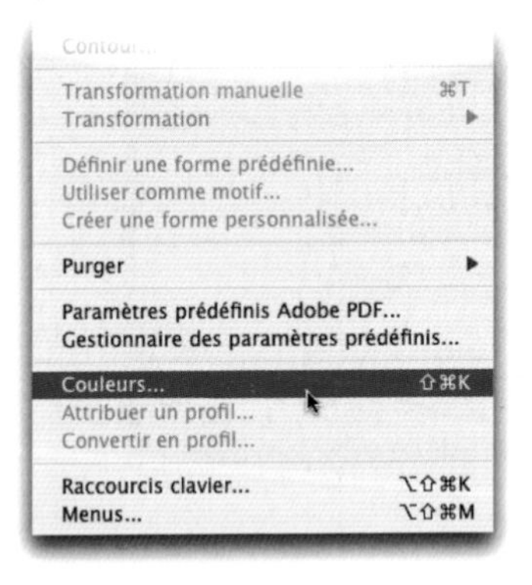

Etape 2

La boîte de dialogue homonyme montre que Photoshop emploie par défaut Utilisation générale pour l'Europe 2, ce qui n'est pas spécialement bon pour les photographes numériques. La preuve en est que le champ RVB affiche l'espace sRGB IEC61966–2.1, une longue dénomination technique pour identifier l'espace sRGB. N'utilisez pas ces paramètres.

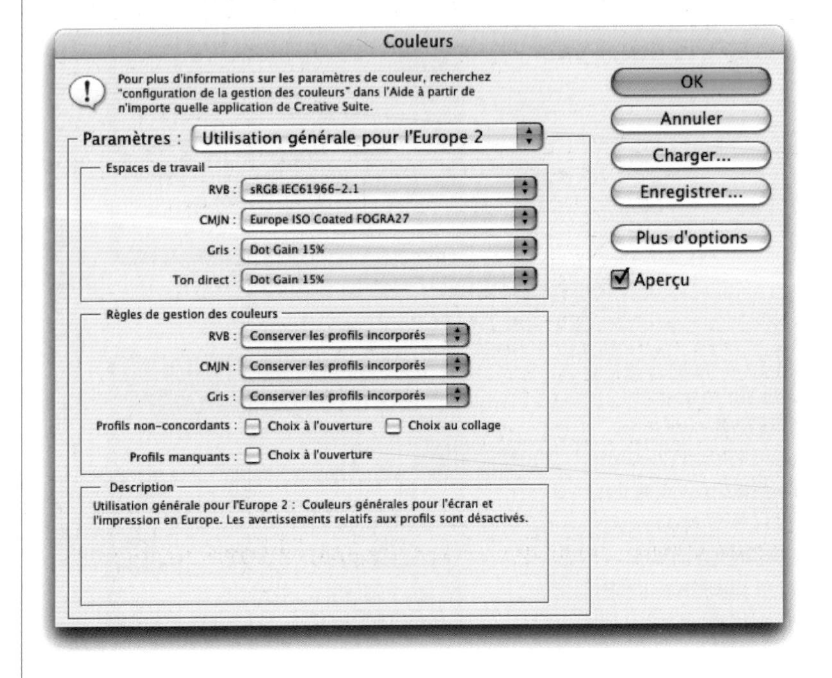

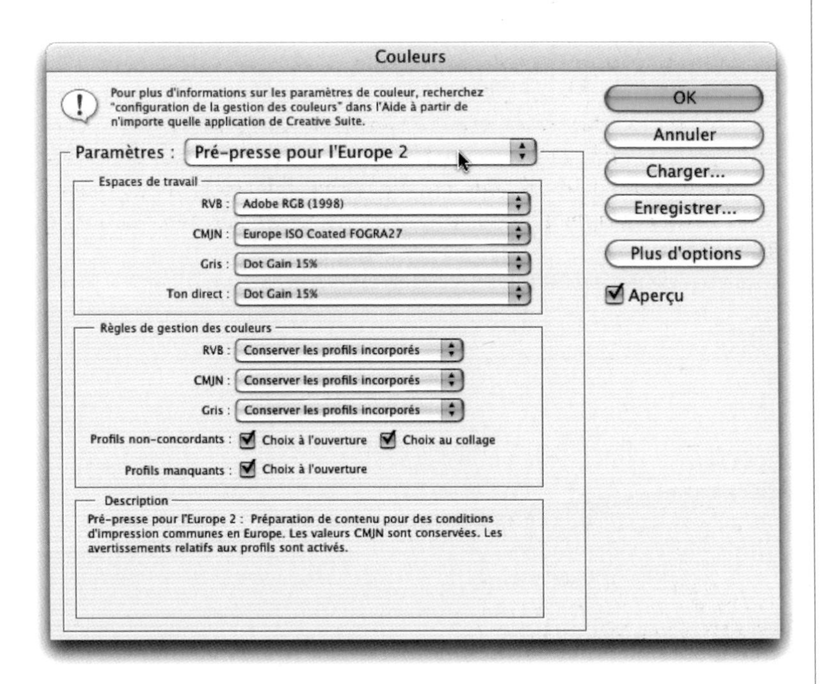

Etape 3

Dans la liste Paramètres, choisissez Pré-presse pour l'Europe 2, ce qui sélectionne automatiquement l'espace Adobe RGB (1998). Ensuite, activez les options adéquates pour être certain que la gestion des couleurs sera respectée chaque fois que vous ouvrirez un fichier dans Photoshop. Malgré le choix d'un groupe de paramètres destinés à la prépresse, vous obtiendrez d'excellents résultats avec votre imprimante jet d'encre puisque l'espace Adobe RGB (1998) est utilisé. Vous obtiendrez un message chaque fois qu'une photo n'aura pas de profil de couleur ou disposera d'un profil différent. (Vous en saurez davantage à ce sujet un peu plus loin dans ce chapitre.)

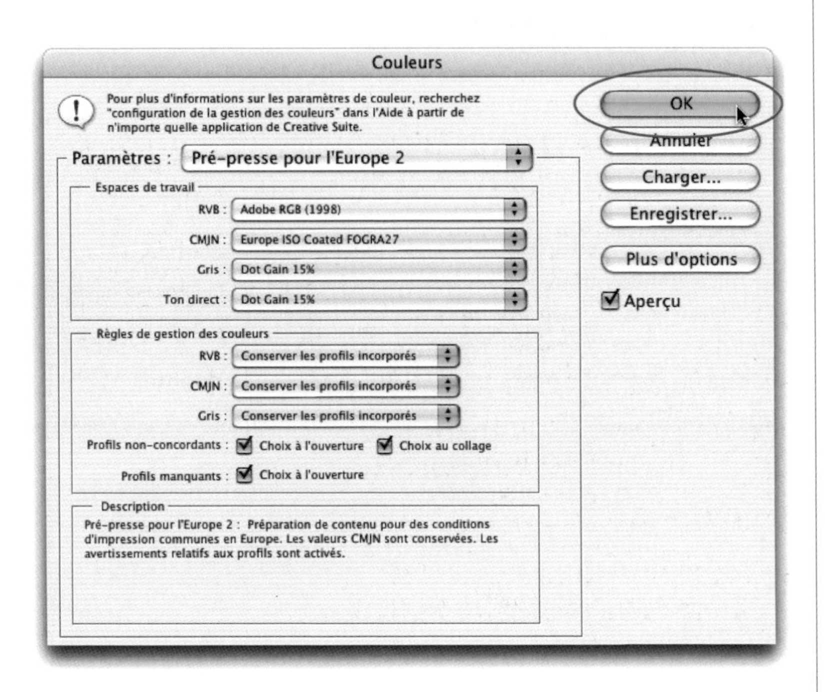

Etape 4

Avant de valider vos paramètres, sélectionnez Web/Internet pour l'Europe. Vous constaterez que l'espace colorimétrique préféré du Web est bien le sRGB. Revenez en arrière pour adopter Adobe RGB (1998).

Note : Si vos photos sont destinées à une impression sur presse, vous devrez générer des fichiers CMJN. Dans ce cas, de nombreux professionnels préfèrent l'espace ColorMatch RGB (que vous choisissez dans la liste RVB de la section Espaces de travail) à Adobe RGB (1998), car sa gamme de couleurs est plus proche de celles des presses imprimant en CMJN.

Etape 5

Le choix de Pré-presse pour l'Europe 2 présente l'avantage d'activer l'affichage d'un message dès que le profil de couleurs d'une image ne correspond pas à votre espace colorimétrique. Par exemple, si votre appareil photo numérique et Photoshop sont configurés pour l'espace Adobe RGB (1998), vous n'obtiendrez aucune alerte à l'ouverture de vos clichés dans Photoshop. En revanche, si vous ouvrez des photos prises avant la modification de ces réglages – qui seront probablement issues de l'espace sRGB –, il y aura non-concordance des couleurs. Ouvrez la boîte de dialogue Couleurs, et choisissez l'option Conversion en RVB dans la liste RVB de la section Règles de gestion des couleurs. Ensuite, décochez la case Choix à l'ouverture de l'option Profils non concordants. Ainsi, vous n'aurez pas à choisir un profil de couleurs ; vos anciennes photos seront automatiquement converties dans le mode Adobe RGB (1998).

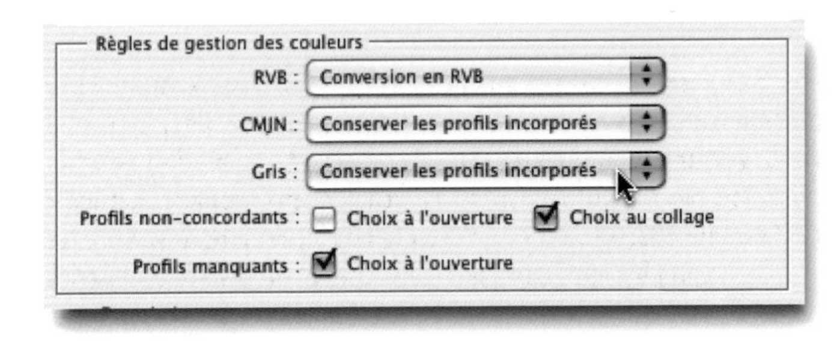

Etape 6

Bien ! Que va-t-il se passer si vous ouvrez dans Photoshop des photos qui n'ont pas le même espace colorimétrique que le vôtre ? Vous pouvez les convertir vers l'espace Adobe RGB (1998) en cliquant sur Edition > Attribuer un profil. Dans la boîte de dialogue qui apparaît, activez l'option Profil, et sélectionnez cet espace dans la liste. Cliquez sur OK.

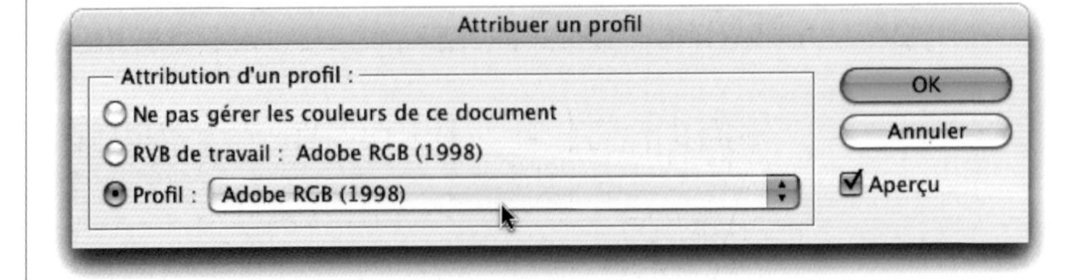

Calibration bon marché de votre moniteur

Pour imprimer correctement ce qui s'affiche à l'écran, vous devez calibrer votre moniteur. Il y a deux manières de procéder : (1) acheter une sonde qui se place directement sur l'écran ; (2) utiliser les logiciels gratuits de calibration de votre système d'exploitation. Nous commencerons par étudier cette seconde méthode. Si la calibration est une obsession, et que vous ayez de l'argent, nous verrons un peu plus loin comment calibrer avec un dispositif matériel.

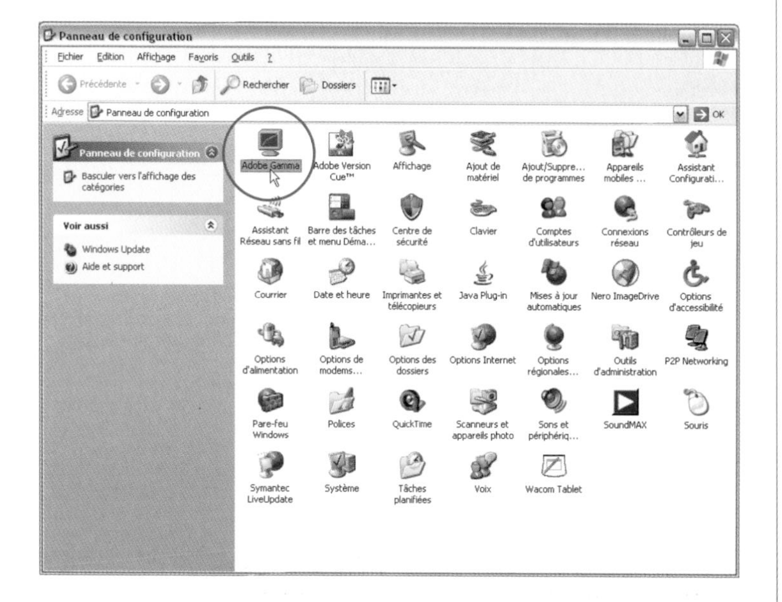

Calibration gratuite

Voyons d'abord un scénario catastrophe : vous n'avez plus un sou, car toutes vos économies sont passées dans l'achat de Photoshop CS2. Pour vous, la seule calibration possible passe par l'utilisation d'outils gratuits. Les Macintosh disposent d'une calibration intégrée au système d'exploitation, tandis que les PC tournant sous Windows utilisent le programme Adobe Gamma. Pour y accéder sous Windows XP, ouvrez le menu Démarrer et cliquez sur Panneau de configuration. Double-cliquez sur Adobe Gamma.

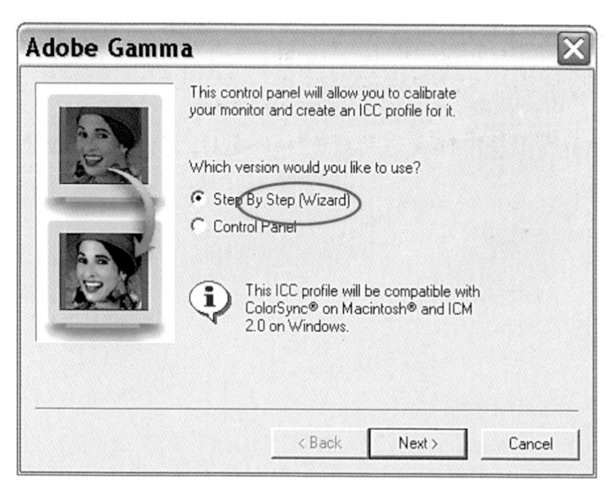

Etape 1 (PC)

Dans la boîte de dialogue homonyme, activez l'option Step By Step Wizard (étape par étape assistant) qui vous guidera dans la procédure de calibration du moniteur.

Note : Le résultat obtenu varie selon que vous possédiez un moniteur CRT, un LCD, etc.

Etape 2 (PC)

Cliquez sur le bouton Suivant et assignez un nom à votre profil. Il se peut que des profils aient été installés par les pilotes de votre moniteur. Bien qu'ils ne puissent fournir une calibration idéale, ils peuvent servir de point de départ. Cliquez sur le bouton Load, puis naviguez parmi la liste des profils ICC disponibles. Si vous voyez un profil du nom de votre écran, sélectionnez-le et cliquez sur OK.

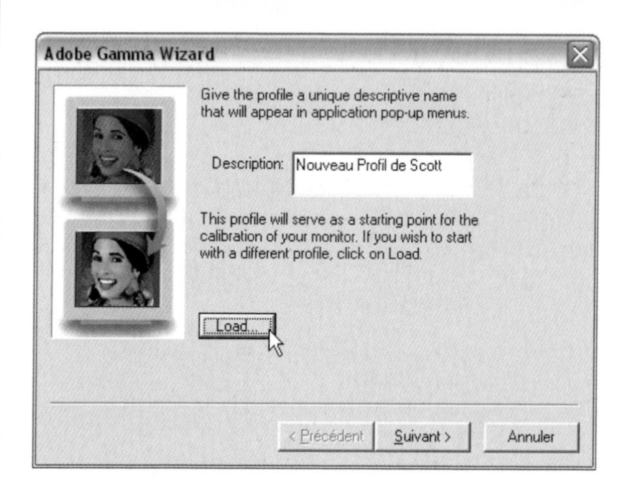

Etape 3 (PC)

A partir de maintenant, le fait de cliquer sur Suivant donne accès à de multiples réglages qui vont permettre d'afficher correctement les couleurs. Il suffit de faire glisser des curseurs et de faire confiance à vos yeux. Etant donné que chacun perçoit les couleurs différemment, vous comprendrez que les professionnels ont besoin d'une mesure plus objective.

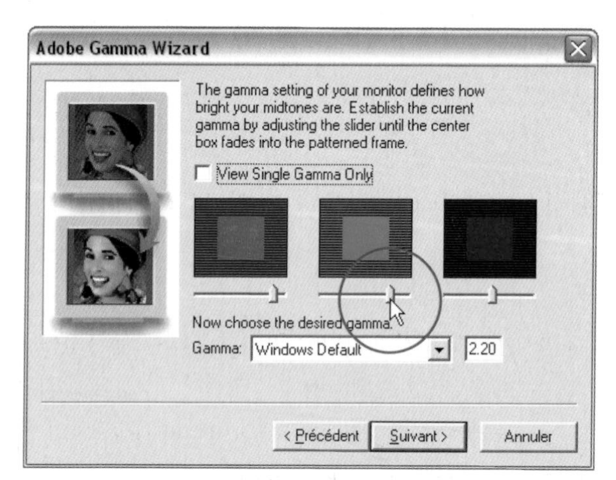

Etape 4 (PC)

Les questions se succèdent jusqu'à ce que la procédure de calibration soit terminée. La dernière boîte de dialogue permet d'effectuer une comparaison de type Avant/Après, illuminé que vous êtes par l'éclatant sourire de Carmen Miranda. Validez vos réglages par un clic sur le bouton Terminer.

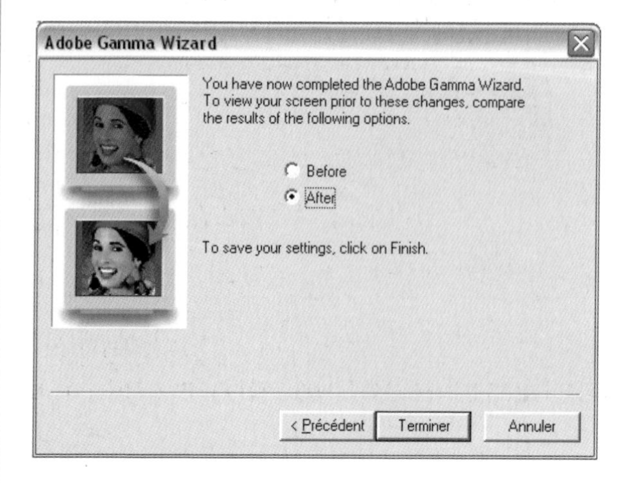

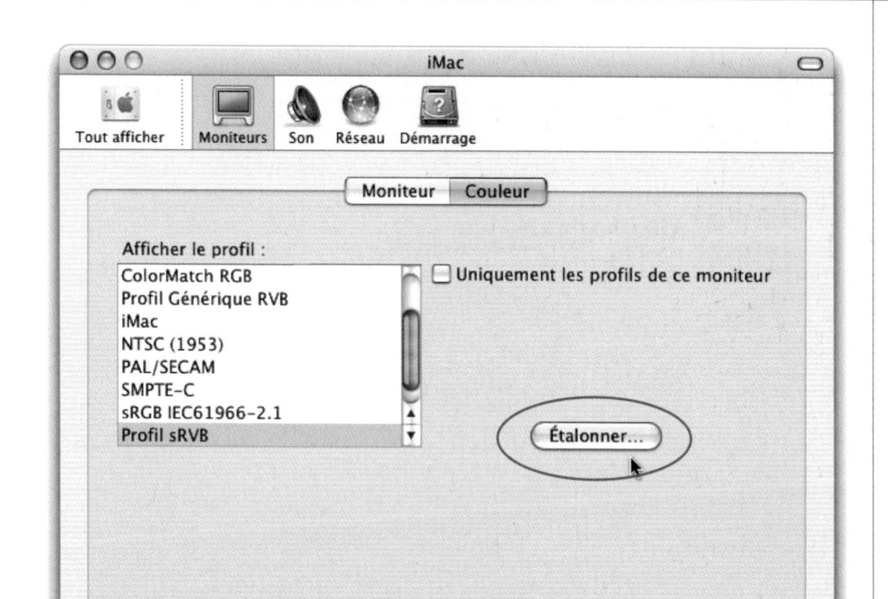

Etape 1 (Mac)

Voyons maintenant comment se déroule cette calibration gratuite sur Macintosh. Ouvrez la boîte de dialogue Préférences système, cliquez sur Moniteurs, puis sur le bouton Couleur. Ensuite, cliquez sur le bouton Etalonner pour démarrer l'Assistant d'étalonnage du moniteur.

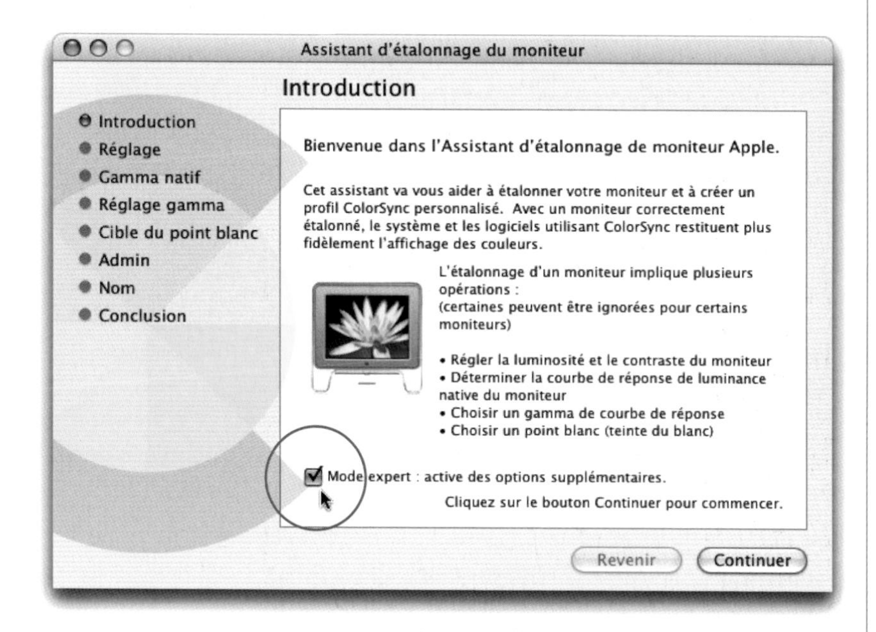

Etape 2 (Mac)

Dans la fenêtre Introduction de l'assistant, activez le Mode expert même si vous pensez ne pas en être un ! Vous le serez en moins de cinq minutes. Cliquez sur Continuer.

Etape 3 (Mac)

La première série d'étapes vous demande d'accomplir quelques tests en déplaçant des curseurs. Ce n'est pas très compliqué puisque Apple vous dit exactement ce que vous devez faire. Suivez ces instructions pour mener à bien la procédure.

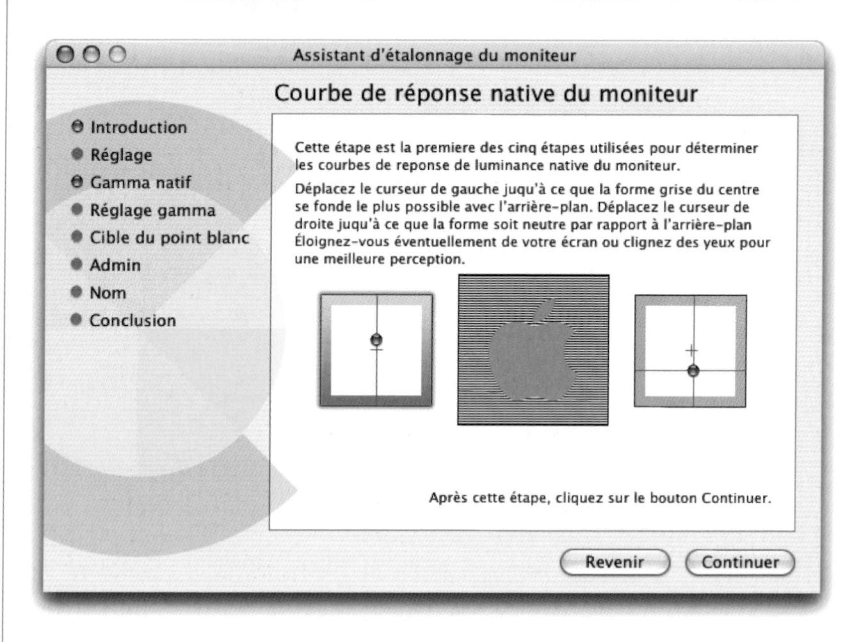

Etape 4 (Mac)

Ces cinq manipulations avec clignements d'yeux vous ont peut-être donné une petite migraine. C'était la partie la plus difficile de cet étalonnage. Vous voici dans un écran où vous allez définir un réglage gamma, c'est-à-dire une valeur de contraste. Apple insiste sur le fait que la meilleure valeur est Standard Mac 1.8. Sachez que la plupart des photographes professionnels recommandent Standard PC 2.2 qui ajoute un contraste très riche. Faites glisser le curseur sur cette valeur, et voyez si elle vous convient. Ensuite cliquez sur Continuer.

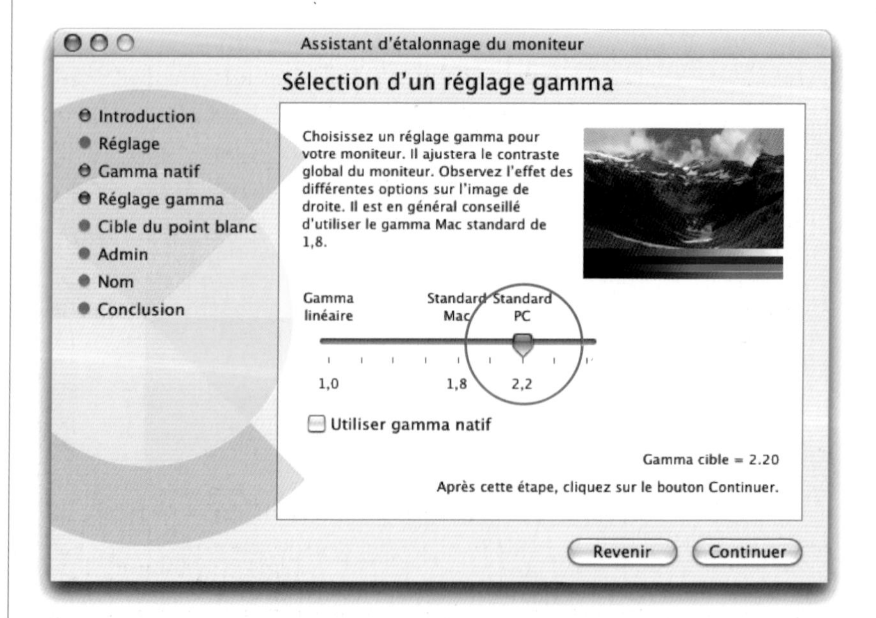

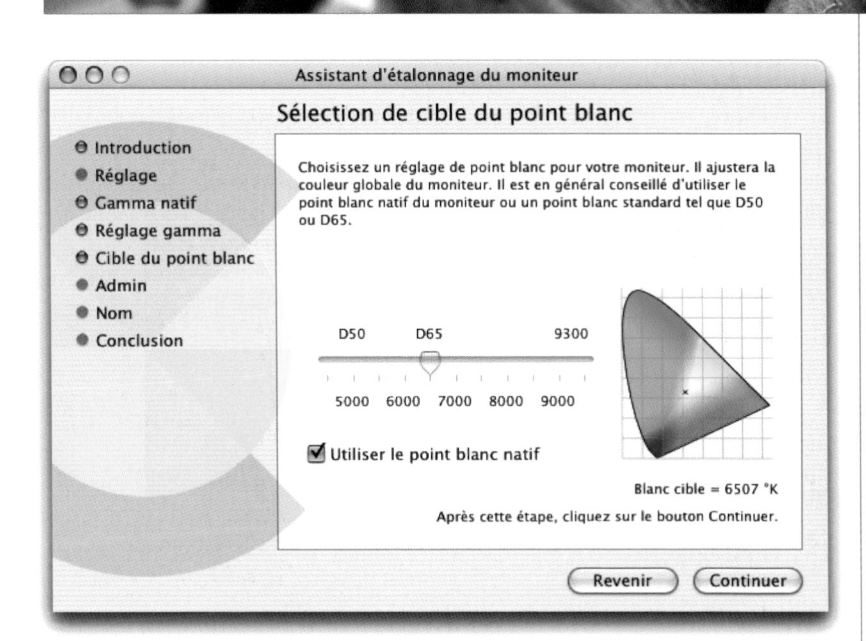

Etape 5 (Mac)

Maintenant, définissez le point blanc. J'utilise D65, c'est-à-dire une valeur Kelvin de 6500. Pourquoi ? Les professionnels considèrent qu'elle crée un point blanc parfait, sans teinte jaunâtre qui survient généralement lorsque vous choisissez une température plus faible. Cliquez sur Continuer. Si vous partagez votre ordinateur avec d'autres utilisateurs, cochez la case d'autorisation, puis cliquez sur Continuer.

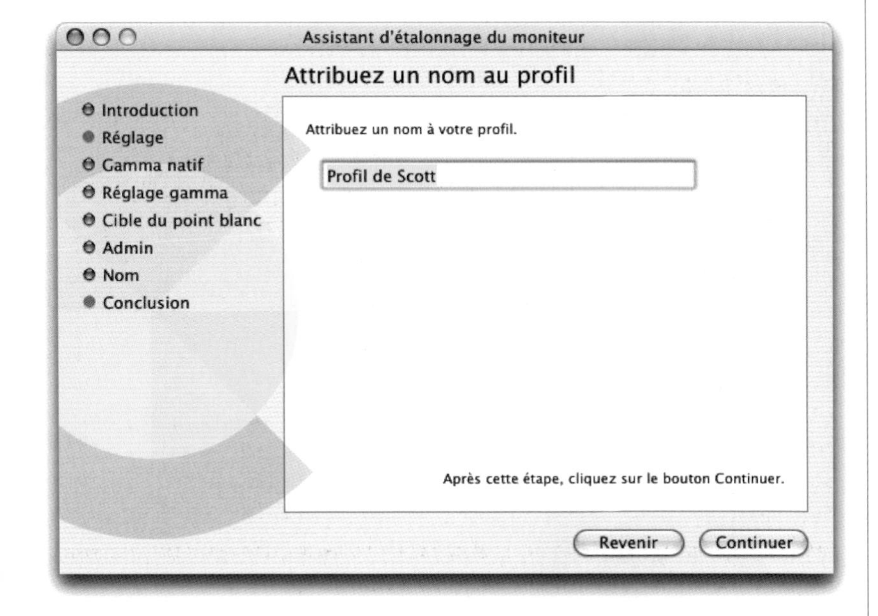

Etape 6 (Mac)

Nommez votre profil et cliquez sur Continuer. La dernière fenêtre récapitule l'ensemble de vos paramètres. Si vous constatez une erreur, cliquez sur le bouton Revenir, jusqu'à retrouver l'étape incriminée. Sérieusement, je ne vois pas quelle erreur vous auriez pu commettre. Cliquez sur le bouton Terminé. Vous venez de créer un profil relativement précis pour votre écran (ne vous plaignez pas, c'est entièrement gratuit). Vous n'avez rien à faire dans Photoshop pour que ce profil soit identifié. Il s'ouvre automatiquement.

Calibration professionnelle du moniteur

La calibration matérielle des écrans est de loin la meilleure, car elle est d'une précision et d'une objectivité sans faille. Ces petits appareils définissent un profil qui reflète la réalité. J'utilise la sonde Spyder2PRO, de ColorVision, qui a une place prépondérante chez les professionnels de l'image. Elle donne des résultats extraordinaires pour un prix tout à fait abordable. Parmi les autres sondes du marché, notons Eye-One Display 2, de GretagMacbeth, et Monaco Optix XR.

Etape 1

Une fois le logiciel Spyder2PRO installé, connectez la sonde au port USB de votre ordinateur. Ensuite, démarrez son programme. Vous devrez répondre à une série de question comme « Possédez-vous un moniteur CRT ou LCD ? ». La sonde va créer un profil correspondant réellement aux spécificités du moniteur.

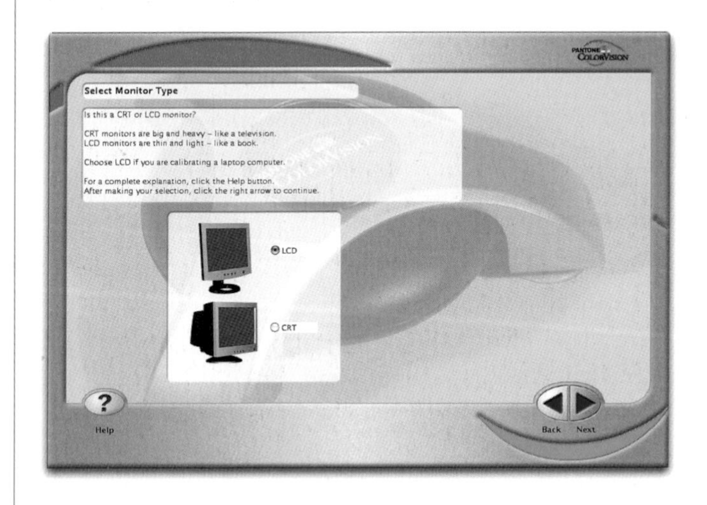

Etape 2

Ensuite, l'assistant vous demande de placer la sonde Spyder2PRO directement sur l'image affichée à l'écran.

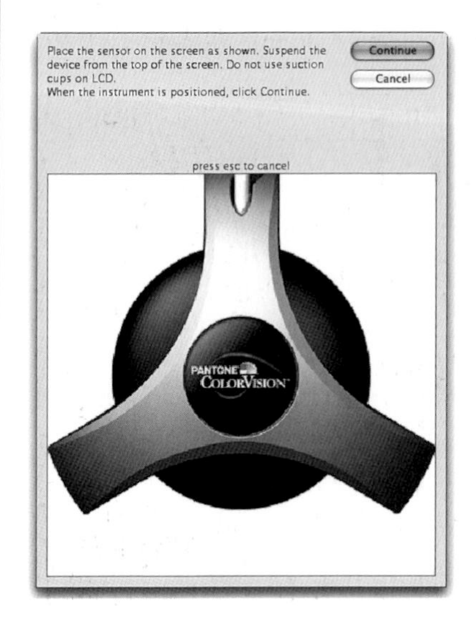

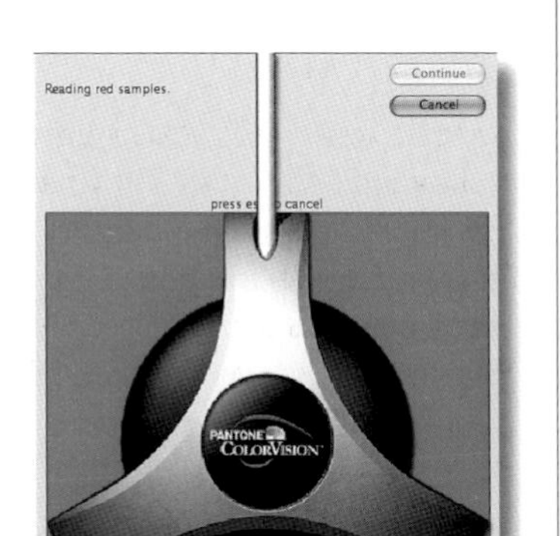

Etape 3

Une fois la sonde bien ajustée sur l'image qui la représente, cliquez sur le bouton Continue. Cette action lance une série de tests, à commencer par la lecture du point noir de l'écran. Puis vient la lecture d'échantillons rouges, verts et bleus. La fenêtre qui se situe sous la sonde mesure chaque couleur en partant de sa tonalité la plus sombre pour progressivement aller vers plus de luminosité et de saturation, jusqu'à ce qu'elle atteigne sa pleine intensité. Une fois que la sonde a lu le point gris, la procédure est terminée.

Etape 4

Une fois toutes les mesures prises, une boîte de dialogue vous demande de retirer la sonde. Un nom est attribué à votre profil. Je conseille de le changer pour que vous puissiez l'identifier plus aisément. Cliquez sur le bouton Next situé dans le coin inférieur droit de la fenêtre.

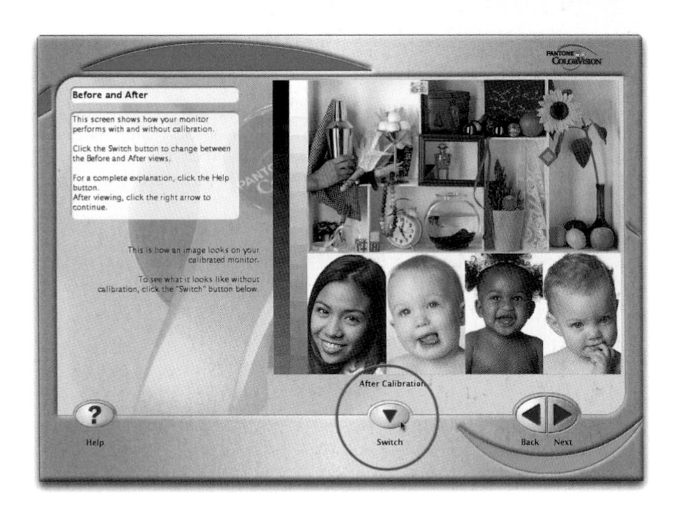

Etape 5

Le dernier écran est important, car il permet de voir comment le moniteur reproduisait les couleurs avant et après l'étalonnage. Cliquez sur le bouton Switch pour basculer d'une vue à l'autre. Il y a de grandes chances que les changements soient impressionnants. Vous n'avez plus rien à faire. Photoshop identifiera le nouveau profil de votre moniteur.

Profil personnalisé pour votre imprimante

Lorsque vous installez une imprimante jet d'encre, son pilote définit un profil « standard ». Il indique à Photoshop le type d'imprimante utilisée. Pour obtenir des impressions professionnelles, il faut un profil qui inclue à la fois l'imprimante et le type de papier employé. La majorité des constructeurs d'imprimantes créent des profils pour leurs papiers, téléchargeables sur leurs sites Web. Vous pouvez aussi créer les vôtres, mais cela nécessite l'achat d'un matériel d'étalonnage, que je décris plus loin dans ce chapitre.

Etape 1

Un profil standard est installé en même temps que l'imprimante. Vous le sélectionnez dans la boîte de dialogue Imprimer avec aperçu de Photoshop CS2 (menu Fichier). Ce profil ne prend pas en compte le papier utilisé qui est important pour l'obtention d'une impression de qualité. Vous avez donc besoin d'un profil qui regroupe à la fois l'imprimante et votre papier d'impression.

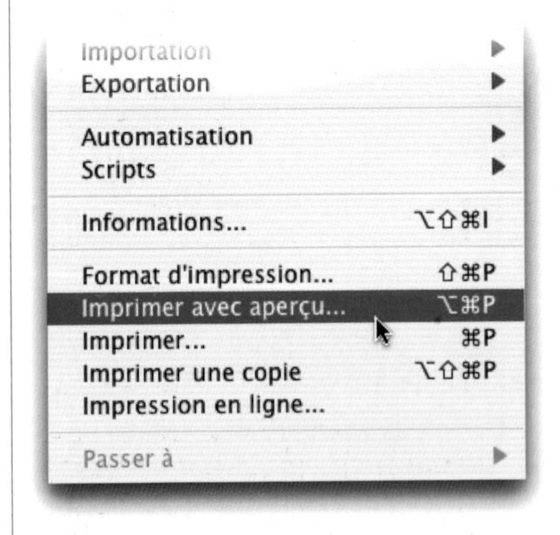

Etape 2

J'utilise une imprimante Epson Stylus Photo 2002 – l'une des plus répandues chez les professionnels –, avec du papier Epson. (En règle générale, utilisez un papier de même marque que votre imprimante.) Pour obtenir les pilotes d'imprimantes, rendez-vous sur le site Web du fabricant. Le site d'Epson, pour la France, se trouve à l'adresse **www.epson.com**. Cliquez sur le lien Téléchargement pilotes.

Note : Le contenu et l'interface des sites Web changent souvent. Les illustrations ne sont données ici qu'à titre d'exemple. Ne soyez pas étonné d'être obligé de chercher. En revanche, pour trouver les profils ICC, allez sur le site américain d'Epson.

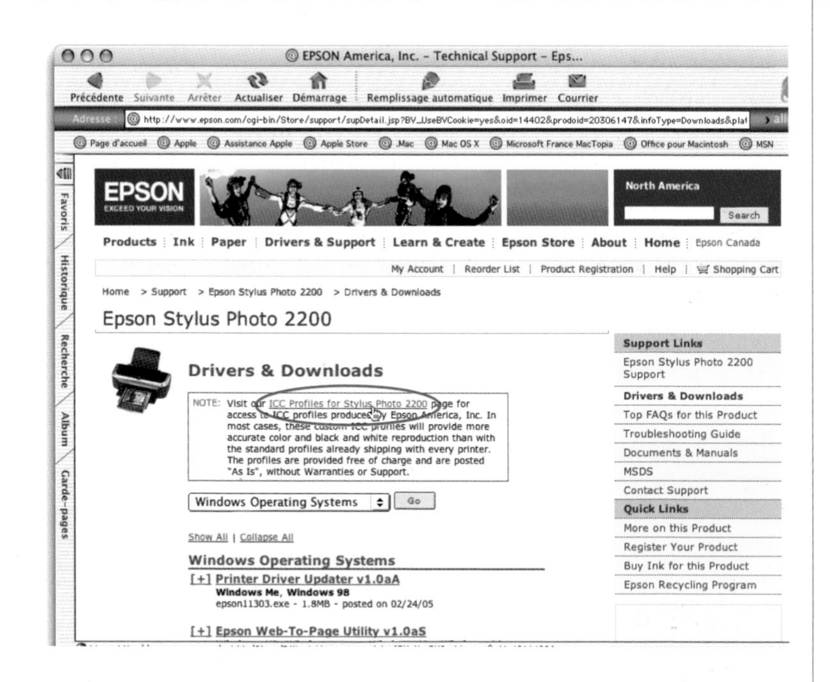

Etape 3

Dans la page de téléchargement de pilotes et de logiciels, sélectionnez le type de produit, en l'occurrence Imprimante jet d'encre, puis le produit lui-même (pour moi il s'agit de Stylus Photo 2002). Vous arrivez sur la page des pilotes et logiciels de l'imprimante. Cliquez sur le système d'exploitation utilisé par l'ordinateur. Dans la page de téléchargement du logiciel, cliquez sur le lien ICC Profiles, suivi du nom de votre imprimante.

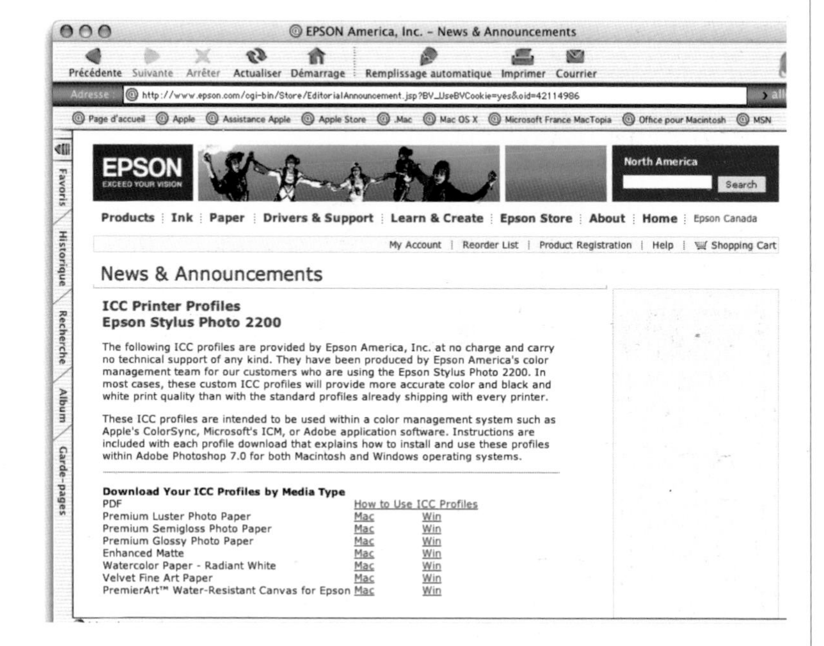

Etape 4

Une page liste alors les profils ICC Mac et PC pour les différents papiers et imprimantes Epson. En règle générale, ces profils donneront plus de précision à vos impressions couleur et noir et blanc que ne le font les profils standard. Téléchargez les profils pour chaque papier utilisé. (Personnellement j'utilise Velvet Fine Art, Premium Luster et Enhanced Matte. J'ai donc besoin de ces trois profils.)

Etape 5

Les profils Epson sont fournis avec un installeur. Double-cliquez dessus pour procéder à l'installation du profil. Si vous téléchargez un profil comme celui représenté à droite sur l'illustration ci-contre, vous devez l'installer manuellement. Sur PC, faites un clic droit dessus et choisissez Installer le profil (ou Install Profile). Sur Mac, ouvrez le dossier Bibliothèques sur votre disque dur, puis ColorSync. Ouvrez le dossier Profiles et faites-y glisser le fichier. (Vous devrez peut-être redémarrer votre machine.)

Etape 6

Relancez Photoshop CS2 et cliquez sur Fichier > Imprimer avec aperçu. Dans la section Options de la boîte de dialogue, ouvrez la liste Traitement des couleurs et choisissez Laisser Photoshop déterminer les couleurs. Ensuite, cliquez sur la liste Profil de l'imprimante et choisissez le profil correspondant à votre imprimante et au papier utilisé. (Dans cet exemple, j'opte pour l'Epson 2200 et le papier Velvet Fine Art à 2880 dpi.)

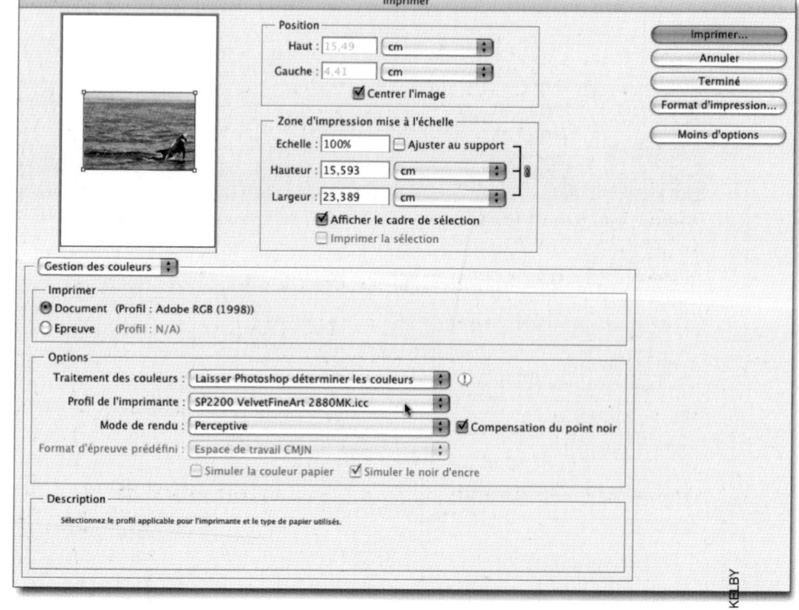

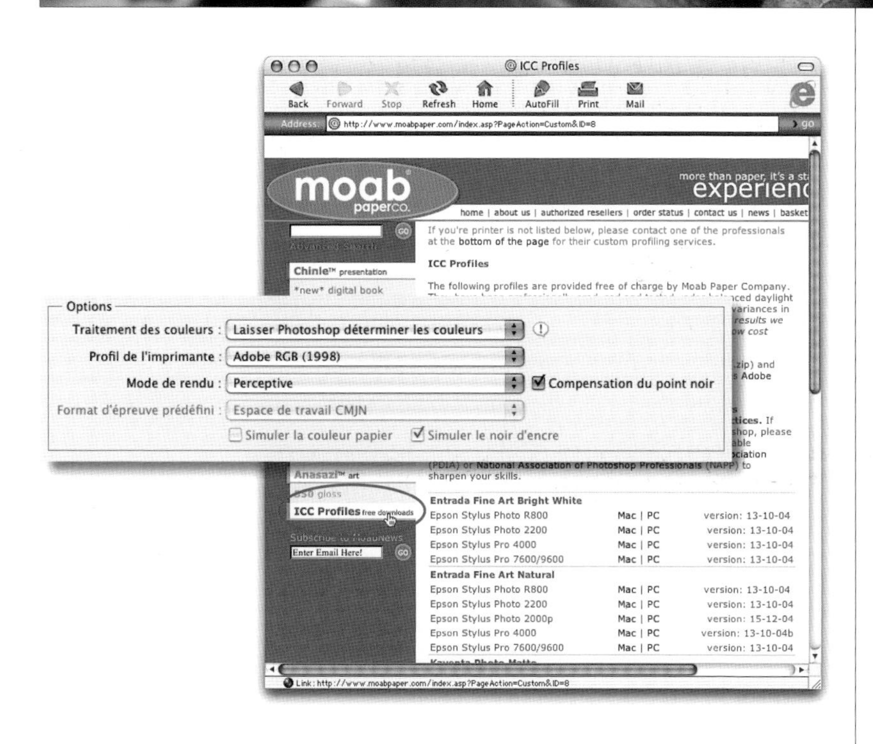

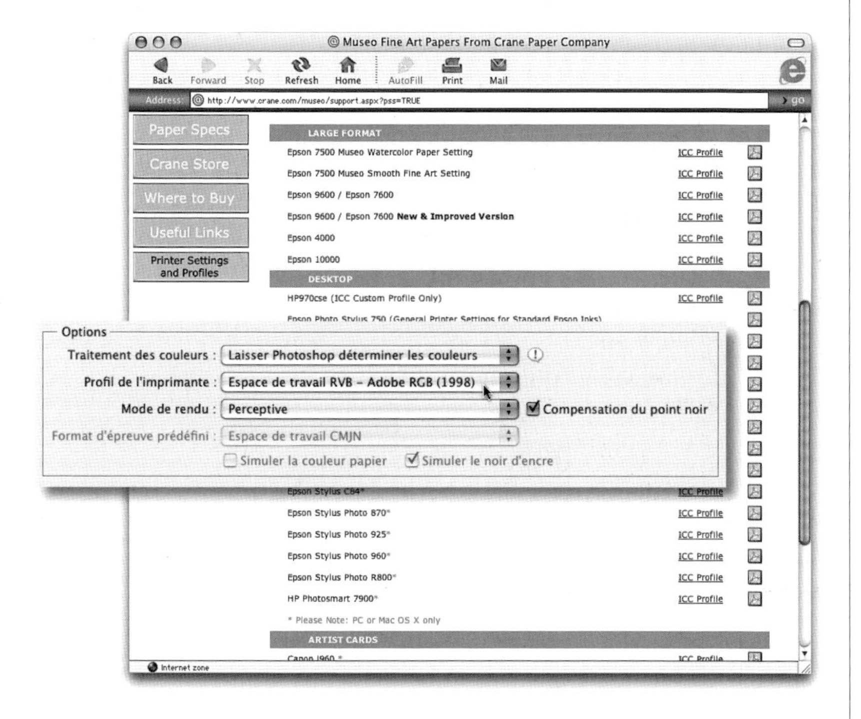

Etape 7

Le fabricant Moab propose aussi de très jolis papiers qui font merveille sur l'Epson 2200. Pour obtenir d'excellents résultats, vous devez également télécharger les profils ICC de ces papiers sur le site **www.moabpaper.com**. Après installation et redémarrage, ils apparaissent dans la liste Profil de l'imprimante de la boîte de dialogue Imprimer avec aperçu. Quand vous voulez tester de nouveaux papiers, rendez-vous toujours sur le site Web de leur fabricant pour télécharger les profils correspondants. Si vous n'en trouvez pas, les impressions se feront à vos risques et périls.

Etape 8

Le site Museao Fine Art Paper, de Crane (**www.crane.com**), propose des profils pour ses papiers utilisables avec la plupart des imprimantes Epson. L'illustration montre le profil Epson 2200 installé dans Photoshop.

Note : Il est possible d'obtenir contre paiement la création d'un profil personnalisé pour votre imprimante. Il suffit d'imprimer une page test fournie par le fabricant ; celle-ci sera étalonnée par un instrument de mesure très coûteux pour déterminer le profil qui convient à votre périphérique d'impression. Ce profil n'est adapté qu'à cette imprimante, ce papier et cette encre. Si l'un de ces éléments change, le profil n'a plus aucun intérêt. Il est préférable, dans ce cas, d'utiliser un dispositif comme SpectroPRO, de ColorVision, qui permettra de définir un profil pour chaque papier et chaque encre. Sinon, téléchargez régulièrement les nouveaux profils des fabricants de papier.

Impression (la cohérence de la chaîne graphique)

Bien ! Votre appareil photo numérique et Photoshop sont configurés sur Adobe RGB (1998), et votre moniteur a été étalonné. Vous avez configuré le programme pour que toute photo n'incorporant pas ce profil y soit automatiquement convertie. Vous avez également téléchargé les profils de l'imprimante et du papier utilisés. Donc, toutes les conditions sont réunies pour réussir vos impressions.

Etape 1

Dans Photoshop, cliquez sur Fichier > Imprimer avec aperçu.

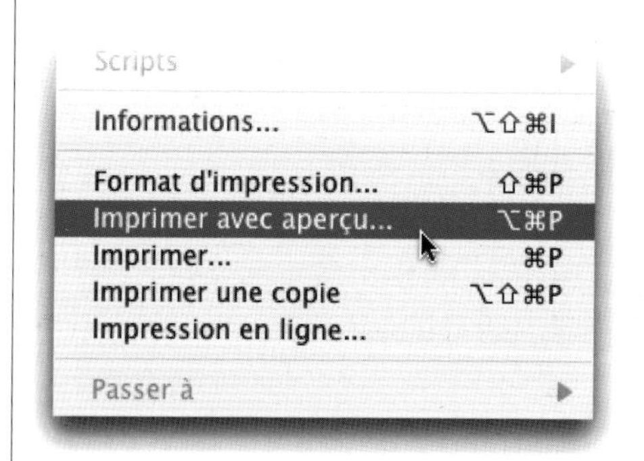

Etape 2

Dans la boîte de dialogue, cliquez sur le bouton Format d'impression. Ensuite, sélectionnez l'imprimante à utiliser dans la liste Pour (je choisis Epson Stylus Photo 2200), puis le type de papier dans la liste Papier (ici Super B). Choisissez l'Orientation. Ne touchez pas à la valeur Echelle, et cliquez sur OK pour revenir à la boîte de dialogue Imprimer. Vous devez maintenant gérer la couleur.

Note : Si les options de gestion de la couleur ne sont pas visibles, cochez Afficher plus d'options.

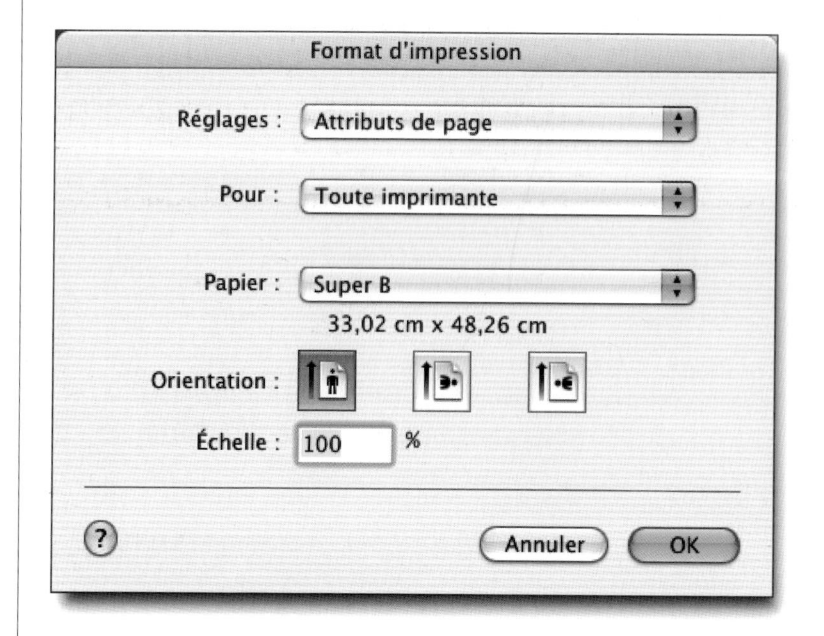

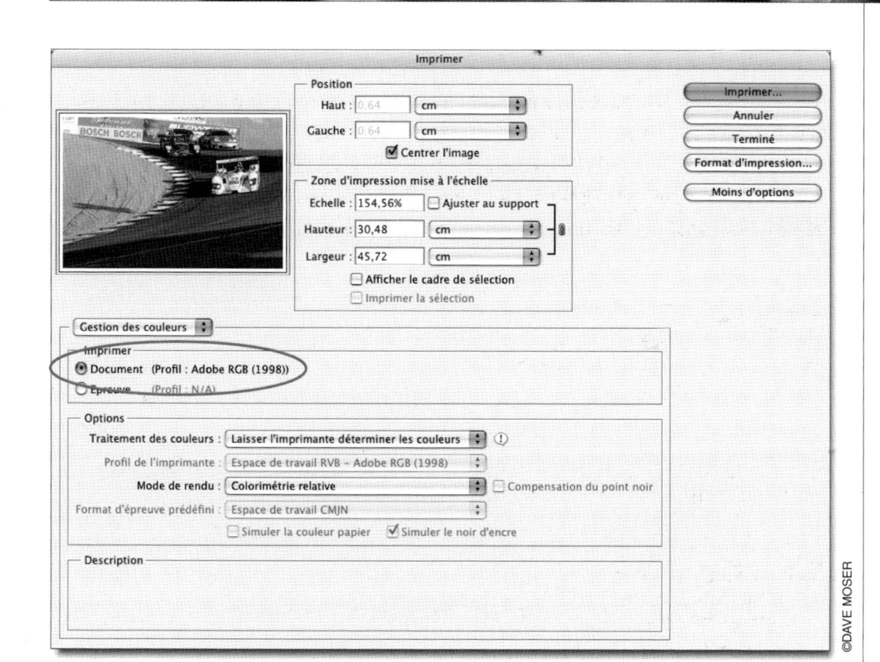

Etape 3

Vérifiez que l'option Gestion des couleurs est affichée dans la liste située sous la zone d'aperçu. Dans la section Imprimer, sélectionnez Document.

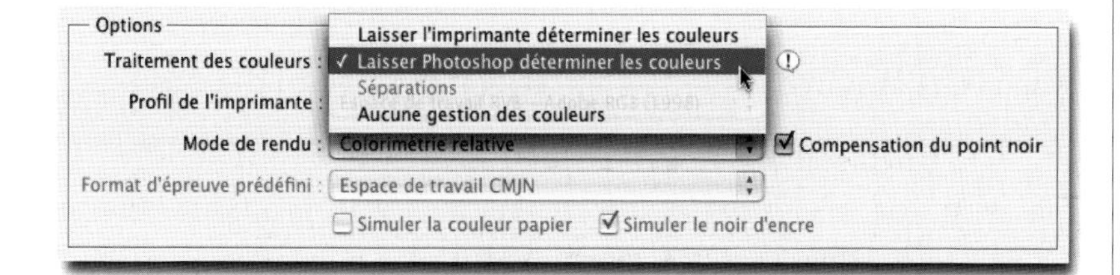

Etape 4

Dans la section Options, ouvrez la liste Traitement des couleurs. Choisissez Laisser Photoshop déterminer les couleurs. Ainsi, nous maintenons une consistance dans la gestion des couleurs pendant la procédure d'impression. Ne cliquez pas encore sur le bouton Imprimer.

Etape 5

Photoshop utilisera le profil d'imprimante sélectionné dans la liste située juste en dessous. Dans cet exemple, je choisis Epson 2200 pour papier Velvet Fine Art Epson à 2 880 dpi. (Je rappelle que ce profil a été téléchargé dans le précédent didacticiel.) Ce choix optimise les couleurs pour donner le meilleur résultat possible sur mon imprimante avec un papier et une résolution particuliers.

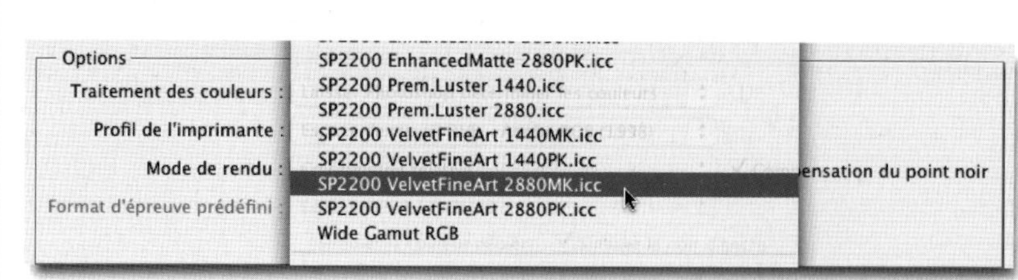

Etape 6

Dans la liste Mode de rendu, je conseille de sélectionner Perceptive. Ce mode donne les meilleurs résultats avec les photos numériques imprimées sur un périphérique jet d'encre. Vérifiez que l'option Compensation du point noir est active. Elle permet de conserver les détails et la couleur des zones sombres.

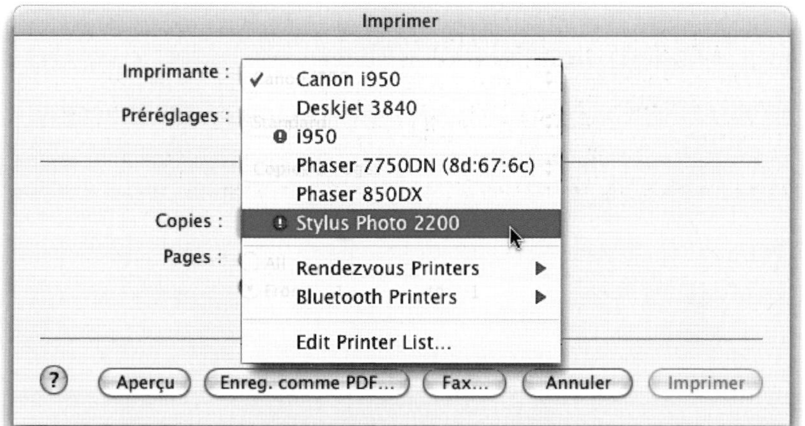

Etape 7

Cliquez sur Imprimer. Votre pilote d'impression s'ouvre. Dans la liste Imprimante, sélectionnez votre imprimante. Ensuite, vous définirez d'autres options qui varient d'un modèle et d'un système d'exploitation à un autre. (Dans cet atelier, j'utilise un Macintosh tournant sous Mac OS X.) Sur un PC, vous obtiendrez une boîte de dialogue. Sélectionnez l'imprimante dans la liste Nom, et définissez les options de l'imprimante en cliquant sur le bouton Propriétés.

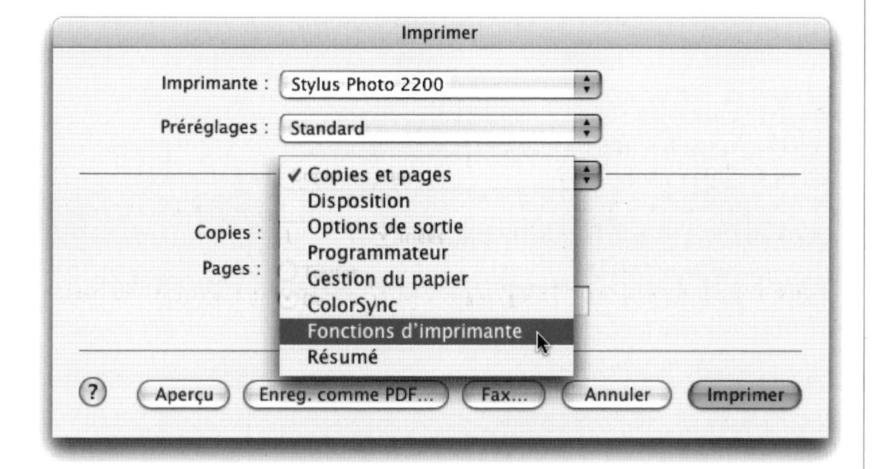

Etape 8

Déroulez la liste Copies et pages pour accéder à toutes les options de votre imprimante. Un premier choix sera effectué ici, et un second à l'étape 11. Donc, commençons avec Fonctions d'imprimantes pour configurer l'imprimante de manière à obtenir la meilleure qualité d'impression.

Attention : Le contenu de la liste Copies et pages dépend du modèle de votre imprimante. Ainsi, sous Windows, vous devrez souvent cliquer sur l'onglet Avancé (ou Plus d'options) du pilote d'impression pour effectuer des réglages identiques à ceux réalisés dans cette boîte de dialogue sur Mac.

Etape 9

Dans la liste Media Type, sélectionnez le type de papier utilisé. Tous les profils ICC téléchargés et installés pour l'imprimante donnée se retrouvent dans cette liste.

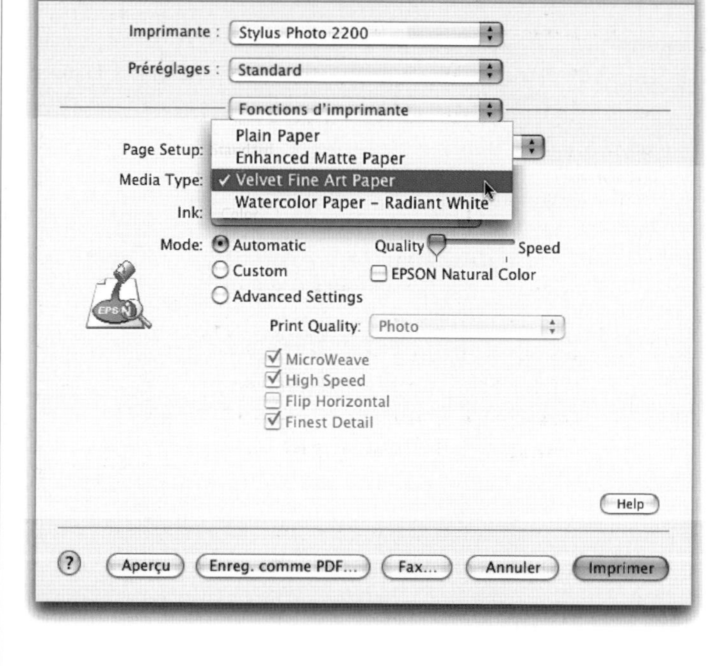

Etape 10

Dans la section Mode, cliquez sur Advanced Settings. Dans la liste Print Quality, choisissez la qualité voulue. J'opte ici pour SuperPhoto – 2880 dpi, qui donne le meilleur résultat avec cette imprimante. Si vous préférez la vitesse à la qualité, sélectionnez une résolution plus faible. Une faible qualité sert généralement de test ou d'épreuvage.

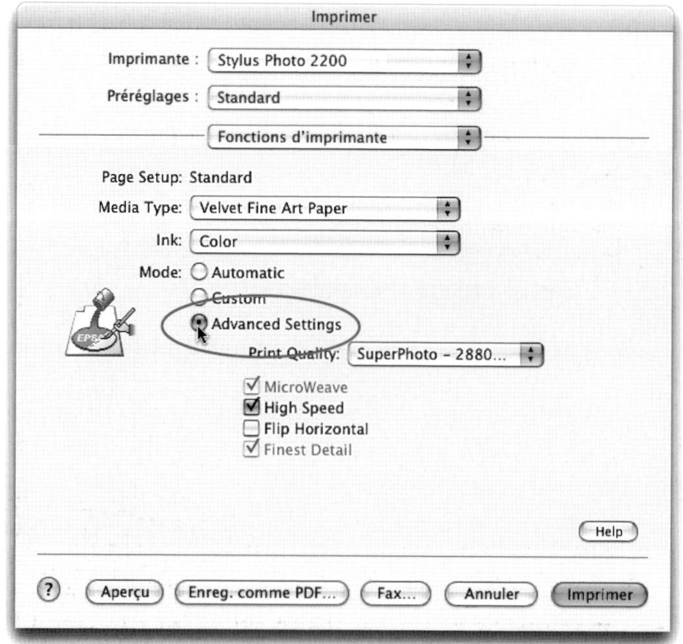

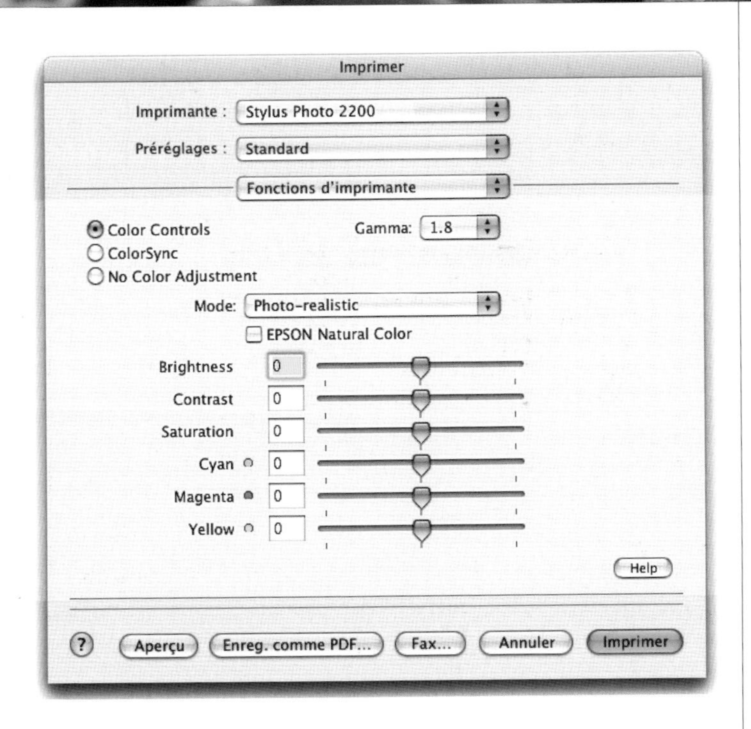

Etape 11

Le second réglage consiste à désactiver la gestion des couleurs par le pilote d'impression. Pour cela, affichez la rubrique Color Managment, et activez l'option No Color Adjustment. Les modèles d'imprimantes de qualité photo permettent de désactiver cette gestion. Si vous ne le faites pas, elle entrera en conflit avec les réglages définis dans Photoshop.

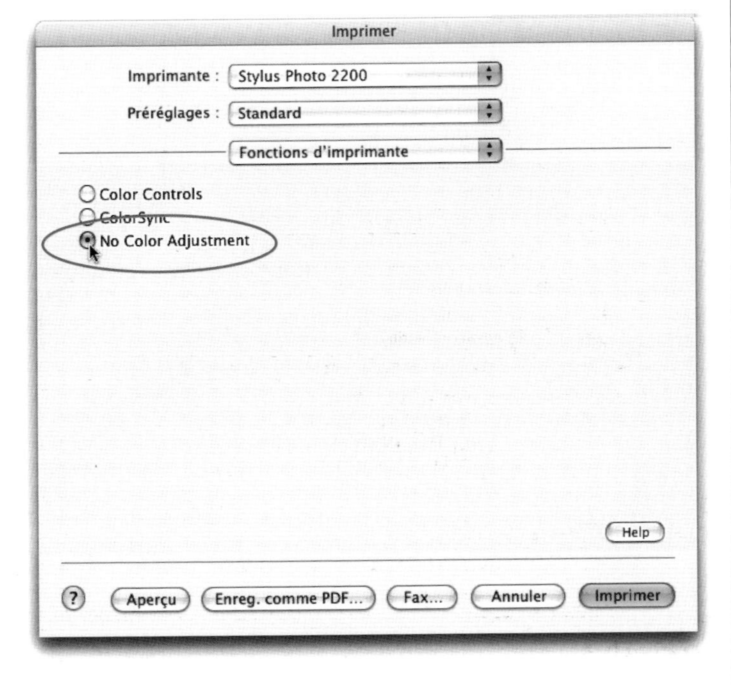

Etape 12

Lorsque vous activez No Color Adjustment, toutes les options de gestion de la couleur par le pilote de l'imprimante disparaissent. C'est exactement ce qu'il faut : ne pas être tenté par le diable ! Tout est pris en charge par Photoshop. Maintenant, vous avez bien mérité de cliquer sur le bouton Imprimer.

Attention : Lorsque vous imprimez avec une imprimante jet d'encre, ne convertissez jamais vos photos en CMJN, même si votre périphérique utilise les sacro-saintes cartouches cyan, magenta, jaune et noir. Cette conversion est effectuée par l'imprimante elle-même. Ainsi, si vous y procédez dans Photoshop, la conversion aura lieu deux fois, produisant une impression catastrophique.

Photo de Dave Moser

Exposition : 0.4 s | Focale : 78 mm | Ouverture : $f/5.5$

Le salaire de la couleur

Les secrets de la correction chromatique

Le salaire de la couleur serait-il aussi angoissant que celui de la peur ? Je n'ai pas une réponse tranchée. En revanche, je peux affirmer deux choses : (1) les professionnels monnaient la correction chromatique des photos en appliquant des techniques que nous allons approfondir ; (2) la correction de la couleur génère une certaine appréhension quand on n'en maîtrise pas tous les tenants et les aboutissants.

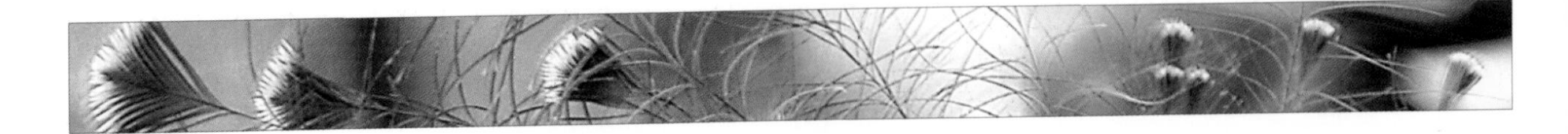

Préliminaires avant toute correction chromatique

Avant d'entamer la correction chromatique d'une seule photo, nous avons deux petits détails à régler dans Photoshop pour garantir une plus grande homogénéité des couleurs. Ces deux petits réglages sont cruciaux pour tout le reste de la procédure.

Etape 1

Dans la boîte à outils, cliquez sur la Pipette (ou appuyez sur la lettre I). La Pipette par défaut, dont l'option est Echantillon ponctuel, ne permet pas de lire correctement les valeurs d'une zone particulière (comme les tons de la peau) afin d'en corriger les couleurs. Cela tient au fait que la Pipette analyse le contenu du pixel sur lequel elle se trouve. La Pipette prélève la couleur, un point c'est tout !

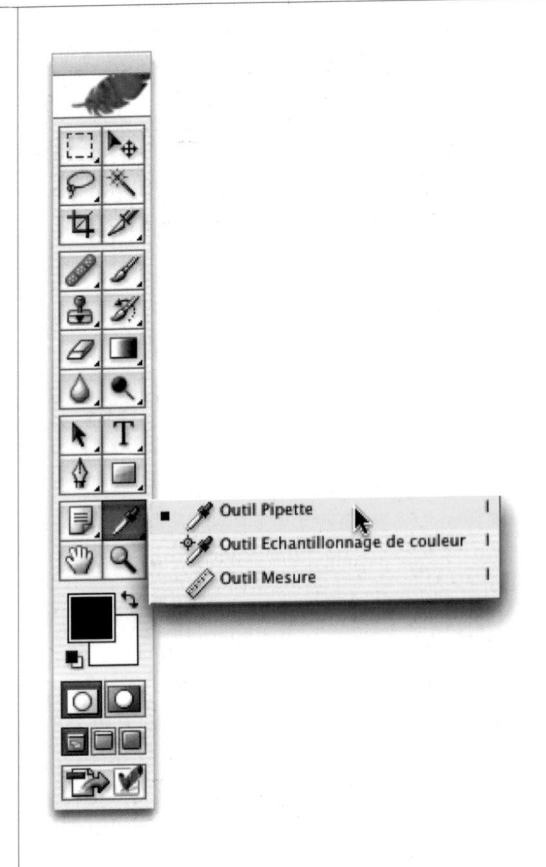

Etape 2

Par exemple, la peau est constituée de dizaines de pixels aux nuances très subtiles. Ouvrez une image représentant une personne, et effectuez un zoom. Pour corriger la couleur, vous avez besoin de lire le contenu d'une zone représentative située sous la Pipette, et pas seulement de connaître la valeur d'un pixel particulier. Pour cela, dans la liste Taille de la Barre d'options de cet outil, choisissez Moyenne 3 × 3. Ainsi, la Pipette communiquera la valeur moyenne d'une surface de 3 pixels par 3.

Etape 3

La seconde chose à faire est de préparer visuellement Photoshop à la correction chromatique. L'utilisateur aime avoir un arrière-plan sur son Bureau pour égayer ses journées de travail ou de loisirs numériques. Toutefois, il ne sert à rien dans une utilisation professionnelle. Sur PC, le problème est moindre que sur Mac, car Photoshop s'ouvre dans sa propre fenêtre. Si vous l'agrandissez au maximum, l'arrière-plan du Bureau disparaît. Sur Mac, par contre, l'image en cours de correction s'affiche sur l'arrière-plan du Bureau, ce qui risque de modifier votre appréciation des teintes de l'image. Il est conseillé d'opter pour un arrière-plan gris neutre.

Etape 4

Pour afficher un arrière-plan gris neutre, cliquez sur le bouton Mode plein écran situé au centre en bas de la boîte à outils de Photoshop. Cette action centre l'image en la plaçant sur un fond gris. Vous obtenez le même résultat en appuyant sur F. Appuyez deux fois sur cette touche pour revenir au mode Fenêtres standard.

Note : Sur PC, agrandissez la zone de travail qui révèlera un arrière-plan gris neutre : cliquez sur le bouton d'agrandissement situé dans le coin supérieur droit de la fenêtre de Photoshop.

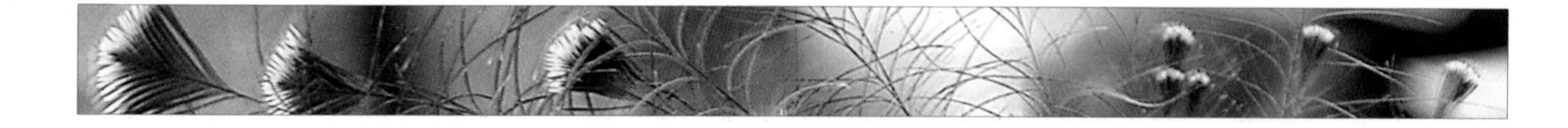

Correction chromatique des clichés numériques

Malgré les avancées technologiques, les appareils photo numériques ne sont pas toujours capables de reproduire les couleurs fidèlement. En fait, ce serait déjà un miracle qu'ils y parviennent une fois sur deux, car le numérique (appareil photo et scanner) introduit toujours une dominante colorée. Il s'agit d'un surplus de rouge, en général, mais votre appareil pourrait ajouter du bleu. Dans tous les cas, une correction chromatique est à apporter.

Etape 1

Ouvrez la photo numérique RVB dont vous souhaitez corriger les couleurs. (La photo d'exemple n'a pas l'air si mal, mais vous verrez au final que la correction n'était pas un luxe.)

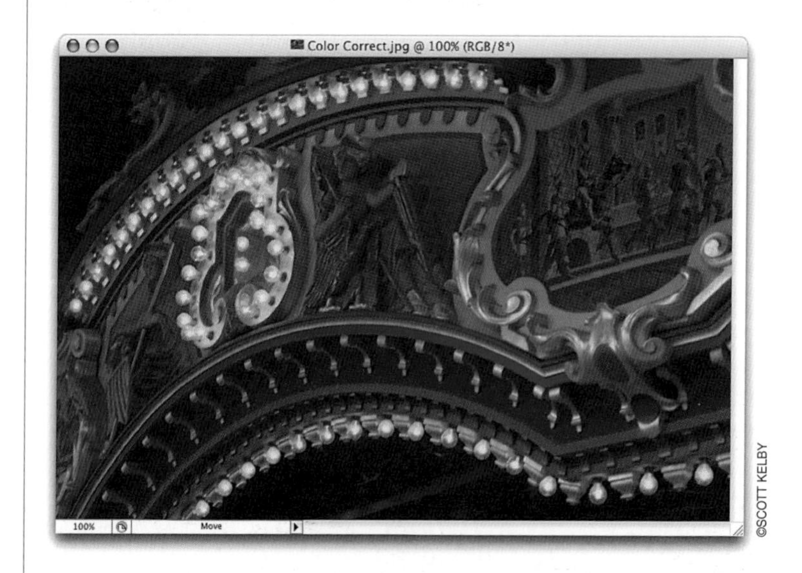

©SCOTT KELBY

Etape 2

Dans le menu Image, choisissez Réglages > Courbes. La fonction Courbes est la méthode de prédilection des pros pour la correction chromatique, car elle offre un contrôle plus précis que les autres techniques, dont la fonction Niveaux (que j'utilise pour le noir et blanc). La boîte de dialogue risque de vous intimider de prime abord, mais la technique utilisée ici ne nécessite aucune connaissance préalable de la fonction Courbes. De plus, elle est si simple que vous corrigerez vos photos en deux temps, trois mouvements avec cette méthode.

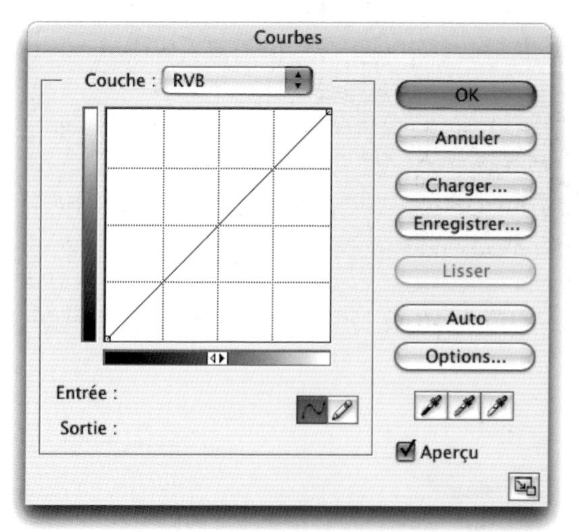

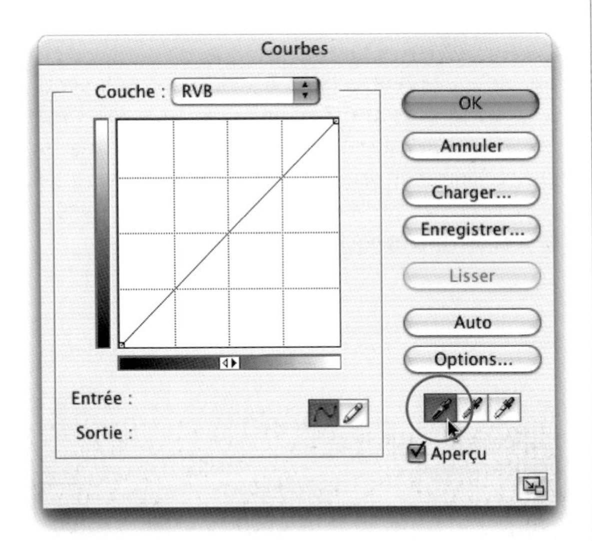

Etape 3

Commençons par définir certaines préférences dans la boîte de dialogue Courbes, ce qui nous permettra d'atteindre le résultat escompté. Définissons une couleur cible pour les tons sombres. Pour définir ce paramètre dans la boîte de dialogue, double-cliquez le bouton de Pipette noire (voir ci-contre). Un Sélecteur de couleur apparaît avec la légende « Couleur des tons foncés cible ». C'est ici que nous allons spécifier des valeurs qui, une fois appliquées, aideront à éliminer la dominante colorée ajoutée par l'appareil photo dans les zones sombres.

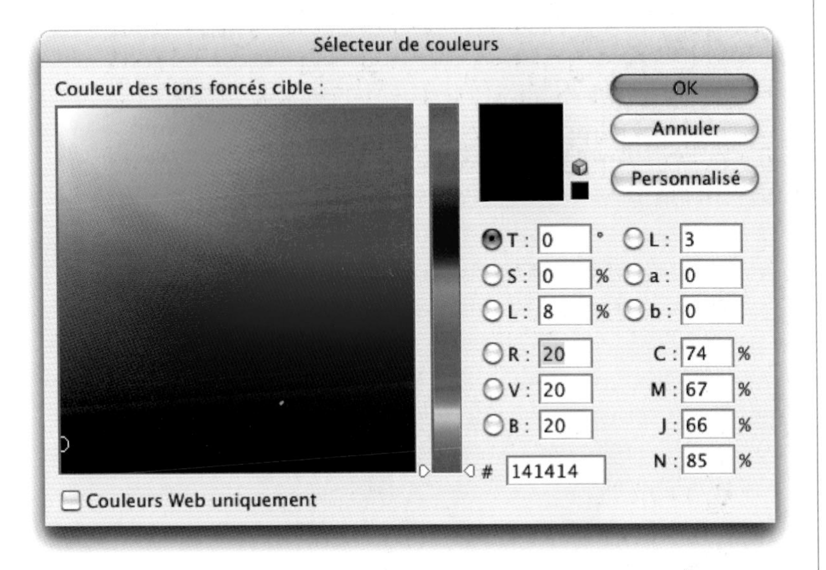

Etape 4

Dans les champs R, V et B (rouge, vert et bleu) de la boîte de dialogue, entrez les valeurs suivantes :

20 pour R ;
20 pour V ;
20 pour B.

Cliquez sur OK. Comme nous avons attribué la même valeur aux trois composantes, les tons sombres devraient être équilibrés, sans dominante. Par ailleurs, avec les valeurs proposées dans ce chapitre, vous devriez conserver assez de détails dans les zones sombres et claires pour autoriser une impression sur presse pour un usage professionnel (brochure, couverture de magazine, pub, etc.).

Etape 5

A présent, nous allons définir les préférences pour la neutralité des tons clairs. Double-cliquez sur le bouton de Pipette blanche. La boîte de dialogue qui apparaît sert à définir la couleur des tons clairs cible. Cliquez dans le champ R, puis tapez les valeurs suivantes :

244 pour R ;
244 pour V ;
244 pour B.

Astuce : Pour vous déplacer d'un champ à l'autre, appuyez sur la touche Tab.

Cliquez sur OK pour définir la couleur cible des tons clairs.

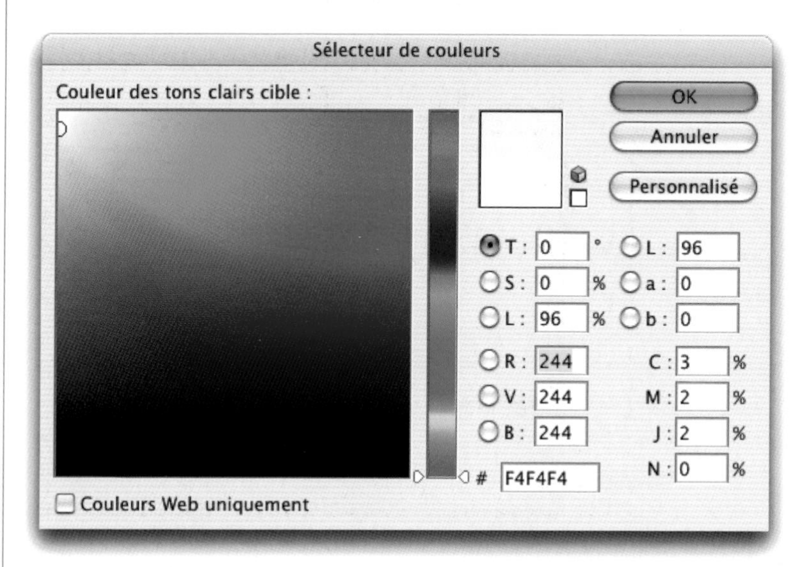

Etape 6

Il s'agit maintenant de définir les préférences de neutralité des tons moyens. Vous avez deviné : double-cliquez sur le bouton de Pipette grise (celui du milieu), afin de pouvoir choisir la couleur des tons moyens cible. Entrez les valeurs suivantes dans les champs R, V et B :

133 pour R ;
133 pour V ;
133 pour B.

Cliquez sur OK pour appliquer ces valeurs.

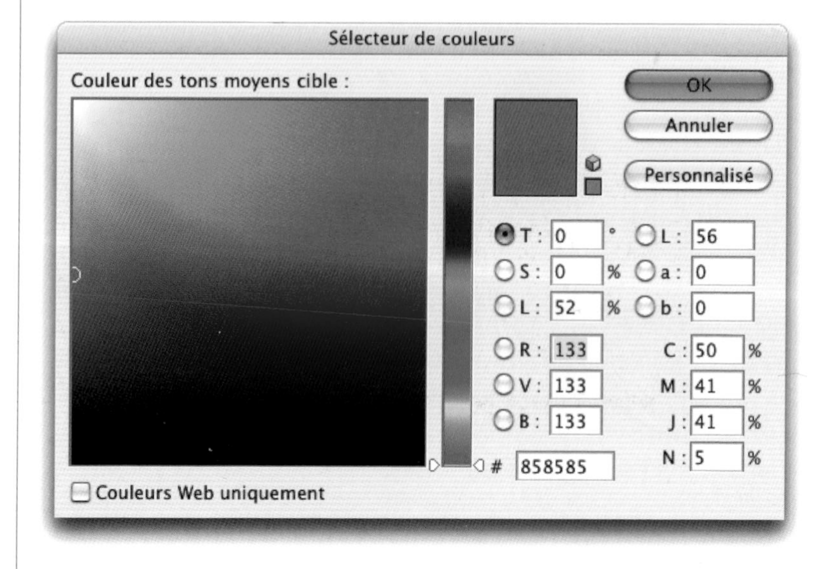

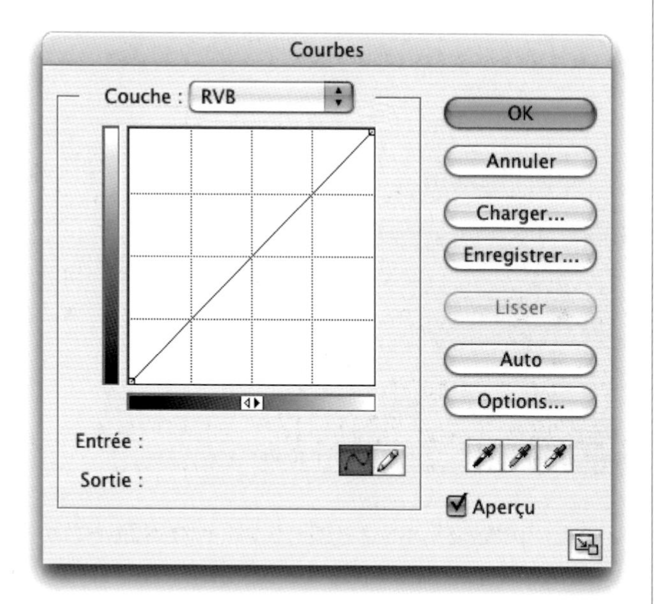

Etape 7

Bien, vous venez de définir les couleurs cible à partir de la boîte de dialogue Courbes. Vous utiliserez ces mêmes petites Pipettes pour effectuer la plupart de vos corrections. N'oubliez jamais que votre tâche consiste à déterminer, dans l'image, où se situent les zones foncées, claires et moyennes. Il suffira de cliquer sur ces zones avec la bonne Pipette, c'est-à-dire de cliquer sur un ton foncé (notamment un noir pur) de référence de la photo avec la Pipette des tons foncés de la boîte de dialogue Courbes. En l'absence de noir pur, à vous de déterminer la zone la plus foncée de l'image.

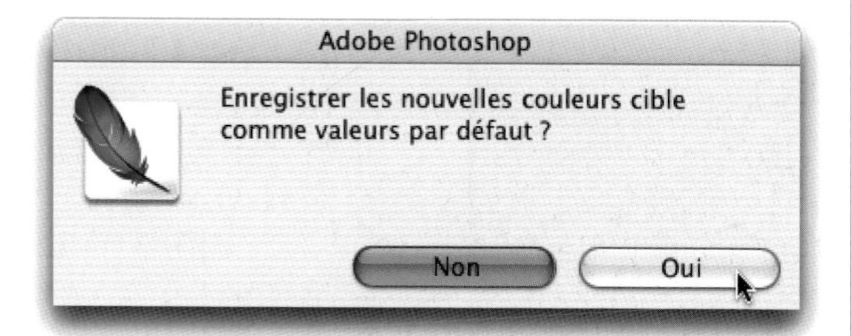

Etape 8

Cliquez sur OK pour fermer la boîte de dialogue Courbes. Une nouvelle boîte de dialogue propose d'enregistrer les nouvelles couleurs cible par défaut. Cliquez sur Oui pour mémoriser les couleurs que vous venez de définir. Ces couleurs devenant les valeurs par défaut, vous n'aurez plus à les définir lors des prochaines séances de retouche.

Etape 9

Dans la palette Calques, cliquez sur l'icône de calque de réglage (représentée par un rond noir et blanc) et sélectionnez la fonction Seuil (voir ci-contre).

Etape 10

Dans la boîte de dialogue Seuil, faites glisser à l'extrémité gauche le curseur sous l'histogramme. La photo devient complètement blanche. Déplacez lentement le curseur vers la droite et l'image réapparaît peu à peu. Les premières taches visibles indiquent les zones les plus sombres de la photo. Voilà la réponse. Cliquez sur OK pour fermer la boîte de dialogue. Cette opération ajoute un calque de réglage, visible dans la palette Calques.

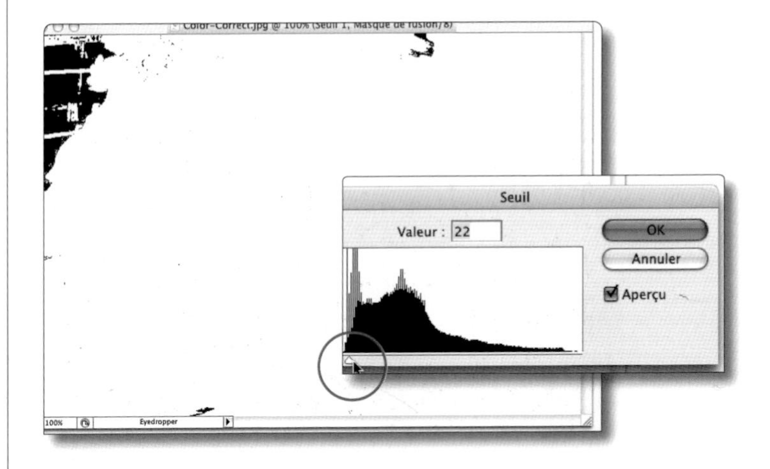

Etape 11

Après avoir repéré la zone la plus sombre, marquez-la avec la Pipette d'échantillonnage. Cliquez sur la Pipette dans la boîte à outils, en maintenant la pression jusqu'à dérouler le menu d'outils complémentaires, puis sélectionnez l'outil Echantillonnage de couleur (voir ci-contre). Avec cette Pipette d'échantillonnage, cliquez sur la zone la plus sombre : l'icône d'une cible apparaît pour signaler le point sur lequel vous avez cliqué. (Le clic peut aussi pour effet d'ouvrir la palette Infos.) Votre mission maintenant consiste à chercher la zone la plus claire.

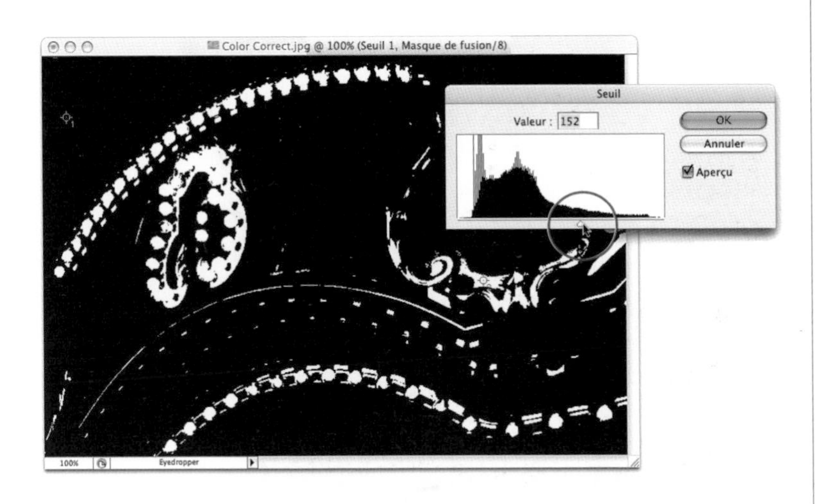

Etape 12

Vous pouvez utiliser la même technique avec la fonction Seuil pour identifier les valeurs les plus claires dans la photo. Dans la palette Calques, double-cliquez sur la vignette du calque de réglage Seuil pour réafficher la boîte de dialogue Seuil. Faites glisser le curseur complètement à droite. Repoussez le curseur vers le centre et constatez que les premières zones visibles sont blanches, représentant les parties les plus claires de la photo. Cliquez sur OK, puis sur le point le plus clair avec l'outil Echantillonnage de couleur afin de le marquer.

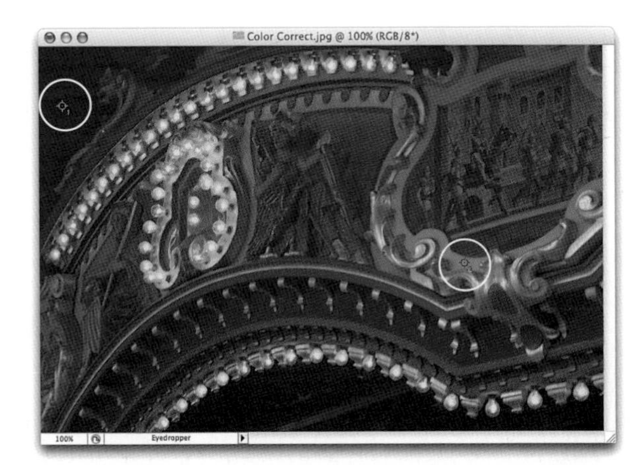

Etape 13

Nous en avons terminé avec le calque Seuil, vous pouvez l'éliminer. Dans la palette Calques, faites glisser le calque de réglage vers l'icône de corbeille. La photo reprend son aspect normal, mais elle a gagné deux icônes de cible : l'une dans la chevelure et l'autre sur la tasse (voir ci-contre). Appuyez sur Cmd+M (Ctrl+M) pour afficher la boîte de dialogue Courbes.

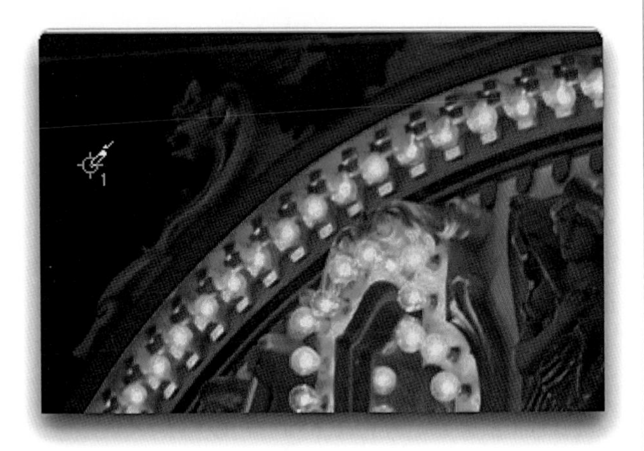

Etape 14

Sélectionnez la Pipette des tons foncés (celle de gauche, étiquetée Point noir) dans la boîte de dialogue Courbes. Placez le curseur sur la photo et cliquez directement au centre de la cible d'échantillonnage n° 1 (voir ci-contre). Ce clic rétablit la neutralité des tons foncés (en fait, vous attribuez aux zones sombres la valeur cible définie au début de l'exercice).

Astuce : Si le résultat est très mauvais après ce clic, c'est que vous avez cliqué au mauvais endroit ou peut-être mal identifié le point le plus sombre de la photo. Annulez ce dernier réglage par le raccourci Cmd+Z (Ctrl+Z) et recommencez jusqu'à trouver la bonne tonalité. Voici la photo après correction des tons foncés.

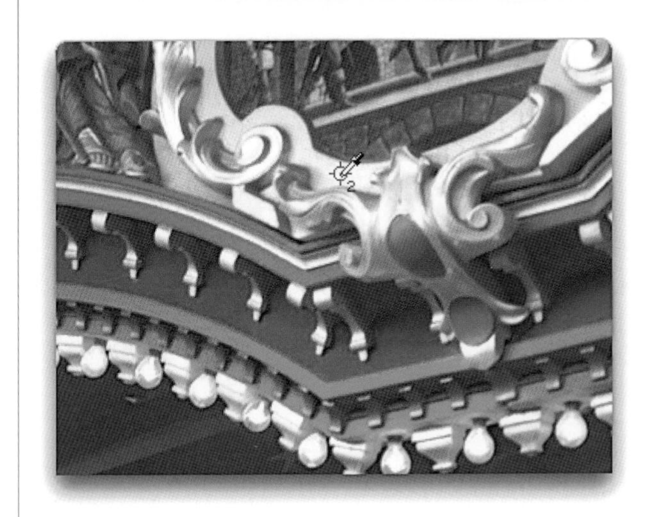

Etape 15

Toujours dans la boîte de dialogue Courbes, activez la Pipette Point blanc. Placez le pointeur sur l'image pour cliquer pile au centre de la cible n° 2, sur la tasse blanche, ce qui rééquilibre les tons clairs.

Etape 16

Après le réglage des tons foncés et clairs, il nous reste les tons moyens. Activez la Pipette du milieu, nommée Point gris, et cliquez sur une zone de la photo qui semble d'un gris moyen (dans cet atelier, je clique sur les pierres de l'arche du décor, au centre et à droite). Cette intervention suffit à corriger les tons moyens. Selon la photo, la différence sera subtile ou prononcée, mais vous ne le saurez pas avant d'avoir essayé. Hélas, toutes les images ne contiennent pas une zone grise, c'est pourquoi il n'est pas toujours possible de corriger les tons moyens.

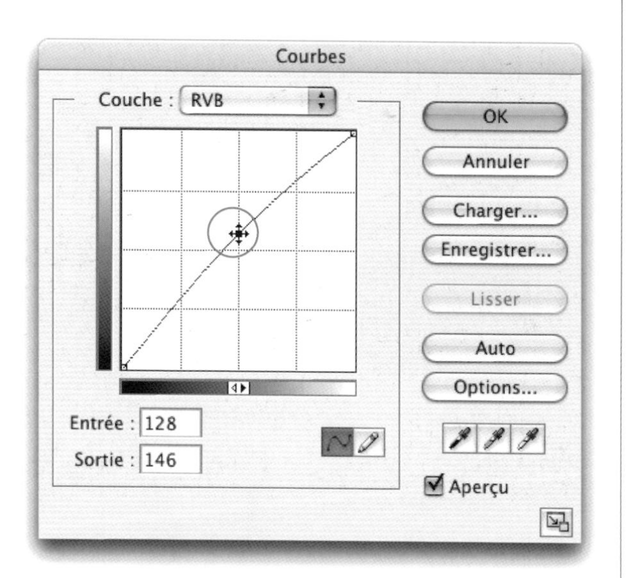

Etape 17

Reste un réglage important avant de fermer la boîte de dialogue Courbes. Cliquez au centre de la courbe du diagramme, et tirez un peu la courbe vers le haut par glissement de manière à éclaircir les tons moyens de la photo (voir ci-contre). Le réglage se fait à vue d'œil. A vous de juger de l'ampleur de la correction. L'éclaircissement fait ressortir les détails dans les tons moyens. Lorsque le résultat vous convient, cliquez sur OK pour valider la correction des tons foncés, clairs et moyens, ainsi que l'élimination de la dominante colorée et l'éclaircissement du contraste général.

Etape 18

Vous n'avez plus besoin des repères de couleur dans l'image. Cliquez sur le bouton Effacer dans la Barre d'options de l'outil d'échantillonnage. Voyez ci-après la différence avant et après correction. Pour appliquer cette méthode sur les images CMJN, poursuivez votre lecture.

Avant

Après

Correction CMJN

Les valeurs que je vous ai fournies au début de l'exercice conviennent à des photos à reproduire en mode RVB (pour une sortie sur une imprimante laser ou jet d'encre couleur). Si vos photos sont destinées à l'imprimeur (brochure, catalogue, magazine, etc.), vous devez utiliser une autre série de valeurs pour cibler les tons foncés, moyens et clairs. Ces valeurs sont à définir dans les champs CMJN (et non pas RVB). Voici ci-contre une série de valeurs d'usage courant pour la correction de photos en prépresse, car elles autorisent une reproduction fidèle des détails les plus minutieux.

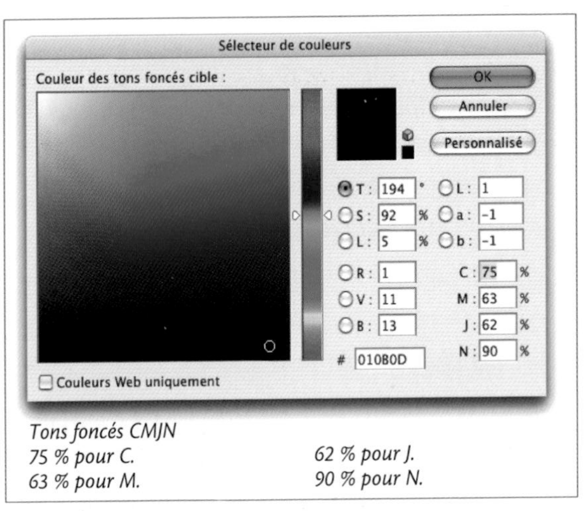

Tons foncés CMJN
75 % pour C.
63 % pour M.
62 % pour J.
90 % pour N.

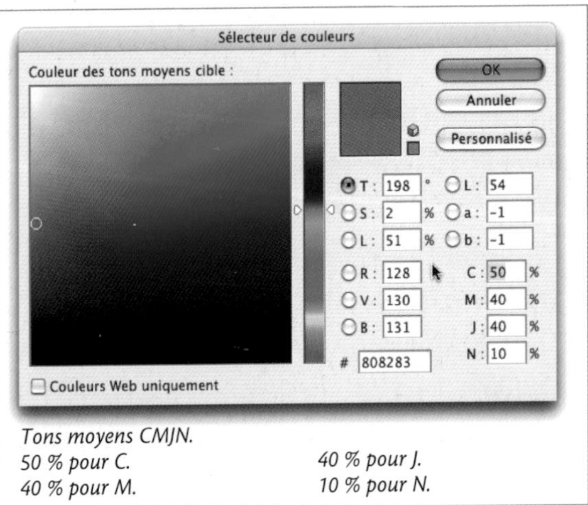

Tons moyens CMJN.
50 % pour C.
40 % pour M.
40 % pour J.
10 % pour N.

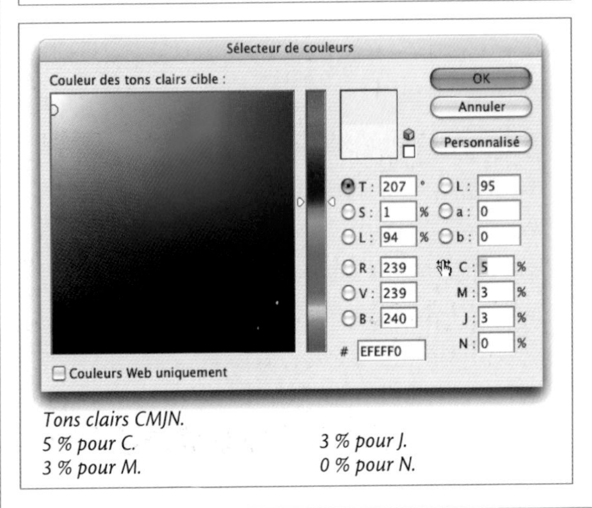

Tons clairs CMJN.
5 % pour C.
3 % pour M.
3 % pour J.
0 % pour N.

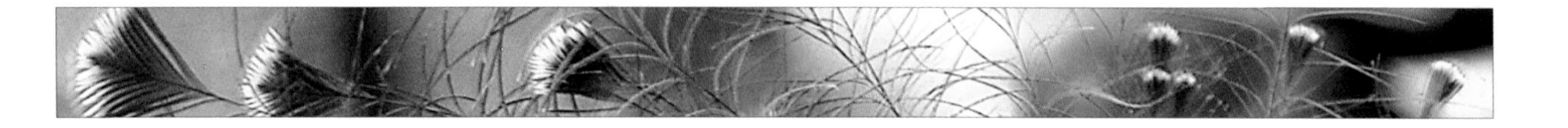

Correction instantanée par glisser-déposer

Cette méthode fait merveille pour corriger rapidement un groupe entier de photos partageant les mêmes conditions d'éclairage. Elle est parfaite pour les prises de vue en studio et convient aussi pour les prises en extérieur à condition que l'éclairage soit homogène.

Etape 1

Je commence par vous livrer une petite astuce avant d'en venir à la méthode elle-même. Pour activer un groupe de photos dans Adobe Bridge, vous n'avez pas besoin d'ouvrir les documents un à un. Tout en maintenant la touche Cmd (Ctrl) enfoncée, cliquez sur toutes les photos concernées par la correction. Enfin, double-cliquez sur l'un des fichiers sélectionnés ; Photoshop les ouvre tous. Armé de cette astuce, ouvrez dans Photoshop quatre ou cinq images.

Etape 2

Cliquez sur le bouton pour l'ajout de calque de réglage au bas de la palette Calques. Dans le menu des calques de réglage, choisissez Courbes. Il existe plusieurs avantages à faire les réglages sur un calque, mais l'intérêt principal est que vous pouvez modifier ou supprimer le réglage à tout moment et l'enregistrer avec le fichier sous forme de calque.

Etape 3

La commande Courbes du calque de réglage est celle que nous avons vue à l'exercice précédent. Allez-y, faites vos corrections (rééquilibrez les tons foncés, moyens et clairs), puis cliquez sur OK lorsque c'est terminé.

Etape 4

Un calque de réglage Courbes 1 est venu s'ajouter à la palette Calques (si nécessaire, élargissez la palette pour voir le nom en entier comme dans l'exemple ci-contre). Etant donné que la correction se fait sur un calque, vous gérez celui-ci comme un calque ordinaire. Donc, ouvrez les autres images à corriger.

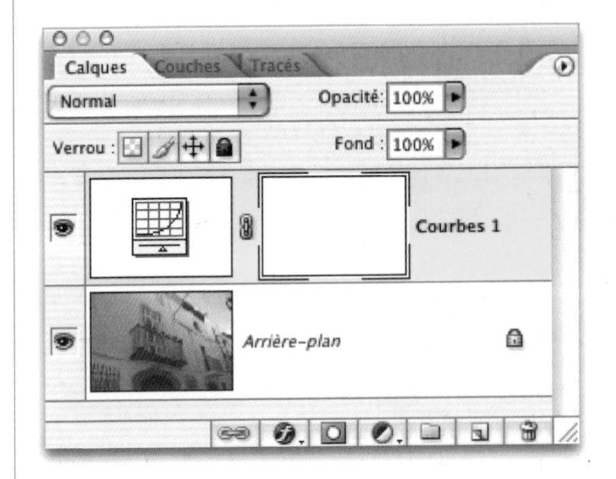

Etape 5

Puisque Photoshop permet de faire glisser des calques entre plusieurs documents ouverts, glissez-déposez le calque de réglage de la palette Calques sur une autre photo. Elle profite aussitôt de la même correction. Cette technique marche si les photos partagent les mêmes conditions d'éclairage. Si vous avez douze photos à corriger, faites glisser le calque douze fois, et le tour est joué. Dans l'exemple ci-contre, j'ai fait glisser le calque Courbes sur l'une des autres images ouvertes.

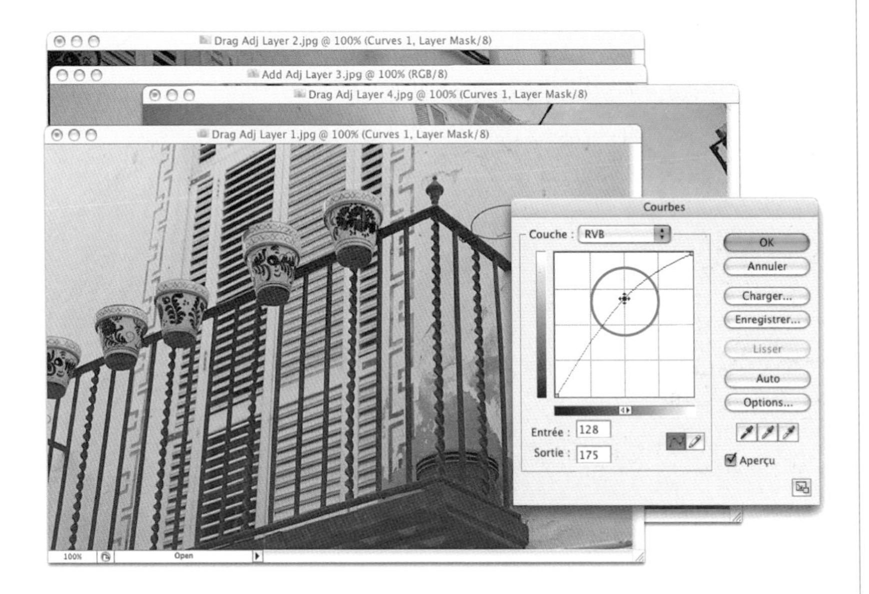

Etape 6

Comment faire si le réglage du calque ne convient pas à l'une des photos ? Aucun problème grâce à la flexibilité des calques de réglage. Double-cliquez sur la vignette du calque Courbes de la photo mal corrigée, et la boîte de dialogue Courbes apparaît avec les paramètres en cours. Facile alors de corriger cette photo indépendamment du lot. Essayez cette technique conviviale par glisser-déposer, et vous gagnerez un temps fou pour les séries homogènes.

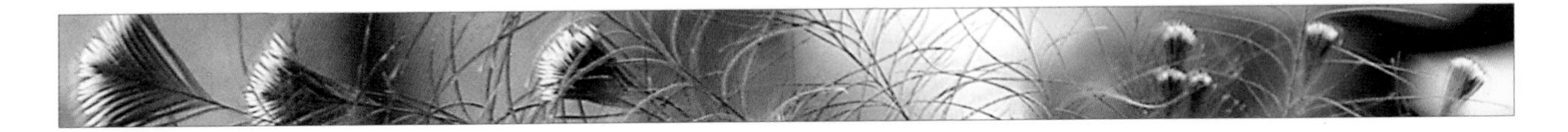

Correction d'un portrait : méthode facile

Si les prises de vue ont lieu en studio, qu'il s'agisse de portraits ou de produits, voici une astuce qui simplifie les choses. Munissez-vous du nuancier détachable placé en fin d'ouvrage. Après avoir mis en place les éclairages, placez le nuancier entre les mains du modèle et prenez la première photo.

Etape 1

Lorsque tout est prêt pour commencer la séance de prises de vue, placez le nuancier dans la scène (ou dans les mains du modèle). Prenez une seule photo avec ce nuancier, puis enlevez-le pour terminer vos photos.

©FELIX NELSON

Etape 2

Lorsque vous ouvrez la première photo de cette session, vous y trouvez le nuancier de référence. Grâce à lui, vous n'avez pas à chercher une zone censée être noire (pour équilibrer les tons foncés), deux grises (pour les tons moyens) et une blanche (pour les tons clairs). Vous avez tout sous la main.

Etape 3

Appuyez sur Cmd+M (Ctrl+M) pour afficher la boîte de dialogue Courbes. Activez la Pipette noire pour cliquer sur la bande noire du nuancier. Ensuite, cliquez sur la bande grise avec la Pipette grise, et sur la bande blanche avec la Pipette blanche. Après ces trois clics, le plus gros du travail est fait, sans que vous ayez eu à rechercher péniblement les zones noires, blanches et neutres.

Etape 4

Maintenant, vous pouvez corriger les autres photos. Ouvrez la suivante et appuyez sur Option+Cmd+M (Alt+Ctrl+M) pour appliquer la courbe définie grâce au nuancier. Vous pouvez aussi appliquer la méthode du glisser-déposer du précédent atelier.

Astuce : Certains photographes utilisent le nuancier Macbeth (de Gretag Macbeth, **www.gretagmacbeth.com**) qui contient aussi du noir, du blanc et plusieurs teintes de gris. Ce nuancier s'emploie de la même manière : on l'insère à la première photo, puis on se fonde sur les cases noire, blanche et gris neutre pour définir les couleurs cible.

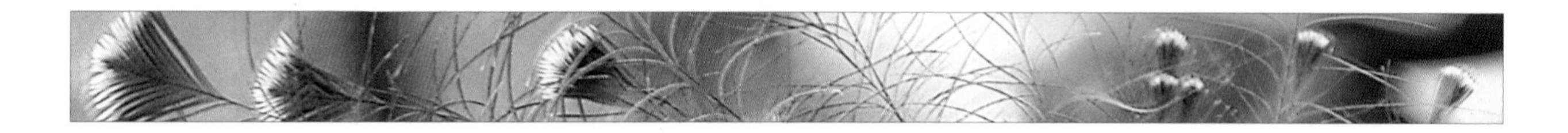

Correction chromatique en deux clics du professeur Taz

Taz Tally est un enseignant talentueux qui travaille avec moi à la Photoshop World Conference & Expo. Il a mis au point une méthode de correction en deux clics de souris à partir de son nuancier (que vous pouvez commander sur le site Web **www.tazseminars.com**). Voici comment procéder.

Etape 1

Placez le nuancier de Taz dans l'image (il peut être tenu par le modèle) et prenez la photo. Si vous ne modifiez pas les éclairages, vous pouvez prendre les autres photos sans ce nuancier.

Etape 2

Ouvrez l'image avec le nuancier, et appuyez sur Cmd+L (Ctrl+L) afin d'ouvrir la boîte de dialogue Niveaux. Double-cliquez sur la Pipette des tons clairs. Le Sélecteur de couleurs apparaît. Entrez les valeurs suivantes : 245 pour R, 245 pour V et 245 pour B. Cliquez sur OK. Les tons clairs sont définis.

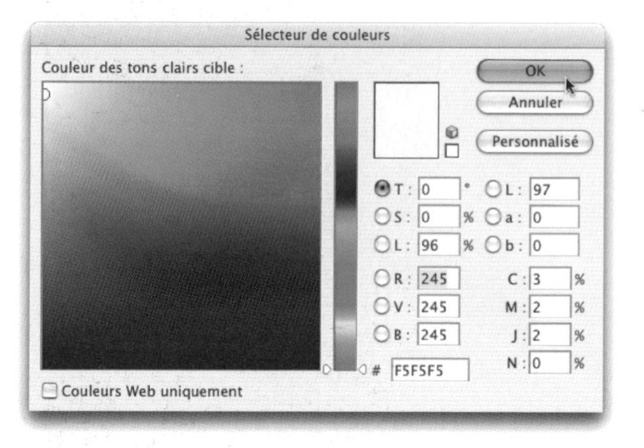

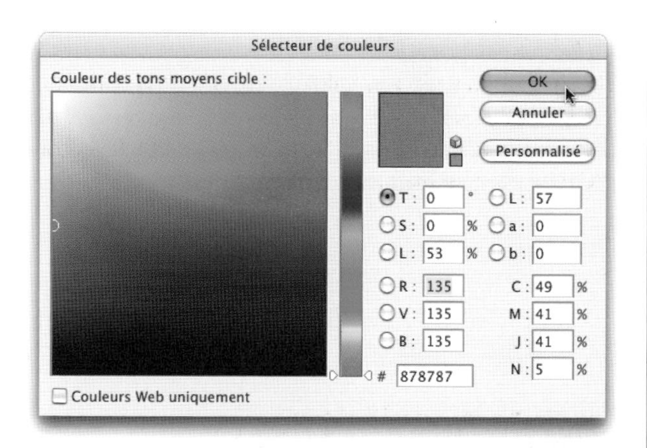

Etape 3

Définissez les tons moyens en double-cliquant sur la Pipette du centre. Dans le Sélecteur de couleurs, fixez les valeurs 135 pour R, V et B. Cliquez sur OK. Faites de même dans la boîte de dialogue Niveaux. A l'invite d'enregistrement des modifications, cliquez sur Oui.

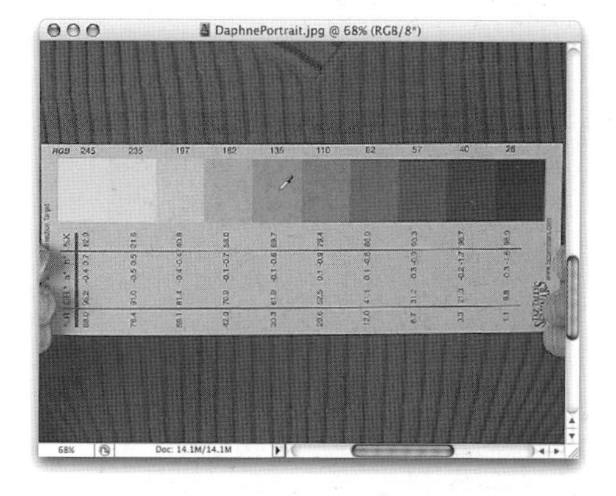

Etape 4

Appuyez sur Z pour activer l'outil Zoom, et effectuez un zoom avant sur le nuancier de Taz. Ouvrez la boîte de dialogue Niveaux et activez la Pipette des tons clairs. Cliquez sur la couleur blanche située en haut à gauche du nuancier. Vous supprimez ainsi la couleur dominante affichée dans les zones claires de la photo.

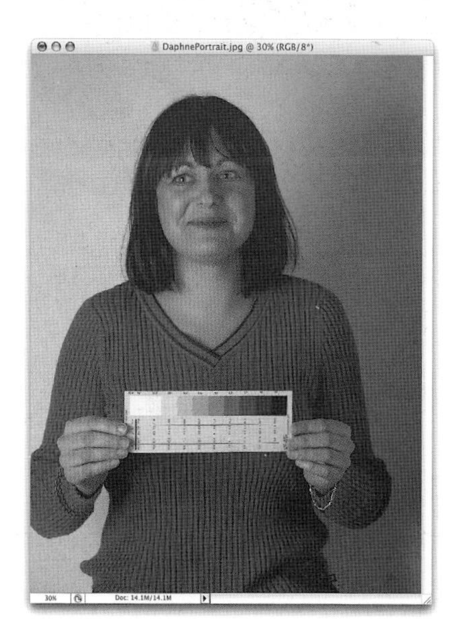

Etape 5

Maintenant, cliquez sur la Pipette des tons moyens, puis sur la teinte grise située au centre du nuancier. Vous supprimez ainsi la couleur dominante qui parasite les zones grises de la photo. Voilà deux clics qui ont fait un énorme travail de correction. Appuyez sur Cmd+0 (zéro) [Ctrl+0] pour afficher toute l'image à l'écran. Je sens que vous êtes ébahi pour cette correction magique !

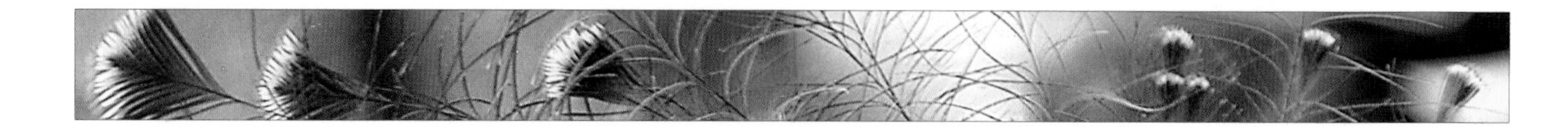

Identification des tons moyens avec Dave

Techniques avancées — Pour les PROS !

Bien localiser les tons moyens d'une image est une chose difficile à réaliser. Dave Cross, un collègue de Senior Developer of Education for the National Association of Photoshop Professionals (NAPP), m'a fait découvrir cette incroyable technique. Il m'a permis de vous la faire partager.

Etape 1

Ouvrez une photo couleur et cliquez sur l'icône Créer un calque de la palette Calques. Dans le menu Edition, choisissez Remplir. Dans la liste Avec, sélectionnez 50 % gris, décochez l'option Conserver les zones transparentes, et cliquez sur OK.

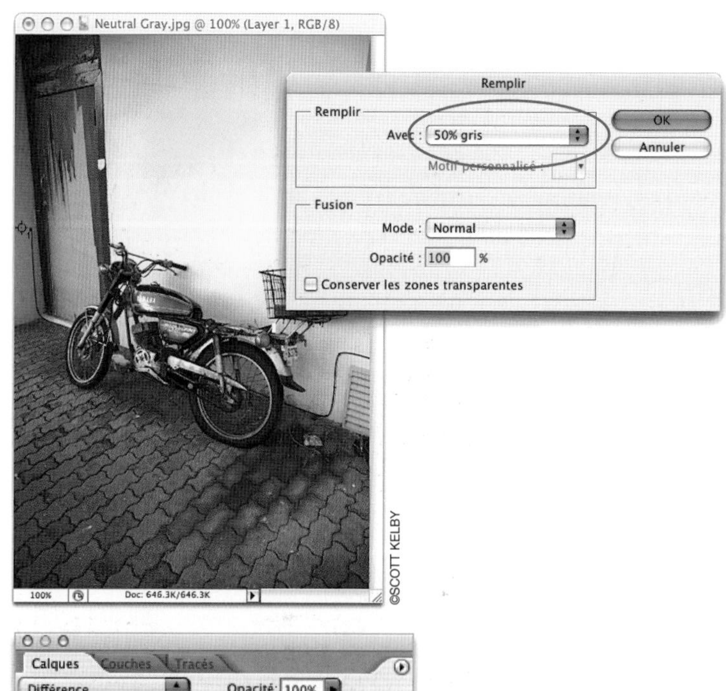

Etape 2

Le nouveau calque étant rempli d'une couleur neutre (gris à hauteur de 50 %), appliquez-lui le mode de fusion Différence. La photo n'est pas très belle, mais ce n'est que temporaire.

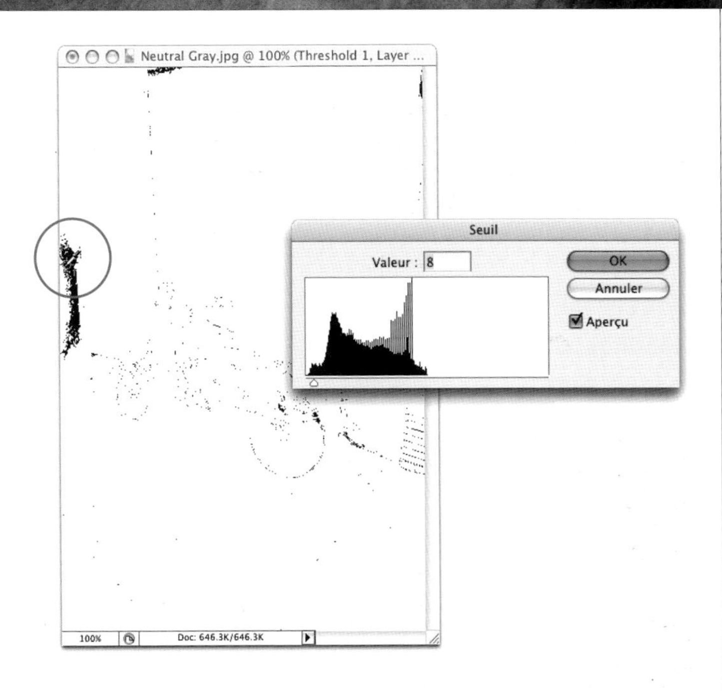

Etape 3

Dans la liste des Calques de réglage, choisissez Seuil. Ensuite, faites glisser le curseur entièrement à gauche (l'image devient blanche), puis ramenez-le lentement vers la droite jusqu'à ce qu'apparaissent des zones sombres représentant en fait les tons moyens. Cliquez sur OK. Appuyez sur Maj+I jusqu'à activer l'outil Echantillonnage de couleur (icône Pipette de la boîte à outils), et cliquez sur une ou plusieurs de ces zones qui, je le rappelle, bien qu'elles soient noires, identifient les tons moyens de votre image. (Dans cet atelier, les tons moyens se situent sur le côté gauche, et entre les rayons de la roue arrière.)

Etape 4

Maintenant que le point des tons moyens est marqué, supprimez les calques Seuil 1 et Calque 1 (50 % gris). Vous récupérez l'image en couleur avec ses défauts. Appuyez sur Cmd+M (Ctrl+M) pour ouvrir la boîte de dialogue Courbes. Activez la Pipette des tons moyens et cliquez sur les points définis à l'étape précédente. Vous venez d'identifier les tons moyens et de corriger la couleur. Cette technique fonctionne avec la majorité des photos. Toutefois, il existe des images sans tons moyens. Dans ce cas, la tâche est plus complexe.

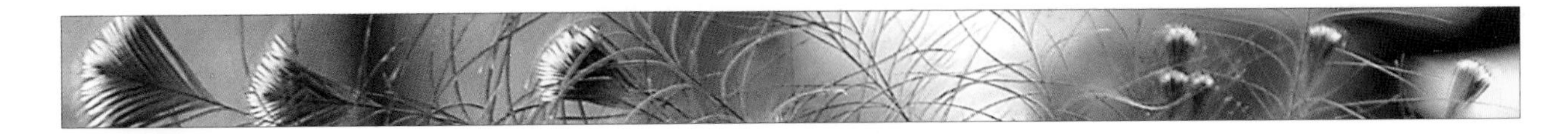

Correction des tons chair en CMJN

Si les photos que vous corrigez sont destinées à une impression professionnelle (contrairement à une impression maison sur imprimante à jet d'encre), vous devez compenser l'interaction des encres sur la presse. Si vous omettez cette compensation, les visages risquent de paraître rougeâtres. Voici une technique infaillible pour la correction des tons chair.

Etape 1

La touche naturelle des tons chair en quadri dépend de la relation entre le magenta et le jaune. L'objectif est d'avoir au moins 3 à 5 % de plus de jaune que de magenta dans les tons chair. Les valeurs de Magenta et Jaune s'affichent dans la palette Infos, que vous affichez à partir du menu Fenêtre. Ensuite, convertissez la photo en mode CMJN : dans le menu Image, choisissez Mode puis Couleurs CMJN.

Etape 2

Commencez par vérifier la balance de jaune et magenta : appuyez sur Cmd+M (Ctrl+M) pour ouvrir la boîte de dialogue Courbes. Placez le pointeur dans l'image sur une zone de couleur chair (zone d'échantillonnage). Observez les proportions de jaune et de magenta indiquées dans la palette Infos.

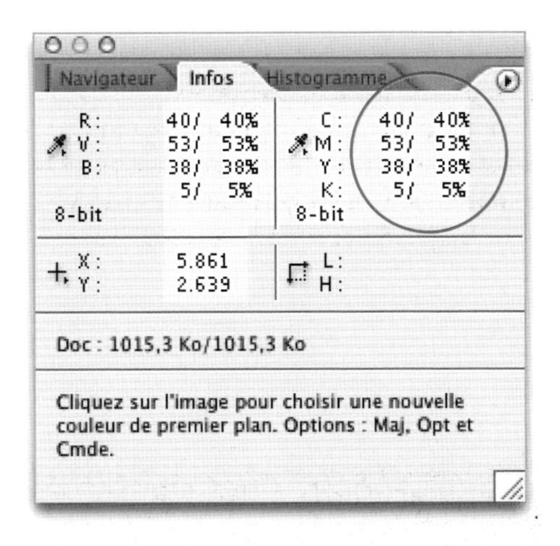

Etape 3

Si le pourcentage de magenta est supérieur à celui du jaune (comme dans l'exemple ci-contre), il faut régler la balance entre ces deux composantes. Dans notre exemple, j'ai 53 % de magenta et seulement 38 % de jaune, il y a donc 15 % de magenta en trop, ce qui produit un teint rougeâtre, façon coup de soleil. Une correction s'impose.

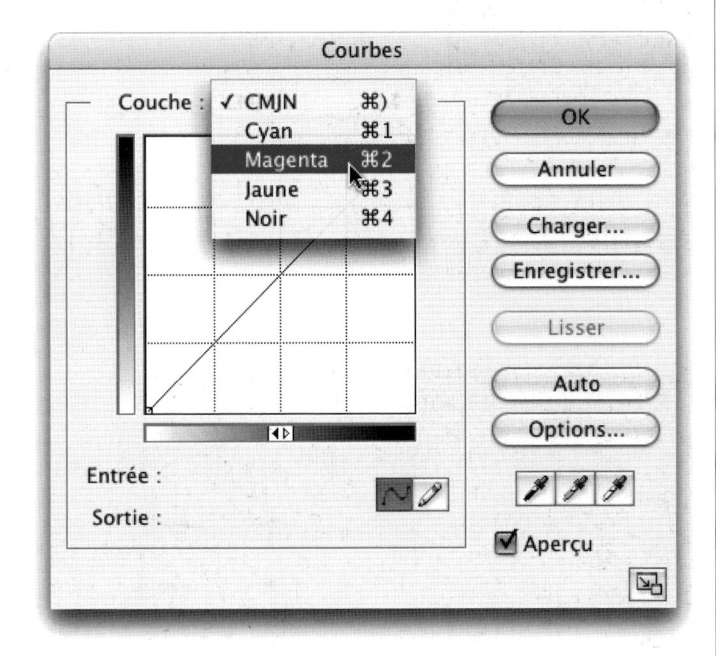

Etape 4

Vous pourriez être tenté de réduire le magenta, mais pour une correction naturelle nous allons trouver un juste milieu. Nous allons réduire le magenta et augmenter le jaune jusqu'à obtenir 3 à 5 % de jaune en plus. Réduisez la proportion de magenta. Dans la boîte de dialogue Courbes, choisissez Magenta dans la liste Couche. Pour repérer le magenta des tons chair sur le diagramme, maintenez enfoncées les touches Cmd+Maj (Ctrl+Maj) pendant que vous cliquez dans la zone d'échantillonnage (tons chair dans la photo). Cette opération ajoute un point sur la courbe Magenta, signalant la tonalité du magenta des tons chair. (Grâce à la touche Maj, vous allez constater que vous avez aussi un point sur la courbe Jaune.)

Etape 5

Dans le champ Sortie, dans l'angle inférieur gauche de la boîte de dialogue Courbes, tapez une valeur inférieure de 7 à 8 % à celle indiquée (soit la moitié des 15 % notés plus tôt).

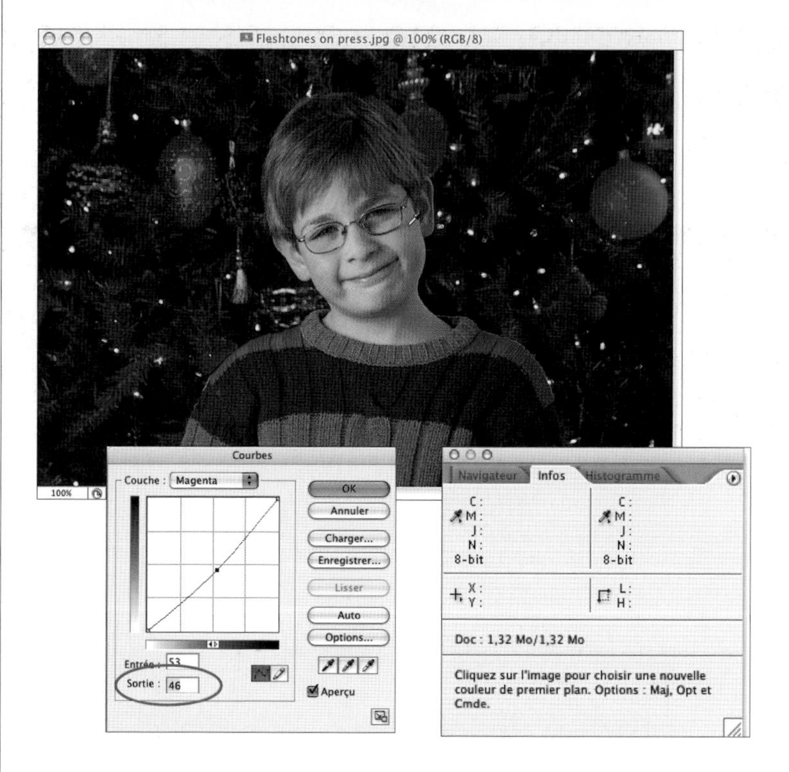

Etape 6

Après réduction du magenta, passez à la courbe Jaune à partir de la liste Couche. Il doit y avoir un point sur la courbe, signalant la tonalité du jaune dans le ton chair échantillonné à l'étape 4. Dans le champ Sortie, tapez une valeur supérieure d'au moins 3 % à celle définie en sortie de la couche Magenta (à l'étape 5). (La palette Infos affiche les valeurs avant et après correction, la valeur originale apparaissant à gauche. Vous pouvez ainsi vérifier les variations de valeurs pour la zone échantillonnée.) Dans cet exemple, j'ai baissé le magenta de 53 à 46 % et augmenté le jaune de 38 à 49 %, soit environ 3 % de jaune en plus pour des tons chair naturels.

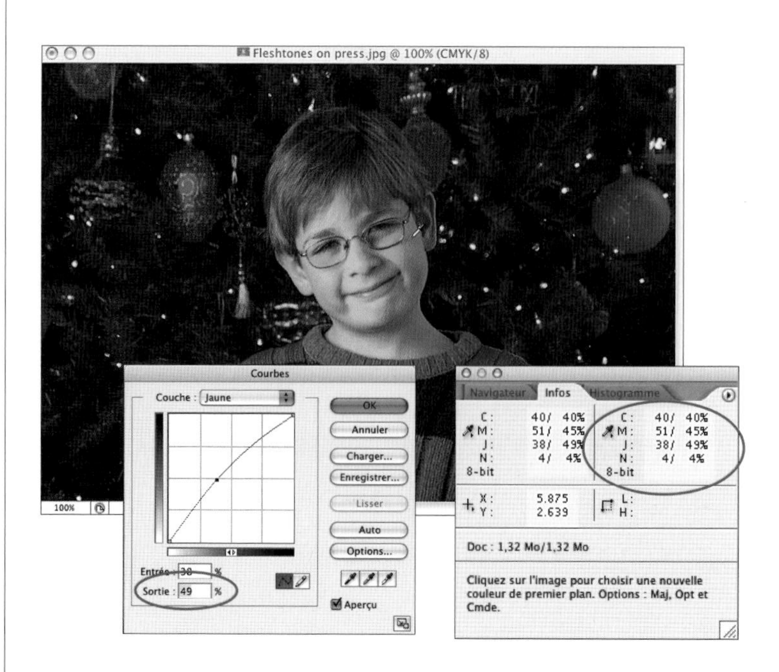

Avant

Après

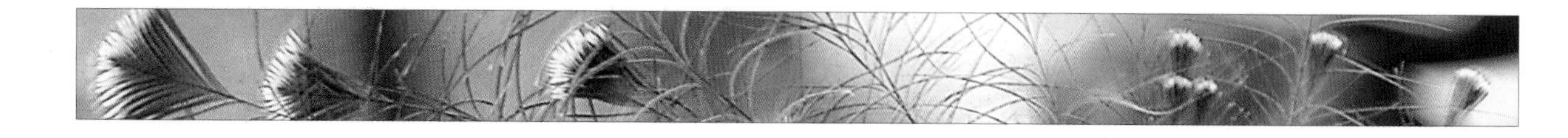

Correction des tons chair en RVB

Que faire si après l'emploi de la fonction Courbes pour rééquilibrer les tons foncés, moyens et clairs les visages de la photo semblent encore trop rouges ? Impossible d'utiliser la technique précédente puisqu'elle est destinée aux images CMJN. Essayez la méthode suivante.

Etape 1

Ouvrez une photo déjà corrigée par la fonction Courbes comme expliqué précédemment. Si l'image entière semble trop rouge, allez directement à l'étape 3. Si seules les surfaces de peau tirent vers le rouge, activez l'outil Lasso (touche L) pour délimiter ces surfaces. Maintenez enfoncée la touche Maj pour sélectionner ensemble plusieurs zones distinctes : visage, mains, jambes, etc., puis appuyez sur Option (Alt) pour soustraire de la sélection certaines zones.

©JUPITERIMAGES

Etape 2

Dans le menu Sélection, choisissez Contour progressif. Définissez un rayon de 3 pixels, puis cliquez sur OK. Le contour progressif adoucit le bord de la sélection pour éviter une démarcation nette entre la zone retouchée et son contexte.

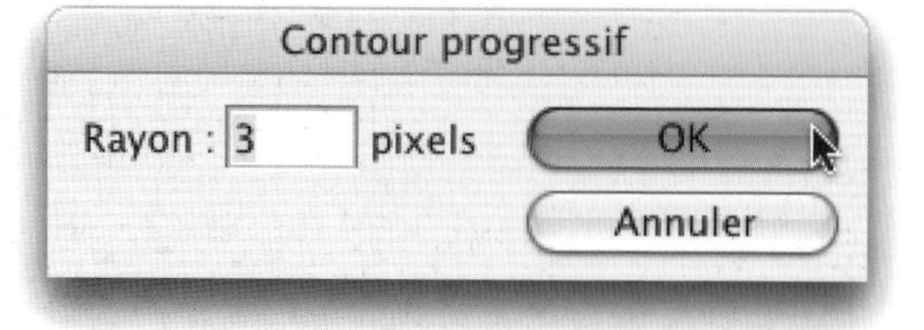

Astuce : Après avoir sélectionné les zones de tons chair, vous pourriez masquer le contour de sélection pour mieux surveiller les corrections. Pour ce faire, utilisez le raccourci Cmd+H (Ctrl+H).

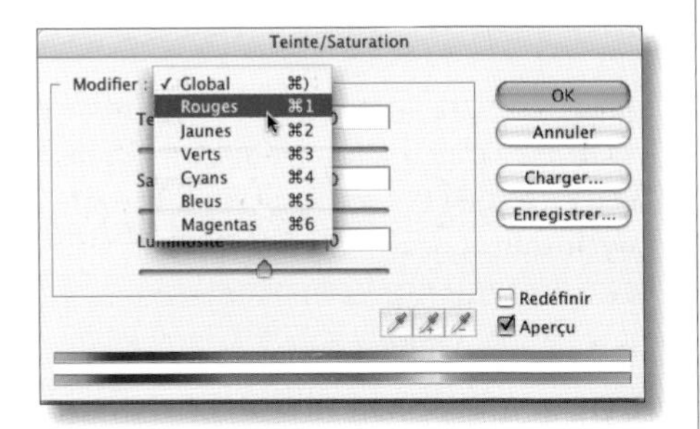

Etape 3

Ouvrez le sous-menu Image > Réglages pour y choisir Teinte/Saturation. Dans la liste Modifier, sélectionnez Rouges (voir ci-contre) afin de n'intervenir que sur les rouges dans la photo (ou la sélection).

Etape 4

Il vous suffit de réduire la saturation pour que les tons chair apparaissent sous une teinte plus naturelle. Faites glisser le curseur Saturation vers la gauche pour réduire l'intensité des rouges. L'effet du réglage se répercute aussitôt dans le document. Dès que le résultat est satisfaisant, cliquez sur OK. Appuyez sur Cmd+D (Ctrl+D) pour désélectionner la zone corrigée.

Avant

Après

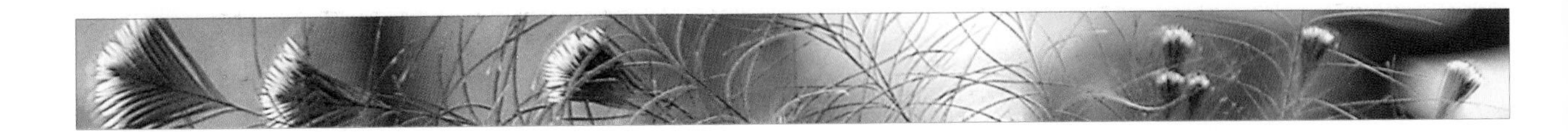

Amélioration de la fonction Couleur automatique

Jusqu'à présent, Photoshop avait deux fonctions de correction automatique des couleurs : Niveaux automatiques et Contraste automatique. Leur effet n'est pas terrible. Depuis Photoshop 7, il y a une fonction Couleur automatique qui dépasse largement ces deux fonctions de réglage automatique. Voyons comment adapter la Couleur automatique pour des résultats meilleurs.

Etape 1

Ouvrez une photo ayant besoin de correction mais ne méritant pas un réglage manuel avec la fonction Courbes.

Etape 2

Dans le sous-menu Image > Réglages, sélectionnez Couleur automatique pour appliquer à la photo une correction prédéfinie. La fonction étant automatique, nulle boîte de dialogue n'apparaît pour la saisie de valeurs. Un réglage prédéfini se charge d'équilibrer les tons foncés, moyens et clairs. Dans certains cas, le résultat est tout à fait convenable, mais pas toujours. Nous verrons ici comment personnaliser la fonction Couleur automatique pour la rendre vraiment efficace.

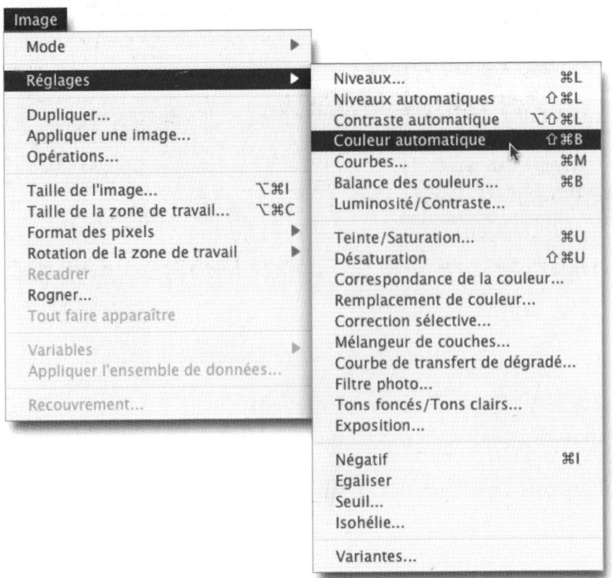

Etape 3

Après application de la couleur automatique, vous pouvez modifier son effet par la commande Edition > Estomper Couleur automatique. (Cette commande dynamique n'apparaît qu'après l'application de Couleur automatique.) Dans la boîte de dialogue Atténuer, faites glisser le curseur Opacité vers la gauche pour nuancer l'effet de la correction automatique. Vous pourriez même changer le mode de fusion : Produit assombrit, tandis que Superposition éclaircit. Un clic sur OK applique l'atténuation.

Etape 4

Vous connaissez désormais la technique « application puis estompage de la couleur automatique ». Elle est performante, mais il y a plus pratique : adapter les paramètres par défaut de Couleur automatique. Il existe, en effet, des options cachées pour cette fonction. (Elles ne sont pas réellement cachées mais remisées dans un coin où nul ne penserait aller voir.) Pour accéder à ces options, appuyez sur Cmd+L (Ctrl+L) pour afficher la boîte de dialogue Niveaux. Il y a bien un bouton Auto, mais ce n'est pas ça, cliquez plutôt sur le bouton Options. C'est ici qu'Adobe a placé les options de Couleur automatique au milieu d'options similaires.

Etape 5

Les options de la partie Algorithmes, en haut, déterminent ce qui se passe en réaction à un clic sur le bouton Auto des boîtes de dialogue Niveaux et Courbes. Les deux premières options produisent respectivement l'effet habituel, et décevant, des fonctions Niveaux automatiques et Contraste automatique. Préférez l'option Rechercher les couleurs claires et foncées (ce qui définit les points blancs et noirs). Avec cette option activée, le bouton Auto des boîtes de dialogue Niveaux et Courbes applique le même réglage que celui de Couleur automatique (dont l'effet est bien meilleur).

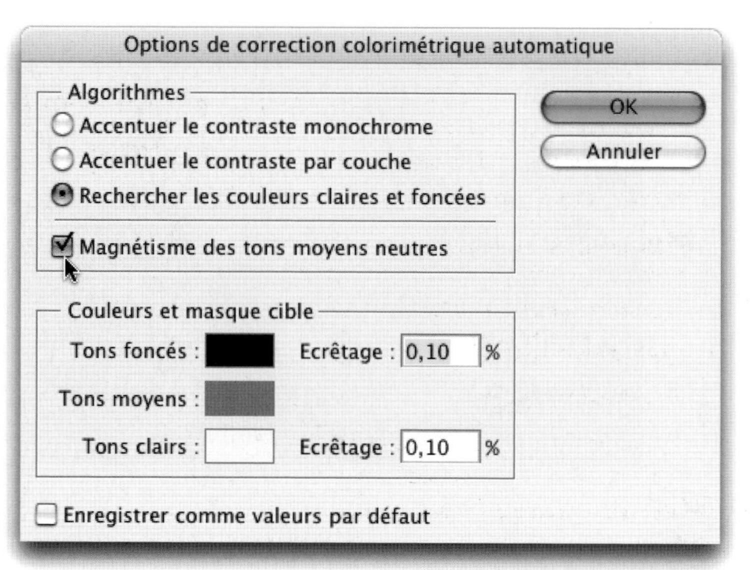

Etape 6

Dans la partie Couleurs et masque cible, cliquez sur chacune des cases de couleur (tons foncés, moyens et clairs) pour définir une couleur par ses valeurs RVB. Ainsi, la fonction utilisera ces couleurs cible au lieu des valeurs par défaut. Attribuez les valeurs utilisées pour la correction manuelle avec Courbes (tons foncés : R = 20, V = 20, B = 20 ; tons moyens : R = 133, V = 133, B = 133 ; et tons clairs : R = 244, V = 244, B = 244).

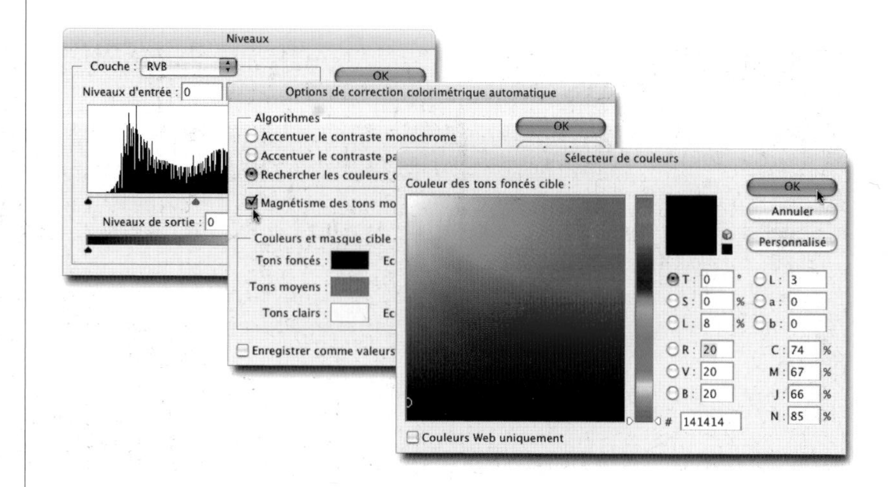

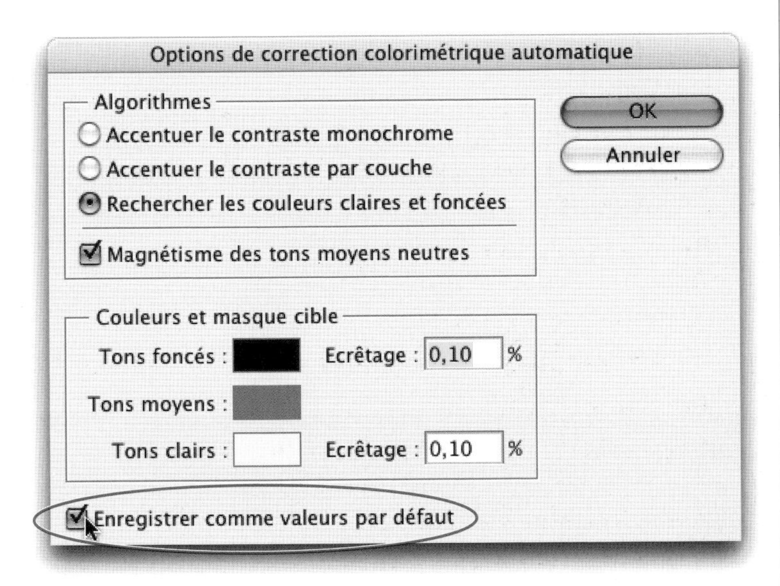

Etape 7

Les valeurs définies ici ne sont appliquées qu'une seule fois si vous ne prenez garde de les mémoriser. Cochez l'option Enregistrer comme valeurs par défaut pour conserver ces réglages. Cliquez sur OK pour enregistrer les nouveaux paramètres. Vous venez de mener à bien trois opérations :

(1) Vous avez personnalisé les options de la fonction Couleur automatique de sorte qu'elle produise de meilleurs résultats.

(2) Vous avez défini la fonction Couleur automatique comme méthode par défaut pour le réglage automatique des fonctions Niveaux et de Courbes.

(3) Vous venez de faire de la fonction Couleur automatique un outil optimisé que vous utiliserez beaucoup.

Avant

Après

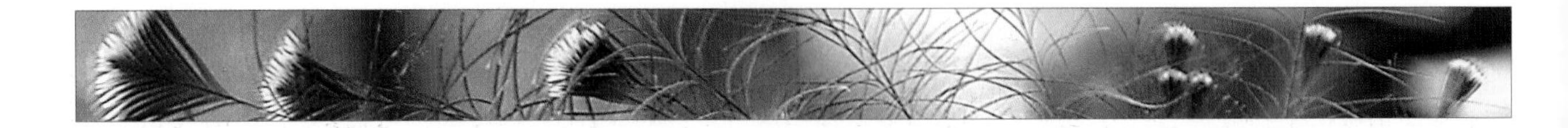

Correction locale, méthode rapide

Cette technique se révèle très pratique pour les scènes d'extérieur. Elle permet d'intensifier la couleur dans une zone particulière (ciel ou plan d'eau) sans toucher au reste de l'image. Les photographes des agences immobilières ou de voyages exploitent cette méthode pour présenter les maisons sous un ciel ensoleillé, même si le soleil n'est pas au rendez-vous. Ici, nous allons rendre le ciel plus bleu.

Etape 1

Ouvrez une photo dont l'une des parties a besoin de couleurs plus vives. Dans notre exemple, nous allons intensifier le bleu du ciel qui est terne. Dans la palette Calques, ouvrez le menu des calques de réglage (quatrième bouton, avec l'icône d'un cercle bicolore) et choisissez Balance des couleurs. Au besoin, élargissez la palette pour voir le nom du calque en entier.

©SCOTT KELBY

Etape 2

Dans la boîte de dialogue Balance des couleurs, faites glisser le curseur du haut vers Cyan pour ajouter du bleu vif dans la photo, puis poussez le curseur du bas vers Bleu jusqu'à obtenir un ciel parfaitement bleu. Dès que le ciel affiche la teinte escomptée, cliquez sur OK. Le problème est que toute la photo profite de la modification.

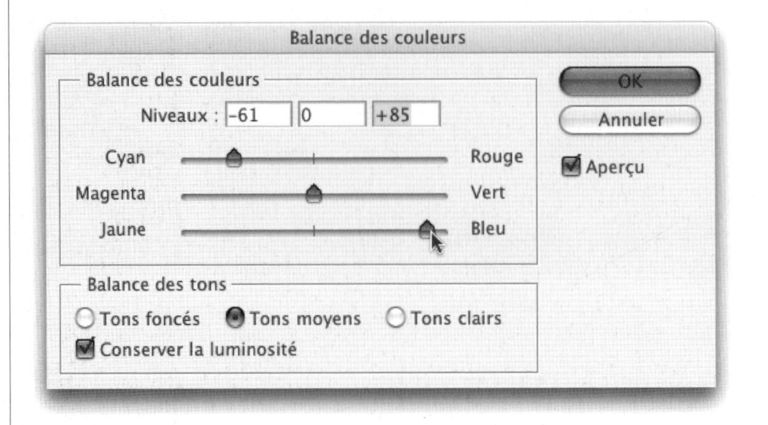

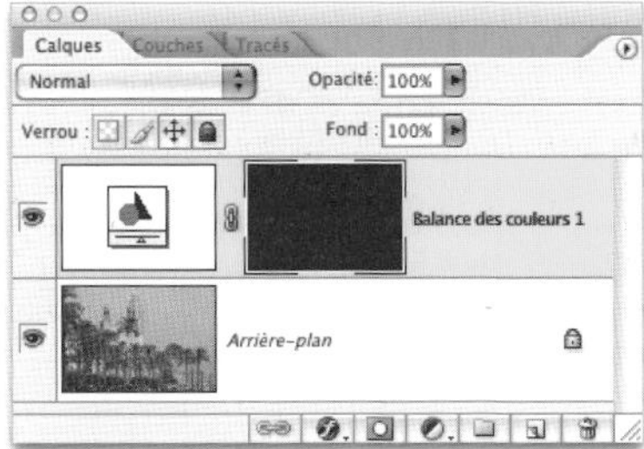

Etape 3

Définissez le noir comme couleur de premier plan. Puis, appuyez sur Option+Suppr (Alt+Retour arrière) pour remplir de noir le calque de réglage. La photo reprend son aspect d'origine car le masque noir inhibe l'effet du calque de réglage. Vous utiliserez le Pinceau pour rétablir l'effet du calque bleu.

Etape 4

Appuyez sur X pour permuter les couleurs de la boîte à outils et définir le blanc comme couleur de premier plan. Avec l'outil Pinceau dans la boîte à outils (touche B), choisissez une forme douce de grande taille et passez l'outil sur le ciel (voir ci-contre). Le bleu réapparaît. Si vous débordez sur le bâtiment, appuyez sur X pour permuter les couleurs et obtenir le noir comme couleur de premier plan. En dessinant en noir, vous rétablissez les couleurs d'origine de la photo.

Note : Fixez l'Opacité de la forme à 50 % pour peindre sur des zones détaillées.

Astuce : Le bleu doit être plus ou moins subtil ? Appliquez au Calque de réglage le mode Superposition ou Incrustation.

Avant.

Après (le ciel apparaît plus bleu en mode de fusion Normal).

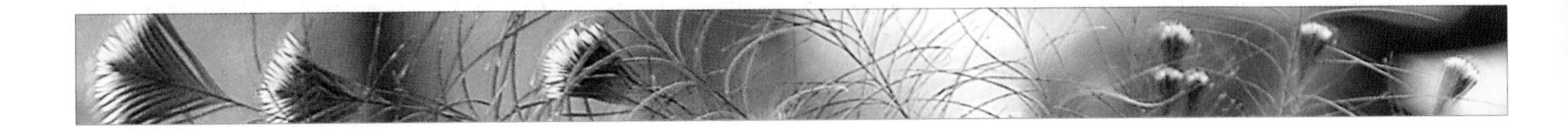

Suppression de la couleur dominante en un clic

Voici une véritable astuce puisque nous allons utiliser une fonction qui, normalement, permet d'obtenir une correspondance de couleurs entre une photo et une autre. Pourtant, dans cet atelier, nous utiliserons une seule photo. Cela vous semble bizarre. Voyez plutôt.

Etape 1

Ouvrez une photo présentant une forte couleur dominante. Ici, la moto a été photographiée à travers une vitrine, de nuit, avec un trépied, mais sans flash. La couleur dominante jaune-rouge provient de l'éclairage du magasin.

©SCOTT KELBY

Etape 2

Dans le menu Image, cliquez sur Réglages > Correspondance de la couleur.

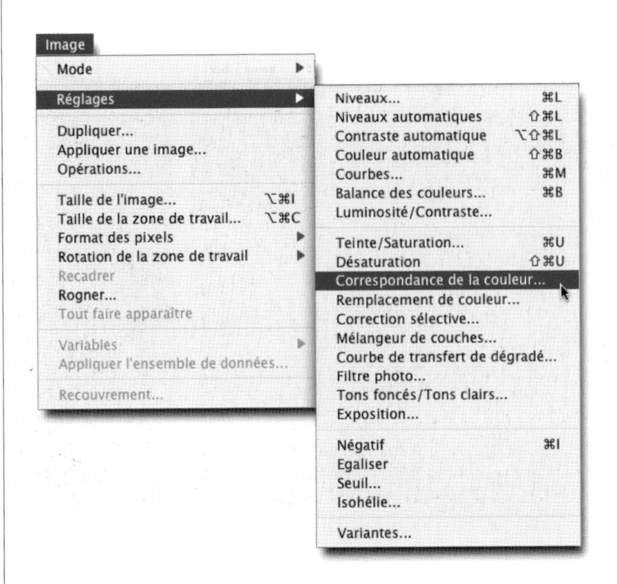

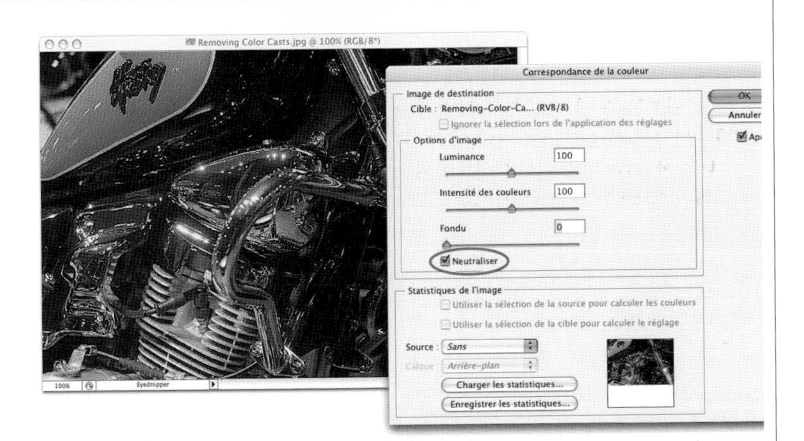

Etape 3

Etes-vous prêt pour LE clic du siècle ? Activez l'option Neutraliser ; la couleur dominante disparaît. Le gros problème ici est que la fonction fait trop bien son travail. La photo paraît un peu fade. Si c'est le cas avec vos clichés, suivez la prochaine étape.

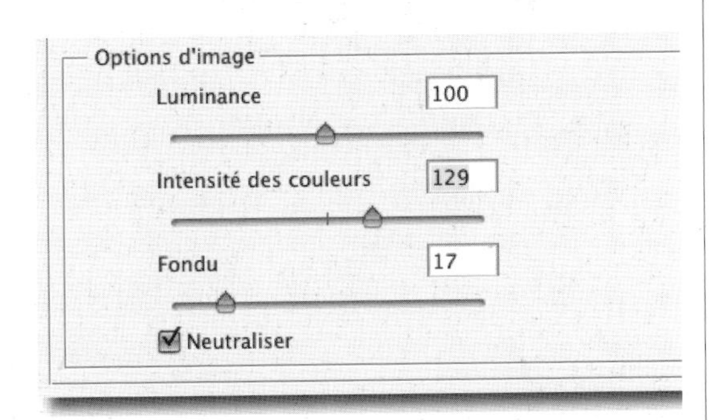

Etape 4

Faites glisser lentement le curseur Fondu vers la droite jusqu'à ce que les couleurs reviennent. Si ce n'est pas assez, faites glisser le curseur Intensité des couleurs vers la droite. Dès que l'image vous convient, cliquez sur OK.

Avant

Après

Photo de Scott Kelby | Exposition : 1/250 s | Focale : 220 mm | Ouverture : $f/4.9$

Noir et blanc
Photoshop en niveaux de gris

Je sais, le titre de ce chapitre est trop parlant. Le croyez-vous vraiment ? Si beaucoup de personnes savent ce qu'est le noir et blanc, se référant aux premières heures de la télévision, elles ignorent en quoi consiste le niveaux de gris. Pourtant il y a une différence, sorte de voile mystérieux qui pèse sur ces deux approches différentes de la perception des… couleurs. Qu'on le veuille ou non, le noir et le blanc sont deux couleurs. En infographie, la compréhension de cette approche est fondamentale. Les photographies et les films que nous pensons être en noir et blanc sont en fait représentés en niveaux de gris. Les images se composent de 128 nuances de gris qui donnent cet aspect si poétique à bien des photos. En revanche, une image réellement en noir et blanc ne contient bel et bien que deux couleurs : le noir et le blanc. Dans ce cas, aucune nuance n'apparaît, produisant une image aux contrastes extrêmes. Ce chapitre explique comment créer des images en niveaux de gris, et les corriger de manière à atteindre cette précision et cette poésie qui nous font souvent défaut.

Emploi de la couche Luminosité

Cette méthode de conversion d'une image RVB en niveaux de gris permet d'isoler les données de luminosité de la photo. En séparant les données chromatiques, on parvient à une très bonne image noir et blanc. L'emploi de la couche Luminosité donne plus de liberté pour définir un réglage minutieux et parvenir à une photo parfaite en niveaux de gris. Voici plusieurs méthodes de conversion en niveaux de gris : vous utiliserez celle qui vous convient le mieux.

Etape 1

Ouvrez la photo à convertir en niveaux de gris par cette méthode liée à la luminosité.

©DAVE MOSER

Etape 2

Ouvrez le menu Image pour y choisir Mode puis Couleurs Lab, ce qui convertit la photo RVB en mode Lab. Rien n'est visible dans l'image après conversion, car la différence réside dans les couches composant la photo couleur.

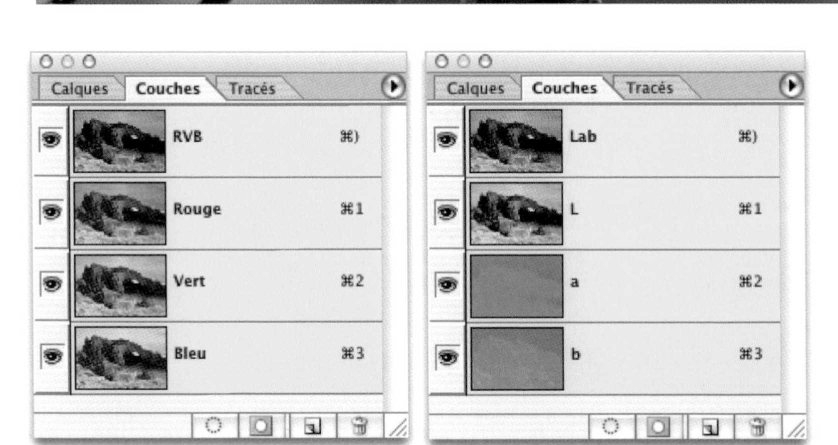

Image ordinaire en RVB.

Convertie en mode Lab.

Etape 3

Ouvrez la palette Couches (menu Fenêtre). Vous constatez que la photo ne se compose plus des couches Rouge, Vert et Bleu. En mode Lab, la composante de luminosité (couche L) est séparée des données chromatiques, désormais réparties dans les deux couches nommées « a » et « b ».

Etape 4

C'est l'image en niveau de gris de la couche Luminosité qui nous intéresse : cliquez sur la couche L dans la palette Couches pour l'activer. (La photo apparaît maintenant en noir et blanc à l'écran, puisque seule la couche L est active.)

Etape 5

A présent, choisissez la commande Image > Mode > Niveaux de gris. Photoshop propose la suppression des autres couches. Cliquez sur OK. Dans la palette Couches, il ne reste plus que la couche Gris.

Etape 6

Affichez la palette Calques et cliquez sur le calque Arrière-plan, puis appuyez sur Cmd+J (Ctrl+J) pour le dupliquer. Regardez votre image. Si elle paraît un peu trop sombre, appliquez le mode de fusion Superposition au nouveau calque ; vous voyez la photo s'éclaircir. Si, par contre, l'image semble trop claire, appliquez le mode Produit. Dans cet atelier, j'applique le mode de fusion Superposition pour éclaircir la photo. Il ne s'agit que d'un début.

Etape 7

Vous voici arrivé à l'étape où vous pouvez régler les tonalités avec précision (pour éclaircir la photo devenue trop sombre, ou assombrir celle devenue trop claire). Il vous suffit de réduire l'opacité du calque en modes Produit ou Superposition, jusqu'à parvenir à une meilleure balance des tons. Voyez ci-contre la photo en noir et blanc, pardon, en niveaux de gris, que j'obtiens en passant par la méthode Couleur Lab qui offre un contrôle plus précis avec plus de profondeur que le mode Niveaux de gris du menu Image.

Standard grayscale conversion

Conversion en mode Lab.

Niveaux de gris précis avec le Mélangeur de couches

Le Mélangeur de couches est devenu la fonction préférée de nombreux professionnels, car elle permet de doser la proportion relative des trois couches RVB pour créer une image en niveaux de gris de bonne qualité. De plus, cette méthode est beaucoup plus simple et plus intuitive que la fonction Opérations dont je décris l'emploi plus loin dans le chapitre.

Etape 1

Ouvrez la photo à convertir en niveaux de gris. Choisissez Mélangeur de couches dans le menu des calques de réglage au bas de la palette Calques (voir ci-contre). Cette fonction est aussi accessible par le sous-menu Image > Réglages, mais l'emploi d'un calque de réglage offre davantage de souplesse si vous décidez ensuite de modifier ou supprimer la conversion de couleurs.

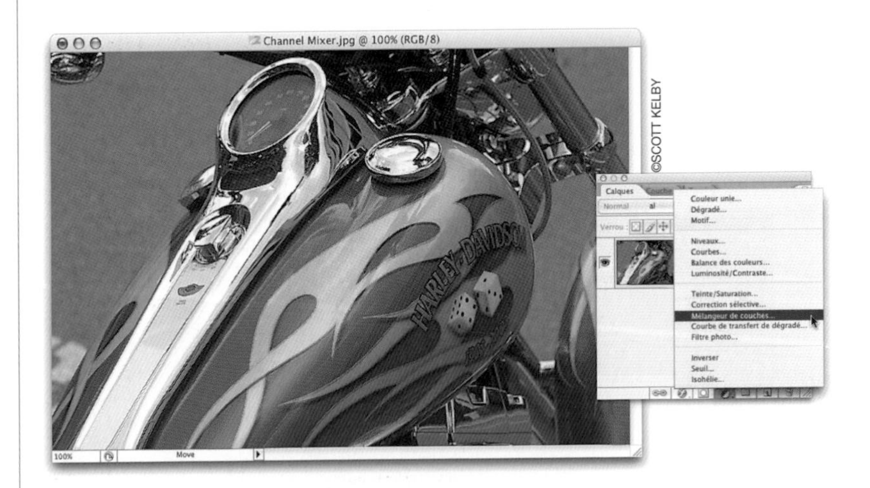

Etape 2

Par défaut le Mélangeur de couches est réglé pour agir sur les couches RVB. Lorsque vous utilisez cette fonction pour obtenir une image en niveaux de gris, il faut cocher l'option Monochrome au bas de la boîte de dialogue. Ensuite, utilisez les trois curseurs pour combiner les pourcentages de chaque afin d'obtenir une image en niveaux de gris correcte.

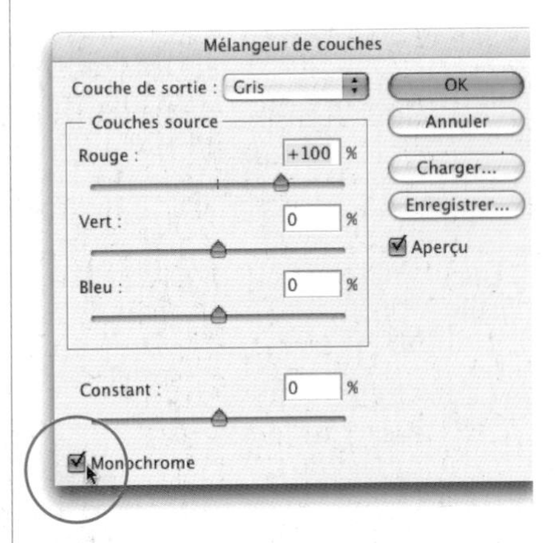

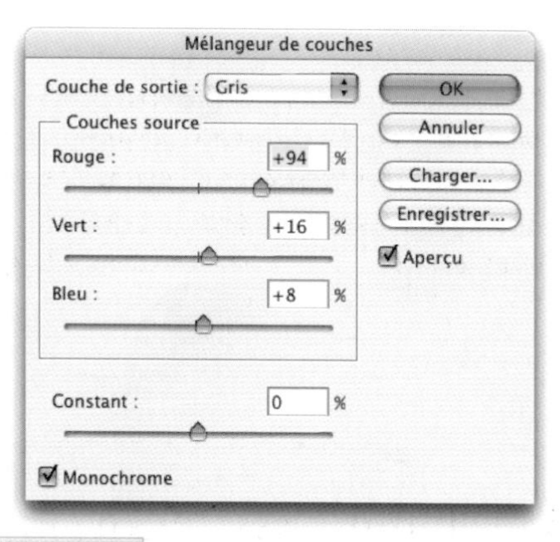

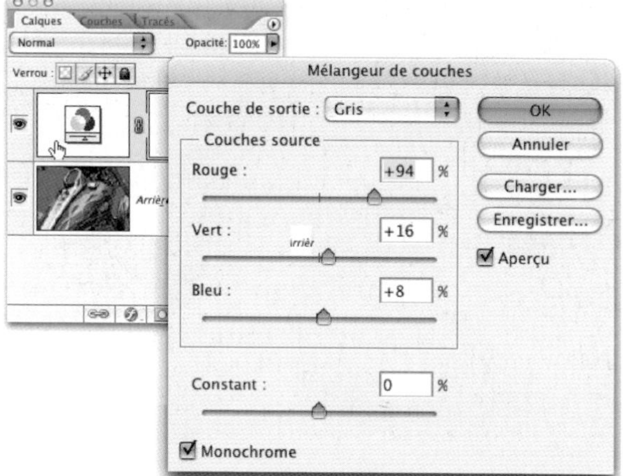

Etape 3

L'ancienne règle consistant à obtenir systématiquement un total de 100 % lorsque vous additionnez les valeurs de chaque couche source (notamment pour les impressions jet d'encre) a été plus ou moins abandonnée. Aujourd'hui, le juge de paix en la matière est l'impression elle-même. Donc, libre à vous de pousser certaines valeurs plus que de raison de manière à définir un contraste plus élevé. (Généralement, j'abaisse la valeur rouge, ce qui me donne une plus grande liberté pour augmenter le vert et le bleu.) Un clic sur OK crée l'image en niveaux de gris.

Astuce :

Si ensuite vous décidez de modifier le réglage du Mélangeur de couches, il vous suffit d'un double-clic sur la vignette du calque de réglage pour faire apparaître la boîte de dialogue Mélangeur de couches avec les derniers réglages appliqués.

Conversion ordinaire par la commande Niveaux de gris.

Conversion en niveaux de gris avec le Mélangeur de couches.

Contraste intense par le génial Scott

Certaines techniques géniales vous tombent dessus au moment où vous vous y attendez le moins. Celle-ci en est une parfaite illustration. Elle permet d'appliquer facilement et rapidement un contraste intense à vos photos en niveaux de gris. Je dévoile également trois variantes de cette technique, qui s'exécutent en quelques clics.

Etape 1

Ouvrez la photo à convertir en noir et blanc avec un fort contraste. Appuyez sur D pour rétablir les couleurs par défaut de la boîte à outils. Créez un Calque de réglage de type Courbe de transfert de dégradé.

Etape 2

La boîte de dialogue homonyme affiche un dégradé allant du noir au blanc. Ne changez rien, et cliquez sur OK pour appliquer cette courbe à la photo.

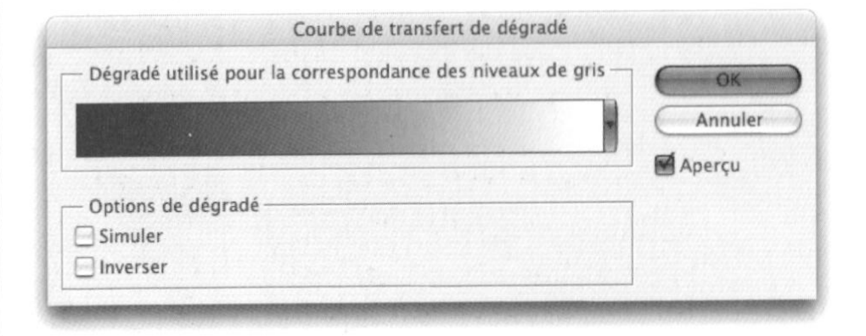

Etape 3

Cette simple manipulation donne un bien meilleur résultat que l'exécution de la commande Niveaux de gris du sous-menu Mode du menu Image. Son inconvénient est que la courbe de transfert de dégradé ne permet aucun ajustement. Nous comblerons cette lacune dans la prochaine étape.

Etape 4

Créez un nouveau Calque de réglage de type Mélangeur de couches. Vous l'avez vu dans la précédente section, ce calque permet d'agir sur chaque couche individuellement, produisant une meilleure image en niveaux de gris.

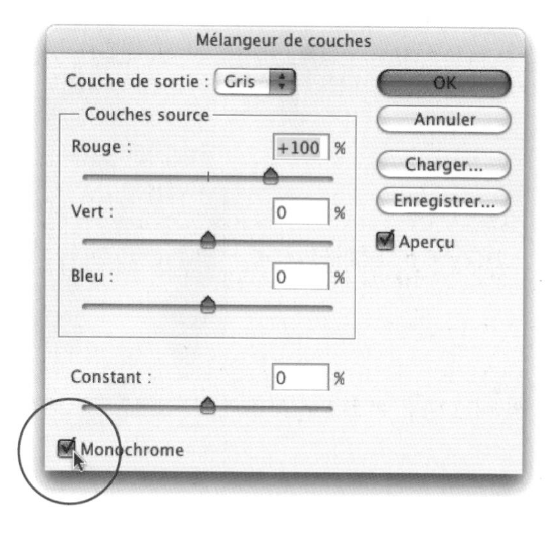

Etape 5

Cochez l'option Monochrome, sinon vous ajouterez des teintes au lieu d'ajuster les niveaux de gris.

Etape 6

C'est ici que commence la partie de plaisir. Fixez la valeur Constant à -8 pour assombrir toute l'image, et fixez Rouge à 75 % (je l'applique sur toutes les images). Augmentez les valeurs Vert et Bleu en fixant respectivement leur pourcentage à +26 et +34.

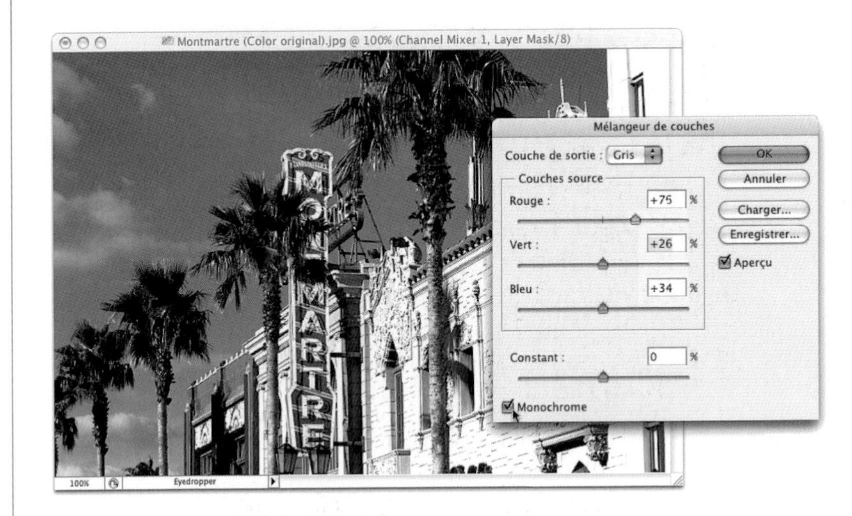

Etape 7

J'ai fait glisser le curseur Vert vers la droite tant que l'image s'améliorait. Ensuite, j'ai fait de même avec le curseur Bleu. Procédez ainsi tant que vos manipulations produisent une meilleure image. Pas de complaisance ! Sachez vous arrêter ! Une fois satisfait, cliquez sur OK. Ensuite, dans le menu local de la palette Calques, exécutez la commande Aplatir l'image (mais avant cela, testez les deux méthodes qui suivent). Appliquez le filtre Accentuation avec les paramètres suivants : Gain 85 %, Rayon 1 pixel et Seuil 4 niveaux.

Variante 1

Voici la première des deux méthodes annoncées. Dans la palette Calques, glissez le calque Mélangeur de couches sous le calque Courbe de transfert du dégradé. Regardez l'image. Vous obtenez une légère différence. A vous d'en considérer ou non le gain esthétique.

Variante 2

Voici la seconde variante… géniale ! Cliquez sur le calque Arrière-plan. Dans le menu Image, choisissez Réglages > Désaturation. Cela supprime les informations chromatiques de l'image. Optez pour la méthode qui vous donne le plus de satisfaction en intensifiant le contraste comme vous l'espérez.

Conversion Niveaux de gris standard.

Conversion Niveaux de gris au contraste intense de Scott.

Conversion : fonction Opérations

La boîte de dialogue Opérations de Photoshop a le don d'effrayer les plus téméraires. A première vue, ses options semblent fort complexes, alors qu'il s'agit simplement de combiner des couches. Lorsque vous saurez utiliser la boîte de dialogue Opérations, vous pourrez facilement impressionner vos collègues.

Etape 1

Ouvrez la photo couleur que vous souhaitez convertir en niveaux de gris avec la fonction Opérations. Affichez la boîte de dialogue par la commande Image > Opérations. Cette boîte de dialogue d'apparence ésotérique vous permet de choisir deux couches de la photo et de les fusionner pour produire une nouvelle couche. Ainsi, si vous avez une couche trop sombre et une couche trop claire, vous pouvez les combiner pour obtenir une couche parfaite (en théorie, du moins). Il suffit de comprendre le principe d'emploi de cette boîte de dialogue pour ne plus la considérer comme une fonction obscure réservée aux initiés.

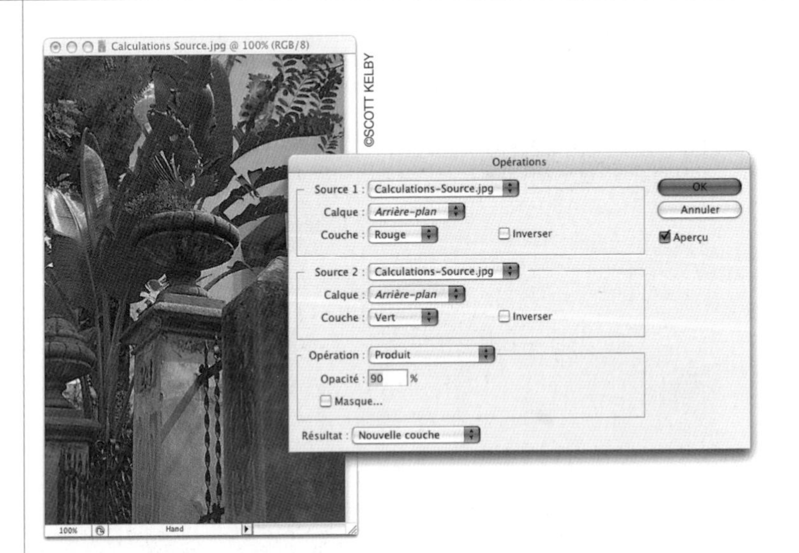

Etape 2

Par défaut, Opérations tente de combiner la couche Rouge (Source 1) avec une copie de cette même couche (Source 2). Votre travail consiste à tester d'autres combinaisons, et enfin à appliquer le mode de fusion (Opération) qui va donner le meilleur résultat. Cette technique est plus simple qu'elle n'y paraît. Laissez la Couche de la Source 1 sur Rouge ; dans la liste Couche de la Source 2, choisissez Vert. Appréciez le résultat.

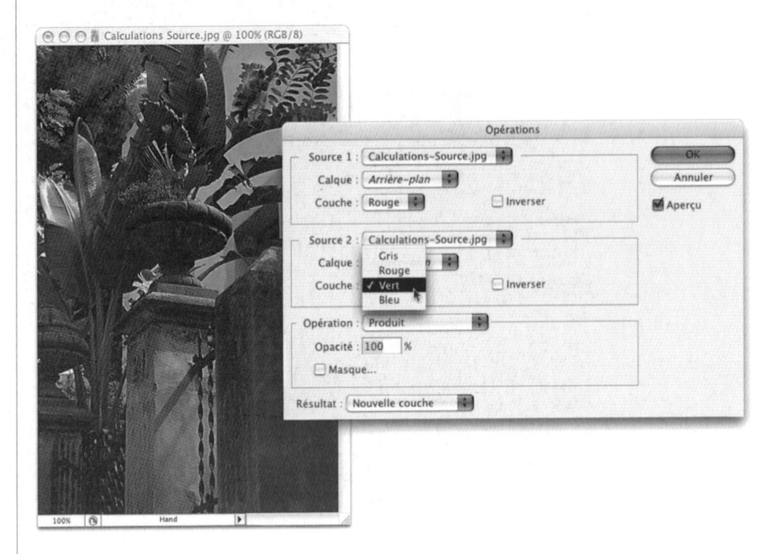

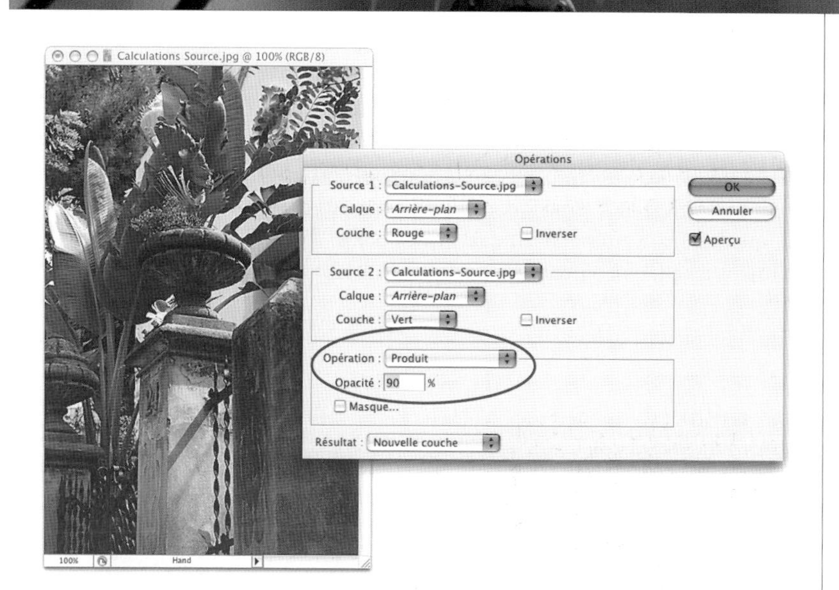

Etape 3

Avec les valeurs par défaut, mode Produit et Opacité à 100 %, la photo est trop sombre. Vous pouvez essayer d'autres combinaisons de couches (au lieu de Rouge et Vert, tentez Rouge et Bleu, Rouge et Gris, Vert et Bleu, etc.), choisir un autre mode de fusion ou bien réduire l'opacité en commençant par une valeur très faible (de l'ordre de 5 à 10 %) pour étudier l'effet d'une fusion plus subtile. (Ici, je fixe l'Opacité à 90 %.).

Etape 4

Lorsque votre combinaison vous donne satisfaction, choisissez Nouveau document dans la liste Résultat au bas de la boîte de dialogue (Elle désigne la forme de la nouvelle couche). Cliquez sur OK. Un nouveau document apparaît avec pour calque Arrière-plan la couche que vous venez de définir. Choisissez Image > Mode > Niveaux de gris pour ce nouveau document.

Conversion ordinaire par la commande Niveaux de gris.

Conversion par la fonction Opérations.

Bichromie

Certaines raisons techniques font qu'il est infiniment plus complexe dans Photoshop de créer une image en bichromie (à deux couleurs) qu'une image en quadrichromie (CMJN). Certes, il y a quelques obstacles à franchir pour obtenir une belle image bichrome avec des séparations de couleurs correctes, mais l'ajout d'une deuxième, troisième ou quatrième couleur à une photo noir et blanc produit un effet incomparable avec plus de profondeur.

Etape 1

Ouvrez la photo à convertir en bichromie. Si vous démarrez avec une photo couleur, il faut d'abord la convertir en niveaux de gris par la commande Image > Mode > Niveaux de gris. Une boîte de dialogue vous demande confirmation de la suppression de la couleur. Cliquez sur OK.

Etape 2

Après conversion de l'image en niveaux de gris, ouvrez le sous-menu Image > Mode pour y choisir Bichromie. A la première ouverture, la boîte de dialogue Bichromie est réglée par défaut sur le type Monochrome. Sélectionnez Bichrome dans la liste Type.

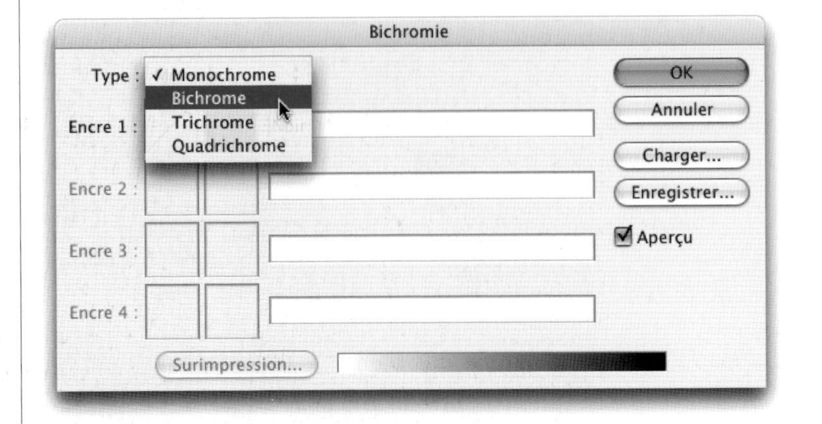

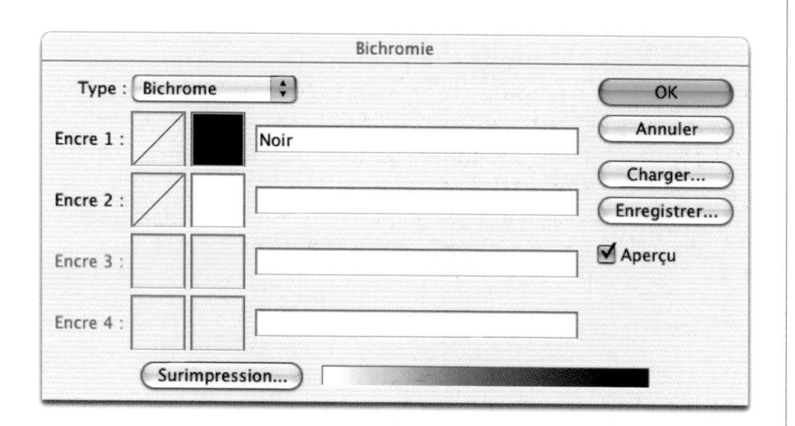

Etape 3

Après sélection du type Bichrome, il faut choisir les deux encres à utiliser. Commençons par l'option Encre 1. Le premier cadre, barré d'une diagonale, représente une courbe qui définit la répartition de la couleur choisie sur les tons sombres, moyens et clairs de l'image. Le réglage se fait par manipulation de la courbe. (Je signale qu'il est inutile de savoir exploiter la boîte de dialogue Courbes pour définir une bichromie, vous le constaterez dans un instant.)

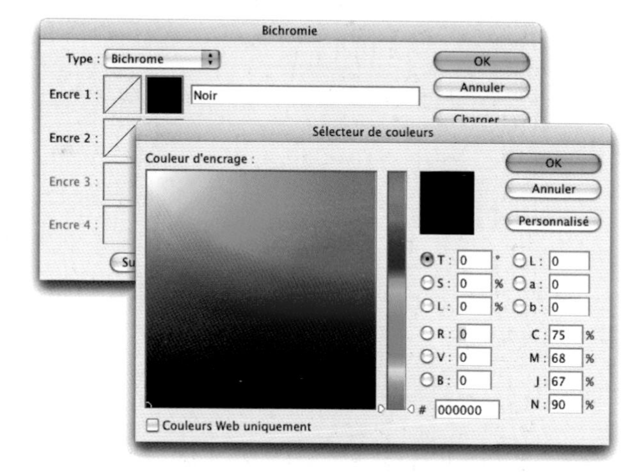

Etape 4

La case noire à droite de la courbe sert à choisir la couleur pour Encre 1. Par défaut, elle est définie sur la couleur noire (ce qui est logique puisque la bichromie se fait le plus souvent par une combinaison du noir avec une autre couleur). Si vous préférez utiliser une autre couleur pour Encre 1, cliquez sur la case noire ; Photoshop affiche le Sélecteur de couleurs.

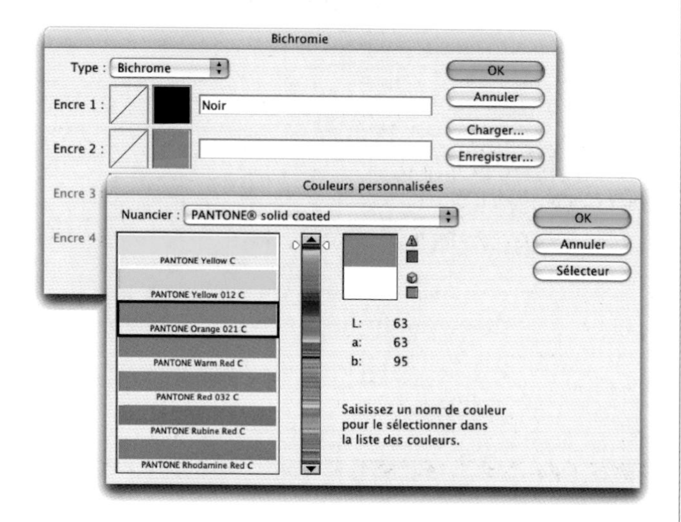

Etape 5

Aucune couleur n'est définie pour Encre 2, puisqu'il vous revient de choisir la couleur de la seconde encre. Cliquez sur la case blanche. Vous obtenez la boîte de dialogue Couleurs personnalisées qui vous permet de sélectionner une nuance dans la liste de couleurs PANTONE®. (Les images bichromes sont généralement destinées à une impression sur presse, c'est pourquoi Photoshop propose par défaut la gamme de couleurs PANTONE.)

Etape 6

Dès que vous cliquez sur OK dans la boîte de dialogue Couleurs personnalisées, le nom de la couleur pour Encre 2 apparaît à droite de la case de couleur. Après sélection des deux couleurs composant la bichromie, il vous reste à en déterminer la balance. Voulez-vous plus de noir que de ton direct dans les zones sombres ? Faut-il intensifier l'Encre 2 dans les zones claires ? Ces choix se définissent dans la boîte de dialogue Courbe bichrome de chaque encre. Cliquez sur la courbe à droite d'Encre 2 pour afficher la boîte de dialogue.

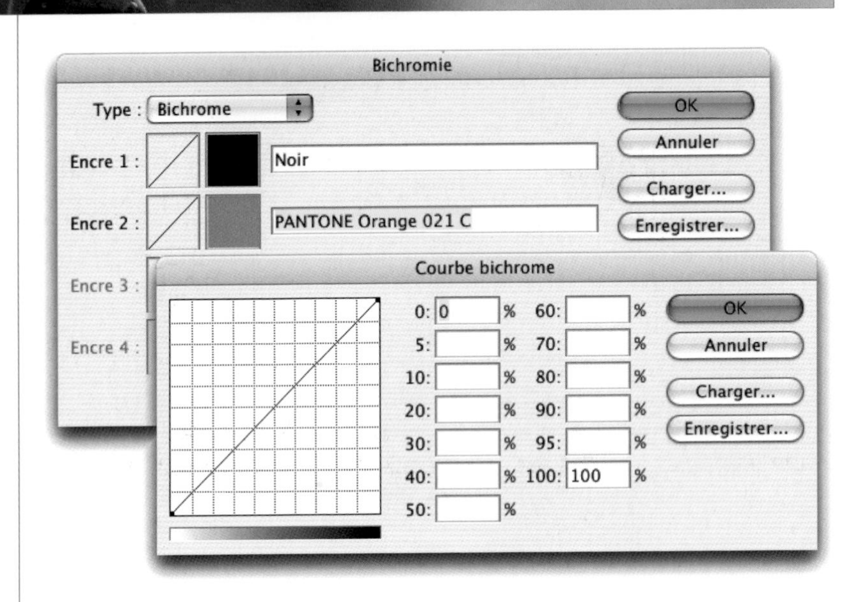

Etape 7

Observez la série de champs au milieu de la boîte de dialogue (voir l'illustration de l'étape 7) ; constatez que la courbe par défaut est plate, comme celle de l'encre noire, avec les mêmes densités d'encre orange (Encre 2) dans les tons clairs, moyens et foncés. Notez que le champ intitulé 100 % a la valeur 100, ce qui indique que les zones sombres (de densité 100 %) recevront 100 % d'encre orange. Si vous préférez réduire la proportion d'orange pour les tons foncés, tapez une valeur inférieure dans le champ 100 %. Dans l'exemple ci-contre, j'ai défini 80 % pour les zones les plus sombres, qui désormais recevront 20 % d'encre orange en moins et paraîtront donc plus noires. J'ai réduit à la valeur 60 % les zones de densité 70 %, et à 35 % les tons moyens de densité 50 %. Lorsque vous modifiez les valeurs manuellement, comme dans cet exemple, Photoshop adapte automatiquement la courbe. Inversement, si vous manipulez la courbe par glissement d'un point, Photoshop modifie les valeurs des champs en conséquence.

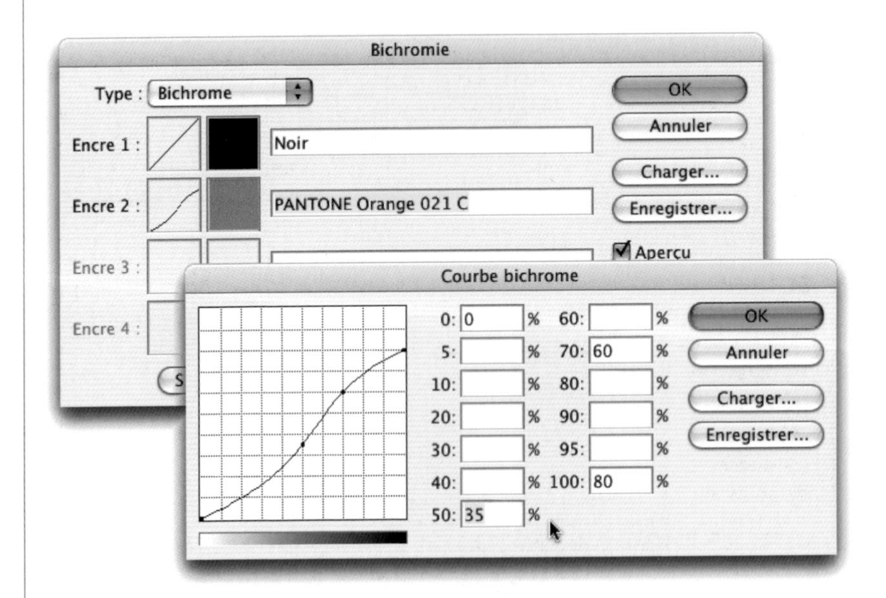

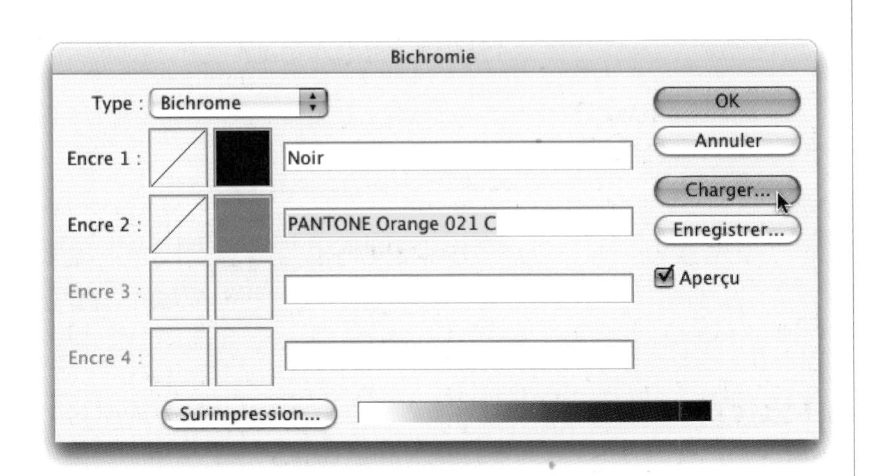

Etape 8

Si la perspective de définir une courbe vous effraie, rassurez-vous ! Adobe a prévu pour les novices des courbes de bichromie prédéfinies avec les couleurs les plus courantes. Il vous suffit d'essayer ces réglages prédéfinis pour trouver la combinaison qui vous convient. Ces paramètres prédéfinis ont été copiés sur votre ordinateur lors de l'installation de Photoshop. Pour y accéder, commencez par fermer la boîte de dialogue Courbe de bichromie d'un clic sur Annuler, puis cliquez sur le bouton Charger de la boîte de dialogue Bichromie.

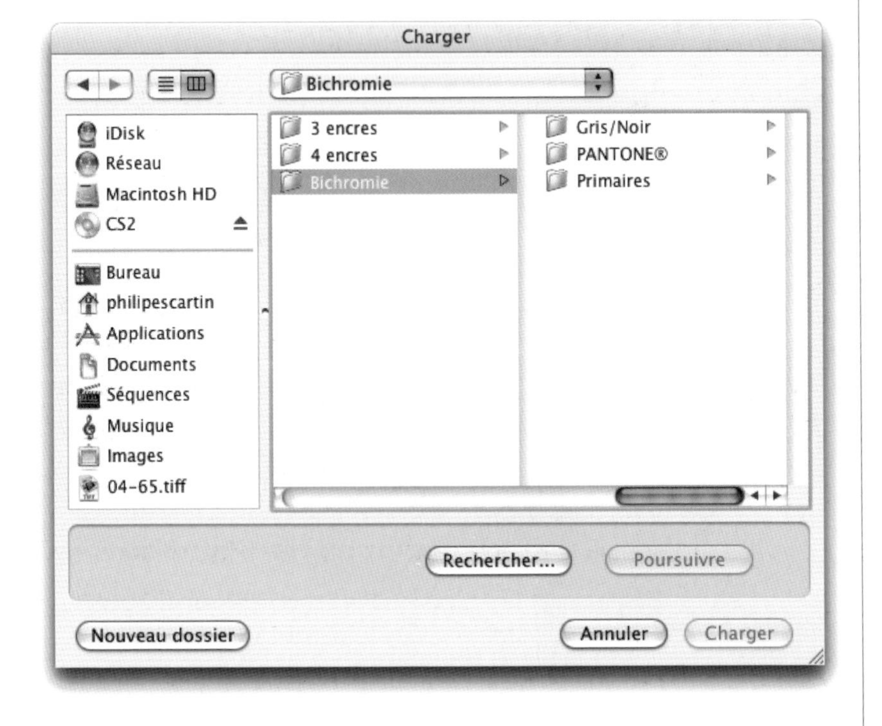

Etape 9

La boîte de dialogue Charger apparaît, ouverte par défaut sur le dossier Bichromie de Photoshop. Si pour une raison quelconque elle cible un autre dossier, recherchez le dossier Bichromie sous Paramètres prédéfinis dans le dossier programme de Photoshop. Il renferme trois dossiers de préréglages pour des impressions à deux, trois ou quatre encres.

Etape 10

Dans la boîte de dialogue Charger, ouvrez le dossier Bichromie, puis le dossier PANTONE qui renferme ces précieux réglages prédéfinis. Quatre possibilités sont proposées pour chaque couleur, avec une quantité d'encre de ton direct décroissante du premier vers le dernier choix. Essayez un réglage prédéfini en double-cliquant sur un fichier de paramètres. L'aperçu s'actualise aussitôt, ce qui vous permet de voir si la couleur d'Encre 2 et sa densité vous conviennent. Pour essayer un autre réglage, cliquez de nouveau sur le bouton Charger et sélectionnez un fichier dans la liste.

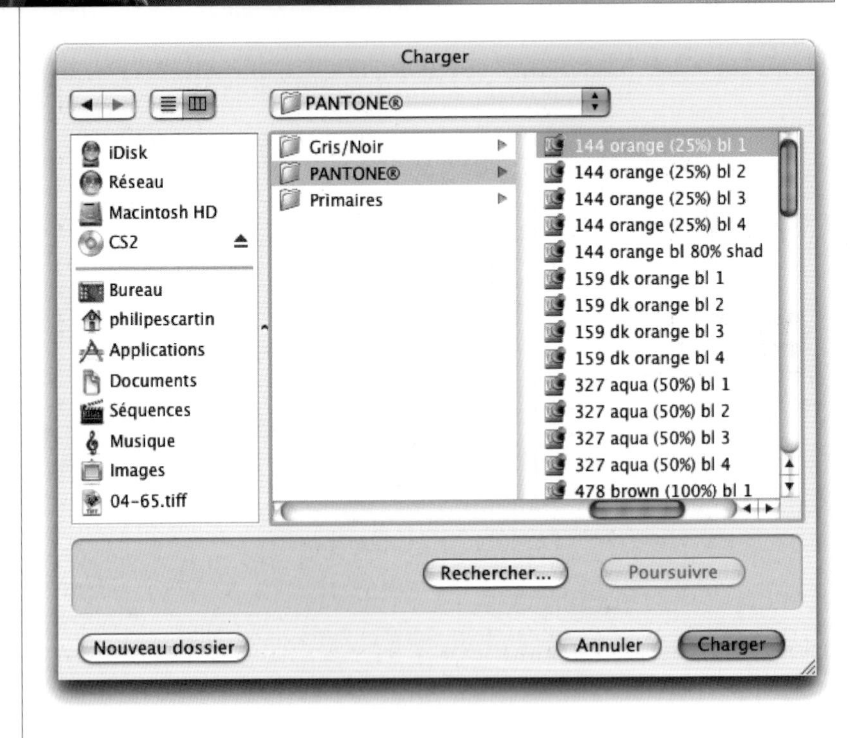

Etape 11

Lorsque la combinaison de couleur et de densité vous satisfait, cliquez sur OK ; la bichromie s'applique à la photo. (Dans l'exemple ci-contre, j'ai choisi le préréglage de bichromie « 144 Orange 25 % bl 1 ».)

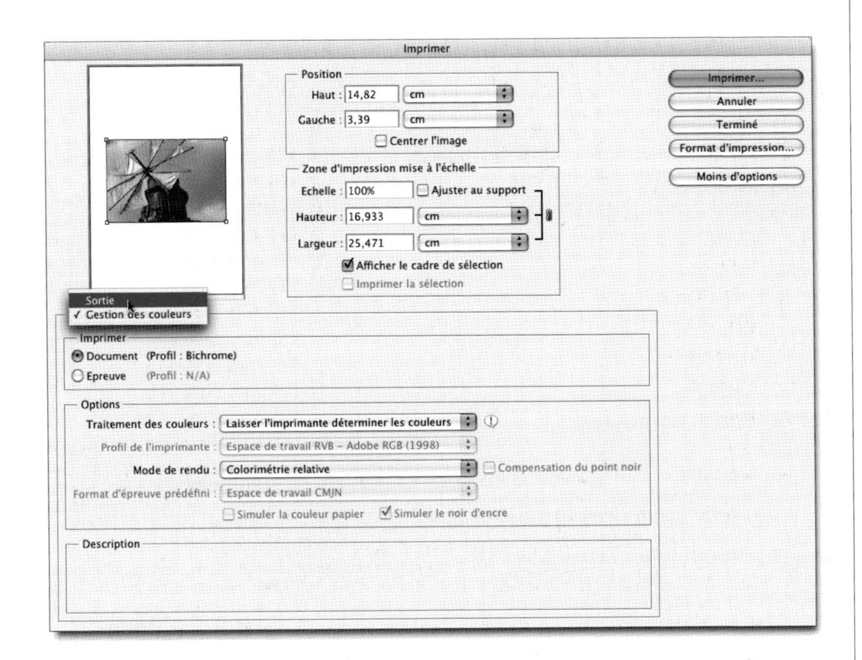

Etape 12

A ce stade, votre bichromie se présente plutôt bien, à l'écran du moins. Mais si la photo doit finir sur presse, avant d'enregistrer le fichier, il vous reste quelques opérations cruciales à accomplir concernant la séparation des couleurs. Dans le menu Fichier, choisissez Imprimer avec aperçu. Dans la liste de la boîte de dialogue Imprimer située sous l'aperçu, choisissez Sortie (voir ci-contre).

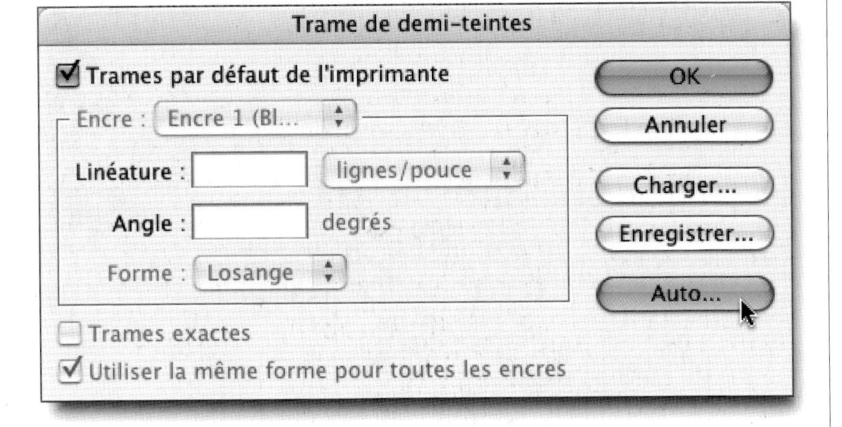

Etape 13

Dans l'état actuel de la bichromie, les deux couleurs ont le même angle de trame. Or, cela risque de générer un effet de moiré sur toute l'image en cas d'impression sur presse. Pour éviter ce défaut, il faut définir des angles de trame différents. Pour cela, cliquez sur le bouton Trames dans la boîte de dialogue Imprimer. Vous obtenez la boîte de dialogue Trames de demi-teintes. Cliquez sur le bouton Auto pour afficher la boîte de dialogue Trames automatiques.

Etape 14

Dans le champ Imprimante de la boîte de dialogue Trames automatiques, entrez la résolution de la presse sur laquelle sera imprimée la photo bichrome. (Ici, j'ai indiqué 2540, la résolution de la photocomposeuse de mon imprimeur habituel.) Prenez contact avec votre imprimeur pour connaître la linéature (nombre de lignes par pouce) à définir. Entrez ce nombre dans le champ Trame. Cochez l'option Trames exactes ; elle peut se révéler utile avec certains équipements, avec d'autres elle n'aura simplement aucun effet, sans risque de nuire.

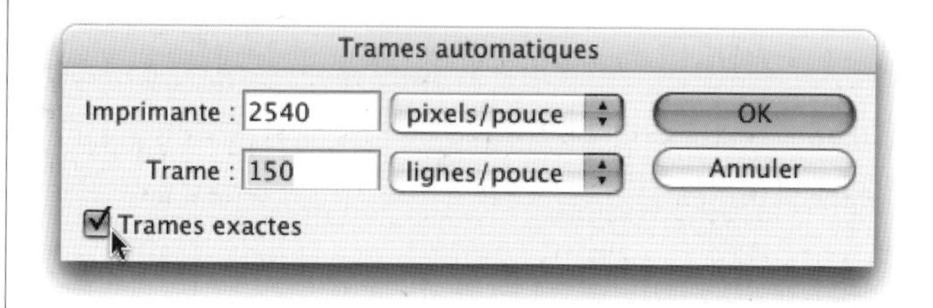

Etape 15

Cliquez sur OK pour fermer la boîte de dialogue Trames automatiques et valider votre configuration. Dans la boîte de dialogue Trames de demi-teintes, l'option Linéature est définie. Ne modifiez pas ce paramètre, cela annulerait la fonction de trames automatiques et risquerait de saboter votre impression.

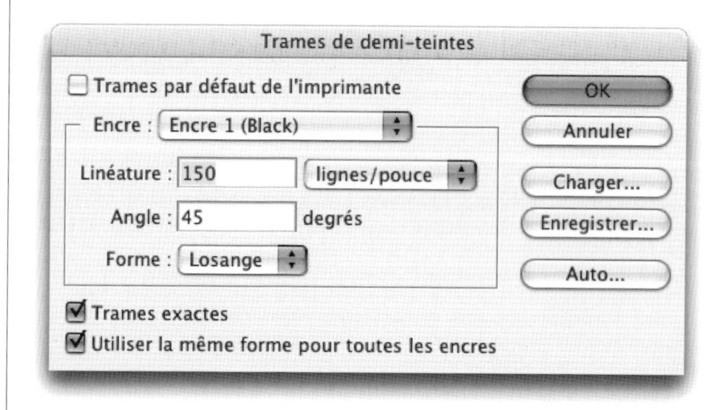

Etape 16

Cliquez sur OK dans la boîte de dialogue Trames de demi-teintes, puis sur Terminé dans la boîte de dialogue Imprimer, ce qui a pour effet de mémoriser vos paramètres. La difficulté est de savoir comment intégrer ces informations à l'image bichrome pour qu'elle s'imprime correctement avec les bonnes séparations. Facile ! Enregistrez la photo au format EPS (choisissez EPS dans la liste Format de la boîte de dialogue Enregistrer sous). Les données relatives aux trames s'enregistrent dans le fichier, ce qui garantit que les séparations s'effectueront bien à l'impression.

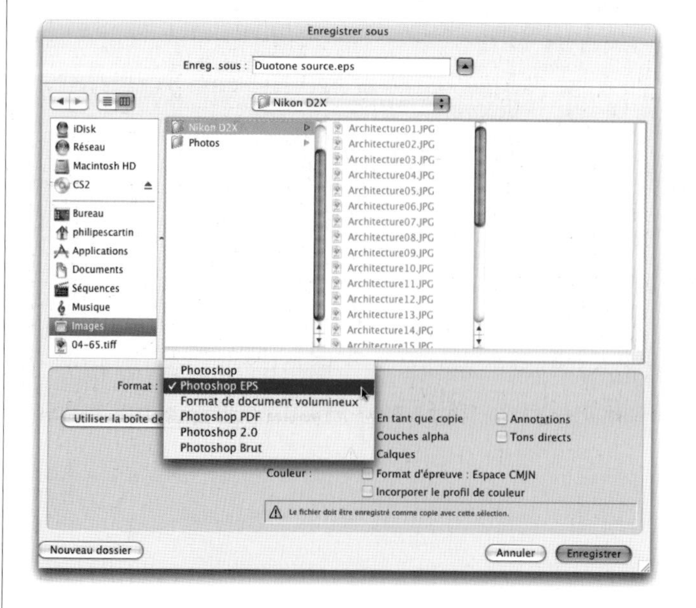

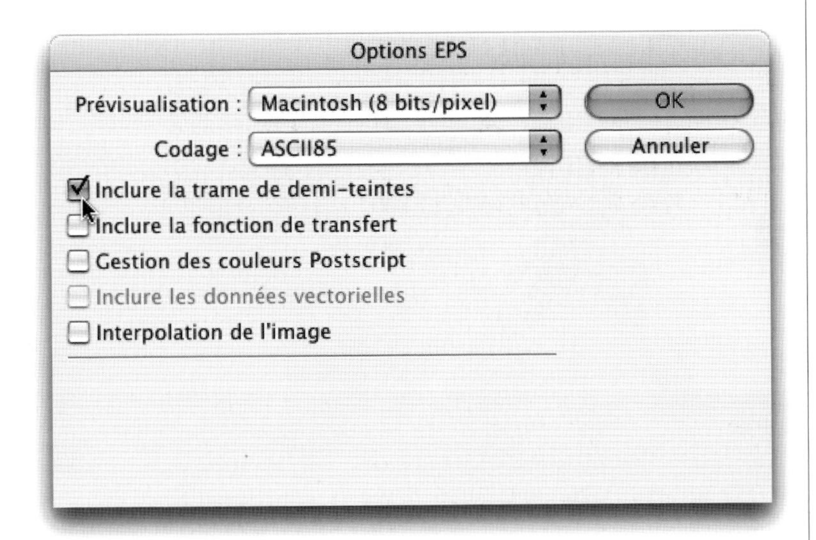

Etape 17

Si vous avez sélectionné le format EPS, la boîte de dialogue Options EPS apparaît. Une seule option est à cocher ici : Inclure la trame de demi-teintes. Les angles de trames définis plus haut sont intégrés au fichier. Cliquez sur OK pour enregistrer le fichier. Votre photo bichrome est prête pour l'importation dans un logiciel de PAO.

Note : Lorsque vous travaillez en bichromie, sortez une épreuve sur votre imprimante à jet d'encre couleur afin de vérifier les séparations (vous obtenez une plaque pour chaque couleur : noire plus un ton direct).

Note : Toutes ces instructions relatives aux trames et séparations ne concernent que l'impression professionnelle sur presse. Si vous sortez vos photos sur une imprimante de bureau, cliquez simplement sur Imprimer.

Couleurs d'origine de l'image.

Résultat final en bichromie.

Photo de Dave Moser | Exposition : 1/125 s | Focale : 28 mm | Ouverture : *f*/18

Les temps modernes
Correction des imperfections

J'admets avoir totalement séché pour trouver le titre de ce chapitre. J'ai pourtant appelé mon épouse et mon fils à l'aide : « Connaissez-vous le titre d'un film, d'une chanson, d'une émission de TV... ? ». Au bout de quelques jours d'une intense réflexion, d'une réappropriation toute personnelle du contenu et des difficultés que présentent les images, une pensée a émergé dans mon esprit bouillonnant : la photo numérique est une expression vibrante du génie moderne avec tous ses aspects positifs et négatifs. Il est alors apparu comme une évidence que Charlie Chaplin avait son mot à dire dans ces nouveaux temps modernes où le numérique apporte, avec son lot d'avantages et de qualités divers, une somme importante d'imperfections que nous devons apprendre à corriger.

Correction du bruit numérique

Si les prises de vue s'effectuent avec une faible luminosité, l'appareil risque de produire du bruit numérique. Quoi de plus terrible que ces affreux points rouges, verts ou bleus qui s'étalent sur toute l'image ? Heureusement, il est possible d'atténuer ce défaut, que l'on appelle aussi »bruit de la couche bleue », « bruit ISO », « aliasing des couleurs », ou plus familièrement « ces satanées points colorés qui ruinent mes photos ».

Etape 1

Ouvrez une photo qui contient du bruit bien visible. Effectuez toutes vos corrections chromatiques et vos divers réglages, comme l'application des commandes Tons foncés/Tons clairs, ou encore Courbes, car elles peuvent amplifier le bruit. (J'ai choisi comme exemple un cliché pris avec une faible luminosité, où des points rouges, verts et bleus se distinguent nettement dans le ciel.) Pour mieux identifier le bruit, vous allez zoomer sur la photo.

©SCOTT KELBY

Etape 2

Cliquez sur Filtre > Bruit > Réduction du bruit. Dans la boîte de dialogue qui apparaît, cliquez sur le signe (+) pour augmenter le facteur de zoom. Affichez une partie du ciel en plaçant le pointeur de la souris dans l'aperçu, puis en cliquant et en faisant glisser l'image. Cette action montre la photo avant correction. Dès que vous relâchez le bouton de la souris, l'aperçu affiche la correction en fonction des paramètres par défaut.

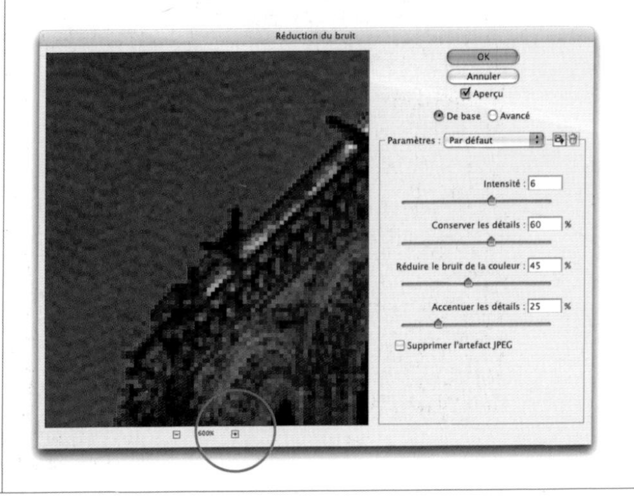

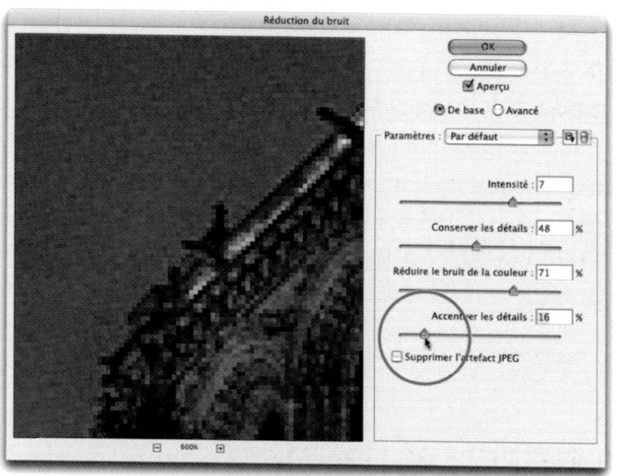

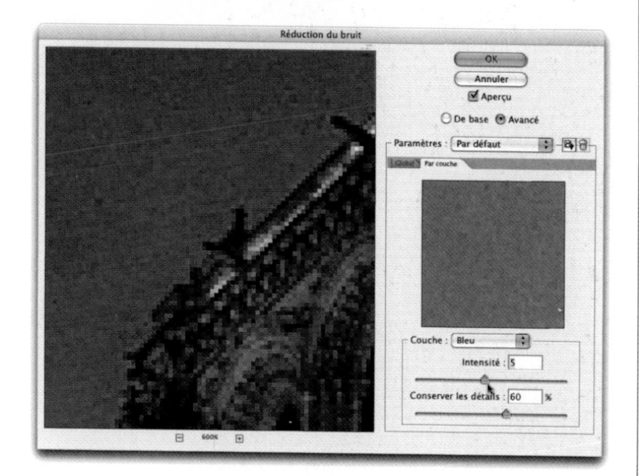

Etape 3

Ce filtre semble donner de bons résultats lorsque la valeur du paramètre Intensité est de 7 ou 8. Supprimer ou atténuer le bruit numérique ne doit pas se faire au détriment des détails de l'image. Pour en conserver un maximum, placez le curseur Conserver les détails entre 40 et 50 %. Positionnez le curseur Réduire le bruit de la couleur entre 60 et 70 %, puis déplacez-le lentement vers la droite pour augmenter la réduction sans ajouter de flou. Le paramètre Accentuer les détails sera fixé entre 15 et 20 %. (Vous obtiendrez un meilleur résultat en appliquant le filtre Netteté optimisée après cette réduction, plutôt que d'y procéder ici.) Cliquez sur OK pour réduire le bruit numérique.

Astuce : Certains appareils photo numériques produisent un « bruit de la couche bleue ». Pour le réduire, cliquez sur Avancé. Ouvrez l'onglet Par couche, et dans la liste Couche, sélectionnez Bleu. Faites glisser le curseur Intensité pour réduire le bruit contenu dans cette couche.

Avant.

Après (le bruit est largement atténué avec le filtre Réduction du bruit).

Equilibrage des tons foncés et tons clairs

Photoshop CS a introduit une fonction qui éclaircit les valeurs sombres (ou assombrit les valeurs claires), nommée tout simplement Tons foncés/Tons clairs. La correction de la luminosité par cette commande peut se limiter au réglage d'un seul curseur, mais la boîte de dialogue propose un assortiment d'options pour un réglage précis des tons clairs et foncés. Cette fonction est parfaite pour réduire la luminosité ou pour corriger les photos qui auraient nécessité l'emploi du flash, lorsqu'il est nécessaire de faire ressortir les détails noyés dans l'ombre.

Etape 1

Ouvrez une photo dont vous souhaitez corriger les tons clairs ou foncés. Dans cet atelier, la lumière arrive en biais, et je souhaite faire ressortir l'architecture plongée dans l'obscurité (pour retrouver l'effet du flash).

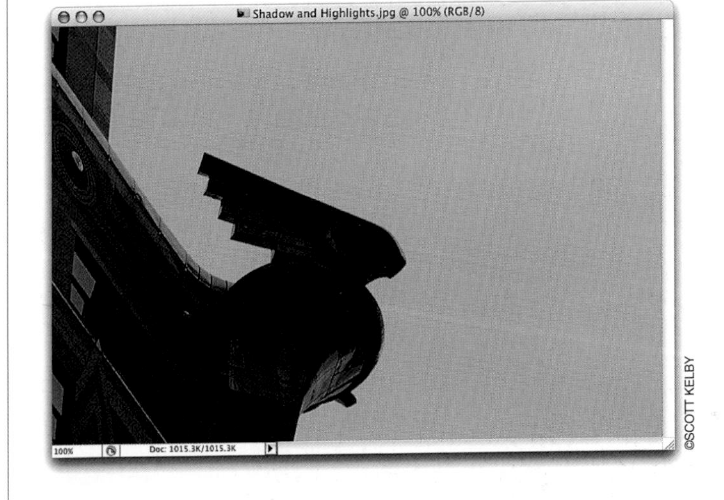

Etape 2

Ouvrez le sous-menu Image > Réglages > Tons foncés/Tons clairs.

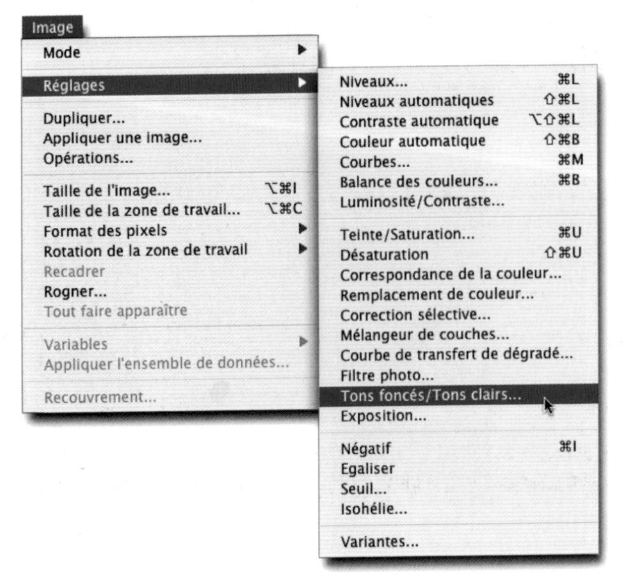

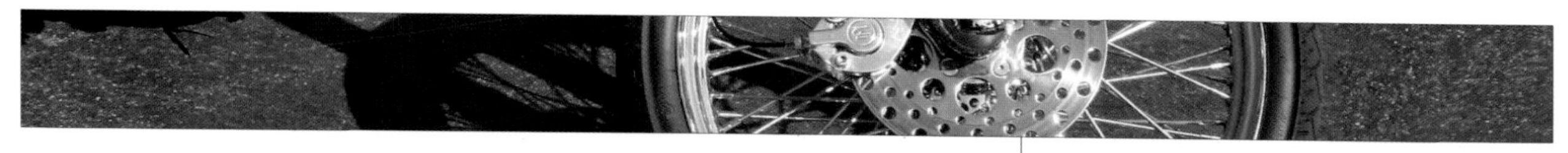

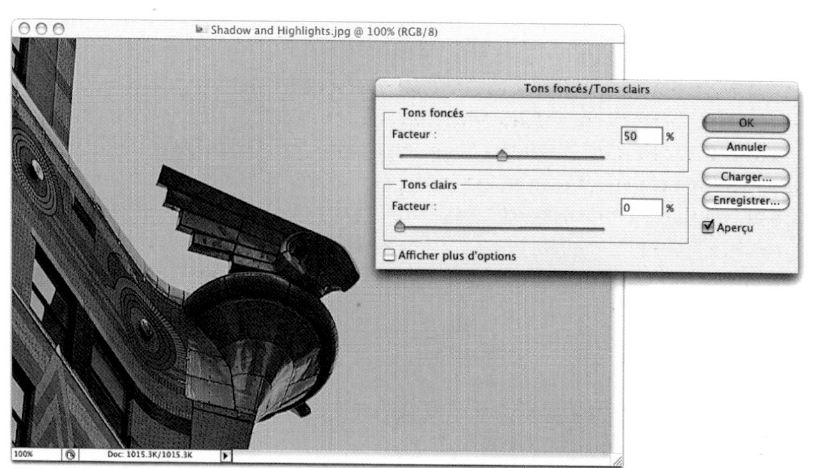

Etape 3

Lorsque la boîte de dialogue Tons foncés/Tons clairs apparaît, les tons foncés sont réglés par défaut à 50 % (voir ci-contre). Vous pouvez augmenter le facteur pour plus de luminosité ou bien le réduire pour des ombres plus denses. (Nous corrigeons les tons foncés dans cette photo, mais si vous aviez besoin de régler les tons clairs, il faudrait augmenter le facteur Tons clairs pour réduire la luminosité.)

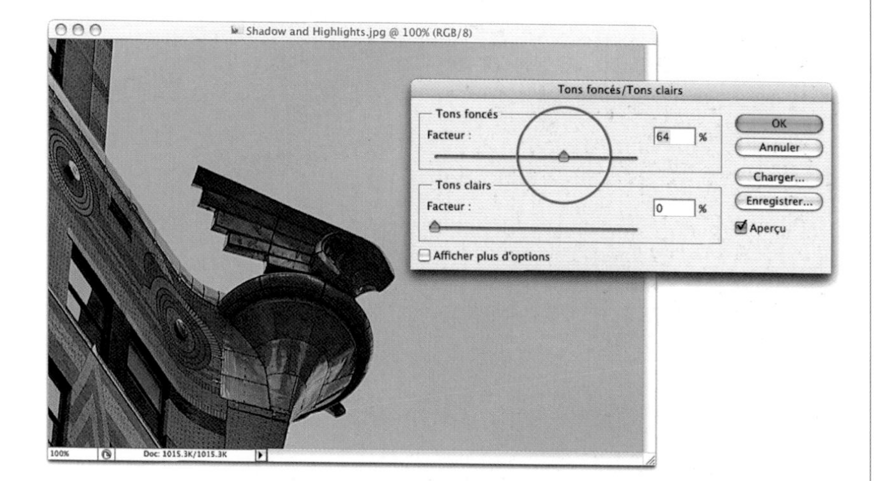

Etape 4

Dans cet atelier, 50 % sont insuffisants. Par conséquent, faites glisser le curseur Facteur des Tons foncés vers la droite pour éclaircir les parties les plus sombres de l'image. Cliquez sur OK pour appliquer la correction (voir ci-contre).

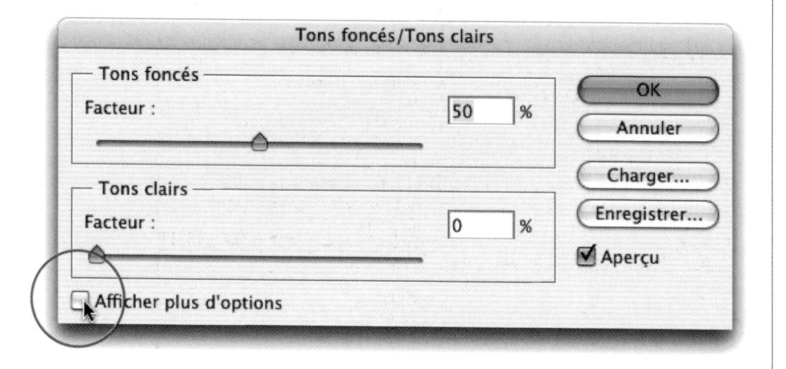

Etape 5

Pour un réglage plus précis, cochez l'option Afficher plus d'options dans l'angle inférieur gauche de la boîte de dialogue (voir ci-contre et l'étape 6). Vous obtenez alors la série complète d'options qui ne doit pas vous intimider, car la correction se limite soit aux tons foncés, soit aux tons clairs.

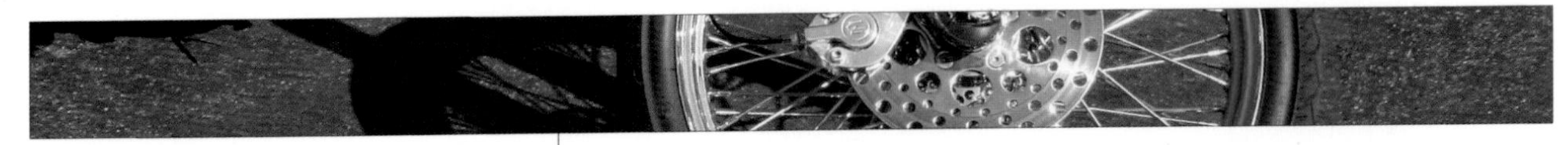

Etape 6

J'utilise ces options lorsque la correction initiale paraît trop artificielle. Partez d'une valeur de Facteur des Tons foncés fixée à 25 %. Ensuite, augmentez les paramètres Gamme de tons et Rayon jusqu'à obtention d'une apparence réaliste. Si vous réglez les tons foncés, la réduction de la valeur Gamme de tons permet de limiter la correction aux zones les plus sombres. Avec une valeur supérieure, la correction s'applique à une gamme plus large de tons foncés ; et avec une valeur encore plus élevée, la correction s'applique aussi aux tons moyens. Le principe est le même pour la correction des tons clairs. L'option Rayon détermine le nombre de pixels modifiés pour chaque réglage ; pour agir sur une plage plus large de pixels, définissez une valeur plus élevée. L'augmentation des détails dans les zones d'ombre risque de saturer les couleurs à l'excès. Réduisez la valeur de Correction colorimétrique (qui agit comme un curseur de saturation dans la plage de tons concernée). Vous pouvez aussi régler le contraste dans les zones de tons moyens avec le curseur Contraste des tons moyens.

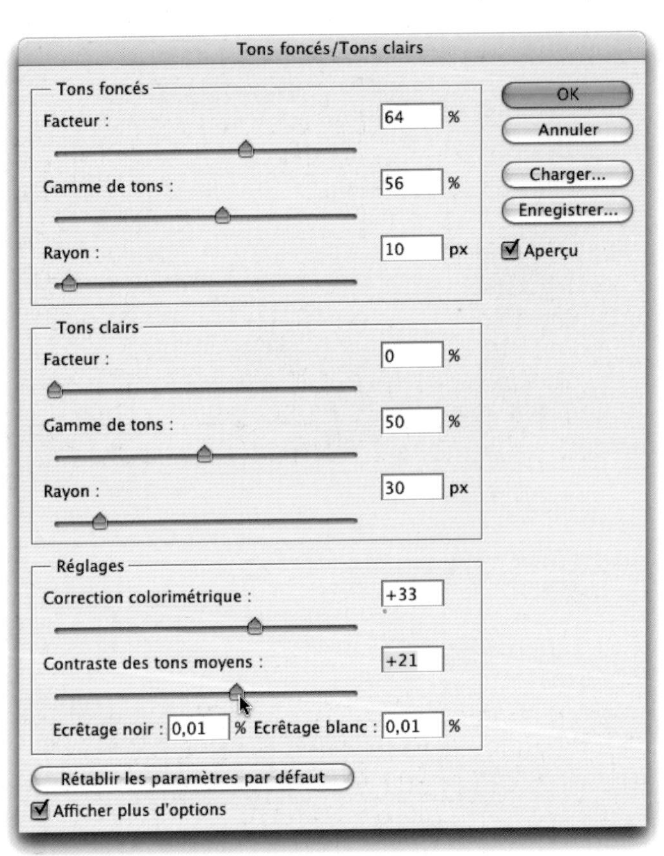

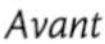
Avant

Après (atténuation des tons foncés avec le filtre Tons foncés/Tons clairs).

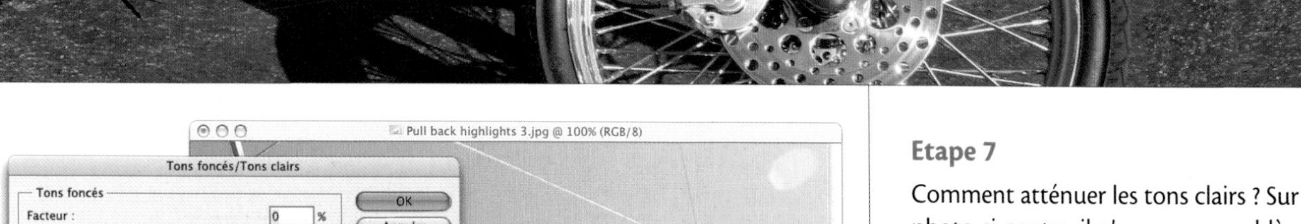

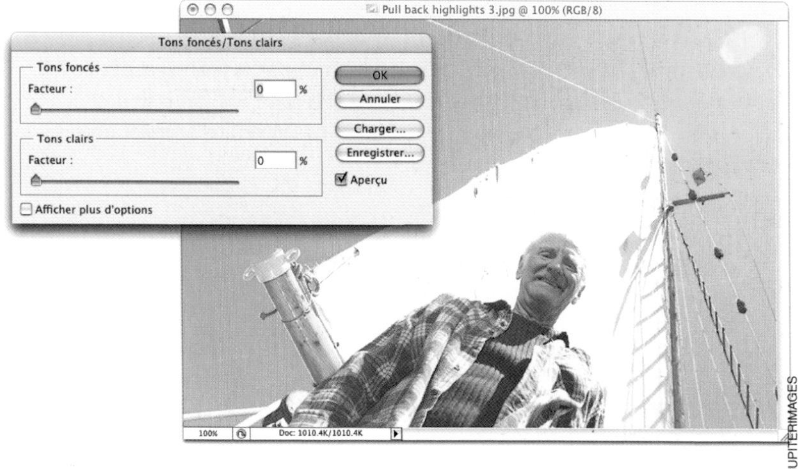

Etape 7

Comment atténuer les tons clairs ? Sur la photo ci-contre, il n'y a aucun problème de tons foncés. Donc, dans la boîte de dialogue Tons foncés/Tons clairs, fixez le Facteur des Tons foncés sur 0 %.

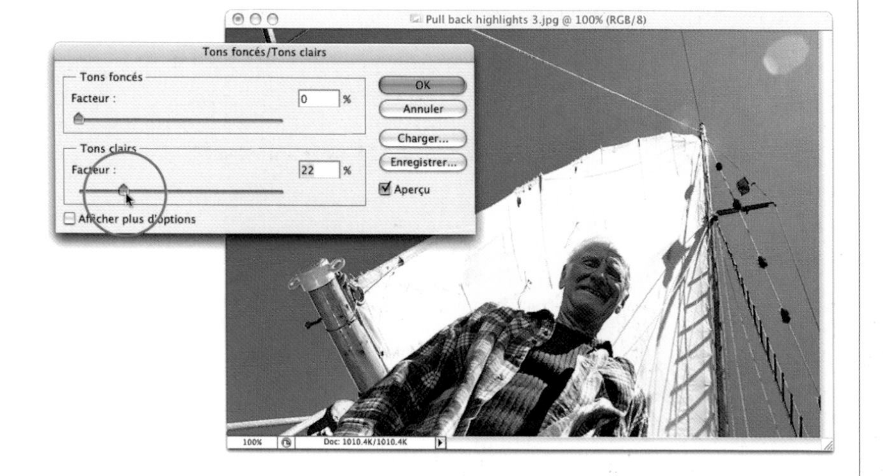

Etape 8

Faites glisser vers la droite le curseur Facteur des Tons clairs pour atténuer les tons clairs. Je sais, la logique de Photoshop est l'inverse de la nôtre. Généralement, augmenter la valeur d'un paramètre amplifie son effet. Ici, c'est le contraire.

Compensation d'un flash excessif

Je déteste quand j'ouvre un cliché de constater que soit le flash s'est déclenché alors qu'il ne fallait pas, soit le sujet était trop près pour une prise au flash. Heureusement, j'ai une solution pour redonner de l'intensité à mes photos surexposées.

Etape 1

Ouvrez la photo victime du flash. Dans cet atelier, l'effet du flash trop puissant aplatit le sujet tandis que l'arrière-plan se présente bien.

Etape 2

Copiez le calque de la photo en le faisant glisser sur l'icône de nouveau calque. Puis, changez le mode de fusion du Calque 1, de Normal à Produit (voir ci-contre). Ce mode de fusion a un effet multiplicateur qui permet de retrouver une bonne partie des détails écrasés par le flash. En contrepartie, toute la photo étant assombrie, l'arrière-plan semble maintenant trop sombre alors qu'il était bien exposé au départ.

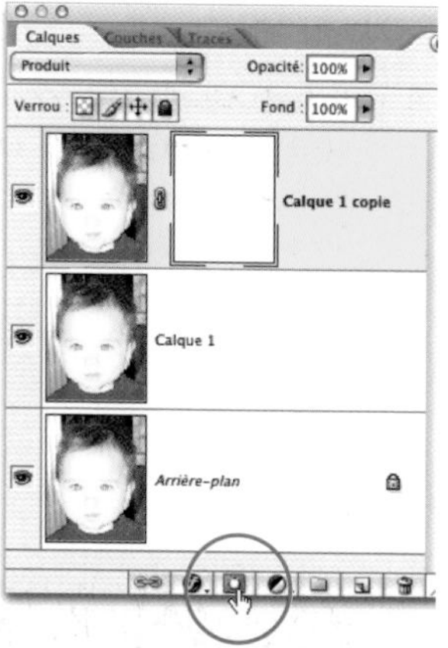

Etape 3

Appuyez sur Cmd+J (Ctrl+J) pour dupliquer ce calque. Le visage de l'enfant retrouve un certain équilibre tonal, mais les cheveux et le décor sont trop sombres. Cliquez sur le bouton Ajouter un masque de fusion de la palette Calques.

Etape 4

Appuyez sur la touche X pour activer le noir comme couleur de premier plan. Appuyez sur B pour activer le Pinceau et cliquez sur son icône dans la Barre d'options afin de choisir une forme aux bords adoucis. Commencez à peindre sur les cheveux et l'arrière-plan. Vous révélez ainsi le contenu du calque du dessous. Vous pouvez également éclaircir le tee-shirt. Une fois le travail terminé, l'effet négatif du flash est corrigé.

Note : Si vous commettez une erreur, appuyez sur X pour peindre avec du blanc sur le masque de fusion et ainsi rétablir le contenu du calque supérieur. C'est la magie des masques de fusion.

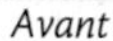

Avant

Après

Correction pour annuler l'effet du flash

Nous avons une tendance naturelle, chez les photographes, à réagir à notre entourage immédiat plutôt qu'à ce que nous voyons à travers l'objectif. A titre d'exemple, dans une salle de concert où il y a des centaines de lumières qui éclairent la scène, certains photographes vont choisir de déclencher leur flash parce qu'ils se trouvent dans le noir. Lorsqu'on examine ce genre de photos après coup, on s'aperçoit que le flash illumine la foule devant le photographe alors qu'elle devrait rester dans l'obscurité ; on regrette à ce moment-là d'avoir utilisé le flash. Contre les défauts de ce type, je vous propose une solution pratique.

Etape 1

Ouvrez une photo dans laquelle le flash produit un effet malheureux (comme dans le cliché ci-contre, pris pendant l'ouverture d'un séminaire Photoshop World, où plusieurs rangs de spectateurs sont mis en lumière alors qu'ils devraient se fondre dans le noir). Appuyez sur L pour activer le Lasso, et tracez une sélection englobant les personnes au premier plan.

Etape 2

Il faut assombrir le premier plan sans laisser transparaître notre manipulation. Pour que la zone corrigée se fonde harmonieusement dans son contexte, nous allons adoucir les bords de notre sélection. Pour cela, choisissez Contour progressif dans le menu Sélection. Dans la boîte de dialogue Contour progressif, entrez 25 pixels pour adoucir le bord de la sélection. (A propos, 25 pixels convient à cette sélection dans ma photo. Retenez que le rayon est proportionnel à la résolution ; n'hésitez pas à définir un contour progressif plus large si la démarcation reste visible au final.)

Contour progressif
Rayon : 25 pixels
OK
Annuler

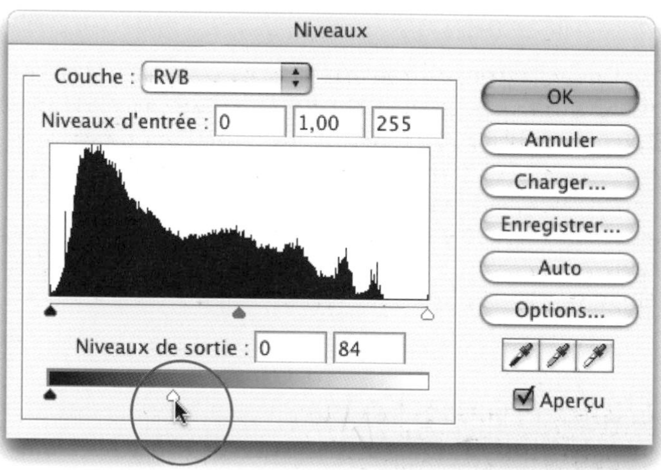

Etape 3

Les retouches seront plus faciles si vous masquez le contour de sélection. Pour cela, appuyez sur Cmd+H (Ctrl+H). Ensuite, appuyez sur Cmd+L (Ctrl+L) pour afficher la boîte de dialogue Niveaux. Au bas de celle-ci, faites glisser vers la gauche le curseur de droite des Niveaux de sortie ; cette manœuvre assombrit la zone sélectionnée. Essayez de rendre la sélection aussi sombre que la zone qui l'entoure. Enfin, appuyez sur Cmd+D (Ctrl+D) pour désélectionner, puis vérifiez la photo nouvelle version, sans flash. Comparez ci-après la même photo avant et après correction.

Avant : l'effet du flash est évident mais n'atteint pas la scène.

Après : l'effet du flash est masqué et le cliché est réussi.

Correction d'une photo sous-exposée

Voici une correction tonale qui va plaire à tous ceux qui n'aiment pas se servir des niveaux ni des courbes dans Photoshop. Cette méthode est aussi facile qu'efficace pour redonner de l'éclat à une photo sous-exposée.

Etape 1

Ouvrez une photo sous-exposée. La photo d'exemple a été prise sans flash. Pour un meilleur résultat, il aurait fallu utiliser le flash et/ou mieux régler le temps d'exposition, c'est pourquoi le cliché est si sombre.

Etape 2

Appuyez sur Cmd+J (Ctrl+J) pour dupliquer le calque Arrière-plan (la copie prend le nom Calque 1). Sur le nouveau calque, changez le mode de fusion de Normal à Superposition pour éclaircir la photo entière.

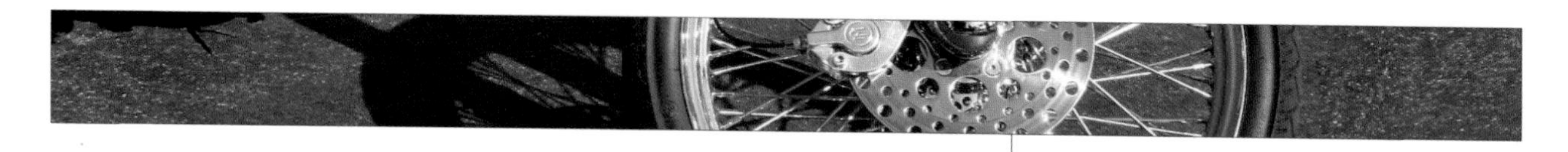

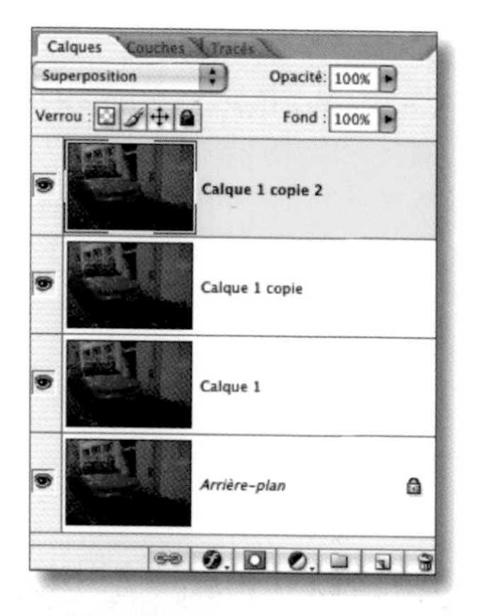

Etape 3

Si l'exposition ne convient toujours pas, appuyez encore sur Cmd+J (Ctrl+J) pour dupliquer autant de fois que nécessaire le calque en mode Superposition. Continuez à copier le calque jusqu'à obtenir une bonne luminosité générale.

Etape 4

Il est probable qu'à un certain point la photo sera encore sous-exposée alors qu'avec un calque supplémentaire elle apparaîtrait trop claire. Comment faire pour parvenir à un niveau de correction intermédiaire ? Baisser l'opacité du calque en haut de la pile pour un réglage ultraprécis à trouver entre la pleine intensité du calque (à 100 %) et l'absence de calque (à 0 %). Pour une intensité médiane, essayez la valeur 50 %. Lorsque la luminosité de la photo vous convient, choisissez la commande Aplatir l'image dans le menu de la palette Calques.

Astuce : Pour corriger une photo surexposée, essayez cette technique en appliquant (à l'étape 2) le mode de fusion Produit au lieu de Superposition.

Avant.

Après utilisation du mode de fusion Superposition.

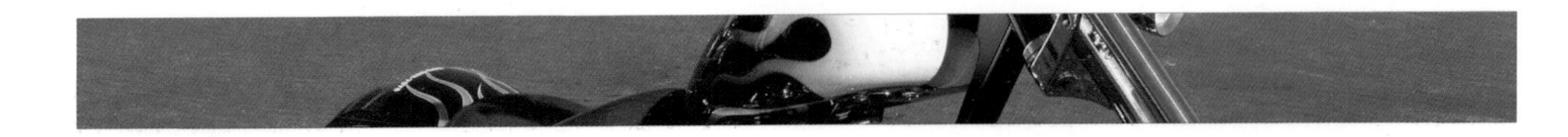

Ajustement l'exposition dans CS2

Un des gros avantages des photos RAW est de pouvoir corriger leur exposition dans l'interface de Camera Raw. Heureusement, pour ceux qui ne peuvent (ou ne veulent) photographier qu'en JPEG, Photoshop CS2 propose une fonction de correction de l'exposition.

Etape 1

Ouvrez une photo sous-exposée comme celle de cette magnifique voiture allemande. Cliquez sur Image > Réglages > Exposition. Dans la boîte de dialogue qui s'affiche, vous notez la présence de Pipettes qui n'affectent que la luminosité de l'image (contrairement à celles des boîtes de dialogue Courbes ou Niveaux).

Etape 2

Le curseur Exposition agit comme la fonction d'exposition de votre appareil photo numérique. Faites-le glisser vers la droite pour augmenter les tons clairs et les tons moyens. Ce paramètre effectue la plus grosse part de la correction.

Etape 3

Si vous faites glisser le curseur Décalage vers la droite, il agit comme le curseur Sortie de la boîte de dialogue Niveaux, éclaircissant globalement l'image. Si vous le faites glisser vers la gauche (inférieur à 0), les tons foncés sont renforcés, sans altération des tons clairs.

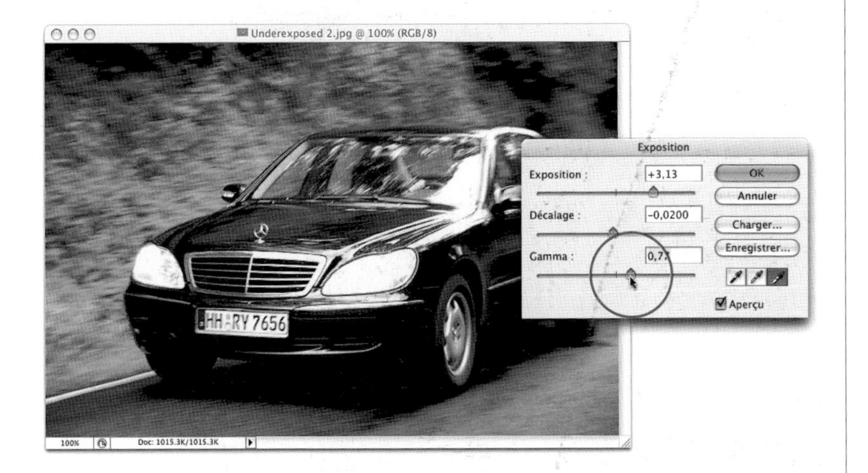

Etape 4

Le curseur Gamma affecte les tons moyens et les tons clairs. Faites-le glisser vers la droite pour les amplifier, et vers la gauche pour les réduire.

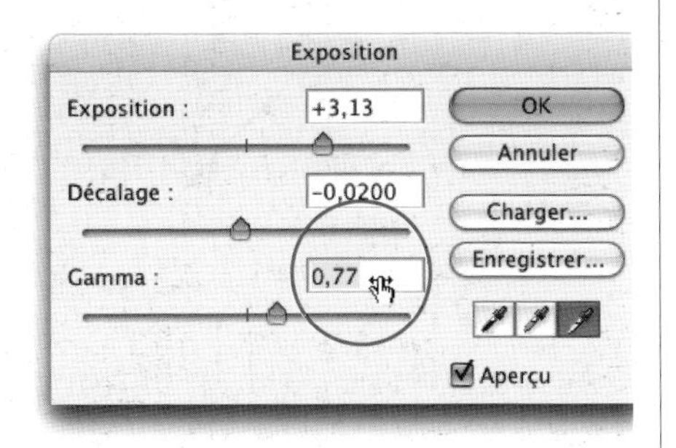

Astuce : Un léger déplacement de ces curseurs peut entraîner une correction importante. Pour effectuer des ajustements très précis, appuyez sur la touche Cmd (Ctrl) et placez le pointeur de la souris sur le champ numérique d'un paramètre. Deux flèches apparaissent au bout du doigt. Cliquez et faites glisser le curseur vers la droite ou la gauche pour modifier précisément les valeurs.

Etape 5

En ajustant l'exposition à l'étape 2, j'ai saturé la lumière des phares. Pour corriger ce problème, travaillez sur une copie du calque (Cmd+J ; Ctrl+J), puis créez un masque de fusion. Ensuite, cliquez sur son icône de visibilité (œil) pour le masquer. Activez le calque Arrière-plan. Exécutez de nouveau la commande Exposition. Fixez le paramètre Exposition à +1,40. Affichez de nouveau le calque dupliqué (avec son masque de fusion). Activez le masque de fusion, et peignez sur les phares pour révéler l'exposition des phares du calque d'arrière-plan.

Avant.

Après utilisation de la fonction Exposition et ajout d'un masque de fusion sur les phares.

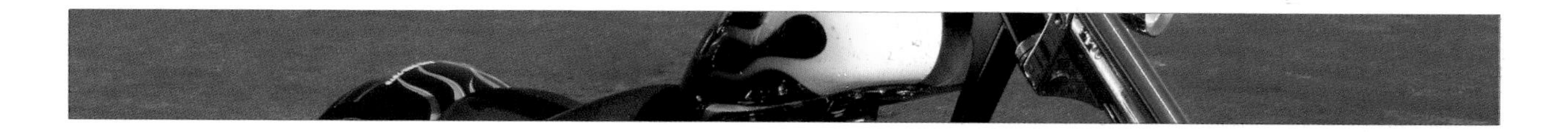

Assombrir et éclaircir comme un pro

Si vous avez déjà utilisé les outils Densité+ et Densité– de Photoshop, vous en connaissez les défauts. Les professionnels préfèrent, de loin, la méthode présentée ici pour changer la luminosité localement, car cette technique offre un contrôle plus précis sans dénaturer les pixels.

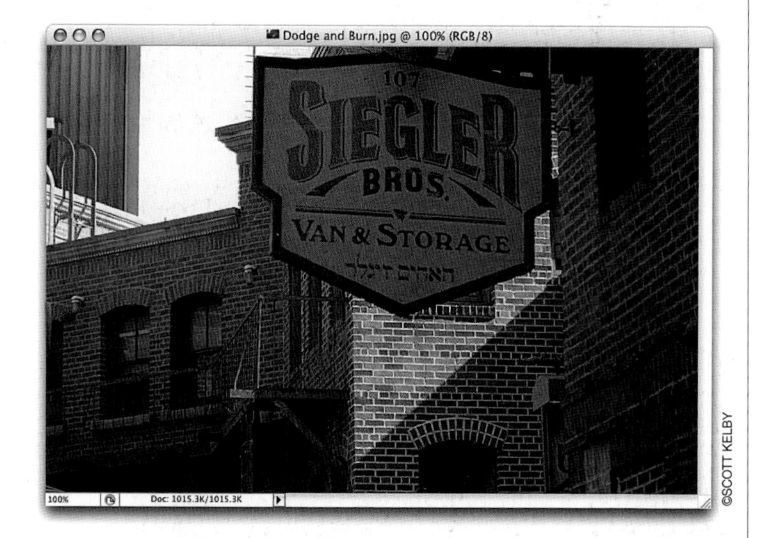

Etape 1

Sur cette photo, la lumière n'éclaire pas ce qu'il faudrait. Nous allons éclaircir le côté gauche du bâtiment situé à l'arrière-plan et l'enseigne du premier plan, puis légèrement assombrir la lumière naturelle affichée derrière.

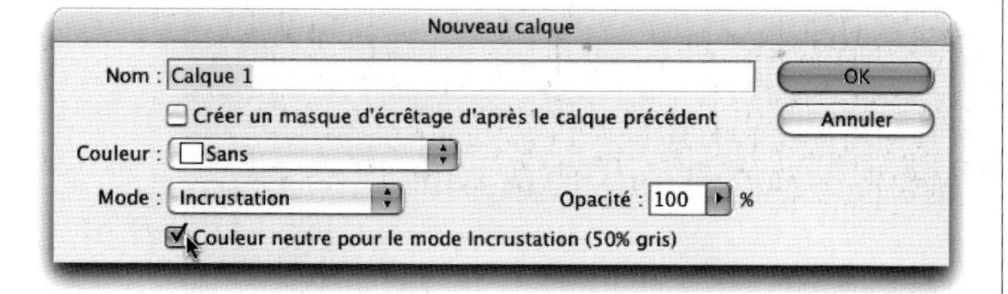

Etape 2

Dans le menu local de la palette Calques, choisissez Nouveau calque. Vous pourriez aussi cliquer sur le bouton Créer un calque au bas de la palette tout en appuyant sur Option (Alt) pour afficher la boîte de dialogue Nouveau calque. Dans la boîte de dialogue Nouveau calque, définissez le mode Incrustation, puis activez l'option Couleur neutre (qui n'est pas disponible en mode Normal). Cliquez sur OK.

Etape 3

Vous obtenez un nouveau calque rempli de gris moyen (50 %) au-dessus du calque Arrière-plan. Du fait du mode Incrustation, le calque gris ne recouvre pas l'image : vous avez bien une vignette gris uni dans la palette Calques mais la photo reste visible.

Etape 4

Activez l'outil Pinceau. Choisissez une forme douce de grande taille, puis réduisez son opacité à 30 % environ dans la Barre d'options.

Etape 5

Appuyez sur D puis sur la touche X pour définir le blanc comme couleur de premier plan. Passez le Pinceau sur les zones à rendre moins denses (à éclaircir). Vous devriez voir apparaître des traits blancs dans la vignette grise tandis que la luminosité des zones retouchées augmente.

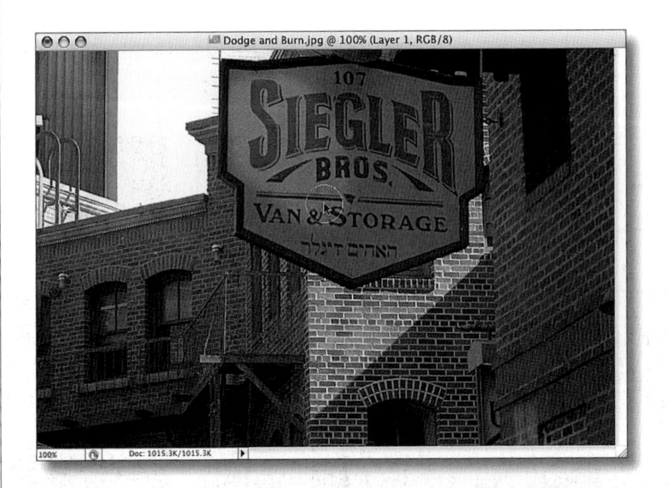

Etape 6

Si au premier passage la réduction de densité n'est pas assez prononcée, relâchez la souris et redessinez au même endroit. L'opacité de l'outil étant réduite, le second passage renforce l'effet. Si au contraire la retouche paraît trop intense, réduisez l'opacité du calque dans la palette Calques. (J'ai peint environ trois fois sur les fenêtres du bâtiment situé à gauche.)

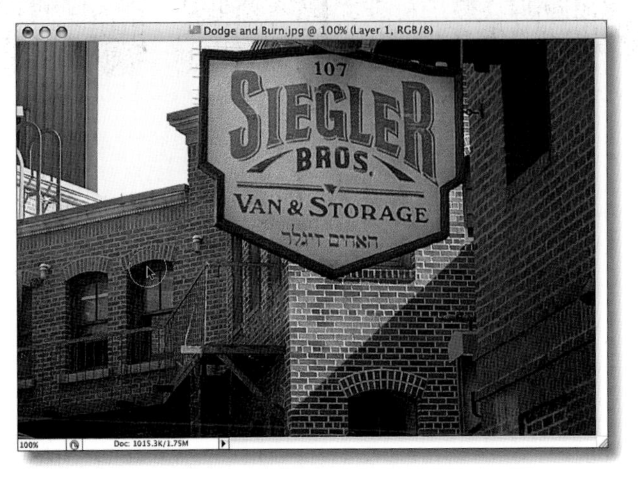

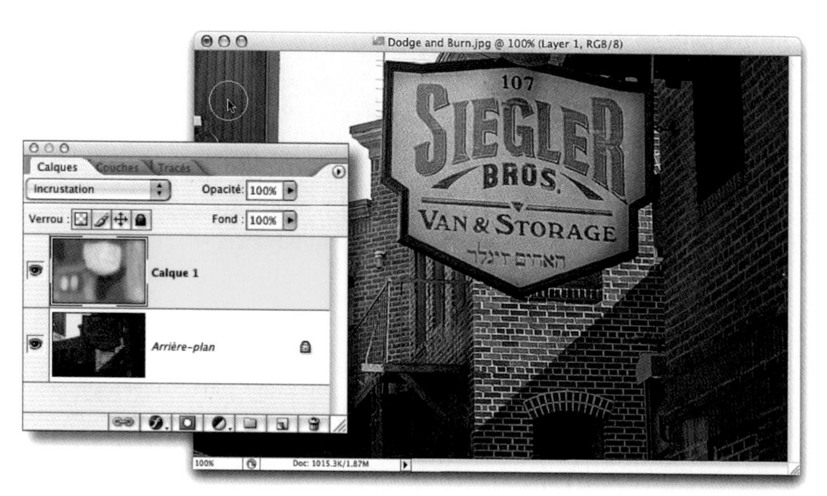

Etape 7

Maintenant, appuyez sur X pour obtenir le noir comme couleur de premier plan, puis passez l'outil Pinceau sur les zones les plus claires de l'image. Dans cet exemple, j'assombris la baie vitrée située en haut à gauche, ainsi que le mur placé derrière l'enseigne. Lorsque vous regardez la vignette du Calque 1, vous constatez que vous incrustez, dans l'image, des zones blanches, grises et noires, créant des variations de lumières. Magique !

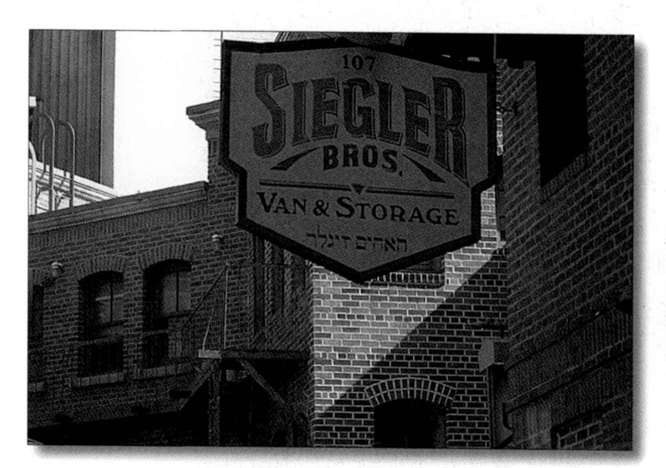

Avant les retouches miraculeuses dans Photoshop.

Après avoir éclairci l'enseigne et le bâtiment gauche, et assombri les parties les plus lumineuses.

Suppression instantanée des yeux rouges

Quand je vois un appareil photo avec le flash placé juste au-dessus de l'objectif, je me dis, « Tiens, voilà une machine à yeux rouges. » Si vous êtes un pro, j'imagine que vous ignorez ce problème, parce que votre flash est bien placé et que vous disposez du bon matériel utilisé dans de bonnes conditions. Mais, quand un pro se sert d'un appareil automatique, il n'est pas à l'abri des yeux rouges. Voici une méthode facile pour se débarrasser des pupilles flamboyantes en un clin d'œil.

Etape 1

Ouvrez une photo où le sujet a les yeux rouges.

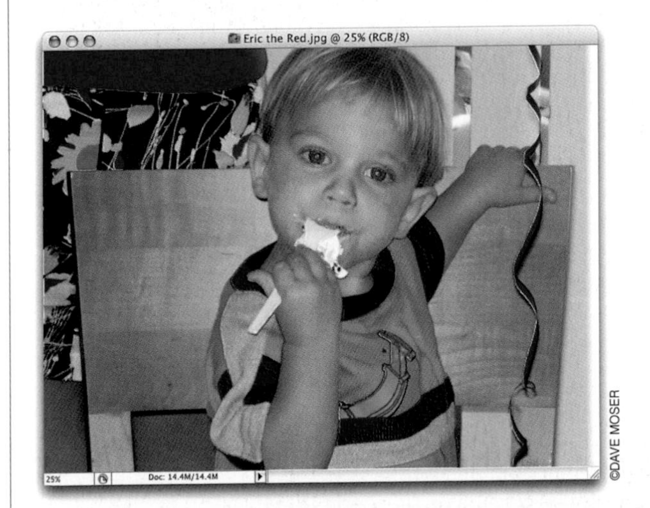

©DAVE MOSER

Etape 2

Appuyez sur Z pour activer l'outil Zoom, et tracez un cadre autour du sujet pour l'afficher en gros plan. Maintenant, activez l'outil Œil rouge situé derrière l'outil Correcteur.

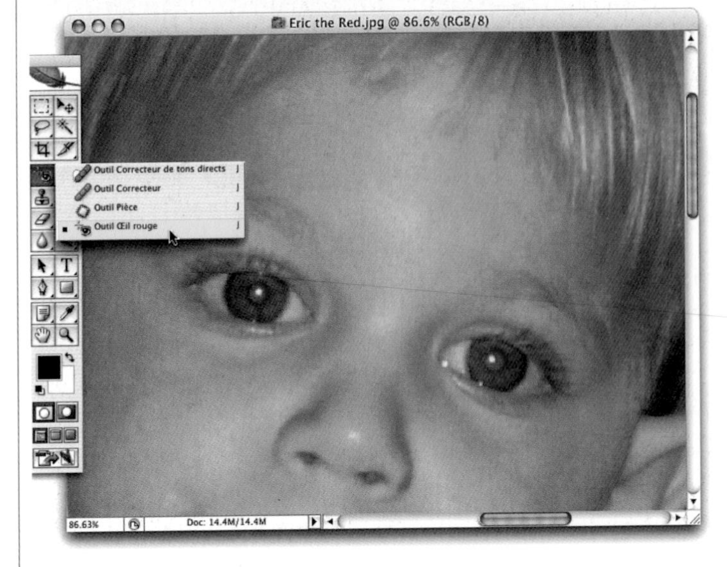

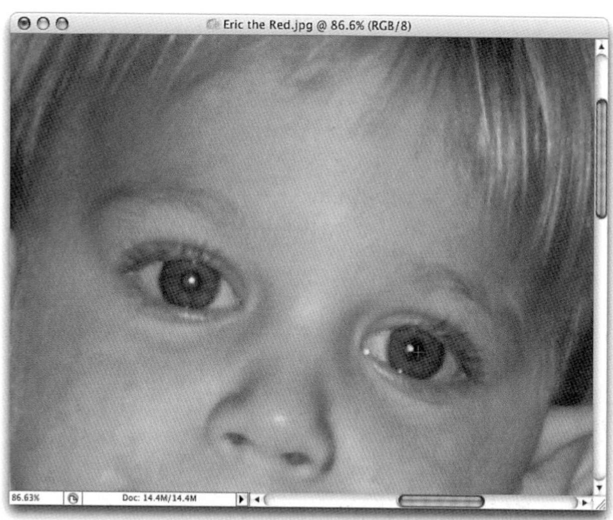

Etape 3

Il n'y a pas d'outil plus simple que celui-ci : cliquez dans la zone rouge de l'œil gauche. C'est fait ! Cet outil est une sorte de baguette magique des yeux rouges. Il sélectionne la partie rouge et la supprime. Cependant, que faire si cette correction ne vous convient pas ? Deux paramètres améliorent les performances de l'outil : Taille de la pupille et Taux d'obscurcissement. Ils sont disponibles dans la Barre d'options.

Etape 4

Envisagez le paramètre Taille de la pupille comme l'option Tolérance de la Baguette magique. Plus la valeur est élevée, plus l'outil prend en compte des pixels qui se rapprochent du rouge. Par conséquent, il considère une pupille plus large. Le paramètre Taux d'obscurcissement fonce plus ou moins la couleur de remplacement. Par défaut, cette valeur est de 50 %. Cela crée une pupille gris foncé. Pour une pupille plus sombre, augmentez cette valeur.

Etape 5

Pour finaliser la retouche, cliquez dans l'œil droit (puisque le gauche est fait). Appuyez sur Cmd+0 (zéro) [Ctrl+0] pour que l'image corrigée s'affiche en plein écran.

Techniques avancées
Pour les PROS !

Correction des problèmes d'objectif

Photoshop CS2 propose un nouveau filtre qui corrige les problèmes d'objectifs les plus courants comme les distorsions, les perspectives horizontales et verticales, les aberrations chromatiques et le vignettage. Avant CS2, seuls les clichés RAW profitaient de ces corrections dans l'interface de Camera Raw. Désormais, les photos JPEG ne sont plus laissées pour compte.

Problème 1 : **Distorsion de la perspective**

Etape 1

Dans la photo ci-contre, les bases des bâtiments paraissent plus petites que les sommets. Cela fait penser aux déformations des dessins animés, mais je ne pense pas que votre client les appréciera.

©JUPITERIMAGES

Etape 2

Pour corriger ce problème, cliquez sur Filtre > Déformation > Correction de l'objectif. Dans la boîte de dialogue, désactivez l'option Afficher la grille, puis allez dans la section Transformation. Faites glisser le curseur Perspective verticale vers la droite jusqu'à ce que les bâtiments paraissent droits. Cette modification ajoute des pixels transparents en haut de l'image.

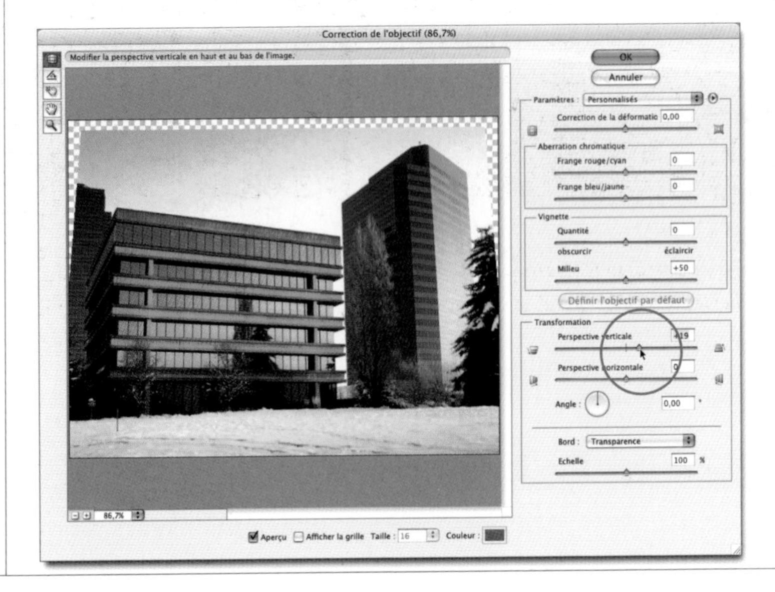

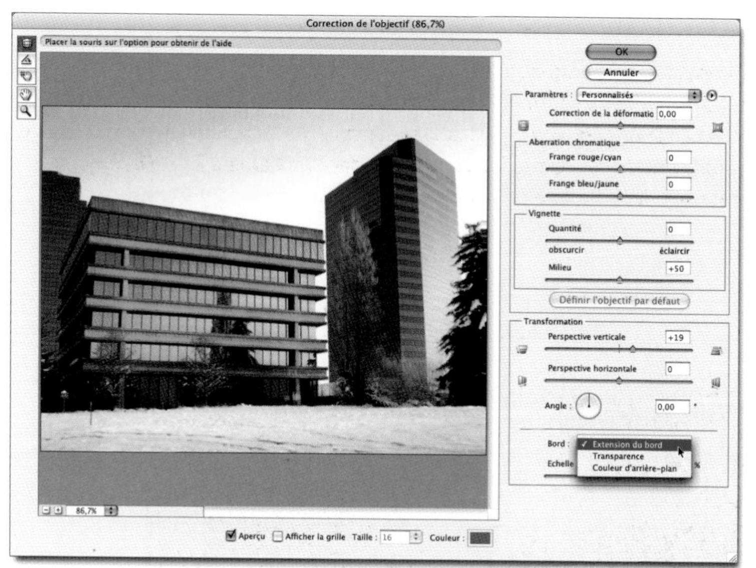

Etape 3

Dans la liste Bord, choisissez un modede gestion des zones transparentes créées. Optez pour Extension du bord, ce qui permet aux bords de la photo de combler ces vides. Cliquez sur OK pour appliquer la correction.

Note : L'extension des bords de l'image peut obliger à une correction qui les rendra invisibles. Appliquez l'outil Tampon de duplication (S) ou l'outil Correcteur (J).

Avant : Les bases des immeubles sont plus petites que les sommets.

Après : La distorsion de la perspective est corrigée.

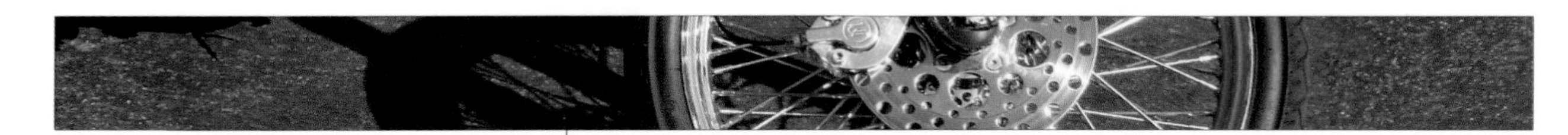

Problème 2 : **Distorsion en barillet**

Etape 1

Cet autre problème d'objectif assez répandu donne un aspect arrondi à la photo. Cette fois, dans la boîte de dialogue Correction de l'objectif, faites glisser lentement vers la droite le curseur Correction de la déformation. Si vous préférez une intervention plus visuelle et intuitive, utilisez l'outil du même nom (le premier en haut à gauche). Appliquez-le vers le centre de l'image pour éliminer la distorsion. Il est difficile d'effectuer des ajustements mineurs avec cet outil. Vous lui préférerez généralement les curseurs.

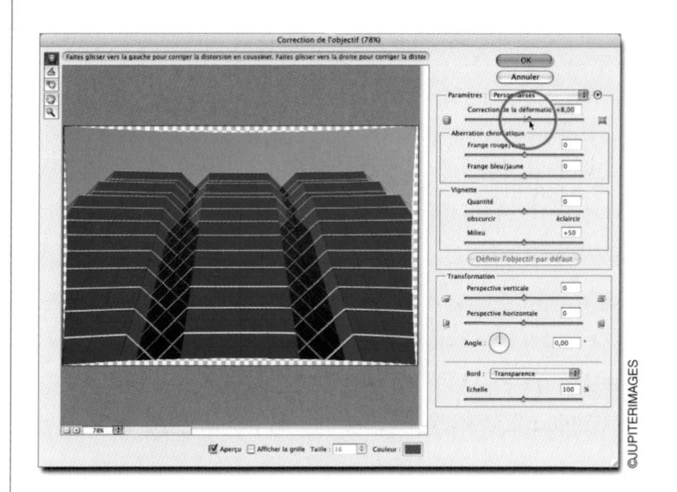

©JUPITERIMAGES

Etape 2

Lorsque vous cliquez sur OK, la correction ajoute quelques pixels transparents. Activez l'outil Recadrage (C) et recadrez la photo.

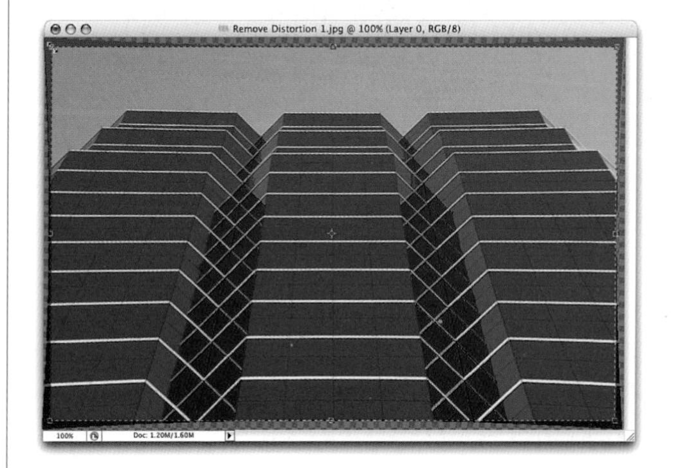

Avant.

Après correction de la distorsion en barillet.

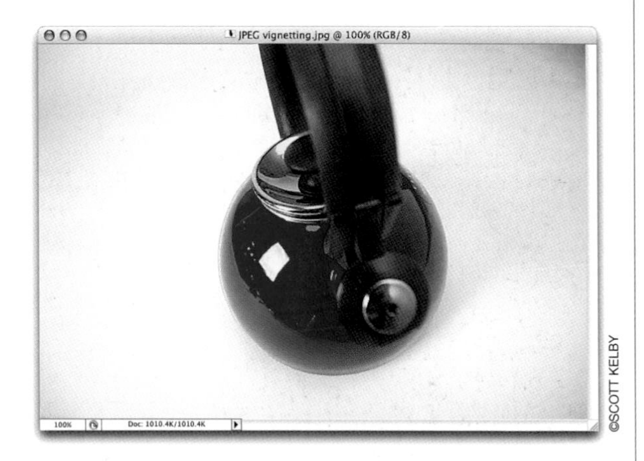

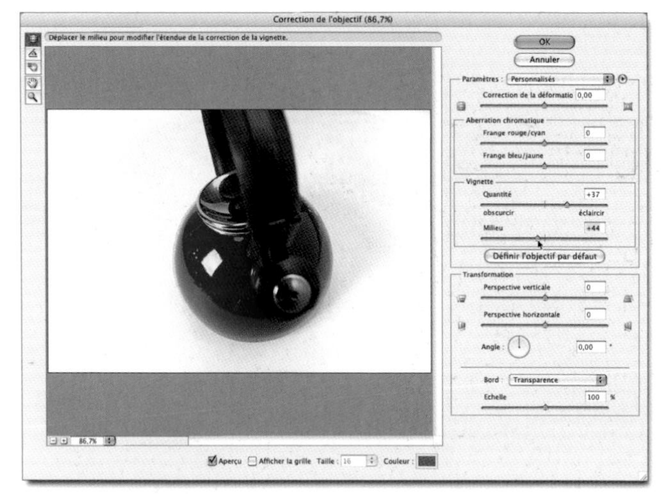

Problème 3 : **Vignettage**

Etape 1

Le vignettage est un problème d'objectif qui obscurcit les angles d'une photo. Utilisez le filtre Correction de l'objectif pour le supprimer.

Etape 2

Dans la section Vignette de la boîte de dialogue, faites glisser le curseur Quantité vers la droite jusqu'à ce que la luminosité des angles corresponde à celle de l'arrière-plan de la photo. Le curseur Milieu détermine la portée de cet éclaircissement. Dans cet exemple, faites-le glisser un peu vers la gauche pour augmenter légèrement la surface prise en compte. Dès que la correction semble parfaite, cliquez sur OK.

Note : Vous pouvez également corriger les aberrations chromatiques (franges de couleur). Pour cela, reportez-vous au didacticiel « Corriger les aberrations chromatiques » du Chapitre 3 consacré à Camera Raw.

Avant : Le vignettage est visible dans les angles.

Après : Le vignettage a disparu.

Accentuer des photos floues

Voici une technique simple qui permet de récupérer certaines photos floues, mais avec quelques restrictions. Tout d'abord, l'image résultante ne sera exploitable que pour un affichage écran (e-mail, diaporama) et pour une impression 10 × 15. En effet, cette correction joue sur la petite taille des fichiers.

Etape 1

Ouvrez l'image floue. J'utilise ici une photo haute résolution récupérée sur mon appareil photo numérique.

©SCOTT KELBY

Etape 2

Dans le menu Image, cliquez sur Taille de l'image, ou appuyez sur Cmd+Option+I (Ctrl+Alt+I). Dans la boîte de dialogue qui apparaît, fixez la résolution à 72 ppp et cliquez sur OK.

Note : Si vous travaillez sur une image en basse résolution, elle sera déjà de 72 ppp.

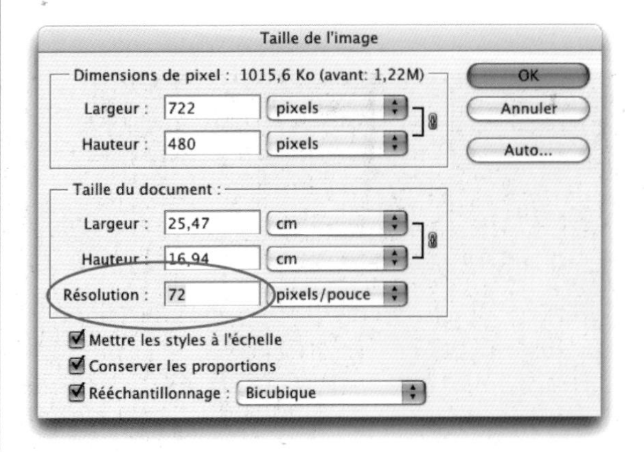

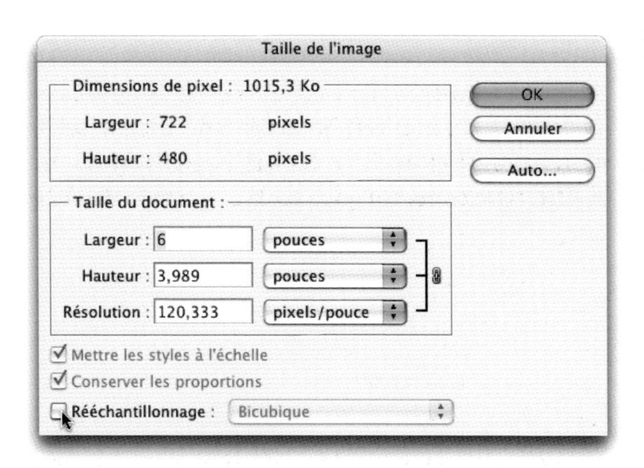

Etape 3

Définissez une résolution suffisante pour l'impression jet d'encre. Décochez Rééchantillonnage, et fixez la largeur à 6 pouces (ou à 15 cm). Vous obtenez une image de 6 × 4 pouces, ou de 15 × 10 cm dans une résolution de 133 ou 120 ppp.

Etape 4

Ouvrez le menu Filtre et cliquez sur Renforcement. Là, choisissez Netteté optimisée. Fixez le Gain à 58 %, ne modifiez pas le Rayon ; dans la liste Supprimer, choisissez Flou gaussien. Cochez la case Plus précis et cliquez sur OK pour appliquer le premier niveau d'accentuation. Appuyez sur Cmd+F (Ctrl+F) pour exécuter de nouveau ce filtre.

Avant : Voici une photo floue à supprimer.

Après : Chapeau pour l'accentuation !

Correction de l'effet de voûte

L'effet de voûte apparaît sur des photos de bâtiments ou d'objets très hauts. Le sommet semble plus étroit que la base. La fonction Perspective de l'outil Recadrage permet d'agir sur cette déformation, mais j'en déconseille l'utilisation ici. Suivez plutôt cette méthode.

Etape 1

Ouvrez une image qui présente ce défaut, comme cette tour photographiée avec un grand angle.

©SCOTT KELBY

Etape 2

Appuyez sur Cmd+R (Ctrl+R) pour afficher les règles. Elargissez la zone de travail de manière à faire apparaître une zone grise autour de l'image. Ensuite, appuyez sur Cmd+A (Ctrl+A) pour sélectionner toute l'image. Enfin, appuyez sur Cmd+T (Ctrl+T) pour passer en mode Transformation manuelle. Glissez-déplacez le point central en bas de l'image comme ci-contre.

Etape 3

Cliquez sur la règle de gauche et faites glisser un repère que vous alignerez verticalement sur la tour. Ici, j'ai choisi l'angle gauche de la corniche.

Etape 4

Tout en maintenant la touche Cmd (Ctrl) enfoncée, faites glisser la poignée supérieure gauche du cadre de transformation de manière à aligner la corniche supérieure de la tour sur le repère. La photo est déjà bien mieux. Cependant, vous constatez que la corniche inférieure est de travers. Corrigeons cela.

Etape 5

Toujours en maintenant la touche Cmd (Ctrl) enfoncée, faites glisser la poignée inférieure droite vers le bas jusqu'à ce que la corniche soit droite. Vous devrez peut-être tirer vers le haut la poignée supérieure droite pour que la tour paraisse un peu plus plate.

Etape 6

Après ces corrections, la tour peut paraître un peu « tassée ». Relâchez la touche Cmd (Ctrl) et faites glisser la poignée centrale supérieure vers le haut.

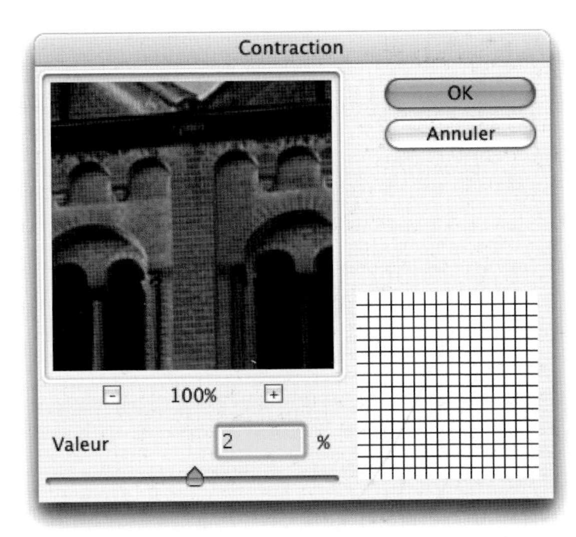

Etape 7

Appliquez la correction en appuyant sur Retour (Entrée). (Remarque : La correction effectuée avec l'outil Transformation manuelle permet de suivre précisément les modifications, ce que n'offre pas la fonction Perspective de l'outil Recadrage.) La construction peut être légèrement bombée. Pour corriger cela, invoquez Filtre > Déformation > Contraction. Faites glisser lentement le curseur vers la droite pour annuler l'effet bombé. (Ici, une Valeur de 2 % suffit.) Cliquez sur OK pour terminer.

Avant : La tour va s'effondrer !

Après : Correction de la distorsion (annulation de l'effet de voûte).

Photo de Scott Kelby | Exposition : 2.0 s | Focale : 70 mm | Ouverture : $f/4.4$

Autant en emporte CS2

Suppression d'éléments

Voici un chapitre qui traite des différentes méthodes de suppression d'éléments dans une photo. L'objectif n'est pas de jouer aux apprentis sorciers de la manipulation numérique, mais de rendre les images plus belles en éliminant les objets qui les défigurent.

Ce chapitre vous enseigne comment supprimer l'ensemble des éléments incongrus et/ou inesthétiques qui gâchent un cliché réunissant toutes les conditions techniques pour donner quelque chose de bien.

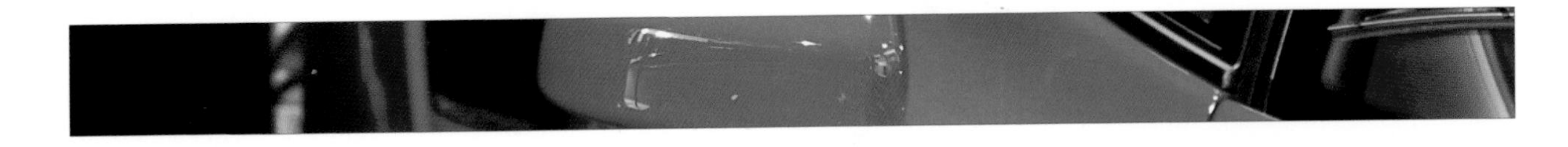

Disparition d'objets par duplication

L'outil Tampon de duplication excelle dans la suppression d'objets qui détournent l'attention du sujet principal d'une photo. Dans bien des cas, il produit un meilleur travail que les outils Correcteur ou Pièce. En voici la preuve.

Etape 1

Sur la photo ci-contre, le palmier qui, habituellement, est recherché dans les photos exotiques, gâche ici le paysage. Eliminons-le numériquement.

©SCOTT KELBY

Etape 2

Appuyez sur S pour activer l'outil Tampon de duplication. Dans la Barre d'options, définissez une forme (pinceau) moyenne aux contours adoucis. Appuyez sur la touche Option (Alt) et cliquez sur la partie de l'océan située à gauche du palmier. Vous allez dupliquer, c'est-à-dire cloner cet échantillon de mer, sur le palmier situé immédiatement à sa droite.

Etape 3

Relâchez le bouton de la souris, placez le « pinceau » sur le palmier à droite, et peignez. Vous dupliquez l'océan sur le palmier, remplaçant ses pixels par le bleu de la mer. Appliquez le Tampon de duplication pour bien prendre la mesure de cet outil.

Etape 4

Sur la figure ci-contre, le curseur (+) identifie la zone où vous prélevez les pixels. En le gardant aussi près que possible du curseur identifiant la zone où vous appliquez les pixels clonés, vous êtes certain de ne jamais prélever des zones de l'image qui n'ont rien à voir avec la portion à reconstituer.

Astuce : Pour dupliquer la ligne d'horizon en respectant une ligne droite, consultez le didacticiel « Suppression rectiligne », un peu plus loin dans ce chapitre.

Etape 5
Pour apprécier le fonctionnement de l'outil Tampon de duplication, placez le curseur (+) à proximité du bord gauche du palmier. Appuyez sur la touche Option (Alt) et cliquez pour définir la zone à cloner. Ensuite, placez votre pinceau dans la partie supérieure de la photo, à droite du palmier. Peignez ! C'est raté ! Vous dupliquez une partie du palmier sur l'océan. Conclusion : Ne placez jamais le curseur de clonage à proximité de l'objet que vous voulez supprimer.

Astuce : Réitérez l'échantillonnage aussi souvent que possible (à l'aide des touches Option/Alt+clic) de manière à opérer une correction où le motif semble aléatoire. Evitez les répétitions d'une même zone qui finissent par créer des sortes de vagues très visibles.

Etape 6
Appliquez cette technique au bord gauche du palmier jusqu'à élimination du tronc et des feuilles. En revanche, ne touchez pas à la partie qui se trouve derrière le toit.

Etape 7
Pour cloner correctement au niveau du toit, vous devez procéder à une sélection. Dans la mesure où vous allez peindre dans la sélection, inutile de supprimer le toit. Commencez par appuyer sur Z pour activer l'outil Zoom. Agrandissez la zone du toit. Appuyez sur Maj+L pour activer l'outil Lasso polygonal. Créez une sélection qui entoure le feuillage, comme ci-contre. Le toit ne fait pas partie de la sélection.

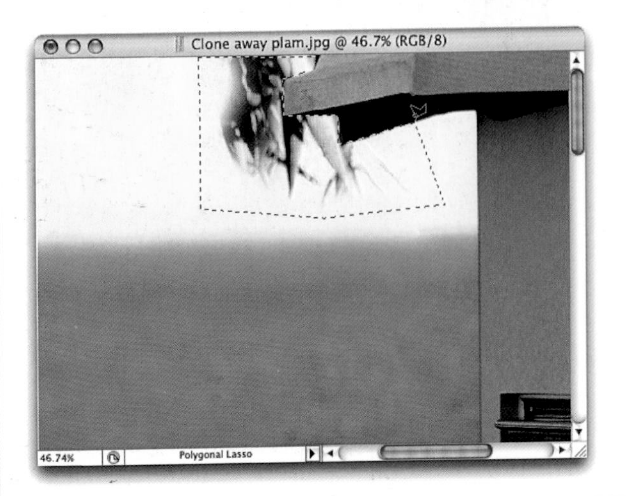

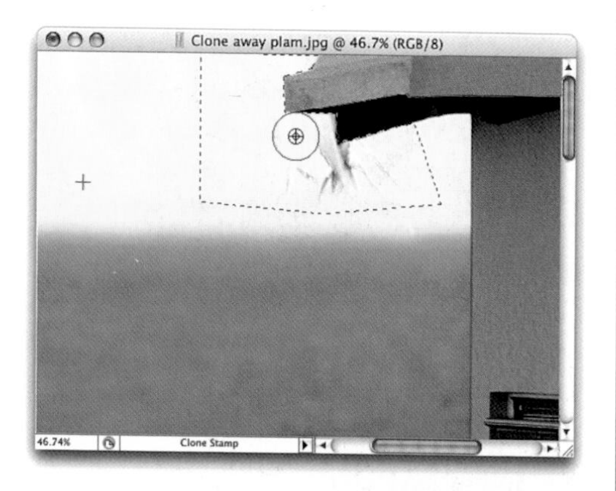

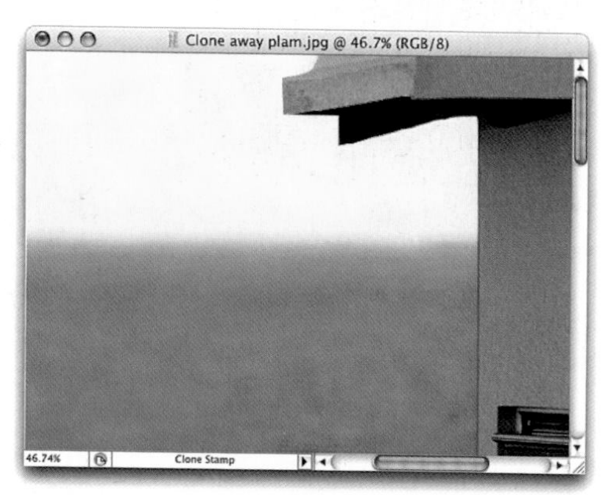

Etape 8

Activez l'outil Tampon de duplication et échantillonnez la zone du ciel située à gauche de la sélection. Placez le pointeur de la souris dans la sélection et peignez sur les feuilles. Laissez aller le « pinceau » à votre guise puisque vous ne pouvez pas peindre en-dehors de la sélection. Le toit est protégé.

Note : Malgré la sélection, la zone d'échantillonnage peut se situer n'importe où dans l'image.

Etape 9

Peignez jusqu'à disparition complète des feuilles derrière le toit. Appuyez sur Cmd+D (Ctrl+D) pour désélectionner la zone. Contemplez le travail. J'espère que vous appréciez cette photo débarrassée, en moins de cinq minutes, d'un palmier malvenu. Si vous préférez l'ancienne image, cliquez sur Fichier > Version précédente. C'est votre choix, pas le mien.

Avant

Après

Suppression rectiligne

Voici une technique incroyable que je tiens de Rich Harris. Il contribue à des tutoriaux fantastiques pour notre magazine *Photoshop User* (**www.photoshopuser.com**). Ce que je propose ici est une méthode de suppression d'objets placés sur une ligne droite (comme l'horizon, les murs, etc.).

Etape 1

Activez l'outil Tampon de duplication en appuyant sur S. Ensuite, maintenez la touche Option (Alt) enfoncée. Jetez un œil au curseur (agrandi sur cette illustration). Vous voyez une ligne horizontale en son centre. Vous devez la placer sur le bord rectiligne que vous souhaitez cloner. Ici, il s'agit du pare-choc de la voiture. La touche Option (Alt) étant enfoncée, cliquez une fois quand le curseur est aligné sur le bord de l'image.

©SCOTT KELBY

Etape 2

Maintenant, faites glisser le curseur vers la droite sans cliquer ni relâcher la touche Option (Alt). Alignez la ligne horizontale du curseur d'échantillonnage sur celle du bord du pare-choc.

Etape 3

Relâchez la touche Option (Alt) et commencez la duplication. Peignez sur cette même ligne droite. Vous êtes alors certain que la ligne horizontale du curseur se situe sur le bord de l'image.

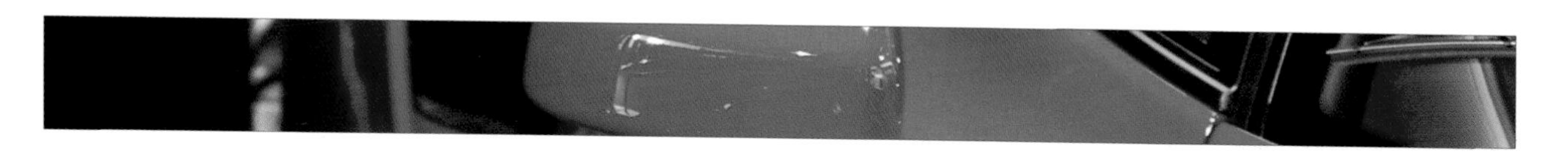

Recouvrement d'objets inutiles

Sur certaines photographies, vous aurez besoin de supprimer un élément tout en conservant la texture et le réalisme de l'objet sur lequel il se trouve.

©SCOTT KELBY

Etape 1

Sur la photo ci-contre, il faut supprimer le numéro en plastique reposant sur une colonne à la texture particulière. Nous pourrions utiliser l'un des outils Pièce ou Tampon de duplication, mais nous perdrions la texture de la colonne. Il faut œuvrer autrement pour obtenir une suppression sans raccord visible.

Etape 2

Appuyez sur Z pour activer l'outil Zoom et grossissez la zone du numéro 16.

Etape 3

Activez l'outil Rectangle de sélection (M) et tracez-en un autour du 16. Ensuite, cliquez dans la sélection et faites glisser le rectangle au-dessus du numéro, c'est-à-dire sur une partie de la colonne. Dans le menu Sélection, choisissez Contours progressifs. Saisissez une valeur de Rayon de 1 à 3 pixels de manière à adoucir les bords de la sélection, et obtenir ainsi un mélange parfait des textures. Cliquez sur OK.

Etape 4

Appuyez sur Option+Cmd (Alt+Ctrl) et glissez-déposez, sur le 16, la zone sélectionnée. Vous venez de dupliquer la texture de la colonne. Le contour progressif assure un recouvrement parfait.

Avant.

Après.

Etape 5

Appuyez sur Cmd+D (Ctrl+D) pour désélectionner la zone et faire disparaître le numéro 16. Grâce à cette technique, vous pouvez supprimer n'importe quel autre élément gênant sur cette photo, comme la boîte à lettres sur la partie inférieure de la porte gauche.

Etape 6

Voici une autre application de cette technique. Sur la partie gauche, vous voyez une huisserie qui gâche l'harmonie de la photo. Il est facile de la supprimer en étendant la partie du mur jaune située juste à sa droite. Avec le Rectangle de sélection, tracez une sélection sur toute la hauteur du mur, puis définissez un contour progressif (menu Sélection).

Etape 7

Appuyez sur Option+Cmd+Maj (Ctrl+Alt+Maj) et glissez-déposez cette copie sur l'huisserie. Vous devrez effectuer plusieurs copies pour parfaire le recouvrement de cet objet. Si, au bout du compte, le motif est trop visible, activez l'outil Pièce (Maj+J) et tracez une sélection autour de cette zone. Ensuite, faites-la glisser sur une zone bien propre du mur jaune. Enfin, appuyez sur Cmd+D (Ctrl+D) pour désélectionner.

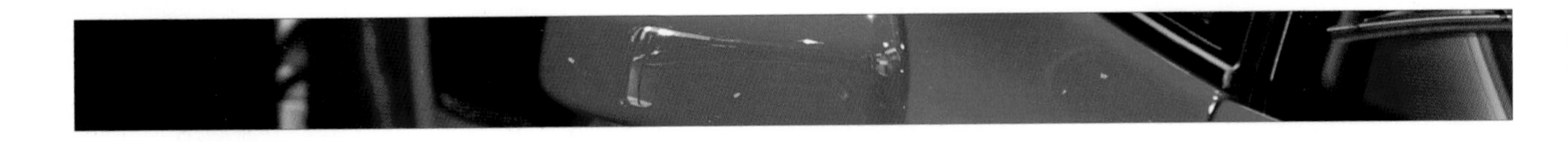

Suppression des taches et autres imperfections

Photoshop CS2 propose l'outil Correcteur de tons directs destiné aux taches et aux autres imperfections de ce type.

Etape 1

Ouvrez une photo qui présente des taches ou tout autre type d'imperfection. Sur l'image ci-contre, des taches sur le bitume attirent notre attention.

Etape 2

Appuyez sur Z pour activer l'outil Zoom et grossissez la zone des taches. Ensuite, activez Correcteur de tons directs en appuyant sur J.

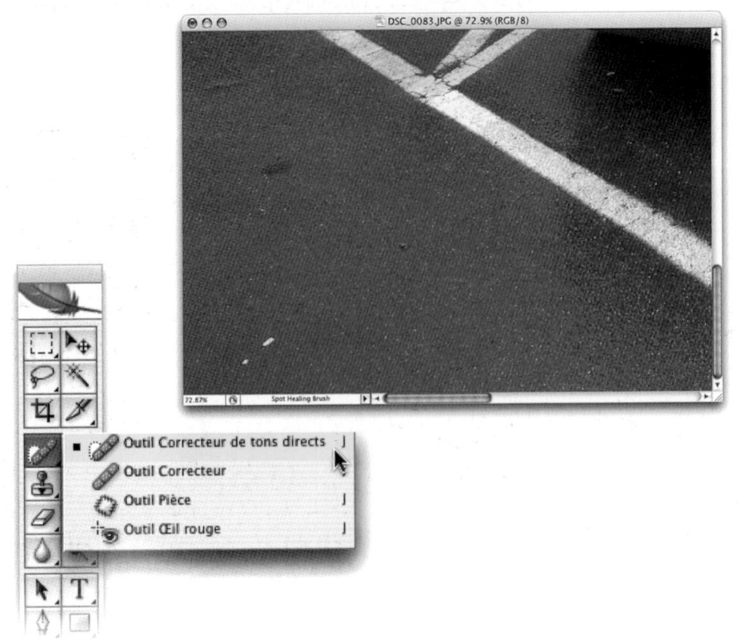

Etape 3

Placez l'outil directement sur la tache à supprimer et cliquez une fois. Ici, pas d'échantillonnage préalable à effectuer.

Etape 4

Supprimez toutes les autres taches en appliquant cette technique très simple. Je sais que cela paraît trop simple, mais c'est une vérité CS2 ! Vos photos tachées n'auront plus aucune chance.

Avant.

Après.

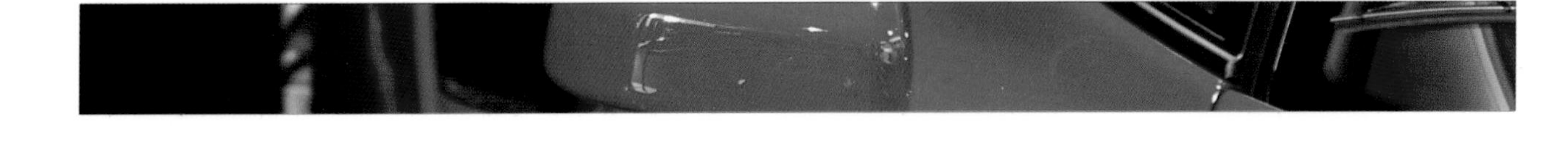

Suppression d'objets « distrayants »

Si l'outil Tampon de duplication est si génial, pourquoi utiliser l'outil Pièce ? Pour deux raisons : c'est plus rapide et plus performant, car la texture d'origine est conservée, produisant une retouche bien plus réaliste. Mais alors, pourquoi ne pas utiliser systématiquement l'outil Pièce ? Car il a une limite majeure : il ne peut supprimer que des objets isolés (ou les bords de votre image). Le travail de l'outil Tampon de duplication commence où s'arrête celui de l'outil Pièce.

Etape 1

Voici une photo de la magnifique église La Sagrada Familia à Barcelone, œuvre architecturale de Gaudí. Si l'ouvrage est splendide, les grues ne le sont pas. Grâce à l'outil Pièce (et un peu au Tampon de duplication), je vais en faire mon affaire !

©SCOTT KELBY

Etape 2

Commencez par appuyer sur la touche Z pour activer l'outil Zoom. Agrandissez la zone contenant l'objet à supprimer. Activez l'outil Pièce en appuyant sur Maj+J. Tracez une sélection autour de l'élément. Ici, l'outil Pièce fonctionne comme le Lasso. Donc, tracez une forme libre pour définir la sélection comme ci-contre.

Astuce : Pour ajouter des éléments à la sélection, appuyez sur Maj. Pour en soustraire, appuyez sur Option (Alt).

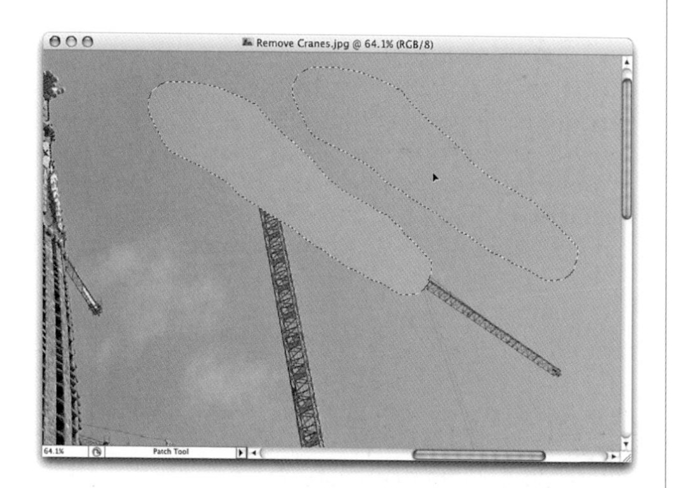

Etape 3

Ensuite, cliquez dans la sélection. Le curseur prend la forme d'une flèche. Faites glisser cette zone sur une partie de la photo représentant une texture et une couleur similaires. (Dans cet atelier, je choisis le ciel bleu.)

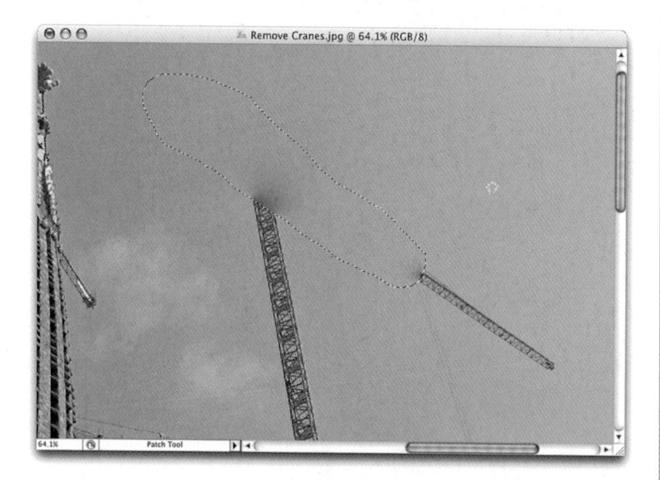

Etape 4

Lorsque vous relâchez le bouton de la souris, la sélection se remplit de la couleur et de la texture en question. L'élément sélectionné disparaît. Voyez-vous le problème ? Il reste des traces de la grue ! Pourtant, ce mélange hasardeux est bien meilleur que ce que vous obtiendriez avec des pièces disséminées un peu partout. Cet outil ne fait un travail propre que si vous faites glisser la sélection tracée autour de l'objet sans toucher un de ses bords.

Etape 5

Annulez cette tentative en appuyant sur Cmd+Z (Ctrl+Z), puis désélectionnez la zone avec Cmd+D (Ctrl+D). Contournons maintenant cette limitation. Appuyez sur S pour activer l'outil Tampon de duplication. Appuyez sur Option (Alt) et cliquez sous la grue pour définir la zone à cloner.

Etape 6

Déplacez l'outil Tampon de duplication vers la gauche (sur le centre de la grue) et clonez le bleu du ciel. Vous venez de faire un trou dans l'engin.

Etape 7

Maintenant, faites la même chose sur le côté droit de la grue, comme le montre l'illustration ci-contre. Vous déconnectez le matériel de sa base, isolant ainsi la partie centrale de l'appareil. Il suffit de faire une sélection avec l'outil Pièce pour remplacer cette zone par le ciel bleu. L'essentiel ici est de ne pas toucher les bords de la grue.

Etape 8

Répétez les étapes 1 à 3 : activez l'outil Pièce, sélectionnez les sections isolées de la grue, cliquez au centre de la sélection, et faites-la glisser sur une partie du ciel bleu située à proximité de l'engin.

Note : Aidez-vous de l'outil Zoom.

Etape 9

Lorsque vous relâchez le bouton de la souris, la correction est parfaite, sans raccord visible ni estompage des éléments de la grue. Appuyez sur Cmd+D (Ctrl+D) pour désélectionner.

Etape 10

Supprimer la partie supérieure droite de la grue est facile à réaliser. Tracez une sélection autour avec l'outil Pièce et faites-la glisser sur une partie propre du ciel. Relâchez le bouton de la souris. C'est fait !

Etape 11

Vous comprenez la technique ? Parfait ! Il reste un morceau de la grue sur le côté gauche de l'église. Il touche l'une des tours. Pour éviter les problèmes rencontrés avec l'outil Pièce, commencez par isoler cet élément de la grue.

Etape 12

Zoomez sur la partie de l'image où la grue touche la tour. Appuyez sur L pour sélectionner l'outil Lasso et faites une sélection précise qui détoure le bord de la tour et englobe l'extrémité de la grue. Vous obtenez une sélection comme celle représentée ci-contre.

Etape 13

Cette sélection autorise un clonage tous azimuts puisqu'il n'en dépassera pas le cadre. Impossible d'effacer accidentellement un bout de la tour. Donc, activez le Tampon de duplication, appuyez sur Option (Alt) et cliquez sur le ciel situé à côté de l'église. Clonez cette zone sur la partie sélectionnée.

Etape 14

Désélectionnez avec Cmd+D (Ctrl+D) et effectuez un zoom arrière. Activez l'outil Pièce et tracez une sélection autour de la grue désormais bien séparée de la tour. Ensuite, cliquez dans la sélection et faites-la glisser sur une zone propre du ciel.

Etape 15

Relâchez le bouton de la souris. L'élément de la grue disparaît ! Désélectionnez la zone en appuyant sur Cmd+D (Ctrl+D). Appliquez cette technique sur toutes les autres grues présentes dans la photo. Bien évidemment, vous auriez pu procéder à cette suppression avec l'outil Tampon de duplication, mais cela aurait pris bien plus de temps, et il aurait fallu corriger les raccords dus à l'absence d'unicité des textures.

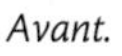

Avant.

Après.

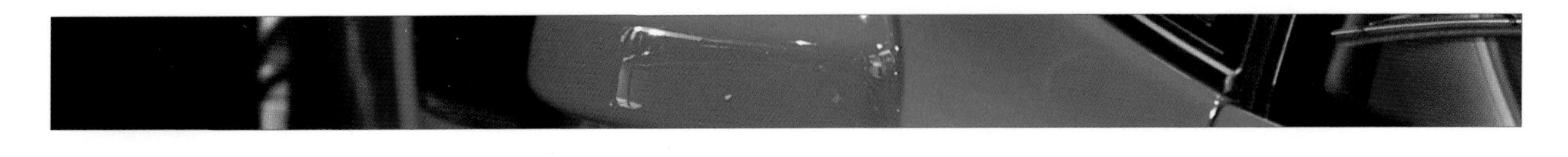

Suppression d'éléments en perspective

Avant l'arrivée de la fonction Point de fuite de Photoshop CS2, dupliquer sur une perspective était l'une des tâches les plus complexes à réaliser. Aujourd'hui c'est non seulement un jeu d'enfant, mais en plus c'est amusant.

Etape 1

Sur cette photo, mon ami Dave Moser photographie sous un angle impossible une voiture au Salon International de l'Automobile. Comment éliminer Dave de cette photographie ? En commençant par cliquer sur l'icône Créer un nouveau calque de la palette Calques.

©SCOTT KELBY

Etape 2

Dans le menu Filtre, choisissez Point de fuite. Avec l'outil Création de plan (C), définissez l'angle de la perspective. (Malgré un nom savant, il s'utilise comme l'outil Lasso polygonal.) Cliquez au point de départ, puis par angles droits successifs pour définir une sélection. (Ici, j'ai cliqué jusqu'à la moitié de la route en suivant le bord du tapis.)

Etape 3

Ensuite, tracez une droite rejoignant la ligne jaune. Respectez la perspective en plaçant cette droite parallèlement au bas de l'image.

Astuce : Pour aligner correctement ces points, zoomez dessus en appuyant sur X.

Etape 4

Je suis cette ligne jusqu'au bas de l'image et, enfin, un dernier angle droit me permet de revenir à mon point de départ. Une grille bleue permet d'apprécier la justesse de la perspective. Si la grille est jaune, cela indique une perspective imparfaite. Le filtre pourrait fonctionner. Toutefois, pour éliminer toute incertitude, ajustez les points avec l'outil Modification du plan (V). Si la grille est rouge, la perspective est totalement incorrecte. Vous devez déplacer les points jusqu'à ce que la grille devienne bleue.

Etape 5

Une fois la grille bleue bien en place, étirez-la pour couvrir l'objet à éliminer. Ici, un clic sur la poignée centrale droite avec l'outil Modification du plan suffit. Je fais glisser la grille au-delà des pieds de Dave.

Etape 6

Appuyez sur S pour activer l'outil Tampon (identique au Tampon de duplication). La grille disparaît, laissant place à des traits bleus de délimitation. Appuyez sur Option (Alt) et cliquez sur une ligne droite de l'image (si possible) pour vous aider à aligner les éléments. Ici, je clique sur la ligne de jonction entre le tapis noir et le tapis gris.

Etape 7

Maintenant, peignez ! Au fur et à mesure, Dave disparaît, le clonage ajustant automatiquement la perspective. Dans cet atelier, j'apprécie comment la ligne blanche se rétrécit plus je me déplace vers le haut.

Etape 8

Comme avec l'outil Tampon de duplication, si vous peignez trop loin, vous dupliquez d'autres objets. Procédez par petites touches (à peine plus d'un cm), puis déplacez-vous vers une autre zone, définissez une nouvelle section de clonage et dupliquez sur les jambes. N'essayez pas de les faire disparaître en une seule opération, vous risqueriez de cloner des éléments situés derrière.

Etape 9

Poursuivez en clonant sur d'autres zones à éliminer. Echantillonnez (Option+clic) [Alt+clic] plusieurs fois pour réaliser une retouche sans raccord visible. Dès que la correction vous paraît bonne, cliquez sur OK. Etant donné que la duplication s'affiche sur un calque indépendant, il est facile de supprimer certaines zones avec l'outil Gomme (E). Lorsque la perspective est correcte, le Point de fuite donne d'excellents résultats.

Astuce : Si vous notez la présence de motifs répétés, activez le Calque 1, puis l'outil Pièce (Maj+J). Tracez une sélection autour des motifs, puis faites-la glisser sur une autre zone du calque. Cela supprimera le motif. Appuyez sur Cmd+D (Ctrl+D) pour désélectionner.

Avant.

Après.

Suppression des arrière-plans

Je vais présenter une des fonctions les plus demandées : extraire quelqu'un d'un arrière-plan sans perdre les détails des cheveux. Pour cela, nous allons utiliser le « filtre » Extraire dont l'efficacité incroyable surprend plus d'un utilisateur.

Etape 1

Ouvrez la photo contenant la personne ou l'objet à extraire d'un décor. Dans le menu Fichier, cliquez sur Extraire.

Etape 2

Dans la boîte de dialogue Extraire, appuyez sur B. Avec l'outil Sélecteur de contour, suivez le contour de l'élément comme ci-contre. Une moitié du contour doit se situer sur l'objet, et l'autre sur le fond.

Astuce : Utilisez une forme de petite taille pour sélectionner le contour de zones détaillées, et une forme plus large pour les parties moins bien définies, comme les mèches de cheveux. Pour cela, modifiez la valeur du paramètre Epaisseur.

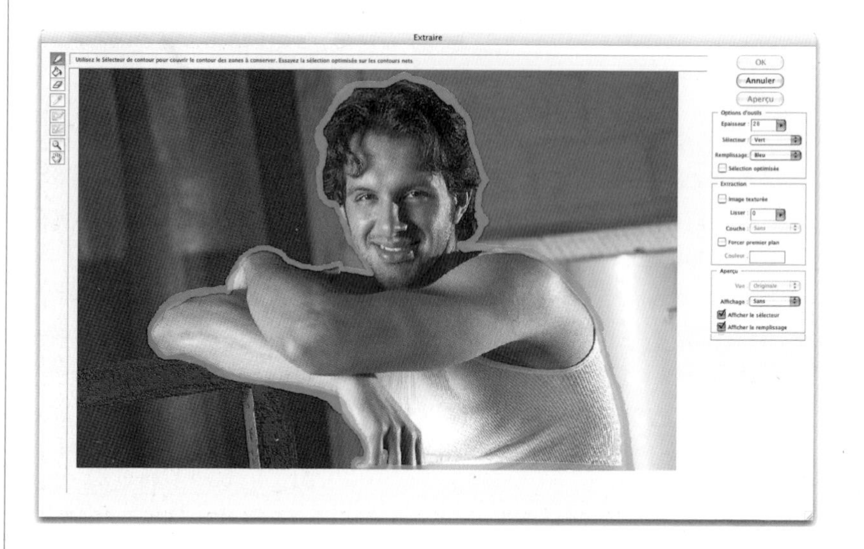

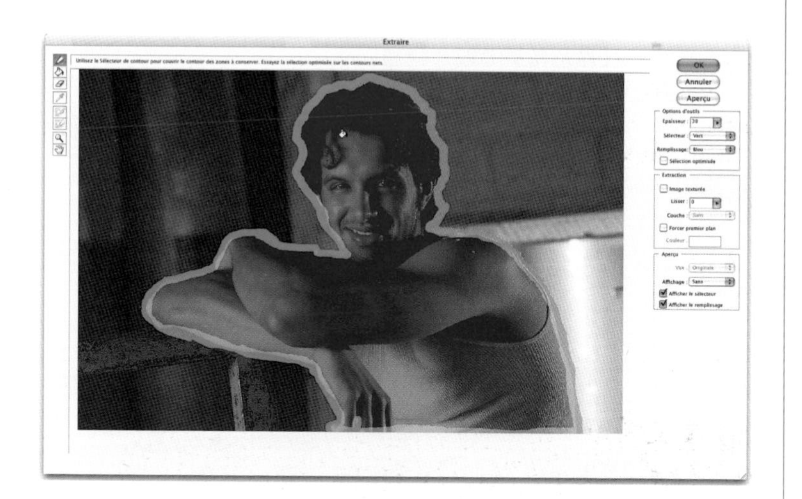

Etape 3

Une fois le contour en place, indiquez à Photoshop les zones à conserver lors de l'extraction. Appuyez sur G. Avec l'outil Remplissage, cliquez à l'intérieur de la zone détourée. Elle se remplit d'un bleu translucide.

Etape 4

Si le bleu s'étend à l'extérieur du détourage, cela signifie que vous n'avez pas bien fermé le tracé vert. Dans ce cas, appuyez sur Cmd+Z (Ctrl+Z) pour annuler le remplissage, puis activez l'outil Sélecteur de contour et comblez les vides responsables. Cliquez sur le bouton Aperçu pour voir l'extraction.

Etape 5

Regardez attentivement l'aperçu. Les cheveux sont-ils parfaitement extraits ? Si l'aperçu est concluant, cliquez sur OK. Même si certaines parties ne sont pas correctement détourées, il sera facile d'y remédier. L'essentiel ce sont les cheveux. Un clic sur OK valide l'extraction. L'image repose sur un Calque 0.

Etape 6

Une fois l'extraction accomplie, il faut la corriger. Certaines parties des cheveux et du tee-shirt sont légèrement transparentes. Commencez par dupliquer le calque en appuyant sur Cmd+J (Ctrl+J). De façon magique, environ 90 % des transparences disparaissent. Appuyez sur Cmd+E (Ctrl+E) pour fusionner les deux calques.

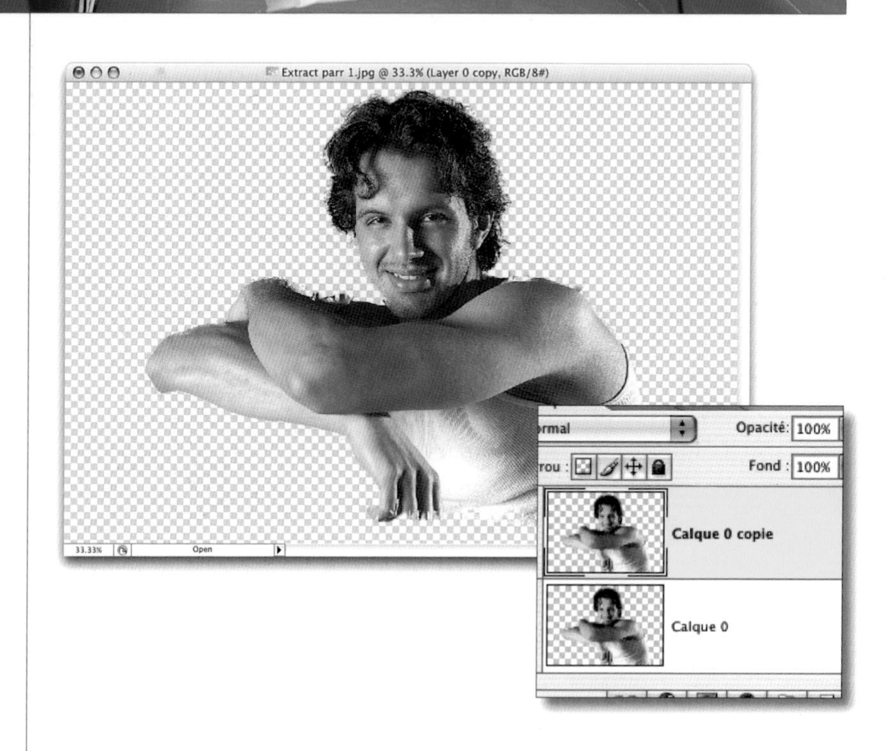

Etape 7

Pour les autres zones « trouées », appuyez sur Y. Avec l'outil Forme d'historique, peignez sur ces parties. Cet outil agit comme une sorte de pinceau d'annulation, restaurant le contenu des parties transparentes. En deux minutes le tour est joué.

Etape 8

J'ai ainsi restauré les épaules de l'homme, avec la Forme d'historique capable de récupérer les pixels éliminés de l'image.

©JUPITERIMAGES

Etape 9

Maintenant, ouvrez l'image à utiliser comme arrière-plan. Il est essentiel de la glisser-déposer dans l'image extraite ; vous disposerez ainsi de l'outil Forme d'historique. Dès que vous verrez une zone à travers laquelle s'affiche l'arrière-plan, vous n'aurez que quelques clics de souris à y appliquer. Appuyez sur V, et avec l'outil Déplacement, faites glisser la photo sur l'image extraire. Elle apparaît dans la palette Calques sous le nom Calque 1.

Etape 10

Faites glisser le Calque 1 sous le Calque 0. La personne extraire s'affiche alors au premier plan. Utilisez l'outil Déplacement pour positionner l'élément extrait comme vous le souhaitez. Ensuite, avec l'outil Gomme, supprimez tous les éléments incongrus présents au niveau des cheveux, du maillot, etc. Ils sont plus faciles à identifier lorsque l'arrière-plan est en place.

Etape 11

Dans cet atelier, je ne vais retenir qu'une partie de l'arrière-plan. Pour supprimer les espaces qui ne vous intéressent pas, appuyez sur C de sorte à activer l'outil Recadrage. Tracez un cadre autour des parties à conserver et appuyez sur Retour (Entrée). Voilà un nouveau problème. La couleur de la peau est un peu trop chaude comparée à l'arrière-plan qui tire sur les bleus.

Etape 12

Activez le Calque 0. Créez un Calque de réglage de type Filtre photo. Il simule les filtres que l'on place devant les objectifs des appareils photo pour compenser de mauvaises conditions d'éclairage.

Etape 13

Dans la boîte de dialogue Filtre photo, déroulez la liste Filtre et choisissez Filtre refroidissant (82). Agissez sur la Densité du filtre en fixant sa valeur à 14 %. Cliquez sur OK. La peau du personnage s'accorde bien mieux à son environnement.

Photo originale.

Extraction, recadrage et modification de la couleur de la peau du sujet placé dans un nouveau décor.

Photo de Dave Moser | Exposition : 1/60 s | Focale : 120 mm | Ouverture : $f/5.7$

La photo… c'était la vérité

Retouche de portraits

Jean-Luc Godard, immense cinéaste novateur de la nouvelle vague, disait : « *La photographie c'est la vérité, le cinéma c'est 24 fois la vérité par seconde.* » Est-ce vrai aujourd'hui ? La photographie est-elle vérité ou mensonge ? Les techniques numériques de retouche des images éloignent de plus en plus l'image fixe de sa fonction initiale de représentation de la réalité. Aujourd'hui, les formateurs enseignent à leurs élèves comment embellir les photos, et notamment comment améliorer les portraits. Pourquoi ? Parce que de nombreux clients veulent montrer à la face du monde un visage des plus parfaits. Toutefois, cette perfection ne doit pas s'obtenir au détriment d'un certain réalisme.

Suppression des défauts cutanés

Lorsqu'il s'agit d'éliminer boutons, cicatrices ou autres imperfections de peau, l'objectif est de conserver autant que possible la texture naturelle de la peau pour une retouche invisible. Je vous propose ici trois techniques équivalentes qui ont fait leurs preuves. Armé de ces trois techniques, si la première ne vous donne pas satisfaction, vous pouvez essayer la deuxième ou encore la troisième.

Technique n° 1 : **L'outil Tampon de duplication**

Etape 1

Ouvrez une photo dont le sujet présente des imperfections de peau à corriger (dans cet exemple, nous cherchons à masquer le grain de beauté sur la joue gauche).

Etape 2

Activez l'outil Tampon de duplication dans la boîte à outils. Dans la Barre d'options, ouvrez le Sélecteur de forme (cliquez sur la représentation de la forme à gauche) pour choisir une forme aux bords flous d'un diamètre légèrement supérieur à celui du défaut à masquer. Si nécessaire, servez-vous du curseur Diamètre principal pour définir la taille précise dont vous avez besoin. Au clavier, la touche (*) réduit le diamètre, et la touche (>) l'augmente. Sur PC, appuyez respectivement sur les touches (>) et ($).

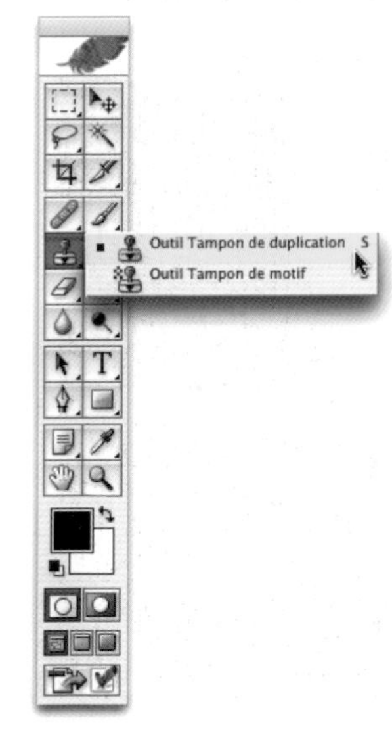

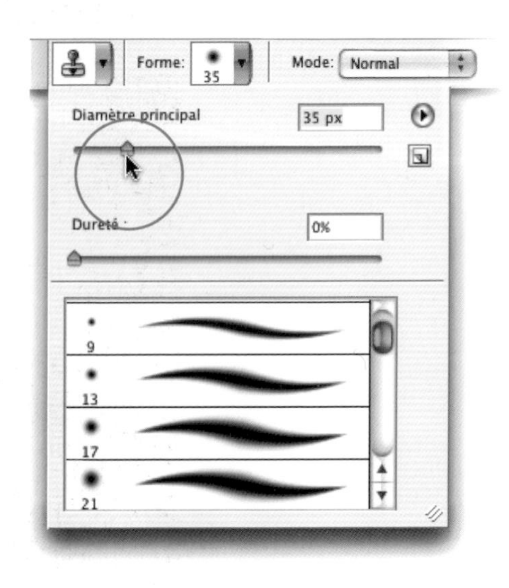

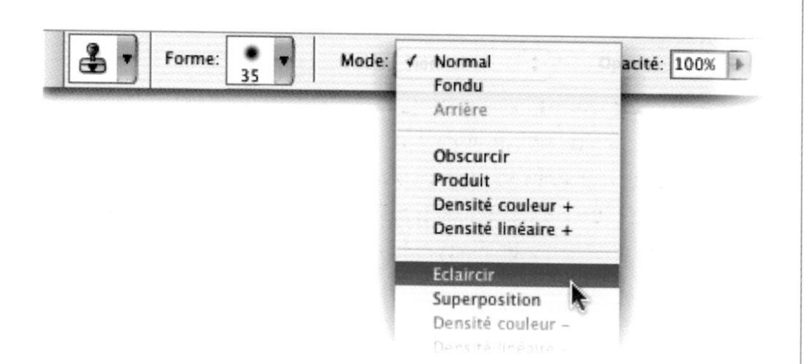

Etape 3

Dans la Barre d'options, choisissez le mode Eclaircir pour le Tampon de duplication. Avec ce mode, l'outil va seulement agir sur les pixels qui sont plus sombres que la zone échantillonnée. Ainsi, les pixels clairs (de couleur chair) ne seront pas modifiés, car la correction ne portera que sur les pixels sombres (le bouton disgracieux).

Etape 4

Repérez près du point à corriger une zone de peau sans défaut. Maintenez enfoncée la touche Option (Alt) et cliquez. Ce clic prélève la couleur de peau à cet endroit. Pour cet échantillonnage, approchez-vous le plus possible du défaut, afin de prélever le ton chair qui convient, sinon la correction risquerait d'être trop évidente.

Etape 5

A présent, placez le pointeur sur le défaut et cliquez. Ne faites pas glisser l'outil ! Il suffit d'un seul clic pour masquer un vilain bouton (voir ci-contre). Quelle solution avez-vous si le défaut est plus clair que foncé ? Optez pour le mode Obscurcir au lieu du mode Eclaircir, et le tour est joué. Passons à la technique n° 2.

Technique n° 2 : **Correcteur de tons directs**

Etape 1

Ce nouvel outil de CS2 supprime efficacement les taches et autres défauts de la peau. Appuyez sur J pour l'activer.

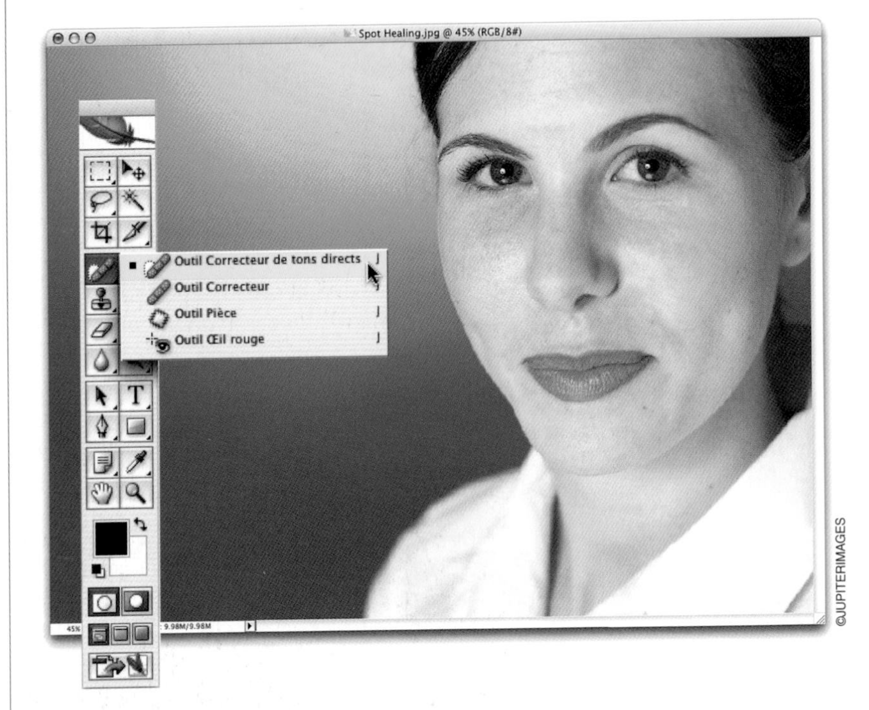

©JUPITERIMAGES

Etape 2

Cette fois aussi, vous devez opter pour une taille de Pinceau (ou forme) plus large que le défaut à supprimer. Dans la Barre d'options, cliquez sur la flèche située à droite du mot Forme. Dans le menu local, agissez sur le curseur Diamètre principal. (*Remarque :* Par défaut, l'outil Correcteur de tons directs utilise un bord dur. Puisque le résultat est excellent, ne changez rien.) Contrairement au Tampon de duplication, cet outil ne nécessite pas d'effectuer un échantillonnage. Cliquez sur le grain de beauté, il disparaît instantanément. Passons à la troisième technique.

Technique n° 3 : **L'outil Lasso**

Etape 1

Activez l'outil Lasso dans la boîte à outils (L). Repérez une zone de peau sans défaut près de l'endroit à corriger (ici, je vais masquer un grain de beauté sur la joue droite, signalé par le pointeur dans l'exemple ci-contre). Avec le lasso, effectuez sur cette zone nette une sélection un peu plus large que le défaut à masquer.

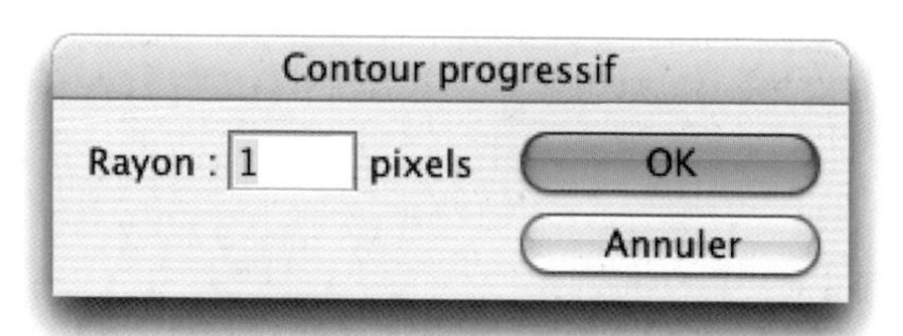

Etape 2

Avec cette sélection dans l'image, choisissez Contour progressif dans le menu Sélection. Dans la boîte de dialogue Contour progressif, définissez un Rayon de 1 pixel puis cliquez sur OK. Le contour progressif lisse le bord de la sélection pour une retouche plus discrète. C'est une technique très courante pour obtenir des retouches subtiles invisibles.

Etape 3

Après lissage de la sélection, appuyez sur Option+Cmd (Alt+Ctrl) et maintenez la pression : le pointeur prend la forme d'une double tête de flèche noire et blanche. Ce pointeur signale que vous allez copier la zone sélectionnée. Cliquez dans la sélection et faites glisser cette portion de peau nette sur le défaut à cacher.

Etape 4

Lorsque la portion glissée recouvre le défaut, relâchez les touches du clavier et le bouton de la souris pour déposer la copie. Ensuite, appuyez sur Cmd+D (Ctrl+D) pour désélectionner. La photo ci-contre présente le résultat de la retouche : vous constatez que le grain de beauté a disparu. Puisque j'ai choisi une portion de peau très proche, la correction est impossible à détecter.

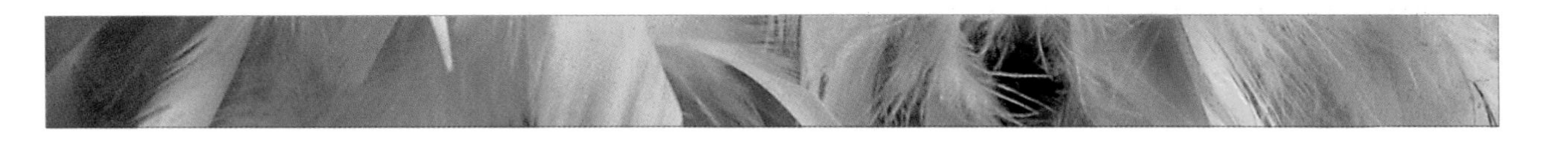

Réduction de l'acné ou des taches de rousseur

Cette technique est très utile pour la retouche de portraits d'adolescents boutonneux, car elle permet un traitement global beaucoup plus rapide que la correction des défauts un par un.

©JUPITERIMAGES

Etape 1

Ouvrez la photo à retoucher.

Etape 2

Dans le menu Filtre, ouvrez le sous-menu Atténuation pour y choisir Flou gaussien. Dans la boîte de dialogue Flou gaussien, placez le curseur complètement à gauche puis faites-le glisser lentement vers la droite jusqu'à noyer les taches de rousseur dans le flou. La photo apparaît sûrement très floue, c'est normal et nous allons corriger cela dans un instant. Pour l'instant, appuyez sur OK.

Etape 3

Ouvrez la palette Historique à partir du menu Fenêtre. Cette palette garde en mémoire les vingt dernières opérations effectuées dans le document. Dans la liste des états d'historique, vous devriez avoir Ouvrir et Flou gaussien.

Etape 4

Cliquez sur l'état Ouvrir pour revenir à l'état initial de la photo (voir ci-contre). La palette Historique est associée à un outil, appelé Forme d'historique, qui a le pouvoir de rétablir localement un état antérieur. Vous allez voir cet outil en action à l'étape suivante.

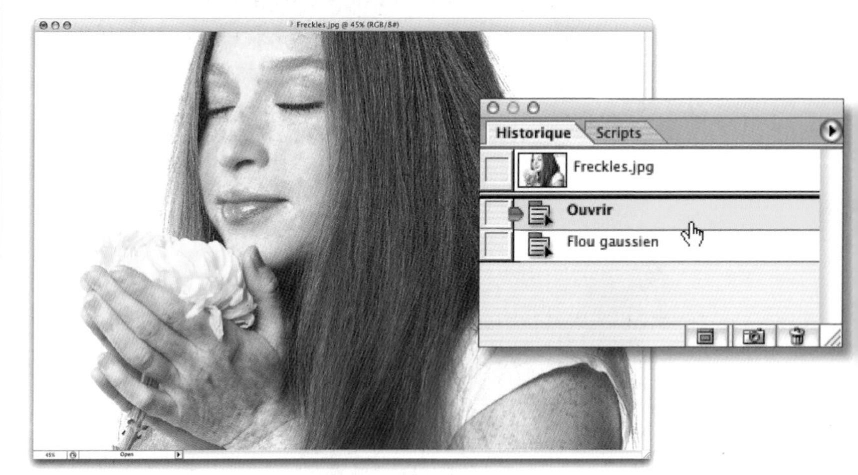

Etape 5

Dans la palette Historique, cliquez dans la case vide devant l'état Flou gaussien. Si vous utilisiez la Forme d'historique maintenant, elle ne ferait que rétablir la version floue sur son passage (or, ce n'est pas l'objectif).

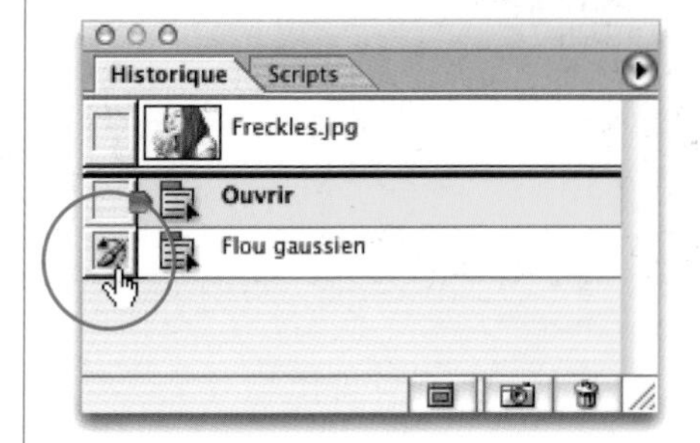

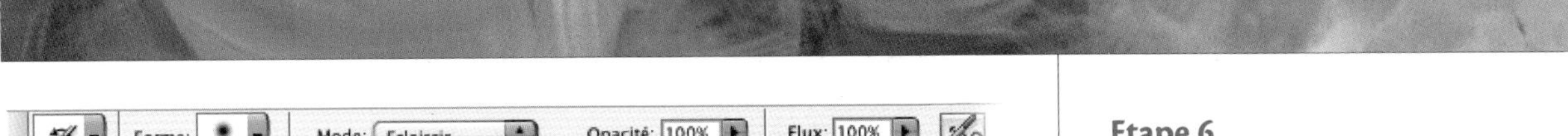

Etape 6

Afin d'éviter d'ajouter simplement du flou localement avec la Forme d'historique, définissez le mode Eclaircir dans la Barre d'options de cet outil. Ainsi, il va seulement agir sur les pixels plus sombres que ceux de la version floue. Vous comprenez maintenant l'intérêt de la manœuvre ? Passez la Forme d'historique sur les zones constellées de boutons ou de taches de rousseur et vous verrez ces « défauts » s'atténuer considérablement. Si la correction est trop radicale, appuyez sur Cmd+Z (Ctrl+Z) pour annuler vos interventions avec la Forme d'historique, réduisez l'opacité à 50 % dans la Barre d'options, puis recommencez.

Avant.

Après.

Suppression des cernes

Voici deux techniques pour éliminer les cernes sous les yeux (à défaut d'une bonne nuit de sommeil).

Technique n° 1 : **L'outil Tampon de duplication**

Etape 1

Ouvrez la photo dont le sujet présente des cernes à atténuer. Activez le Tampon de duplication dans la boîte à outils. (*Remarque :* Au besoin, appuyez sur Z pour activer le Zoom et agrandir la zone d'intervention.) Cliquez sur la forme dans la Barre d'options pour ouvrir le Sélecteur ; choisissez une forme douce dont le diamètre représente la moitié de la surface à corriger.

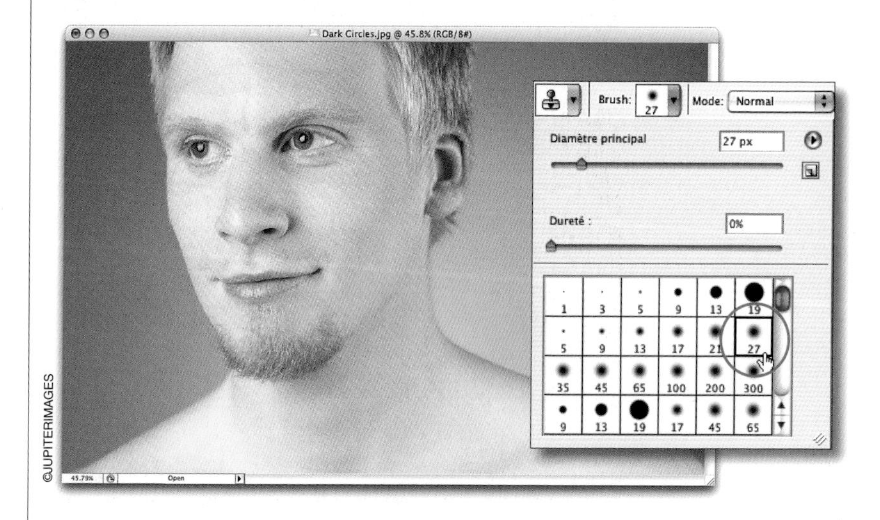

Etape 2

Dans la Barre d'options, réduisez l'opacité du tampon à 50 %, puis sélectionnez le mode Eclaircir (afin de limiter la retouche aux zones plus sombres que le point échantillonné).

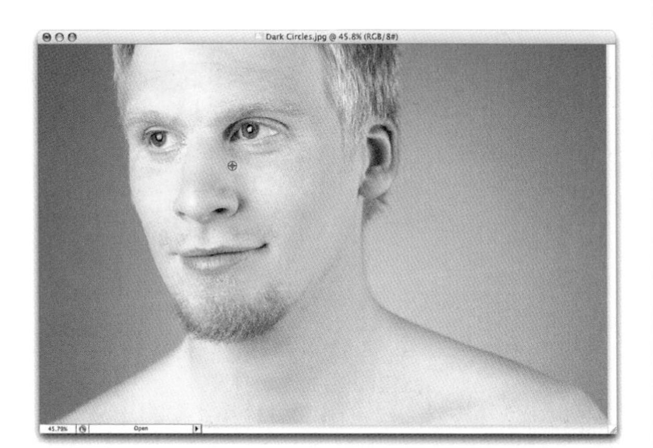

Etape 3

Maintenez enfoncée la touche Option (Alt) pendant que vous cliquez près de l'œil sur une zone sans cerne. Vous pouvez échantillonner sur les joues si elles ne sont pas trop roses, sinon cliquez sur la pommette, juste sous les cernes (voir ci-contre).

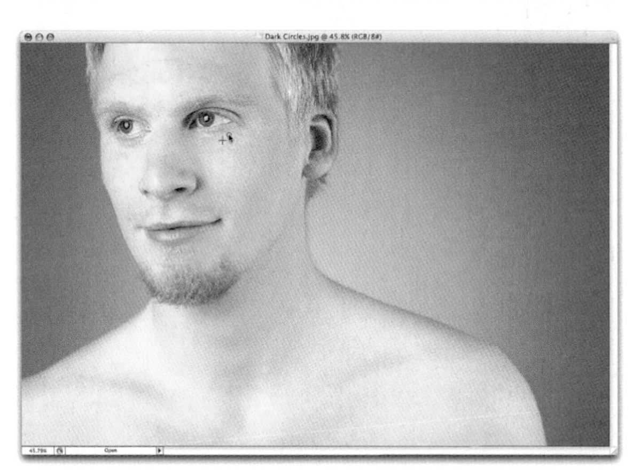

Etape 4

A présent, passez le Tampon de duplication sur les cernes pour les réduire ou les faire disparaître. Si le premier passage de l'outil ne suffit pas, repassez au même endroit à plusieurs reprises. Les photos ci-après présentent l'original, à gauche, et la version retouchée, à droite.

Avant.

Après.

Technique n° 2 : L'outil Pièce

Etape 1

Dans la boîte à outils, activez l'outil Pièce (cliquez sur l'outil Correcteur et maintenez la pression jusqu'à ouvrir le menu présenté ci-contre).

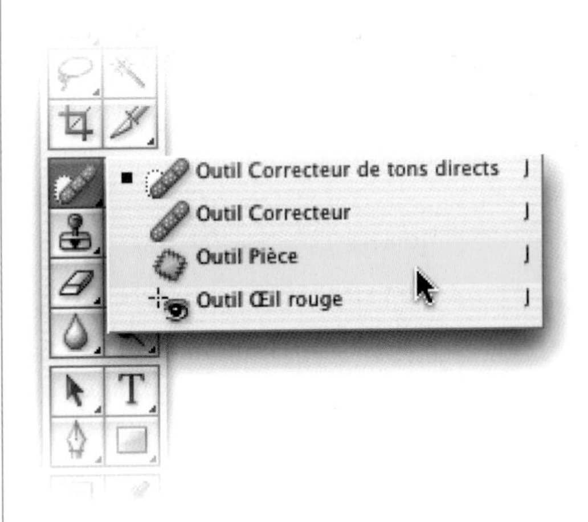

Etape 2

Vérifiez que l'option Source est activée dans la Barre d'options de l'outil Pièce, puis tracez une sélection autour de l'un des cernes comme dans l'exemple ci-contre. L'outil Pièce s'emploie comme l'outil Lasso pour définir une sélection. Si vous avez besoin d'élargir la sélection, appuyez sur la touche Maj pendant que vous entourez une autre zone. Au contraire, pour diminuer la sélection, appuyez sur Option (Alt) pendant que vous délimitez la zone à retrancher.

©JUPITERIMAGES

Etape 3

Une fois la sélection en place, cliquez dans la zone sélectionnée et faites-la glisser sur une partie du visage dont la peau est bien lisse (loin du nez, de la bouche, des sourcils ou de la bordure des cheveux). Il faut choisir une surface nette et sans défaut ni interruption. Photoshop CS2 affiche un aperçu de la future retouche, c'est pourquoi nous avons deux sélections dans l'exemple ci-contre.

Etape 4

Dès que vous avez repéré une portion de peau idéale, relâchez le bouton de la souris. L'outil Pièce échantillonne automatiquement cette portion et s'en sert pour remplacer la zone sélectionnée. Et voilà, la retouche s'est faite toute seule, d'un seul mouvement.

Etape 5

Appuyez sur Cmd+D (Ctrl+D) pour désélectionner. Vous constatez que le premier cerne a disparu (comme le prouve l'exemple ci-contre). La retouche pourrait aussi se faire avec l'outil Correcteur, mais pour les cernes je préfère l'outil Pièce, car il nécessite moins d'efforts.

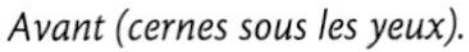

Avant (cernes sous les yeux).

Après (cernes supprimés avec l'outil Pièce).

Suppression des rides

Photoshop dispose de deux outils qui font miracle pour la suppression des rides, pattes d'oie et autres marques du temps sur le visage. Je vous ai présenté brièvement ces outils dans les précédentes techniques de ce chapitre. A présent, voyons leur emploi plus en détail pour rajeunir un visage de dix ou vingt ans.

©JUPITERIMAGES

Technique n° 1 : **L'outil Correcteur**

Etape 1

Ouvrez la photo de la personne que vous souhaitez rajeunir.

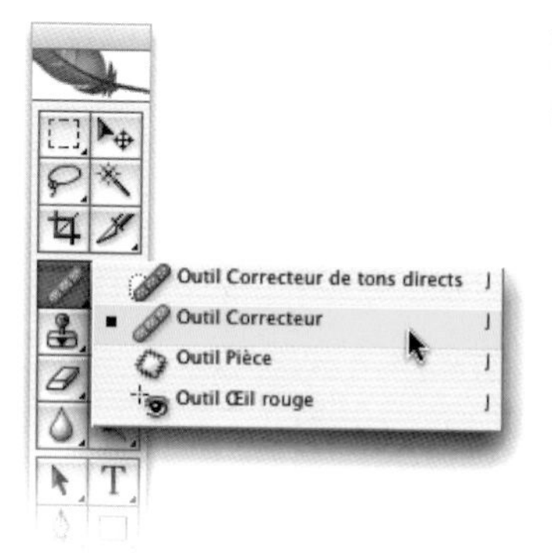

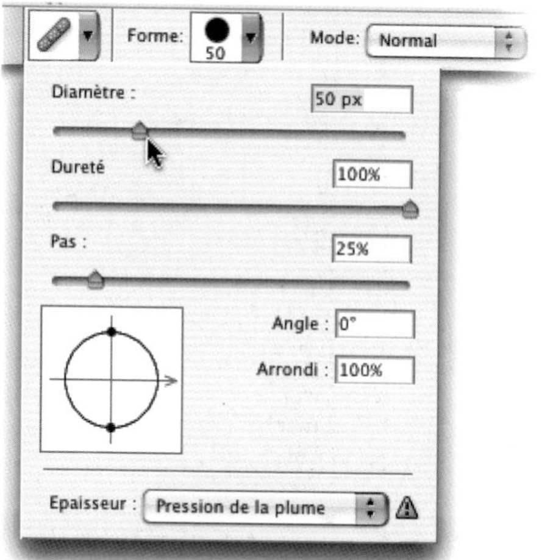

Etape 2

Activez l'outil Correcteur dans la boîte à outils. Dans la Barre d'options, cliquez sur la flèche située à droite du mot Forme, et définissez un « pinceau » suffisamment large pour couvrir les rides. Par défaut, l'outil Correcteur a un contour dur. Ne changez rien !

Etape 3

Appuyez sur la touche Option (Alt) pendant que vous cliquez sur une portion de peau sans rides (voir ci-contre). Ce clic prélève un échantillon de peau qui va servir à la correction.

Etape 4

Passez une fois l'outil Correcteur sur la ride à masquer (dans mon exemple, j'élimine les rides sous les yeux). A première vue, la retouche semble grossière, mais une seconde plus tard l'outil effectue des calculs pour adapter les valeurs chromatiques afin que le trait ajouté se fonde dans son environnement. C'est magique, la ride disparaît miraculeusement. Continuez à prélever un échantillon et à dessiner sur les portions ridées pour éliminer les rides les plus évidentes. (Il m'a suffi de trente secondes et de cinq coups de pinceau avec l'outil Correcteur pour parvenir au résultat illustré ci-après.)

Astuce : Aussi incroyable que l'outil Correcteur puisse paraître, la texture présente parfois un motif aux raccords visibles. Stéphanie Cole, membre de NAPP, explique qu'il suffit de rétrécir la forme et de modifier sa direction en agissant sur les paramètres Arrondi et Angle. Désormais, lorsque vous peignez, la forme crée une sorte de motif étoilé produisant une texture aléatoire plus réaliste.

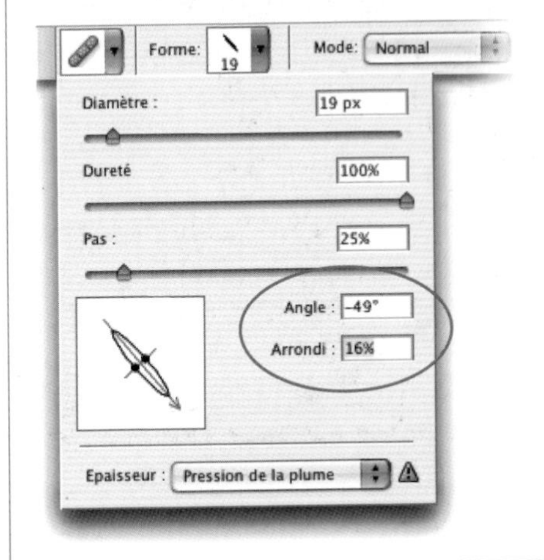

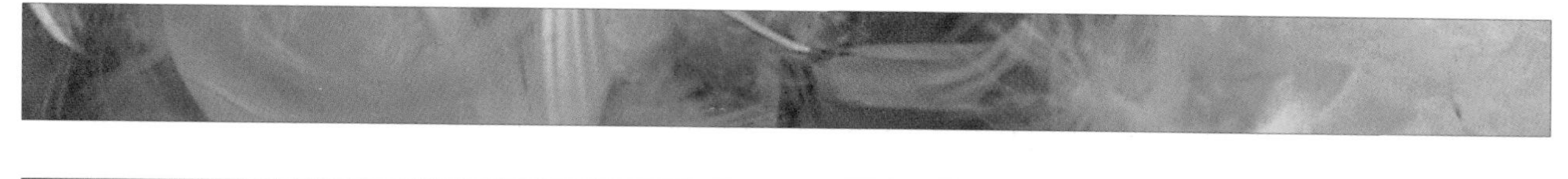

Avant (les rides sont nettement visibles sous les deux yeux).

Après.

Technique 2 : **La méthode des pros**

Etape 1

Voici une technique mise au point par Kevin Ames pour obtenir une retouche très réaliste. Ouvrez la photo à corriger. Dupliquez son calque Arrière-plan en appuyant sur Cmd+J (Ctrl+J). Effectuez la correction sur cette copie.

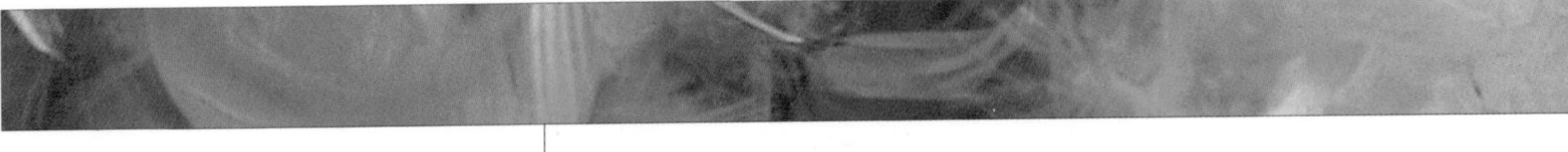

Etape 2

Réduisez l'Opacité du Calque 1 de manière à faire apparaître les rides initiales. En fonction de cette valeur de transparence, elles seront plus ou moins accentuées. Ici, l'important est d'obtenir un effet réaliste.

Astuce : Vous obtiendrez un résultat analogue en exécutant la commande Estomper Correcteur du menu Edition immédiatement après avoir passé l'outil Correcteur. Dans la boîte de dialogue Atténuer, diminuez l'Opacité.

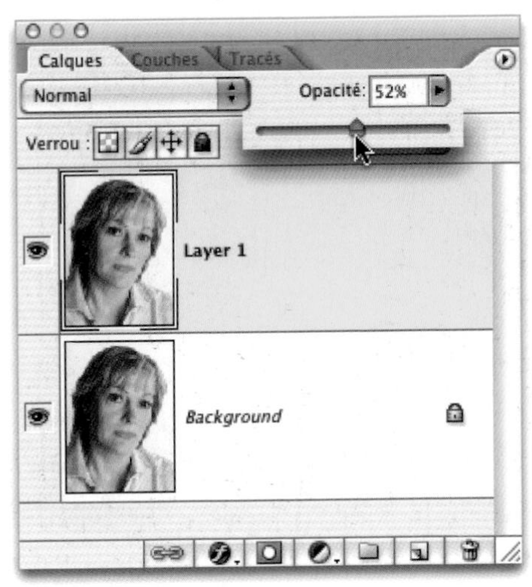

Avant.

Après.

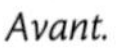

Technique 3 : L'outil Pièce

Etape 1

On peut parvenir au même résultat avec l'outil Pièce. Je préfère d'ailleurs utiliser ce dernier plutôt que l'outil Correcteur dans la plupart des cas, car il est plus rapide pour corriger de grandes surfaces. Après activation de l'outil Pièce (Maj+J), vérifiez que l'option Source est sélectionnée dans la Barre d'options, puis tracez une sélection autour de la portion ridée (voir ci-contre). Cet outil s'emploie comme l'outil Lasso : pour étendre la sélection, maintenez enfoncée la touche Maj, et pour la réduire appuyez sur Option (Alt).

Etape 2

Une fois la sélection en place, faites-la glisser vers une portion de peau lisse. (Photoshop CS2 affiche un aperçu de la future retouche, c'est pourquoi nous avons deux contours de sélection dans l'exemple ci-contre.) Evitez de diriger la sélection vers le nez, les lèvres ou une autre zone marquée du visage. Dès que vous relâchez le bouton de la souris, la sélection revient à son emplacement d'origine, et les rides disparaissent.

Etape 3

Appuyez sur Cmd+D (Ctrl+D) pour désélectionner, et appréciez l'effet de votre correction.

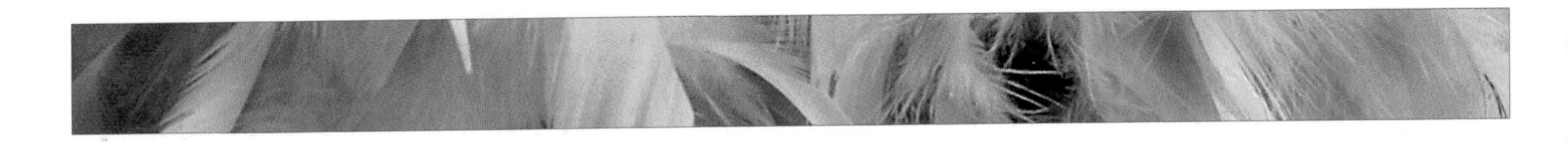

Coloration des cheveux

Cette technique, qui me vient de Kevin Ames, offre à la fois souplesse et précision pour changer la couleur des cheveux. Grâce à l'emploi d'un masque de fusion et d'un calque de réglage, il n'y a pas d'intervention directe sur les pixels.

Etape 1

Ouvrez la photo à retoucher. Choisissez Balance des couleurs dans le menu des calques de réglage au bas de la palette Calques.

Etape 2

Dans la boîte de dialogue Balance des couleurs, déplacez les curseurs vers la couleur que vous souhaitez donner aux cheveux. Pour agir sur les tons foncés, moyens ou clairs, sélectionnez l'option correspondante dans la partie Balance des tons, en bas, puis déplacez les curseurs. Dans mon exemple, je veux donner des tons plus chauds à la chevelure. Je décale donc le curseur du haut vers Rouge (+16) pour les tons foncés, les tons moyens (+74), puis les tons clairs (+45). Après le réglage, cliquez sur OK. Toute la photo prend une teinte rouge.

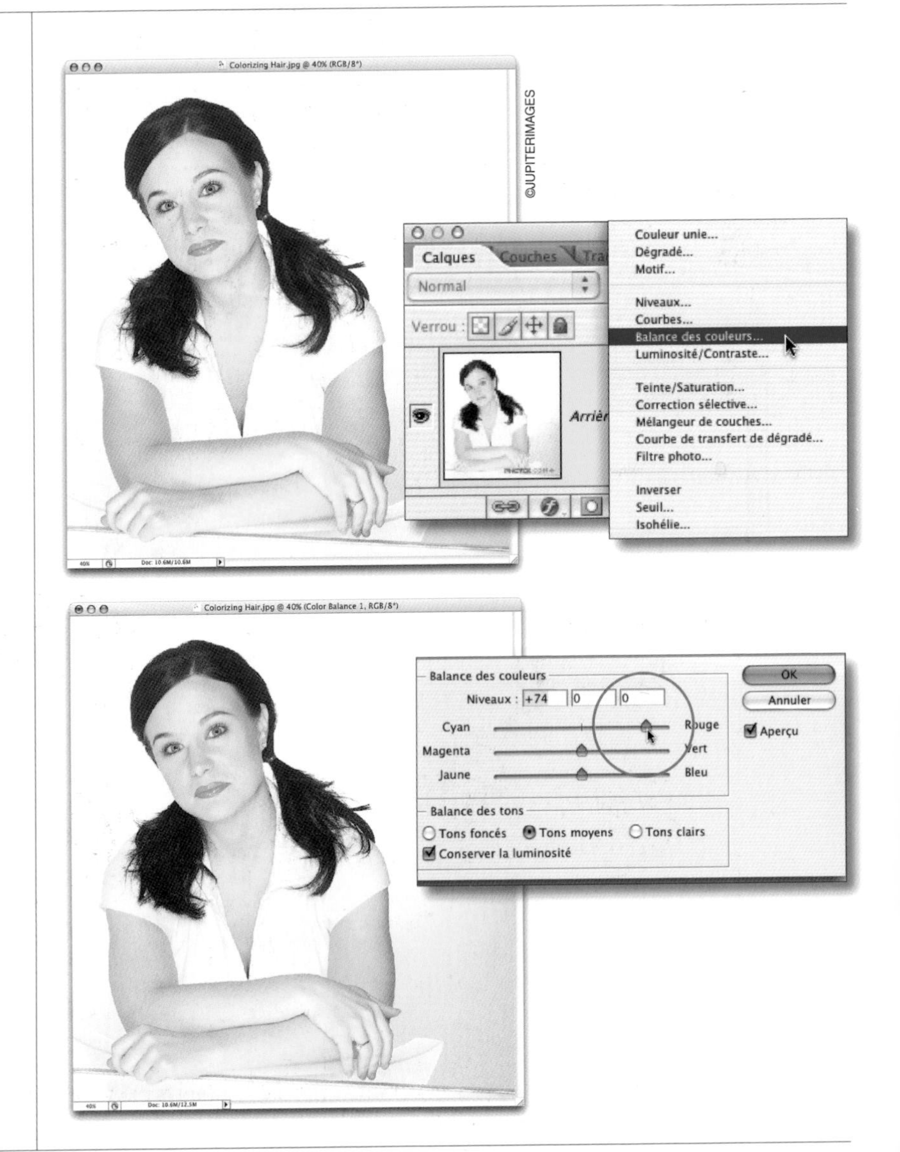

Etape 3

Définissez le noir comme couleur de premier plan (touches D, puis X), puis appuyez sur les touches Option+Suppr (Alt+Retour arrière) pour remplir de noir le masque du calque de réglage. Cette opération élimine la teinte rouge que vous venez d'appliquer.

Etape 4

Activez l'outil Pinceau (B) dans la boîte à outils et choisissez une forme douce dans la Barre d'options. Appuyez sur D pour définir le blanc comme couleur de premier plan, puis dessinez sur les cheveux. Sous le passage de l'outil, la teinte rouge réapparaît. Couvrez entièrement la chevelure avec le Pinceau de manière à retrouver partout la teinte rouge. N'oubliez pas de passer l'outil sur les sourcils. Ensuite dans la palette Calques, définissez le mode Couleur pour le calque de réglage et réduisez son opacité (aux alentours de 50 %) pour obtenir un effet plus naturel.

Avant.

Après.

Blanchir le fond de l'œil – méthode rapide

Voici une solution express pour blanchir le fond de l'œil en y retirant toute rougeur.

Etape 1

Ouvrez le portrait à retoucher. Activez l'outil Lasso (L) dans la boîte à outils, puis tracez une sélection autour du blanc de l'œil d'un côté. Maintenez enfoncée la touche Maj pour sélectionner le blanc du second œil.

Note : Appuyez sur Z pour zoomer sur les yeux au besoin.

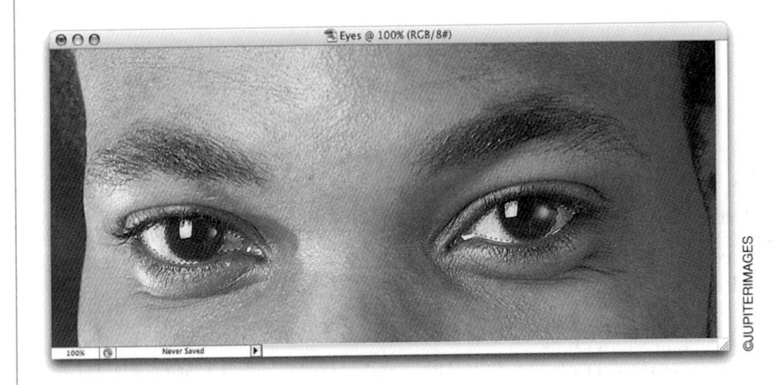

©JUPITERIMAGES

Etape 2

Dans le menu Sélection, choisissez Contour progressif. Il faut adoucir le bord de la sélection pour éviter une retouche trop voyante. Dans la boîte de dialogue Contour progressif, tapez la valeur 2 puis cliquez sur OK.

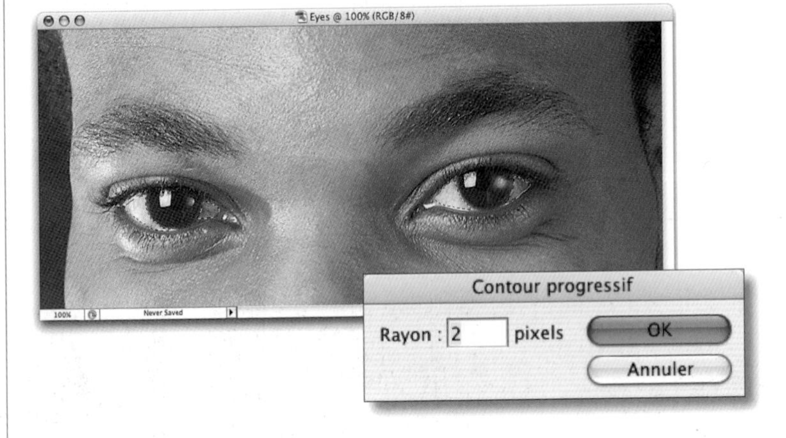

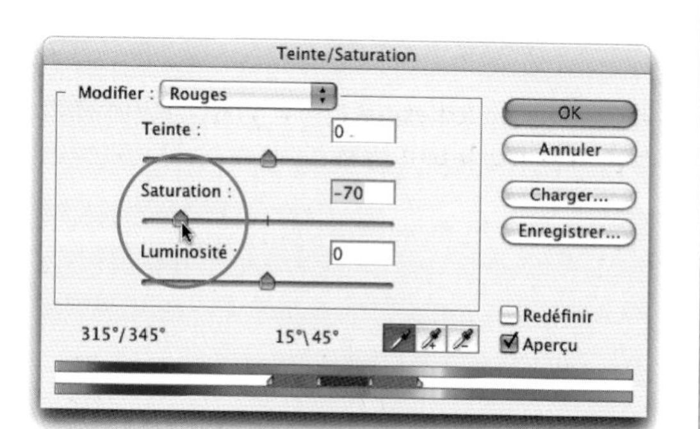

Etape 3

Dans le menu Image, ouvrez le sous-menu Réglages pour y choisir Teinte/Saturation. Dans la boîte de dialogue Teinte/Saturation, sélectionnez Rouges dans la liste Modifier en haut (afin d'agir uniquement sur les rouges). Ensuite, faites glisser le curseur Saturation vers la gauche pour réduire la saturation des rouges, ce qui estompe les éventuelles veines dans le blanc de l'œil.

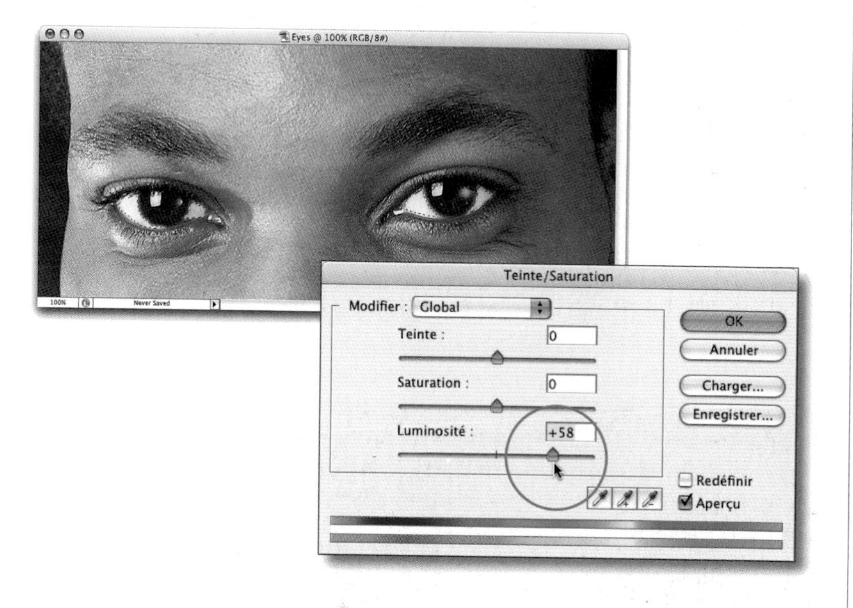

Etape 4

Toujours dans la boîte de dialogue Teinte/Saturation, choisissez Global dans la liste Modifier. Faites glisser le curseur Luminosité vers la droite pour éclaircir le blanc de l'œil. Cliquez sur OK dans la boîte de dialogue Teinte/Saturation pour appliquer le réglage, puis appuyez sur Cmd+D (Ctrl+D) pour désélectionner et terminer ainsi la retouche. La différence paraît minime dans la reproduction qu'offre cette page imprimée, mais à l'écran l'amélioration est évidente.

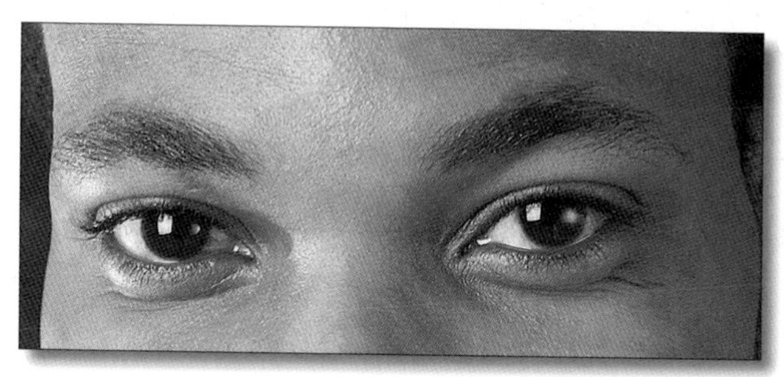

Avant.

Après.

Blanchir le fond de l'œil – résultat plus réaliste

Voici la méthode Kevin Ames pour éclaircir le fond de l'œil. Un peu plus longue que la technique précédente, elle produit un résultat très réaliste.

Etape 1

Ouvrez la photo dans laquelle vous allez blanchir les yeux. Ouvrez le menu des calques de réglage dans la palette Calques pour y choisir Courbes. Dans la boîte de dialogue Courbes, contentez-vous de cliquer sur OK.

©JUPITERIMAGES

Etape 2

Dans la palette Calques, définissez le mode Superposition pour le calque de réglage Courbes. La photo entière s'éclaircit avec le calque de réglage en mode Superposition. Appuyez sur X pour définir le noir comme couleur de premier plan, puis sur Option+Suppr (Alt+Retour arrière) pour remplir de noir le masque du calque de réglage. L'effet du calque disparaît.

Etape 3

Appuyez sur X pour permuter les couleurs et obtenir le blanc comme couleur de premier plan. Activez l'outil Pinceau (B), choisissez une forme douce de toute petite taille (dans le menu local à droite du mot Forme), puis dessinez sur le blanc de l'œil en débordant sur le bord de la paupière inférieure. Cette action rétablit localement l'effet du mode Superposition pour éclaircir le fond de l'œil.

Note : Pour augmenter la taille de la forme appuyez sur la touche >, et sur * pour la réduire (touches > et $ sur PC).

Etape 4

Les yeux risquent de paraître trop blancs. Réduisez l'opacité du calque Courbes pour un effet plus subtil et plus naturel. Avec une valeur de 55 %, j'obtiens un résultat satisfaisant.

Avant.

Après.

Intensification du regard

Voici encore une autre solution express qui fait miracle pour éclaircir le regard et lui donner plus d'intensité.

Etape 1

Ouvrez le portrait à retoucher. Dans le menu Filtre, ouvrez le sous-menu Renforcement pour y choisir Accentuation. Dans la boîte de dialogue Accentuation, réglez l'effet du filtre. (Vous trouverez plusieurs suggestions de réglage au tout début du Chapitre 13, sinon inspirez-vous des valeurs de l'exemple ci-contre.) Cliquez sur OK pour appliquer le filtre à la photo entière.

Etape 2

Appliquez le filtre Accentuation trois fois de plus en appuyant sur Cmd+F (Ctrl+F). Ces quatre applications du filtre ont certainement renforcé le regard mais généré des défauts dans le reste du visage, défauts que nous allons corriger maintenant.

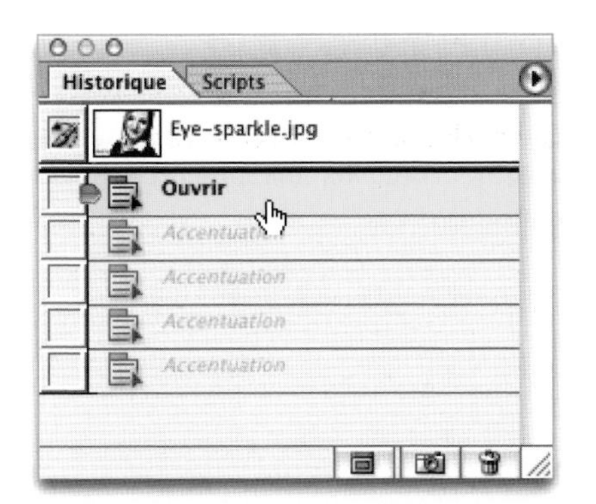

Etape 3

Affichez la palette Historique à partir du menu Fenêtre. Vous devriez y voir cinq états d'historique : Ouvrir, suivi de quatre états Accentuation. Cliquez sur l'état Ouvrir pour rétablir l'aspect original de la photo avant l'application du filtre.

Etape 4

Dans la palette Historique, cliquez dans la case vide devant le dernier état Accentuation. Ensuite, activez l'outil Forme d'historique et, dans la Barre d'options, choisissez une petite forme aux bords adoucis, de même diamètre que l'iris. Cliquez au milieu de l'iris de chaque œil et vous rétablissez les éclats de lumière dans l'iris tout en conservant intact le reste du visage. Bonne astuce, n'est-ce pas ?

Avant.

Après (désormais, les yeux brillent).

Changement de la couleur des yeux

Voici encore une technique que m'a gracieusement fournie Kevin Ames. Je venais tout juste de terminer la rédaction du présent manuel quand il m'a suggéré d'essayer l'outil Remplacement de couleur pour changer la couleur des yeux dans un portrait.

Etape 1

Ouvrez la photo dans laquelle vous souhaitez changer la couleur des yeux. Dans mon exemple, le sujet a les yeux verts et mon client les préférerait bleus.

Etape 2

Activez l'outil Remplacement de couleur dans la boîte à outils (voir ci-contre). (Remarque : il se cache derrière l'outil Correcteur.) L'icône de l'outil semble suggérer qu'il sert à éliminer les yeux rouges, mais vous devez désormais utiliser l'outil œil rouge de CS2.

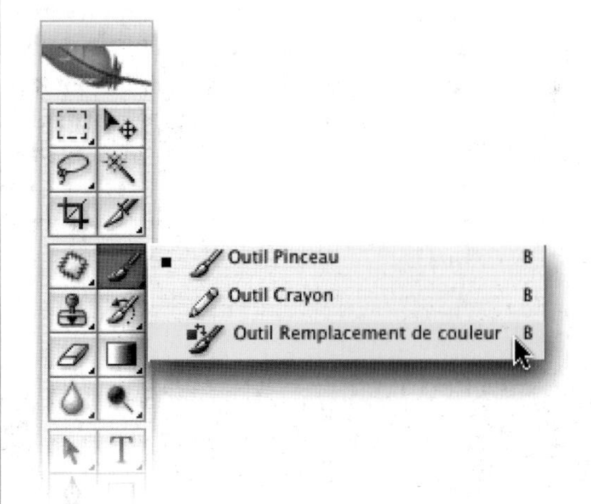

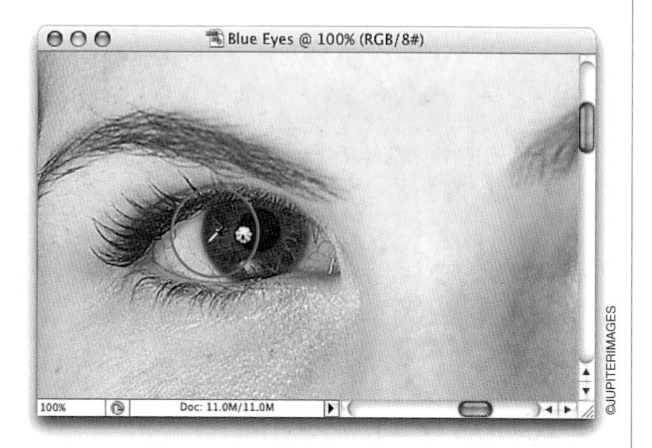

Etape 3

A présent, ouvrez une photo source dans laquelle nous allons copier une couleur d'iris. Positionnez l'outil Remplacement de couleur sur un œil dans la photo source. Maintenez enfoncée la touche Option (Alt) pendant que vous cliquez une fois pour prélever cette couleur.

Etape 4

Ensuite, revenez à photo à modifier et dessinez sur un œil pour en changer la couleur. Sous le passage de l'outil, le bleu prélevé plus tôt vient remplacer le vert (voir ci-contre).

Note : Pour faciliter le remplacement de couleur, activez l'outil Zoom et agrandissez la zone des yeux.

Avant.

Après.

Renforcement des cils et des sourcils

Après avoir découvert cette technique de Kevin Ames pour épaissir les cils et sourcils, j'ai définitivement abandonné la méthode que j'utilisais depuis des années. La solution de Kevin est la plus rapide, la plus facile et la plus performante de toutes les techniques que je connais.

Etape 1

Ouvrez le portrait à améliorer. Activez l'outil Lasso (L) dans la boîte à outils, puis entourez grossièrement les sourcils, comme dans l'exemple ci-contre. Pour sélectionner les deux sourcils, appuyez sur la touche Maj pendant que vous entourez le second avec le lasso.

©JUPITERIMAGES

Etape 2

Une fois la sélection définie, appuyez sur Cmd+J (Ctrl+J) pour placer les sourcils sur un calque à part. Dans la palette Calques, définissez le mode Produit pour le Calque 1, ce qui a pour effet d'assombrir tout le contenu du calque.

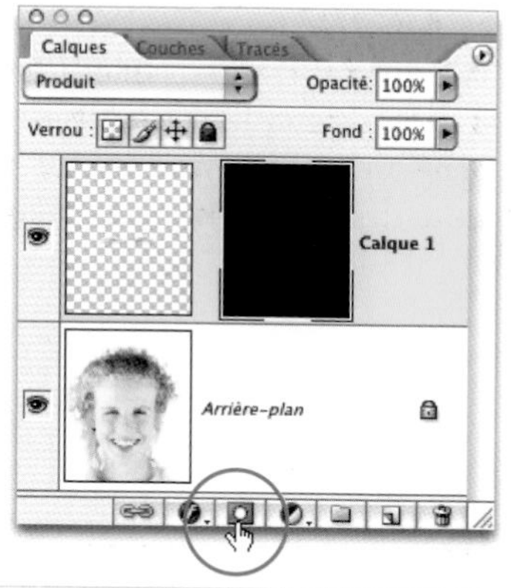

Etape 3

Maintenez enfoncée la touche Option (Alt) et cliquez sur l'icône Masque de fusion au bas de la palette (voir ci-contre). Durant cette opération, la touche Option (Alt) remplit le masque de noir pour rendre invisible l'effet du mode Produit. Vous constatez que les sourcils ont repris leur aspect initial. Définissez le blanc comme couleur de premier plan. Activez l'outil Pinceau et choisissez une forme douce de même taille que la partie la plus large du sourcil.

Etape 4

Dessinez sur le sourcil en suivant le sens des poils, de l'intérieur vers l'extérieur. A mesure que vous avancez vers la pointe du sourcil, appuyez sur la touche (*) ($ sur PC) pour réduire le diamètre du Pinceau. Les traits blancs assombrissent les sourcils en rétablissant l'effet du mode Produit.

Etape 5

La retouche risque de paraître trop prononcée, mais vous pouvez l'atténuer en réduisant l'opacité du calque en mode Produit dans la palette Calques (voir ci-contre).

Etape 6

Passons aux cils. Dans la palette Calques, cliquez sur le calque Arrière-plan. Avec l'outil Lasso, tracez autour de l'œil une sélection qui englobe les cils sur toute leur longueur.

Etape 7

Répétez la même opération que pour les sourcils. Après sélection de l'œil avec ses cils, appuyez sur Cmd+J (Ctrl+J) pour copier la sélection sur un nouveau calque. Appliquez-y le mode Produit, ce qui assombrit toute l'image.

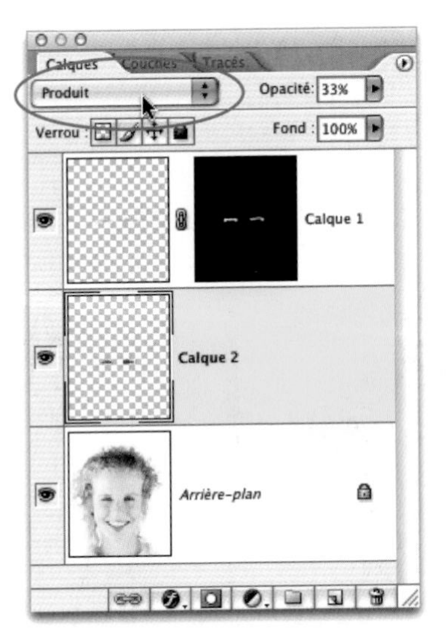

Etape 8

Appuyez sur la touche Option (Alt) pendant que vous cliquez sur l'icône Masque de fusion au bas de la palette. Vous ajoutez ainsi un masque de fusion rempli de noir, qui masque l'effet du mode Produit. Définissez le blanc comme couleur de premier plan et choisissez une forme douce de très petite taille pour passer le Pinceau le long de la racine des cils en haut et en bas. Le Pinceau assombrit les cils, donnant ainsi une impression de volume et d'épaisseur. (Répartir les cils et les sourcils sur des calques séparés permet de jouer sur l'opacité de chacun des calques.)

Astuce : Utilisez cette technique pour renforcer chaque cil individuellement. Avec l'outil Zoom, agrandissez la zone de l'œil. Ensuite, définissez une très petite forme (1 ou 2 pixels) pour dessiner la base des cils. Si l'effet paraît trop intense, diminuez l'opacité du calque.

Avant.

Après.

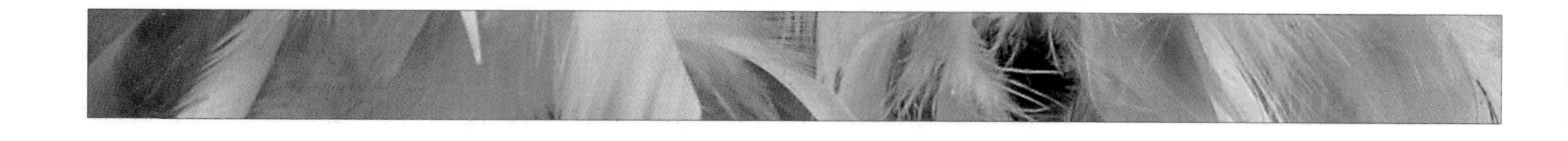

Sourire éclatant

Personne n'a les dents d'un blanc éblouissant. Pour obtenir un sourire d'une blancheur éclatante, il faut le plus souvent déjaunir les dents du sujet. Cette technique plutôt simple a le pouvoir d'améliorer considérablement la photo, c'est pourquoi je l'emploie pour tous les portraits avec un sourire.

Etape 1

Ouvrez la photo à retoucher. Activez l'outil Lasso (L) et tracez une sélection précise autour des dents en prenant soin de ne pas inclure les lèvres (comme dans l'exemple ci-contre).

Note : Pour faciliter la sélection, zoomez sur les lèvres.

©JUPITERIMAGES

Etape 2

Dans le menu Sélection, choisissez Contour progressif. Dans la boîte de dialogue Contour progressif, définissez Rayon à 1 pixel avant de cliquer sur OK pour adoucir le contour de la sélection. On évite ainsi une démarcation trop nette autour de la portion retouchée.

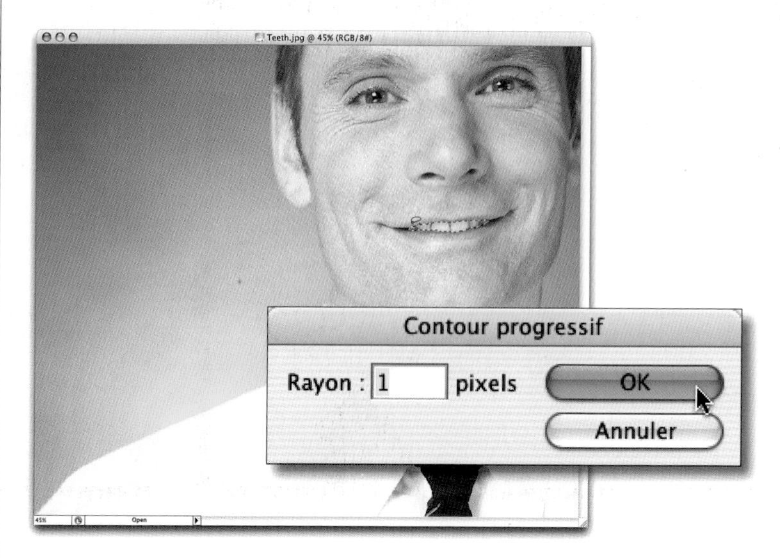

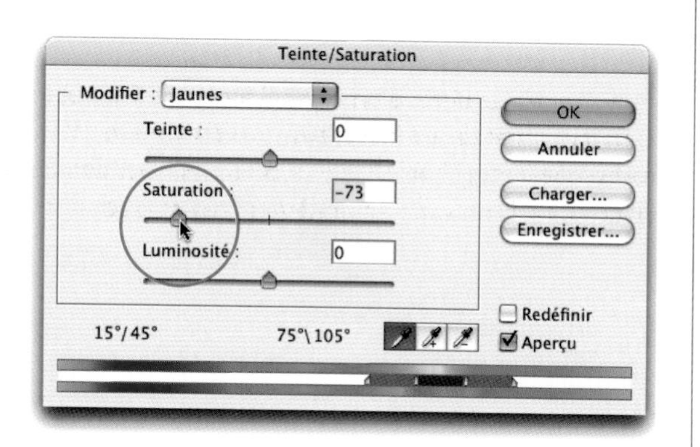

Etape 3

Dans le menu Image, ouvrez le sous-menu Réglages pour y choisir Teinte/Saturation. Dans la liste Modifier de la boîte de dialogue Teinte/Saturation, sélectionnez Jaunes. Puis, décalez le curseur Saturation vers la gauche pour « détartrer » le sourire en réduisant les jaunes.

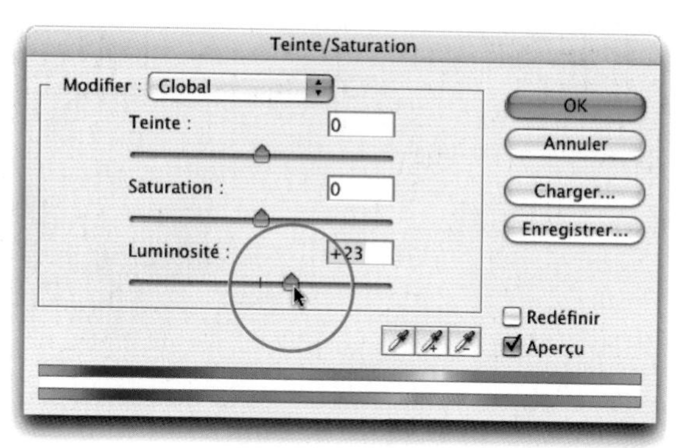

Etape 4

Après élimination du jaune, revenez à l'option Global dans la liste Modifier. Faites glisser le curseur Luminosité vers la droite pour blanchir et éclaircir les dents. Trouvez la bonne mesure pour éviter une retouche trop évidente. Cliquez sur OK dans la boîte de dialogue ; la retouche est appliquée. Pour terminer, désélectionnez en appuyant sur Cmd+D (Ctrl+D) et contemplez le résultat.

Avant.

Après.

Matifier la peau

Avez-vous déjà été victime de reflets dans les portraits ? Ces zones brillantes causées par un mauvais éclairage ou par le reflet du flash sur une peau grasse ne font pas bel effet en photo. Ce défaut est plutôt difficile à effacer, à moins de connaître l'astuce présentée ici.

Etape 1

Ouvrez le portrait aux reflets disgracieux.

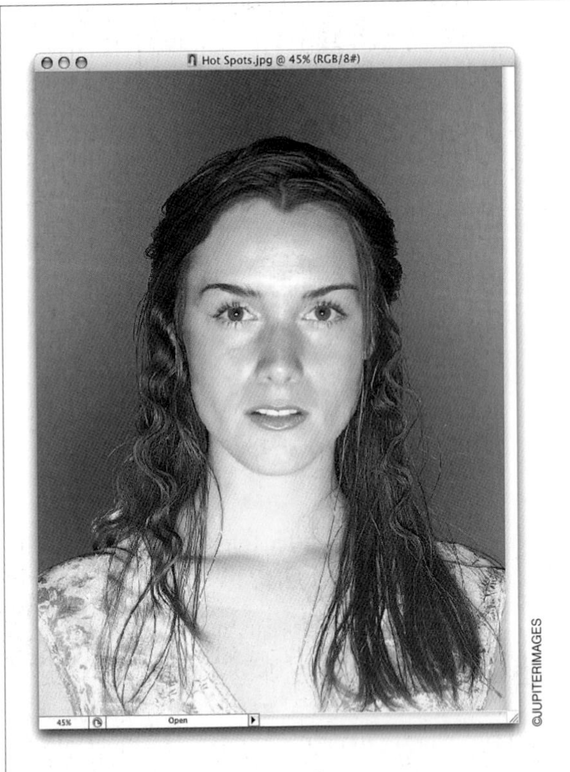

©JUPITERIMAGES

Etape 2

Activez l'outil Tampon de duplication (S) dans la boîte à outils. Dans la Barre d'options, sélectionnez le mode Obscurcir et réduisez l'opacité à 50 %. Avec le mode Obscurcir, l'outil va agir uniquement sur les pixels plus clairs que l'échantillon prélevé. Ce sont ces pixels plus clairs qui forment le reflet.

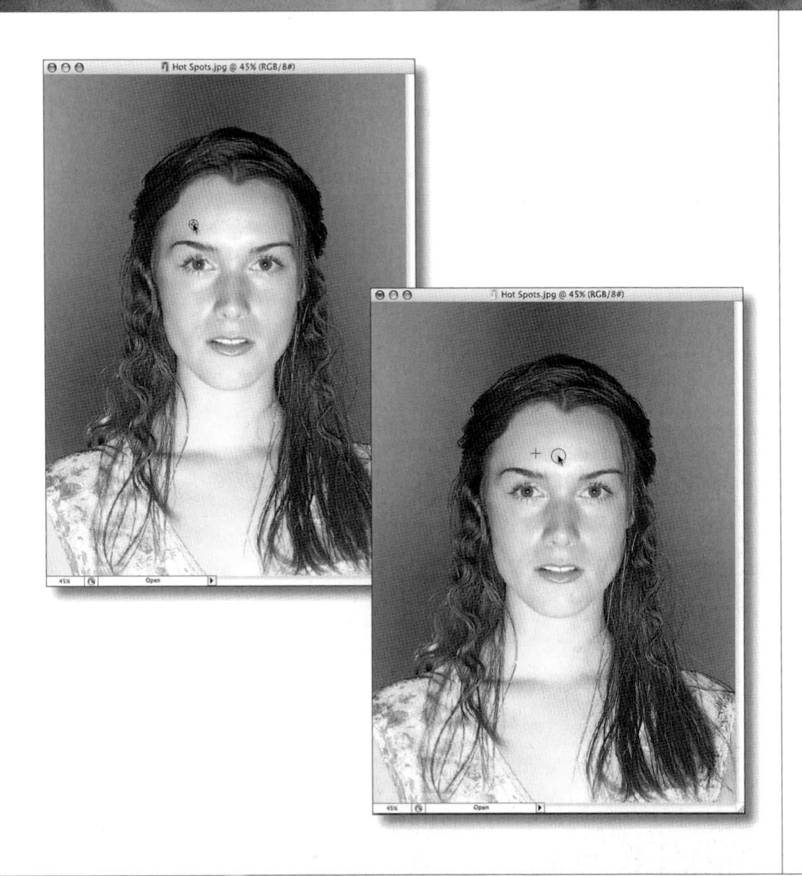

Etape 3

Définissez une forme douce de grand diamètre, puis maintenez enfoncée la touche Option (Alt) pendant que vous cliquez sur une portion de peau à reproduire (zone sans reflet). Ce premier clic définit par échantillonnage la zone de référence, ce qui indique à Photoshop le seuil de luminosité des pixels à traiter.

Etape 4

Passez délicatement le tampon de duplication sur les reflets à estomper. Avant d'attaquer un autre reflet, il vous faut prélever un autre échantillon en faisant Option+clic (Alt+clic) sur une portion de peau voisine pour rester dans les mêmes tons. A titre d'exemple, pour retoucher le reflet du nez, prélevez l'échantillon sur une portion mate de l'arête du nez (ou même sur le front). Ci-après, voici le résultat obtenu en une minute de retouche des reflets.

Avant.

Après.

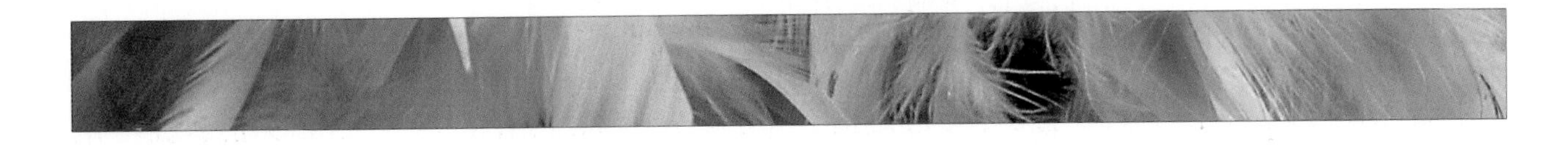

Peau veloutée

Cette technique de Kevin Ames produit un résultat épatant dans la simulation du filtre photo Hasselblad Softar n° 2 qui a pour effet d'adoucir les tons chair par l'introduction d'une lueur cotonneuse et la réduction des contrastes. Elle est parfaite pour les photos de mode.

Etape 1

Ouvrez le portrait à adoucir. Appuyez deux fois sur Cmd+J (Ctrl+J) pour obtenir deux copies du calque Arrière-plan. Dans la palette Calques, masquez le calque du haut d'un clic sur l'icône d'œil devant Calque 1 copie. Puis, cliquez sur Calque 1 pour activer le calque du milieu (voir ci-contre). Appliquez-lui le mode de fusion Obscurcir.

©JUPITERIMAGES

Etape 2

Dans le menu Filtre, choisissez Atténuation > Flou gaussien. Appliquez le flou avec un rayon de 40 pixels.

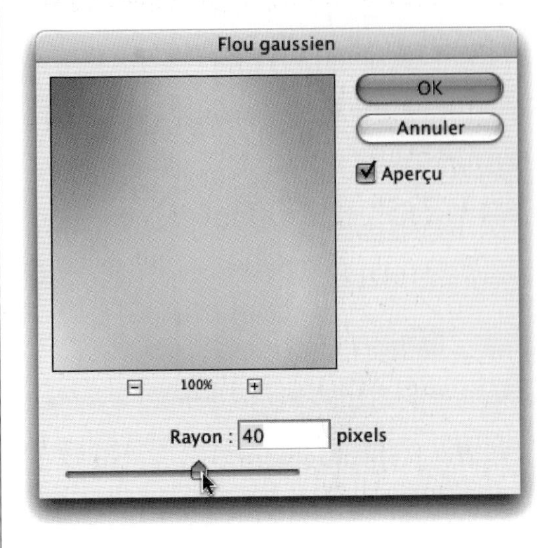

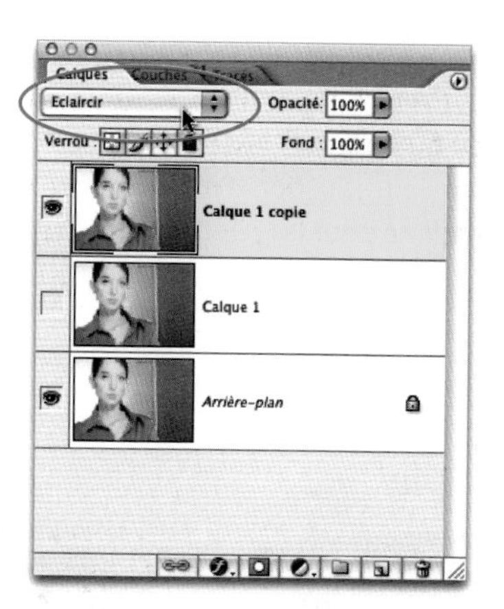

Etape 3

Dans la palette Calques, masquez le calque du milieu, puis activez celui du haut (Calque 1 copie). Appliquez-lui le mode Eclaircir.

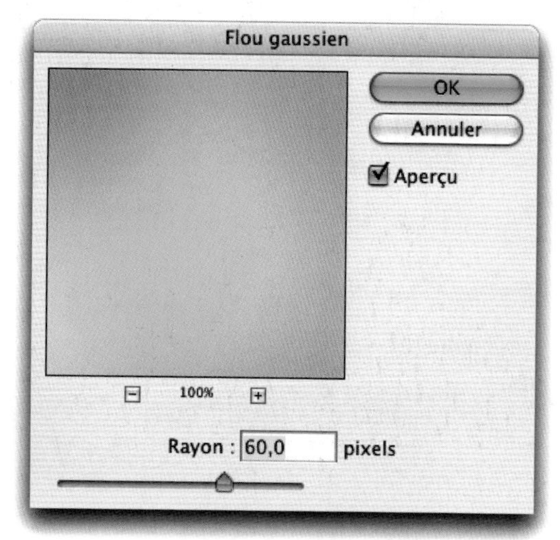

Etape 4

Ensuite, appliquez à ce calque un flou gaussien avec un rayon de 60 pixels.

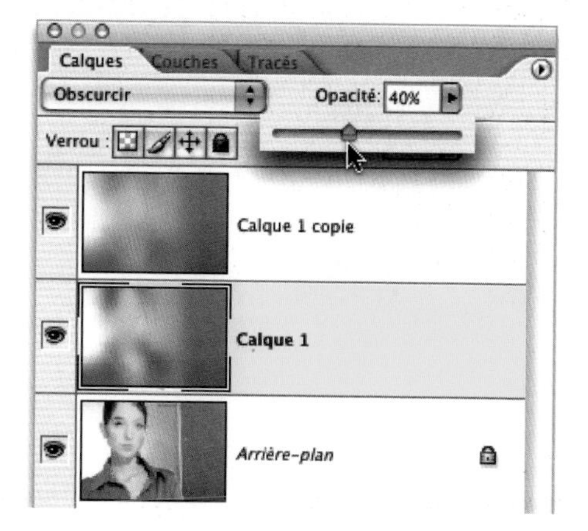

Etape 5

Après application du filtre, revenez au Calque 1 pour en réduire l'opacité à 40 % dans la palette Calques.

Etape 6

Masquez le calque Arrière-plan, puis ajoutez un calque vide d'un clic sur le bouton Créer un calque, au bas de la palette Calques. Si nécessaire, faites-le glisser en haut de la liste (comme dans l'exemple ci-contre). Puis maintenez enfoncée la touche Option (Alt) pendant que vous exécutez la commande Fusionner les calques visibles du menu local de la palette Calques. Vous obtenez la version aplatie de l'image dans le Calque 2.

Etape 7

Dans la palette Calques, rétablissez la visibilité du calque Arrière-plan, mais masquez les deux calques du milieu (voir ci-contre). Le Calque 2 étant actif, réduisez son opacité à la valeur 40 %. La réduction de l'opacité du calque flou adoucit l'ambiance générale (ce qui est parfait si c'est l'effet recherché), mais le plus souvent on veut conserver les traits nets (yeux, lèvres, etc.).

Etape 8

Cliquez sur le bouton de masque de fusion, au bas de la palette Calques, afin d'ajouter un masque de fusion au calque flou. Appuyez sur la touche D pour définir le noir comme couleur de premier plan. Activez l'outil Pinceau, choisissez une forme douce, puis passez l'outil sur les zones à rendre plus nettes (lèvres, yeux, sourcils, cils, cheveux, vêtements, soit presque tout excepté la peau). Voyez ci-après à gauche la photo originale et à droite la version retouchée pour une peau plus veloutée.

Note : Pour augmenter la taille de la forme, appuyez sur >, et pour la diminuer sur * (> et $ sur PC).

Avant.

Après.

Sourires à volonté

Voici une technique amusante pour faire naître un sourire sur un visage morne, ce qui donne de l'intérêt à un cliché ordinaire.

Etape 1

Ouvrez la photo à retoucher.

©JUPITERIMAGES

Etape 2

Dans le menu Filtre, choisissez Fluidité. Dans la boîte de dialogue du filtre, activez l'outil Loupe dans la barre d'outils à gauche. Cliquez une ou deux fois dans l'aperçu pour grossir l'affichage sur le visage. Puis, activez l'outil Déformation (le premier, en haut).

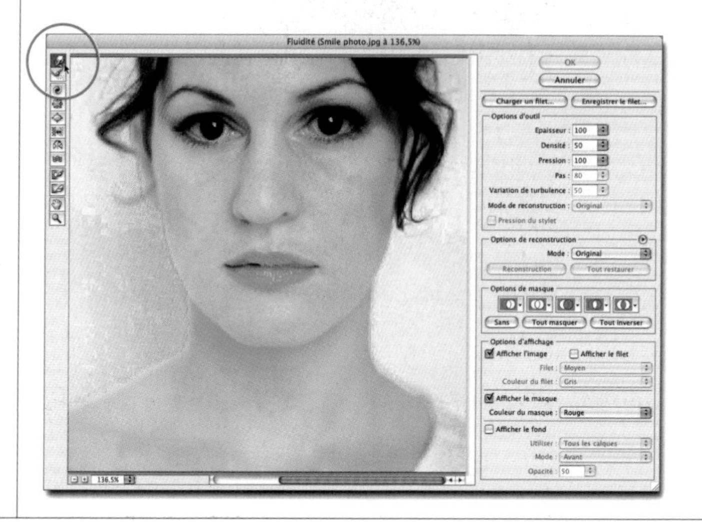

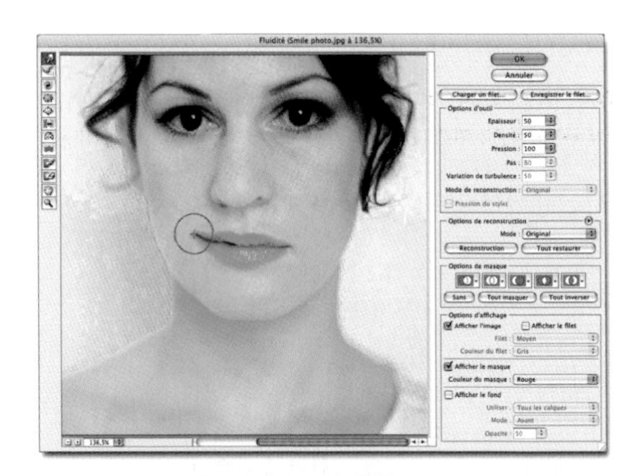

Etape 3

Définissez l'épaisseur de l'outil au même diamètre que la surface de la pommette. Placez l'outil près du coin de la bouche, cliquez et décalez légèrement le pointeur vers l'extérieur de manière à faire remonter le coin de la bouche dans un semblant de sourire.

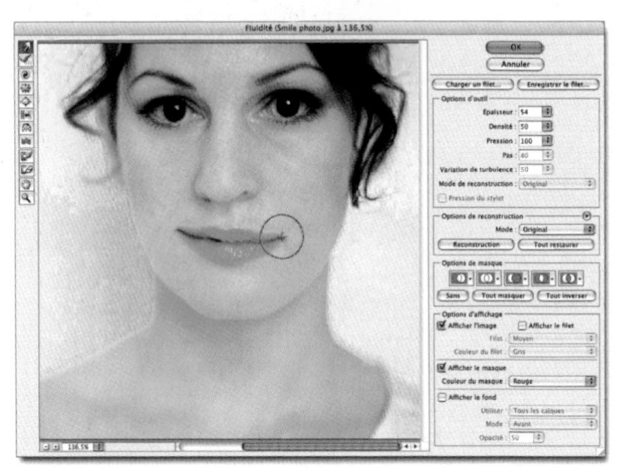

Etape 4

Répétez la même opération sur l'autre coin de la bouche, en appliquant le même décalage. Prenez soin de ne pas exagérer l'effet, au risque de transformer votre modèle en ennemi juré de *Batman*, c'est-à-dire le *Joker*. Cliquez sur OK pour appliquer le filtre Fluidité. Voyez le résultat ci-après.

Avant.

Après.

Chirurgie nasale numérique

Voici une technique très simple pour rétrécir de 15 à 20 % le nez du sujet. Le travail sur le nez ne prend qu'une minute, il est plus laborieux ensuite de faire disparaître avec l'outil Tampon de duplication le bord des narines qui dépasse. Simplifiez-vous la tâche en plaçant le nouveau nez plus fin sur un calque à part.

Etape 1

Ouvrez la photo à retoucher. Activez l'outil Lasso (L), et tracez une sélection grossière autour du nez. La sélection doit déborder sur les joues (comme il est illustré à l'étape 2).

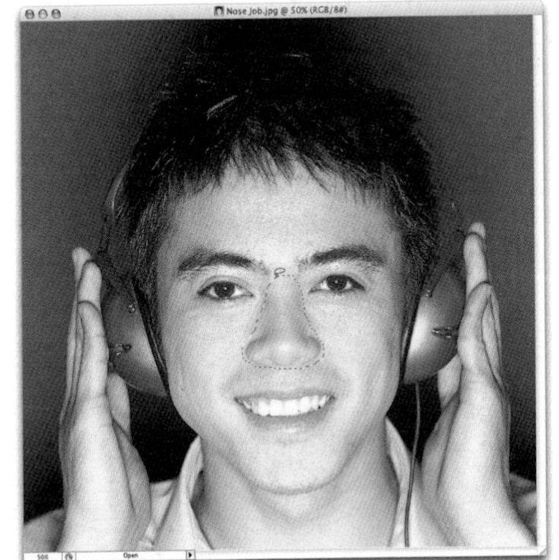

©JUPITERIMAGES

Etape 2

Pour adoucir le bord de la sélection, choisissez Contour progressif dans le menu Sélection. Dans la boîte de dialogue Contour progressif, définissez Rayon à 10 pixels (pour une image de 300 ppp, le rayon serait de 22 pixels), et cliquez sur OK.

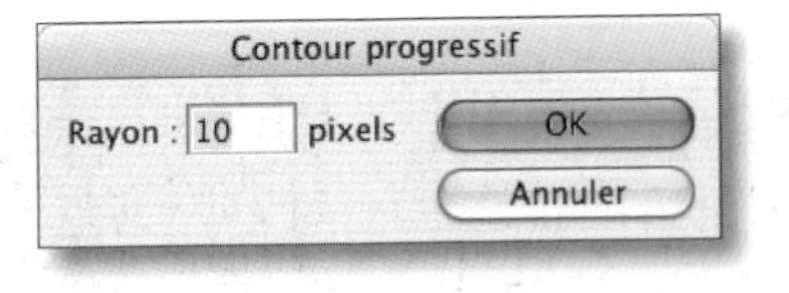

Etape 3

Appuyez sur Cmd+J (Ctrl+J) pour copier la sélection sur un nouveau calque.

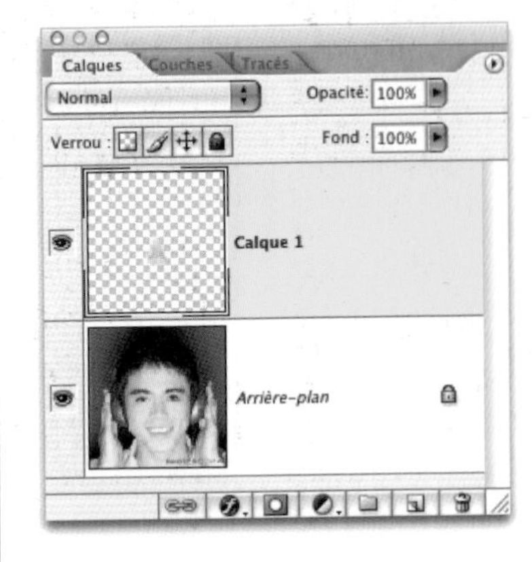

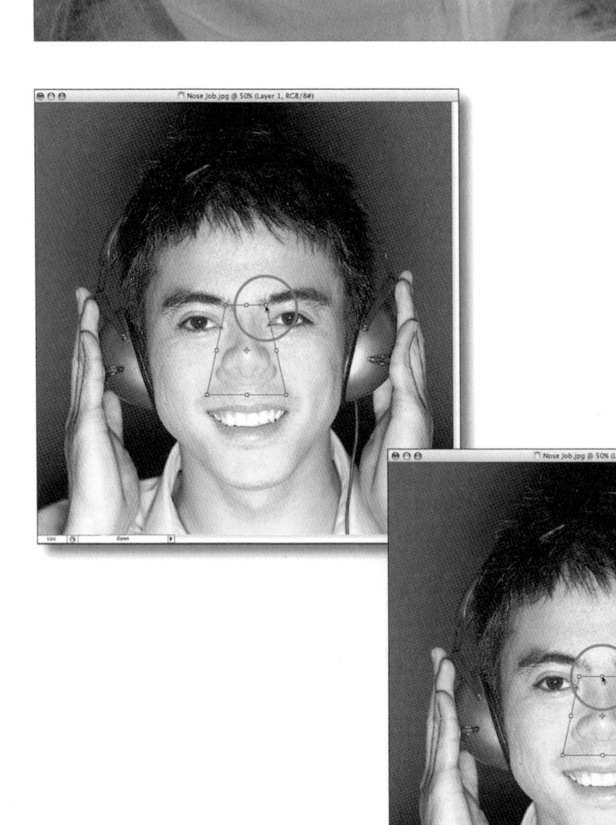

Etape 4

Appuyez sur Cmd+T (Ctrl+T) pour activer la fonction Transformation manuelle. Appuyez sur Maj+Option+Cmd (Maj+Alt+Ctrl) et faites glisser vers l'intérieur l'angle supérieur droit du cadre de transformation. La combinaison de touches définit une transformation en perspective, l'angle gauche suivant le mouvement vers l'intérieur. Cette manipulation écrase le nez mais nous réglons cela à l'étape suivante.

Etape 5

Relâchez les touches, et faites glisser vers le haut le bord supérieur du cadre pour rétablir les proportions naturelles du nez. Si cela vous convient, appuyez sur la touche Retour (Entrée) pour valider le changement. Si les ailes du nez d'origine dépassent derrière le nouveau nez, activez le calque Arrière-plan et l'outil Tampon de duplication (S) pour recouvrir ce qui déborde avec un échantillon couleur chair.

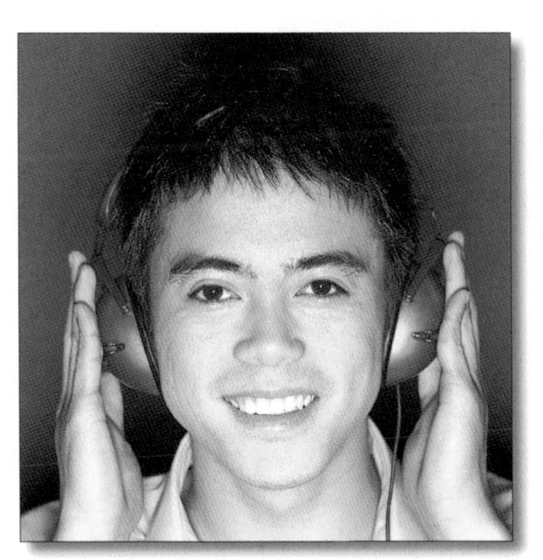

Avant.

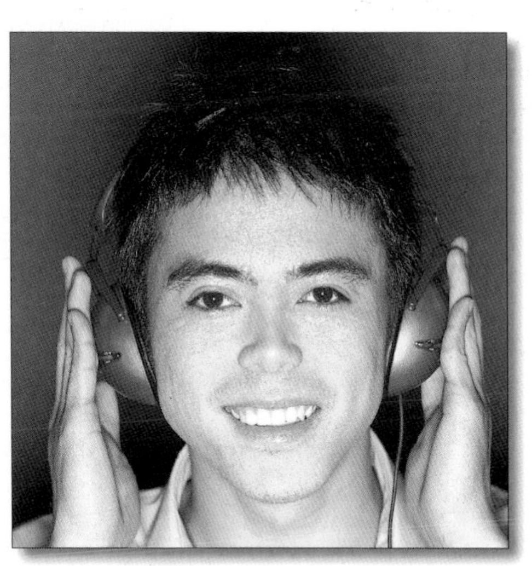

Après.

Amincissement

Mes clients sont ravis de cette technique qui fait merveille pour amincir. Entre nous, je vous confie mon secret : ne jamais faire savoir au sujet qu'il a été retouché.

Etape 1

Ouvrez la photo de la personne à amincir. Appuyez sur Cmd+A (Ctrl+A) pour sélectionner toute la photo. Appuyez ensuite sur Cmd+T (Ctrl+T) pour activer la fonction Transformation manuelle. Le cadre de transformation possède des poignées à chaque angle, qui, ici, risquent d'être difficiles à atteindre. Je vous recommande donc d'agrandir la fenêtre du document en faisant glisser son angle inférieur gauche vers l'extérieur. Vous obtenez une surface grise autour de la photo et les poignées sont plus faciles à saisir.

Etape 2

Cliquez sur la poignée centrale du bord gauche et faites-la glisser vers la droite pour amincir le sujet. Quelle est la limite à ne pas dépasser pour une retouche naturelle ? Surveillez le champ L (largeur) dans la Barre d'options. Je vous conseille de ne pas rétrécir au-delà de 95 % (ici j'applique 94,7 %) pour une intervention discrète.

Etape 3

Lorsque l'amincissement paraît réaliste, donc naturel, appuyez sur Retour (Entrée) pour valider la transformation. Cette opération fait apparaître un fond blanc sur le bord gauche de la photo. Pour l'éliminer, cliquez sur Image > Rogner. Dans la boîte de dialogue qui apparaît, vérifiez que l'option Pixels transparents est bien active, et cliquez sur OK. Appuyez sur Cmd+D (Ctrl+D) pour désélectionner.

Avant.

Après.

Suppression des poignées d'amour

Cette technique de sculpture du corps est très pratique, et vous serez sans doute surpris de la fréquence à laquelle vous allez l'employer. J'exploite ici le filtre Fluidité, que nombre d'utilisateurs prennent pour un gadget destiné à faire des yeux de mouche ou un bec de canard. Les retoucheurs professionnels ont tout de suite compris l'intérêt de ce filtre fabuleux.

Etape 1

Ouvrez une photo où de plus ou moins vilaines poignées d'amour n'attendent que votre intervention miraculeuse. Dans cet exemple, je vais éliminer le minuscule bourrelet sur le flanc droit du sujet. (Difficile dans les banques de données de photos libres de droits de trouver un défaut corporel à corriger !)

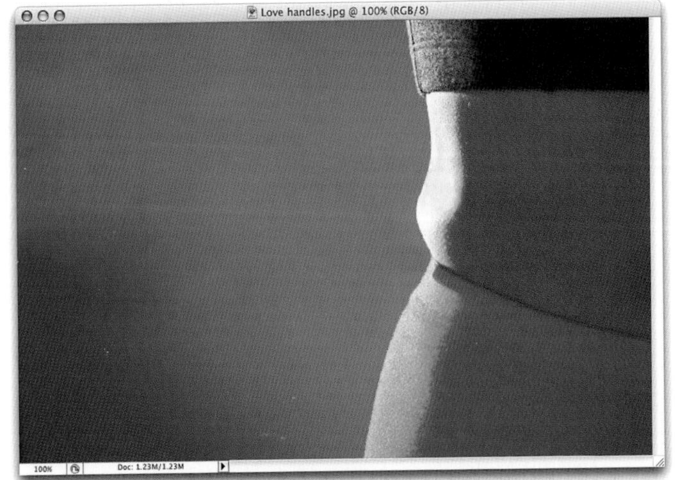

Etape 2

Dans le menu Filtre, choisissez Fluidité. Dans la boîte de dialogue Fluidité, activez l'outil Loupe de la barre d'outils à gauche. Puis, tracez un cadre autour de la zone à retoucher pour cibler et grossir l'aperçu.

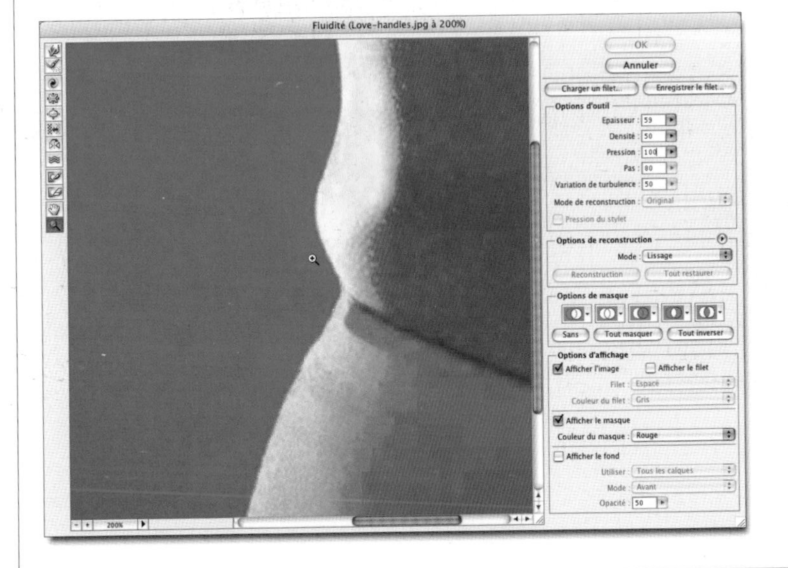

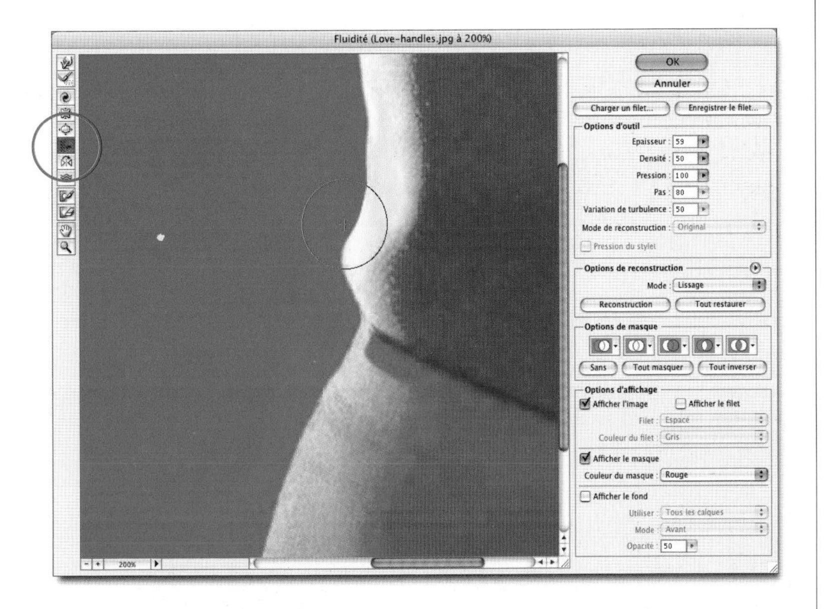

Etape 3

Activez l'outil Décalage à gauche (voir ci-contre). Dans les versions 6 et 7 de Photoshop, cet outil s'appelait Glissement des pixels. Choisissez une forme de petite taille dans la liste Epaisseur, dans la partie Options d'outils. Puis passez l'outil de haut en bas à l'extérieur de la courbe à redresser (voir ci-contre). L'outil pousse les pixels vers l'intérieur, vers la droite.

Etape 4

Dès que vous cliquez sur OK, la retouche est terminée, le sujet raffermi.

Note : Pour retoucher un bourrelet à droite (modèle vu de dos), faites glisser l'outil de bas en haut.

Avant.

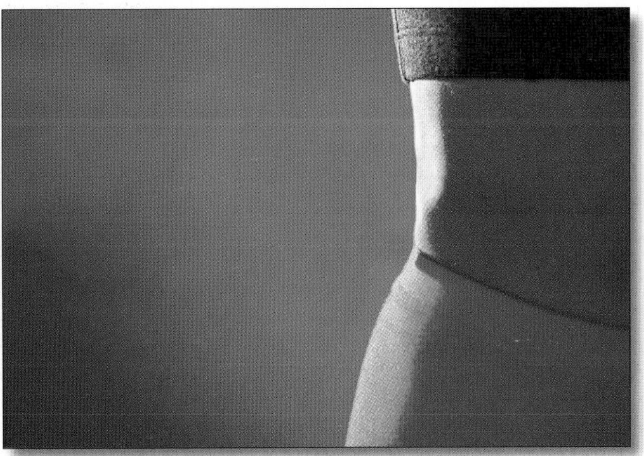

Après.

Photo de Scott Kelby | Exposition : 1/125 s | Focale : 210 mm | Ouverture : ƒ/4.8

36 chandelles

Effets spéciaux

C'est ici que cela devient plus scientifique, sans pour autant être moins drôle. Je ne voudrais surtout pas minimiser le divertissement que vous avez pu apprécier dans les chapitres précédents, mais les effets spéciaux sont vraiment amusants. Vous aurez tout loisir ici de jouer dans Photoshop pour changer la réalité avec, au final, l'incommensurable plaisir de facturer le client pour vos heures de récréation. Besoin de changer la couleur de chemise du sujet ? Aucun souci, faites-le dans Photoshop. Le ciel était-il couvert le jour de la prise de vue ? Ajoutez un joli ciel bleu. Envie de réchauffer l'ambiance comme au bon vieux temps de l'argentique avec le filtre 81A ? Optez pour la solution numérique.

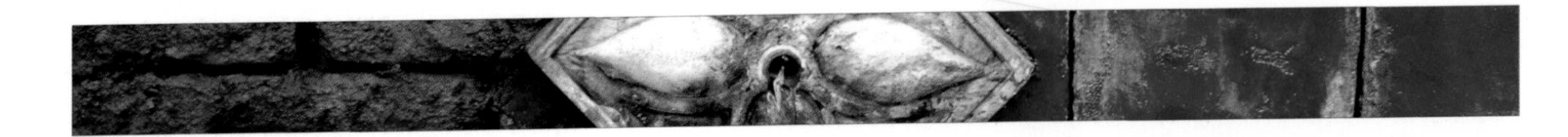

Eclairage dramaturgique

Cette technique est très courante chez les portraitistes, notamment pour les photos de mariage. L'ajout d'une auréole de lumière douce attire le regard sur le sujet. Cette technique me vient du célèbre photographe naturaliste Vincent Versace. Plutôt que d'obtenir cet effet avec des sélections, des contours progressifs, et autres manipulations de calques, il met à contribution le filtre Eclairage.

Etape 1

Ouvrez la photo RVB dans laquelle vous voulez créer l'auréole de lumière tamisée. Je veux attirer l'attention sur le lys au détriment du vase et du décor.

©SCOTT KELBY

Etape 2

Cliquez sur Filtre > Rendu > Eclairage. L'interface complexe de cette fonction ne doit pas vous intimider. Elle est en fait facile d'utilisation grâce à des préréglages (Style). Oubliez les curseurs et amusez-vous. L'aperçu de gauche montre l'éclairage appliqué par défaut, c'est-à-dire une source de lumière très large provenant du coin inférieur droit de la scène.

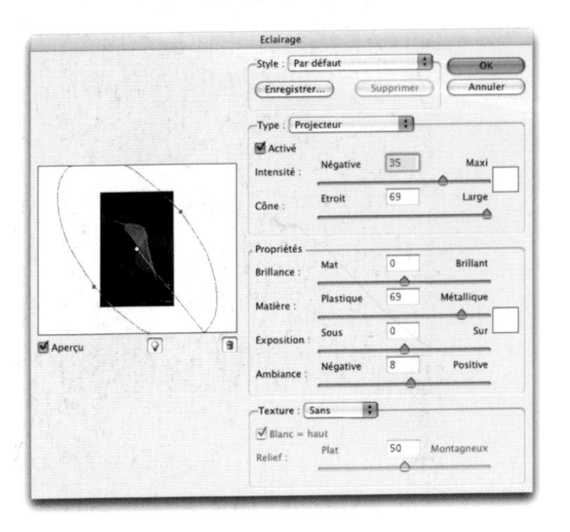

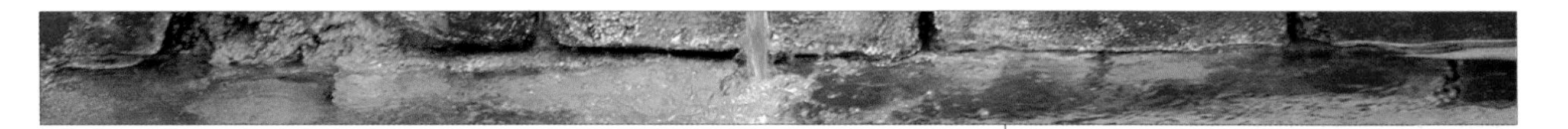

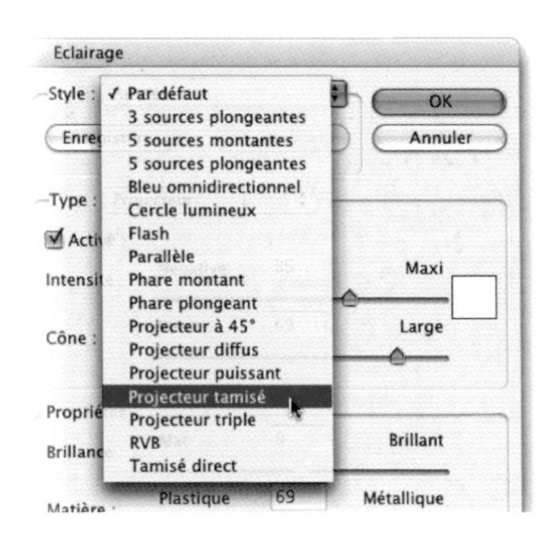

Etape 3

Pour cet effet, vous allez utiliser un projecteur étroit dont la lumière est très douce. Ouvrez la liste Style et choisissez Projecteur tamisé.

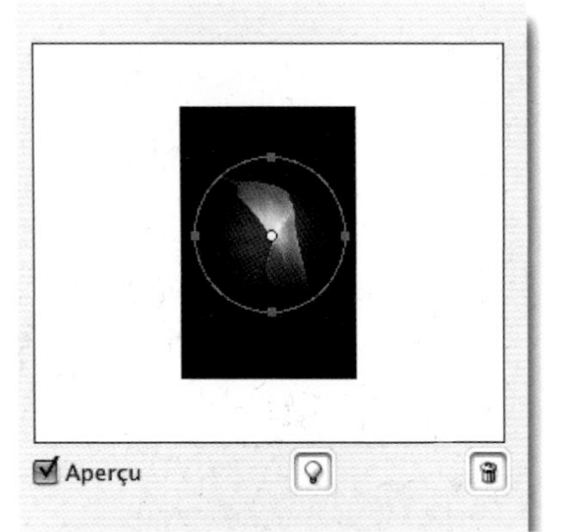

Etape 4

Dans l'aperçu, un cercle muni de quatre poignées symbolise le projecteur, sa position et ses dimensions. Cliquez sur le point central et placez le projecteur au centre de l'image. Ensuite, faites glisser une des poignées vers l'intérieur pour réduire le diamètre du projecteur.

Etape 5

Cliquez sur OK. Voilà ! La photo prend un aspect particulier grâce à une nouvelle source d'éclairage tamisé pointant sur le lys. L'illustration ci-contre montre l'image sous forme d'une affiche (voir Chapitre 14). Si l'effet est trop prononcé, exécutez la commande Estomper éclairage du menu Edition. Réduisez l'Opacité pour limiter l'intensité de l'éclairage.

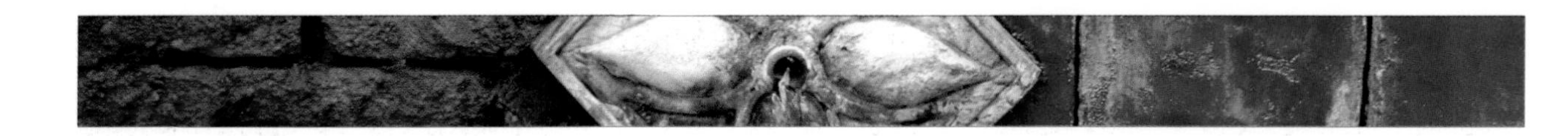

Flou artistique

Voici comment se prendre pour David Hamilton en simulant un filtre de type flou artistique que l'on place parfois sur les objectifs. Appliquez cette technique sur l'image bien nette des arbres, vous n'en reviendrez pas !

Etape 1

Ouvrez la photo à « flouter ». Dupliquez le calque Arrière-plan en appuyant sur Cmd+J (Ctrl+J). Il prend le nom de Calque 1.

Etape 2

Cliquez sur Filtre > Atténuation > Flou gaussien. Pour une image en haute résolution, appliquez un Rayon d'environ 20 pixels contre 6 à 10 pour des images basse résolution. Cliquez sur OK.

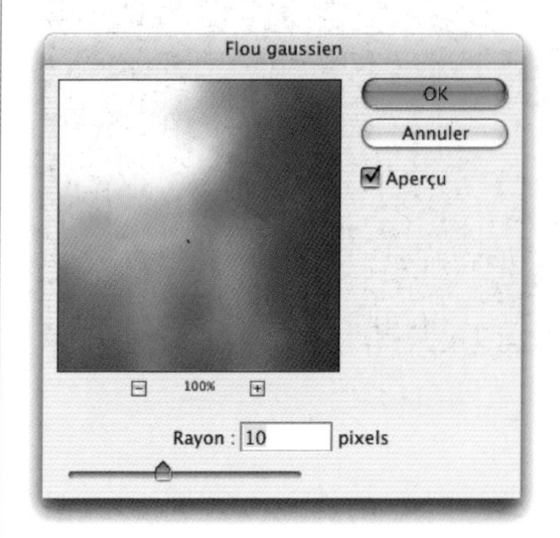

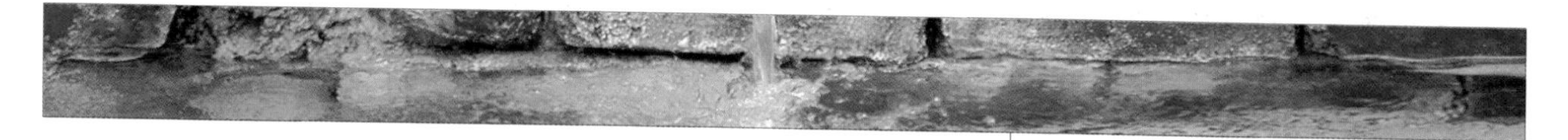

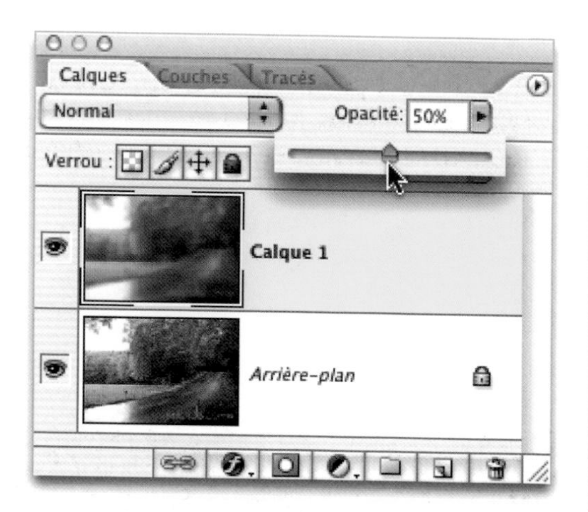

Etape 3

Le contenu du Calque 1 devient entièrement flou. Pour restaurer les détails de l'image, fixez son Opacité à 50 % dans la palette Calques. Un flou artistique s'applique, créant une photo romantique, proche de la peinture.

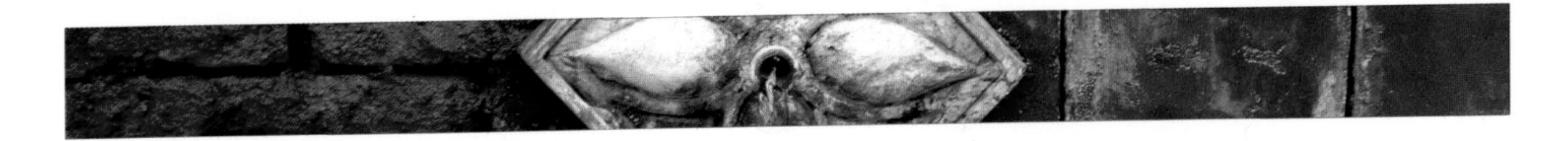

Vignettage

Au Chapitre 1, j'explique comment ajouter ou supprimer l'effet de vignettage avec Camera Raw. Nous allons voir ici comment obtenir cet effet sur une image JPEG, et non sur un fichier RAW.

Etape 1

Ouvrez l'image à vignetter. Ici, vous cherchez à focaliser l'attention sur le centre de l'image, c'est-à-dire en noircissant ses contours.

Etape 2

Dans la palette Calques, cliquez sur l'icône Créer un calque. Appuyez sur D pour définir le noir comme couleur de premier plan. Ensuite, appuyez sur Option+Suppr (Alt+Retour arrière) pour remplir ce calque de noir.

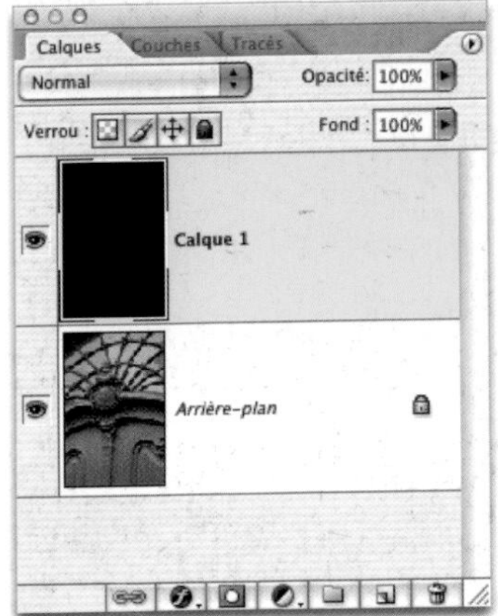

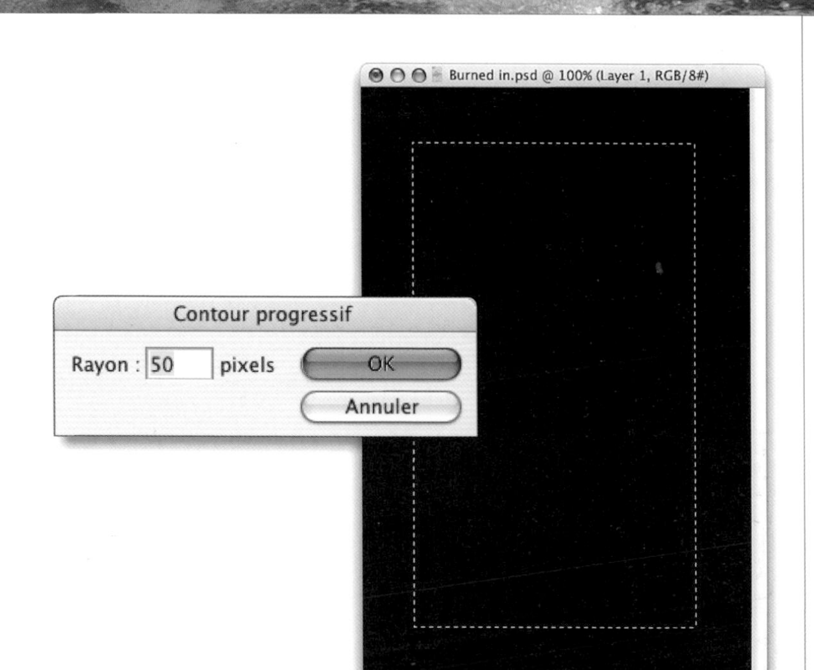

Etape 3

Activez l'outil Rectangle de sélection (M) et tracez un cadre de sélection à environ 2,5 cm du bord. Dans le menu Sélection, choisissez Contour progressif. Saisissez une valeur de 50 pixels pour une image basse résolution contre 170 en haute résolution. Cliquez sur OK.

Etape 4

Pour créer la vignette, appuyez sur Suppr (Retour arrière). Vous créez un trou progressif sur le calque noir. Appuyez sur Cmd+D (Ctrl+D) pour désélectionner.

Note : Si les bords paraissent trop sombres, diminuez l'Opacité du Calque 1. Dans cet atelier, je l'ai fixée à 80 %.

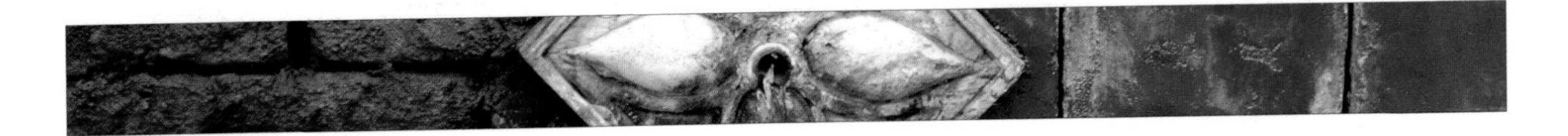

Ombres naturelles

Si vous photographiez des produits, ils reposeront certainement sur un fond blanc. Vous pourriez facilement sélectionner le produit, le copier, le placer sur un nouveau calque, supprimer l'ancien fond et ajouter une ombre portée. Le problème est que cette manipulation crée une ombre estampillée Photoshop. Voici comment créer un effet bien plus réaliste.

Etape 1

Ouvrez la photo où vous souhaitez ajouter une ombre naturelle. Il s'agit ici du SoundDock de Bose destiné à l'iPod. Il repose sur un fond grisâtre. Commencez par sélectionner le produit avec l'outil Plume (P). Convertissez ce tracé en sélection en appuyant sur Cmd+Retour (Ctrl+Entrée). Ensuite, supprimez le calque du tracé, et appuyez sur Cmd+J (Ctrl+J) pour placer le produit sur son propre calque. Enfin, activez le calque Arrière-plan.

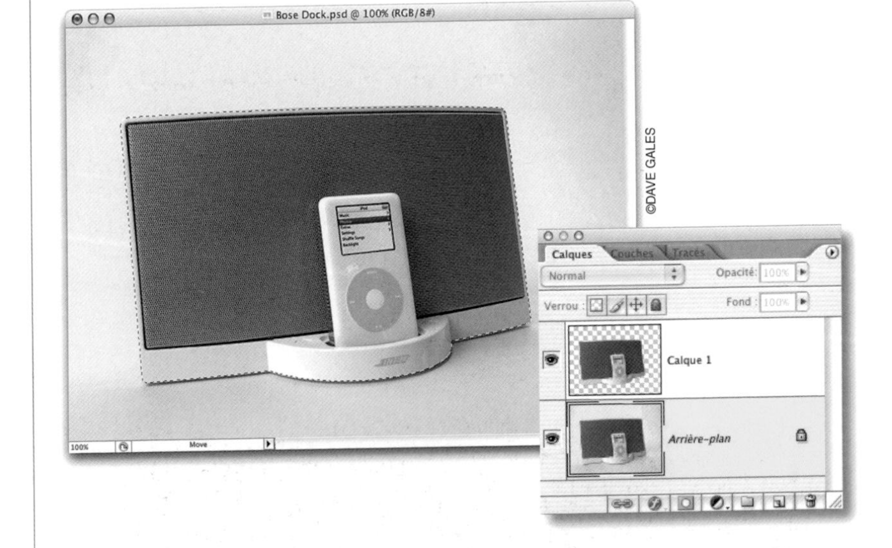

Etape 2

Appuyez sur Cmd+A (Ctrl+A) pour sélectionner l'intégralité de ce calque. Appuyez sur Suppr (Retour arrière) pour le remplir de blanc. Désélectionnez à l'aide des touches Cmd+D (Ctrl+D).

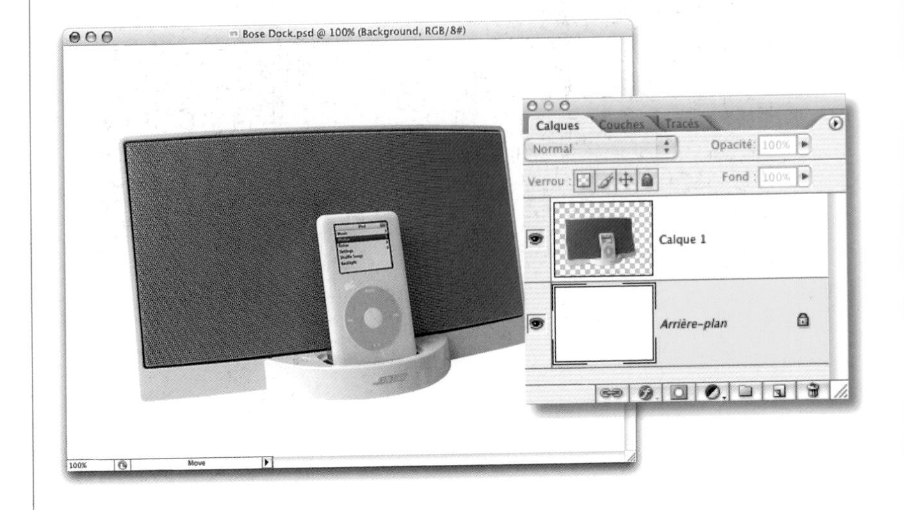

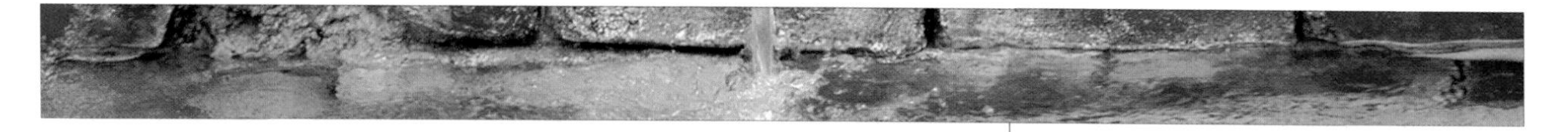

Etape 3

Activez l'outil Forme d'historique (Y). Dans la Barre d'options, définissez une forme de taille moyenne aux contours adoucis. Peignez sur le bord inférieur de votre produit pour restaurer l'ombre originale. L'astuce est de placer 1/3 de la forme sur le produit, et 2/3 sur le fond.

Astuce : Si cela est sans effet, fixez le mode de fusion de l'outil sur Normal dans la Barre d'options.

Etape 4

Faites attention à ne pas trop empiéter sur le fond blanc. L'ombre n'est autre qu'une restauration du décor grisâtre d'origine. Le résultat est illustré ci-contre. L'ombre est d'une rare subtilité, d'un naturel époustouflant. Sympa !

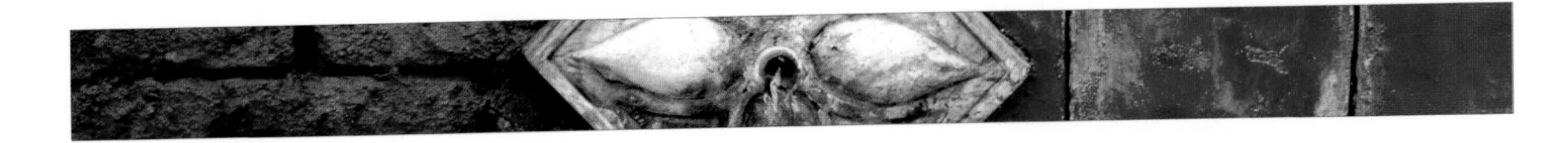

Placage d'une image sur une autre

Si vous connaissez Photoshop 7 et CS, la fonction de déformation d'un texte ne vous est pas étrangère. CS2 permet d'appliquer une technique identique aux photos. Contrairement à la déformation du texte, celle-ci est personnalisable, ce qui permet de plaquer une image sur une autre avec beaucoup de facilité.

Etape 1

Ouvrez la photo de l'objet sur lequel vous allez en appliquer un autre. Ici, il s'agit d'une bouteille de vin à laquelle nous allons ajouter une étiquette.

©JUPITERIMAGES

Etape 2

Ouvrez la photo à plaquer sur la bouteille. Vous pouvez créer l'étiquette de toute pièce, ou la télécharger sur le site Web d'accompagnement de ce livre.

Note : Si l'étiquette est sur son propre calque, activez la Baguette magique (W) et cliquez sur le fond blanc. Ensuite, choisissez Sélection > Intervertir. Seule l'étiquette est sélectionnée.

©JUPITERIMAGES

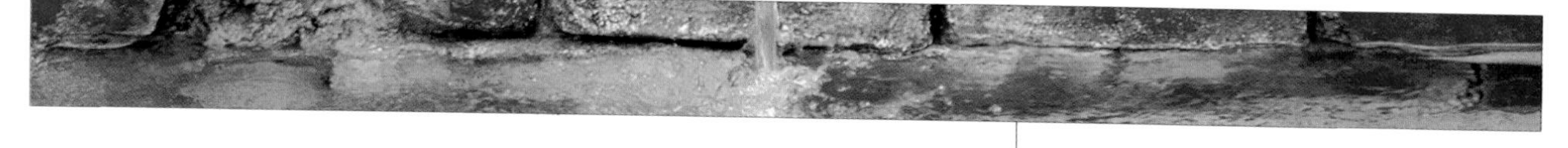

Etape 3

Appuyez sur V pour activer l'outil Déplacement, et glissez-déposez l'étiquette dans l'image de la bouteille. Appuyez sur Cmd+T (Ctrl+T) pour basculer en mode Transformation manuelle. Maintenez la touche Maj enfoncée et faites glisser une des poignées d'angle pour mettre l'étiquette à l'échelle de la bouteille. Ensuite, faites-la glisser pour la positionner au centre de l'objet. Vous constatez que l'étiquette paraît bien plate. En effet, elle n'épouse pas la forme de la bouteille. Remédiez-y !

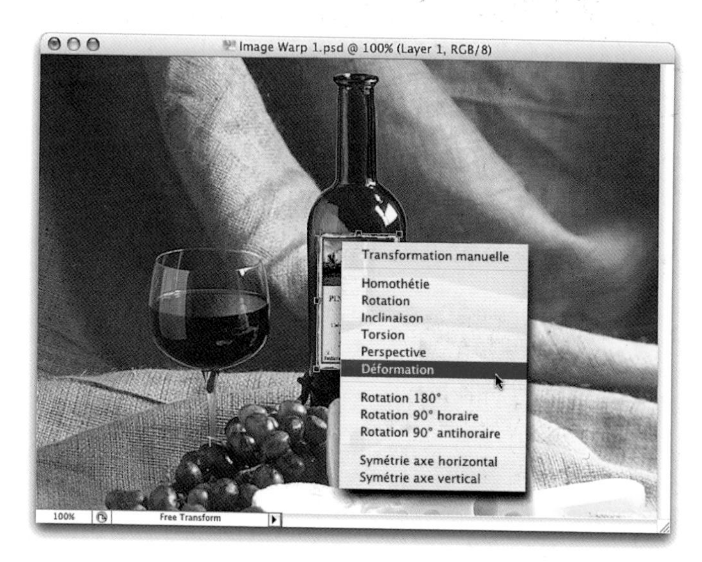

Etape 4

Le cadre de la transformation manuelle étant visible, faites un Ctrl+clic (clic droit) dans le cadre de transformation. Dans le menu contextuel, choisissez Déformation.

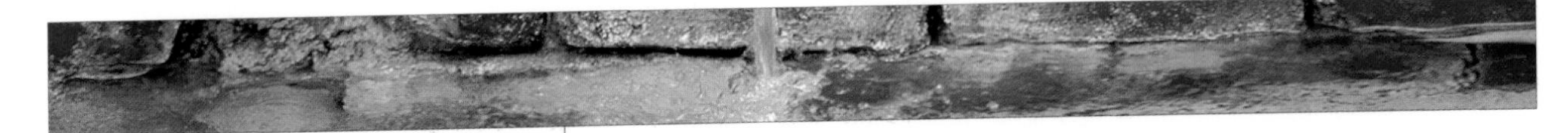

Etape 5

La Barre d'options affiche une liste de paramètres de déformation. Dans la liste Déformation, choisissez Arche. Cela incurve l'étiquette, mais dans le mauvais sens.

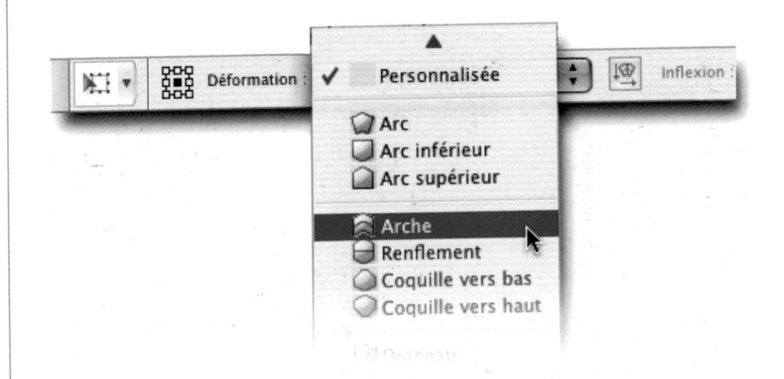

Etape 6

Une grille apparaît sur l'étiquette avec un point de contrôle placé en haut, au centre. Il permet de déplacer l'arche vers le haut et le bas. Cliquez dessus et faites glisser le point vers le bas. La courbe de l'arche s'inverse.

Etape 7

Malgré la présence d'un seul point, vous pouvez agir sur toutes les intersections de la grille (comme avec les poignées de l'outil Plume). Pour cela, ouvrez la liste Déformation de la Barre d'options et cliquez sur Personnalisée.

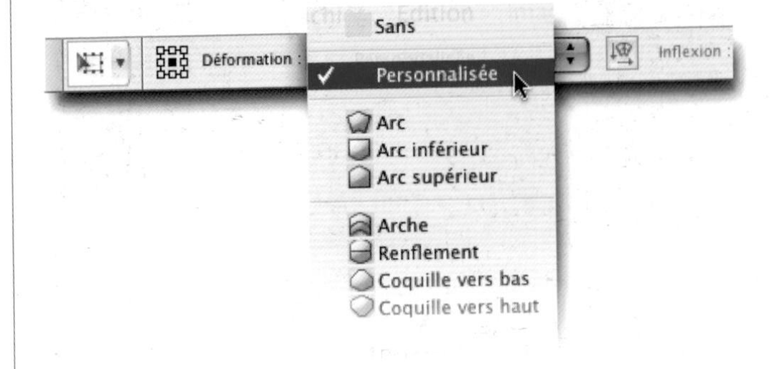

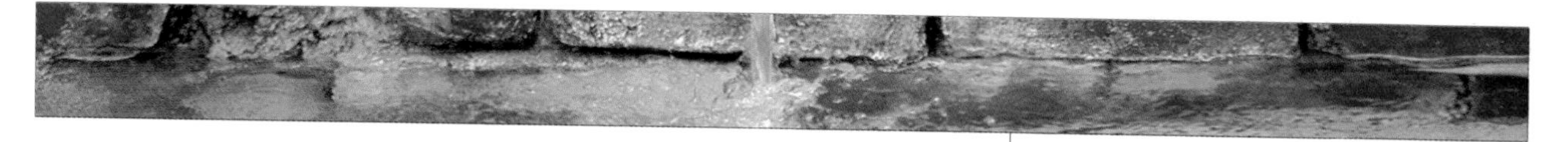

Etape 8

Dès que vous personnalisez la grille, des points apparaissent à chaque intersection. Dans cet atelier, je veux amplifier la courbe inférieure de l'étiquette. Donc, je clique sur les poignées de contrôle situées en bas, et je les déplace chacune légèrement pour obtenir le résultat souhaité.

Astuce : Si pendant la déformation vous avez besoin de basculer en mode Transformation manuelle (par exemple pour ajuster la taille globale de l'étiquette), cliquez sur la petite icône de permutation des deux modes, située sur le côté droit de la Barre d'options. Cliquez de nouveau dessus pour revenir en mode de déformation.

Etape 9

Lorsque l'étiquette a la forme voulue, appuyez sur Retour (Entrée) pour appliquer la déformation. Pour ajouter une touche de réalisme, diminuez l'Opacité du calque. Cela permet de voir quelques reflets de la bouteille à travers l'étiquette, donnant vraiment l'impression qu'elle est collée dessus.

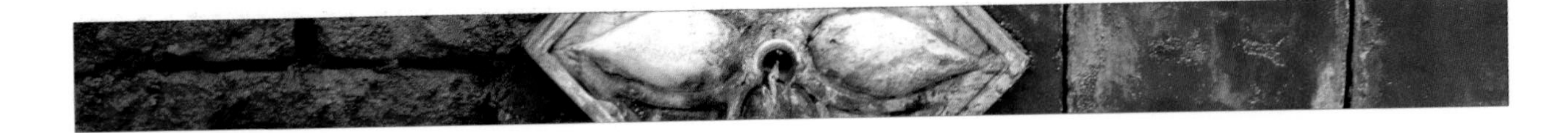

Simulation bichromique

La véritable bichromie – consistant en deux couleurs qui seront séparées sur des presses d'impression – est une technique complexe, comme en témoigne le Chapitre 7. En revanche, si vous imprimez sur un périphérique jet d'encre, les choses deviennent plus simples. Vous pouvez simuler une bichromie presque aussi réaliste qu'une vraie.

Etape 1

Ouvrez la photo RVB à convertir en bichromie. Bien que je parle de bichromie, nous allons rester dans le mode colorimétrique RVB. Le plus difficile est de choisir la couleur bichromique. La créer dans le Sélecteur de couleurs est une opération des plus complexes souvent vouée à l'échec.

©JUPITERIMAGES

Etape 2

L'astuce consiste à trouver une photo contenant la couleur que vous souhaitez utiliser. Personnellement, je vais sur les sites Web des éditeurs de collections de photos, comme Photos.com. Ensuite, j'active la Pipette, je clique dans l'image et, sans relâcher le bouton de la souris, je vais prélever la teinte qui m'intéresse dans la photo affichée dans mon navigateur Web. Cette manipulation n'a rien d'illégal puisque je me limite à prélever un échantillonnage de couleur.

©JUPITERIMAGES

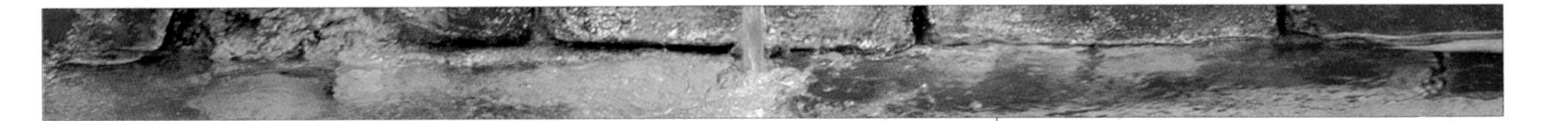

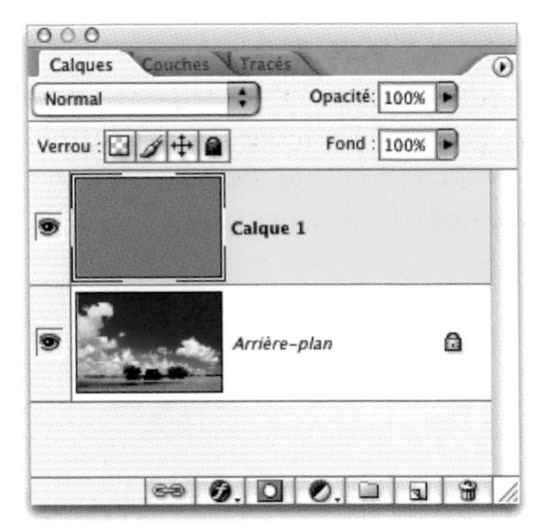

Etape 3

Affichez l'image à modifier. Dans la palette Calques, cliquez sur l'icône Créer un calque. Appuyez sur Option+Suppr (Alt+Retour arrière) pour le remplir avec la couleur prélevée. Elle remplit toute l'image.

Etape 4

Appliquez à ce calque le mode de fusion Couleur.

Etape 5

Si la bichromie est trop sombre, cliquez sur le calque Arrière-plan. Dans le menu Image, cliquez sur Réglages > Désaturation. Vous supprimez les informations chromatiques RVB sans modifier le mode colorimétrique, et tout en éclaircissant la photo. Magnifique !

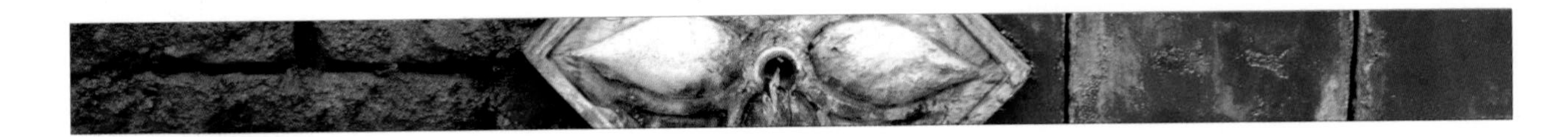

Filtrage photo standard

Techniques avancées — Pour les PROS !

Voici une méthode numérique de reproduction des effets obtenus avec des filtres de correction chromatique comme les 81A et 81B. Ils sont généralement utilisés pour donner plus de chaleur à une photo, et quelquefois aussi pour créer des effets de couleur étonnants.

Etape 1

Ouvrez la photo à corriger. Ici, l'image est grisâtre et fade. Nous allons lui redonner du tonus avec un filtre photo numérique, à tel point que tout le monde voudra se rendre en Californie pour faire pareil cliché.

Etape 2

Dans la liste Créer un calque de réglage de la palette Calques, choisissez Filtre photo.

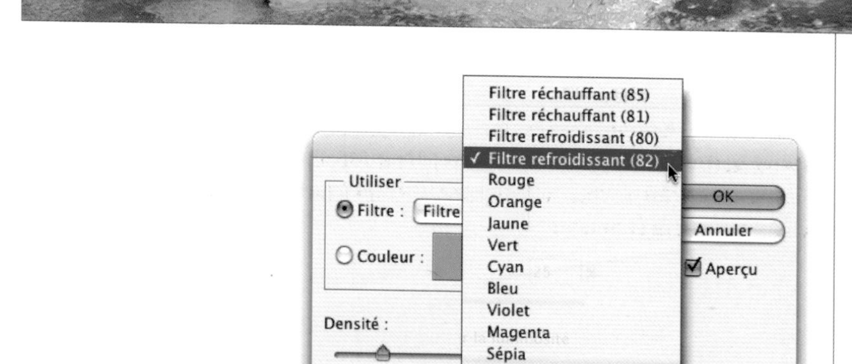

Etape 3

Dans la boîte de dialogue Filtre photo, ouvrez la liste Filtre et choisissez Filtre refroidissant (82). Bien entendu, adaptez le choix du filtre à l'ambiance que vous souhaitez donner à la photo.

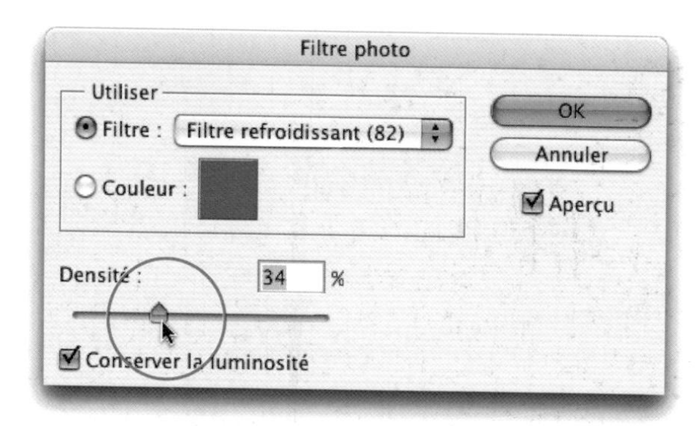

Etape 4

La valeur Densité par défaut est de 25 %. Intensifiez l'effet du filtre en la portant au moins à 34 %.

Etape 5

Lorsque vous cliquez sur OK, toute la photo profite de l'effet du filtre. (L'image ci-contre montre la photo incluse dans une affiche.) Pour que la tonalité bleue n'affecte que certaines zones de l'image, appuyez sur B pour activer l'outil Pinceau, puis sur X pour définir le noir comme couleur de premier plan. Ensuite, peignez sur les zones à soustraire de l'effet. (En réalité, vous peignez sur le masque de fusion du Calque de réglage.)

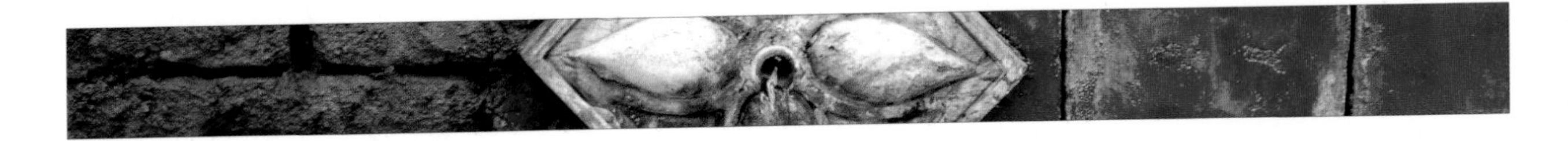

Collage avec masque de fusion

Je pourrais remplir un chapitre entier avec les techniques de collage dans Photoshop. Celle que j'ai retenue ici est l'une des plus courantes et des plus performantes employées par les retoucheurs professionnels. Vous allez voir à quel point c'est facile et amusant d'assembler des bouts de photos ensemble.

Etape 1

Ouvrez la photo qui va servir de base au collage (elle constituera l'arrière-plan de l'image composite).

©JUPITERIMAGES

Etape 2

Ouvrez la première photo à coller dans la photo d'arrière-plan.

©JUPITERIMAGES

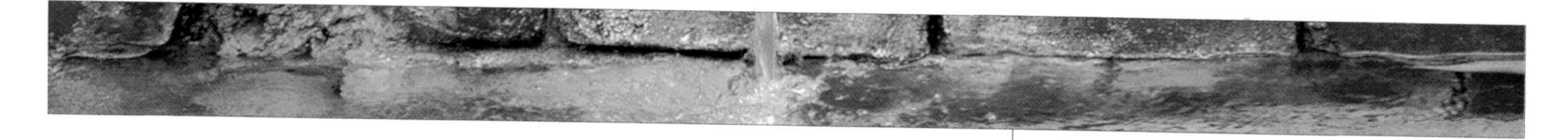

Etape 3

Appuyez sur V pour activer l'outil Déplacement, puis faites glisser la photo vers la fenêtre de l'autre document. La photo glissée apparaît sur un nouveau calque, masquant ainsi l'arrière-plan.

Etape 4

Cliquez sur le bouton de masque de fusion au bas de la palette Calques (voir ci-contre). Appuyez sur G pour activer l'outil Dégradé, puis appuyez sur la touche Retour (Entrée) pour faire apparaître la palette de dégradés prédéfinis. Sélectionnez le dégradé de noir à blanc (le troisième dans la palette par défaut).

Etape 5

Cliquez dans la photo avec l'outil Dégradé au point où l'image du Calque 1 doit devenir transparente. Ensuite, faites glisser le curseur vers la gauche jusqu'au point où le reste de l'image doit présenter une opacité de 100 %.

Note : Si vous n'obtenez pas le résultat escompté, annulez le dégradé, cliquez sur le bouton Inverser de la Barre d'options et répétez l'opération.

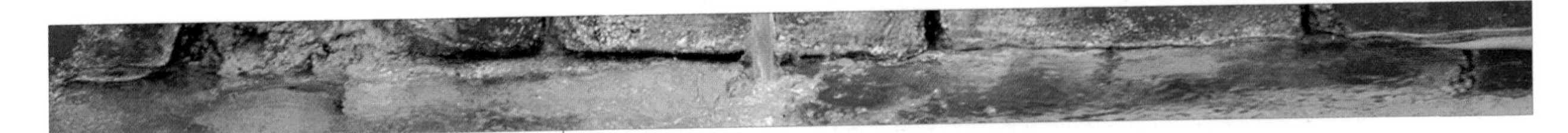

Etape 6

Dès que vous relâchez le bouton de la souris, la photo du dessus se fond dans celle d'arrière-plan. Dans l'exemple ci-contre, le calque du haut est transparent au centre, son opacité croissant vers la gauche, affichant nettement le visage de la femme. Vous pouvez utiliser l'outil Déplacement pour décaler l'image du Calque 1 vers la droite et ainsi afficher davantage celle du calque Arrière-plan.

Etape 7

Ouvrez une autre photo à inclure au collage. Activez l'outil Déplacement pour faire glisser une copie de cette photo sur le document du collage en cours.

Etape 8

Cliquez sur le bouton de masque de fusion au bas de la palette Calques pour ajouter un masque sur le nouveau calque.

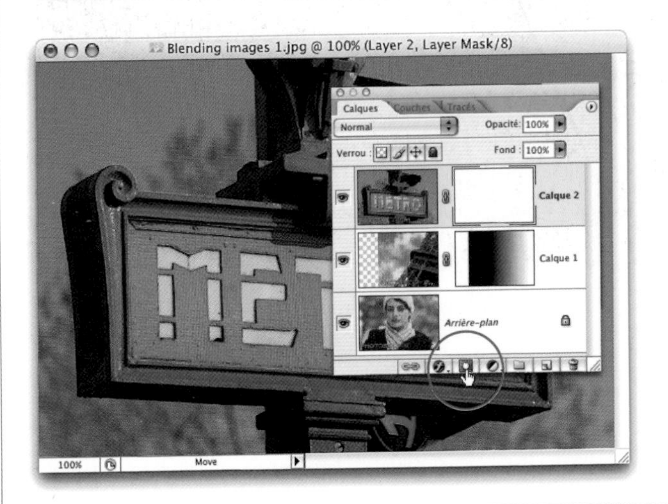

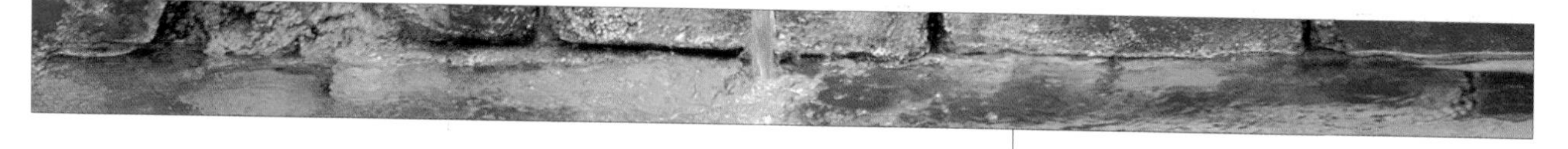

Etape 9

Cliquez avec l'outil Dégradé un peu avant la lettre R de l'enseigne, et faites glisser le curseur légèrement vers le bas (voir ci-contre) au centre de la lettre M pour intégrer progressivement la nouvelle photo aux autres calques.

Note : Si vous n'obtenez pas le résultat attendu, annulez le dégradé, décochez Inverser dans la Barre d'options de l'outil Dégradé, et réitérez l'opération.

Etape 10

Si l'enseigne est trop proche du visage de la femme, activez l'outil Déplacement et déplacez-la vers la gauche. Pour affiner la fusion, activez l'outil Pinceau (B), définissez une forme de grande taille aux contours adoucis et peignez sur l'image. Avec du blanc, vous restaurez les parties éliminées par le masque de fusion. Appuyez sur X pour définir le noir comme couleur de premier plan. Cette fois, vous effacez les parties de l'enseigne sur lesquelles vous appliquez l'outil.

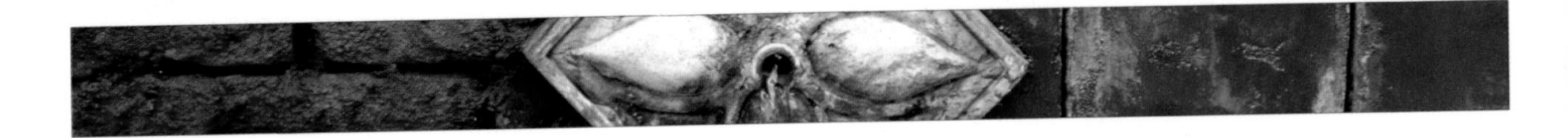

Techniques avancées – Pour les PROS !

Photographie infrarouge

Voici la technique numérique qui permet de créer des photos infrarouges, un peu à la manière du filtre Hoya R72. La dernière étape consistera en un ajout de couleurs pour obtenir un aspect tout à fait intéressant.

Etape 1

Ouvrez la photo RVB à transformer en cliché infrarouge. Créez un Calque de réglage de type Mélangeur de couches.

Etape 2

Dans la boîte de dialogue homonyme, activez l'option Monochrome. Ensuite, fixez les valeurs Rouge à –50 %, Vert à +200 % et Bleu à –50 %.

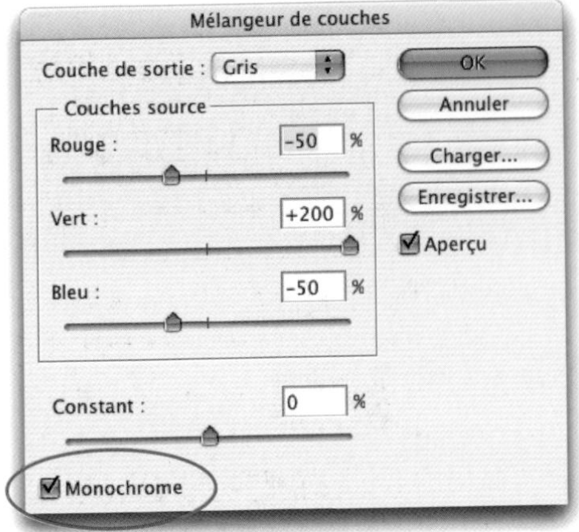

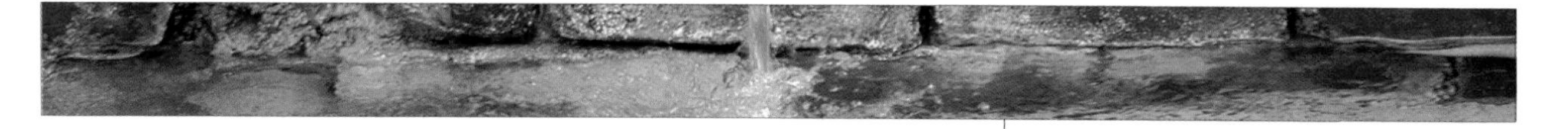

Etape 3

Dès que vous cliquez sur OK, l'effet infrarouge noir et blanc s'applique à l'image. Certains d'entre-vous arrêteront le travail ici. Cependant, poursuivez pour ajouter de la couleur.

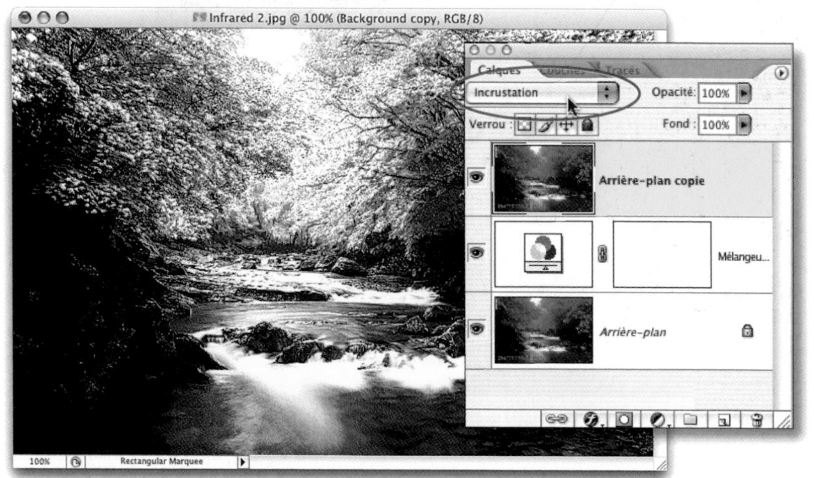

Etape 4

Dans la palette Calques, glissez-déposez le calque Arrière-plan sur l'icône Créer un calque pour le dupliquer. Placez cette copie au-dessus du Calque de réglage Mélangeur de couches. Effectuez deux modifications : (1) appliquez-lui le mode de fusion Incrustation, (2) fixez son Opacité à 50 %.

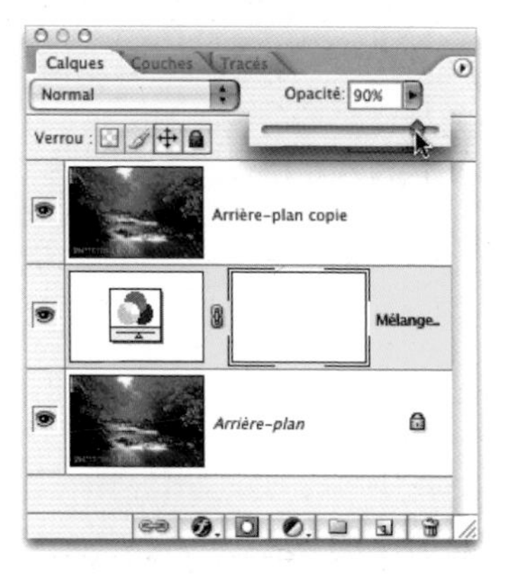

Etape 5

Dans la palette Calques, activez le Calque de réglage Mélangeur de couches. Réduisez son Opacité pour faire ressortir davantage de couleurs originales. Dans l'exemple, je réduis ce paramètre de 10 %. L'image est plus colorée.

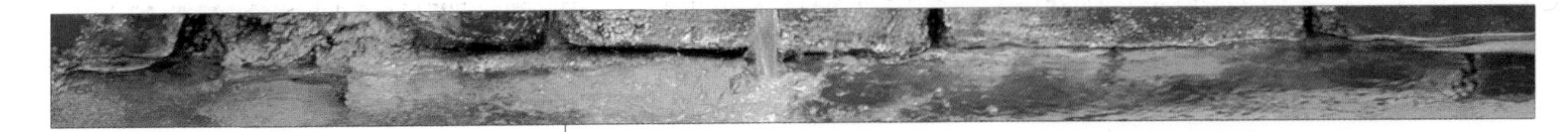

Etape 6

A cette étape de la procédure, l'effet final est obtenu. Toutefois, vous allez tester une variante qui va créer un effet chromatique tout à fait singulier. Commencez par supprimer la copie de l'arrière-plan.

Etape 7

Dans la liste Créer un calque de réglage, choisissez Mélangeur de couches. Saisissez les mêmes valeurs que précédemment (–50 %, +200 % et –50 %), mais sans activer l'option Monochrome. Pour renforcer l'impact des couleurs, désactivez le calque de réglage Mélangeur de couches situé au centre de la palette Calques.

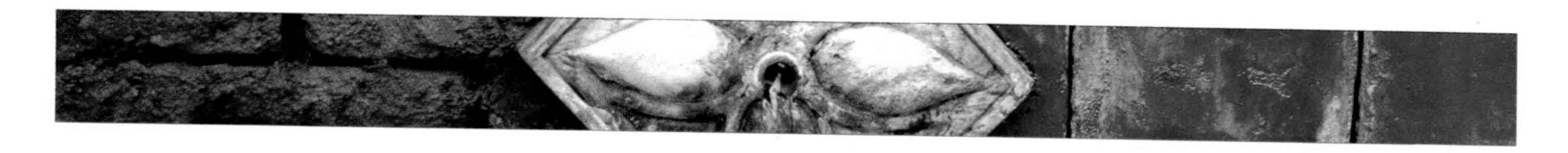

Densité neutre

Le filtre Densité neutre est prisé des photographes qui réalisent des prises de vue à l'extérieur quand le ciel est lumineux et le premier plan sombre. Un filtre Dégradé de densité neutre réduit l'exposition du ciel d'un ou deux diaphs, sans toucher aux éléments situés au niveau du sol. (Le haut du filtre est gris et progresse vers une partie inférieure transparente.) Si vous ne disposez pas d'un tel filtre, simulez son effet dans Photoshop.

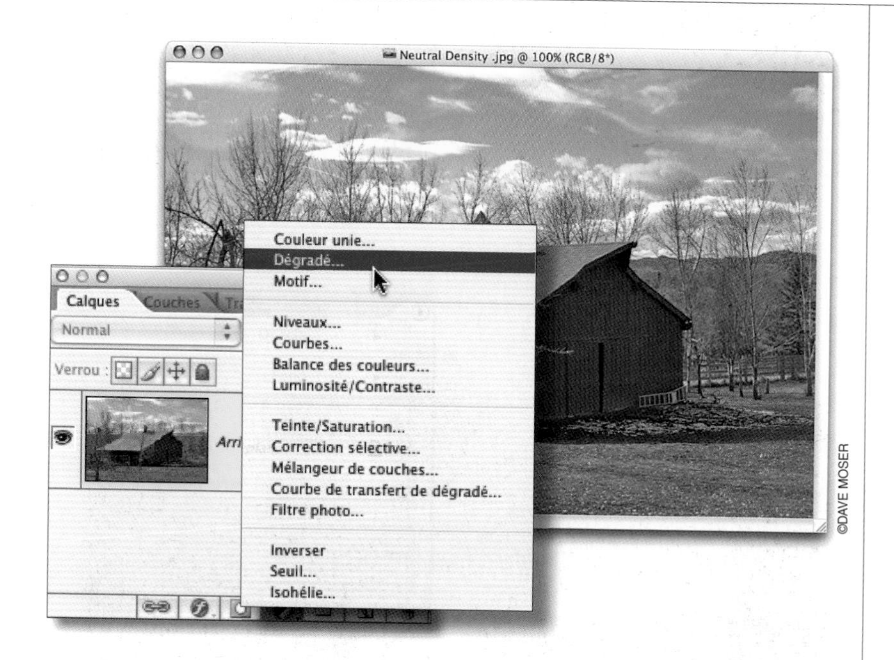

Etape 1

Ouvrez la photo (de préférence un paysage) où le ciel est bien trop lumineux par rapport au reste de l'image. Appuyez sur D pour définir le noir comme couleur de premier plan. Ensuite, ajoutez un Calque de réglage de type Dégradé.

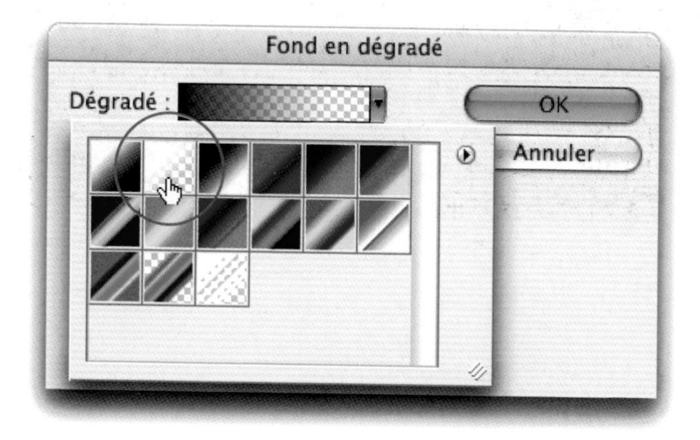

Etape 2

Dans la boîte de dialogue qui apparaît, ouvrez l'Editeur de dégradés en cliquant sur la liste Dégradé. Double-cliquez sur le second type de dégradé, c'est-à-dire Premier plan – Transparent. Cliquez sur OK.

Etape 3

Par défaut, la zone du sol est obscurcie, alors que nous cherchons à obtenir l'inverse. Donc, dans la boîte de dialogue Fond en dégradé, cochez la case Inverser. Cette fois, le ciel s'obscurcit. La photo est abominable, mais nous allons corriger cela. Cliquez sur OK.

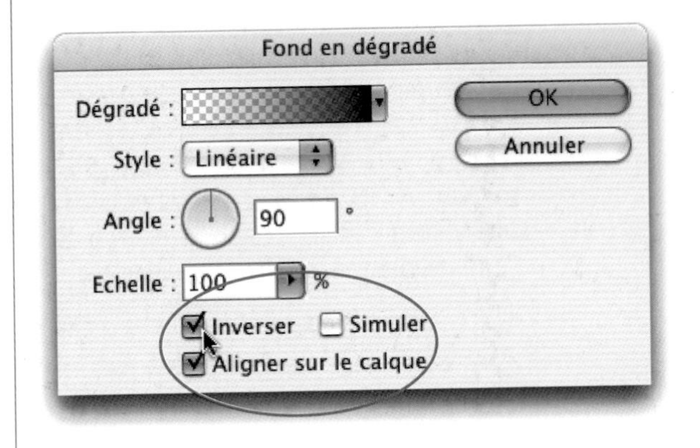

Etape 4

Pour fusionner ce dégradé dans la photo, appliquez au Calque de réglage le mode de fusion Incrustation. Cette fois, le ciel s'éclaircit progressivement du haut vers le bas. C'est l'œuvre du dégradé. Nous allons affiner cela.

Etape 5

Dans la palette Calques, double-cliquez sur la vignette du Calque de réglage Dégradé pour ouvrir la boîte de dialogue Fond en dégradé. Ensuite, cliquez sur la liste Dégradé. Vous voici dans l'Editeur de dégradés. Faites glisser le curseur blanc supérieur droit vers le centre de la zone de définition du dégradé, puis déplacez-le progressivement vers la gauche jusqu'à ce que ciel soit réellement affecté. Validez par un clic sur OK.

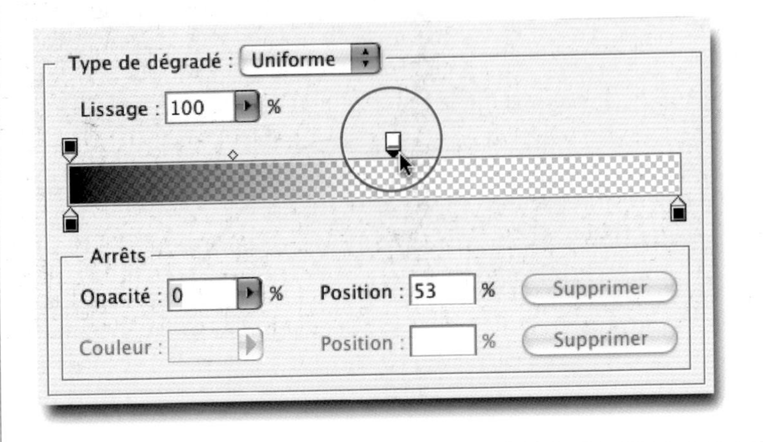

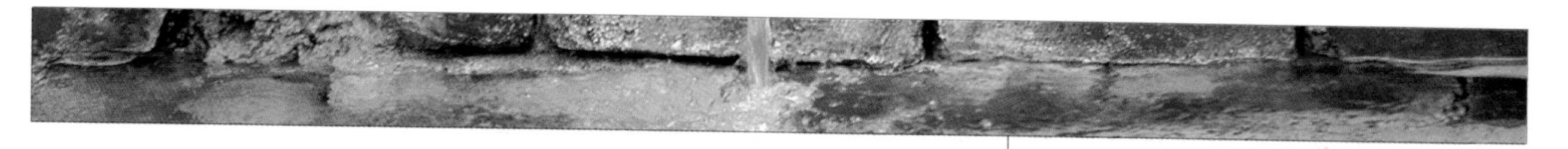

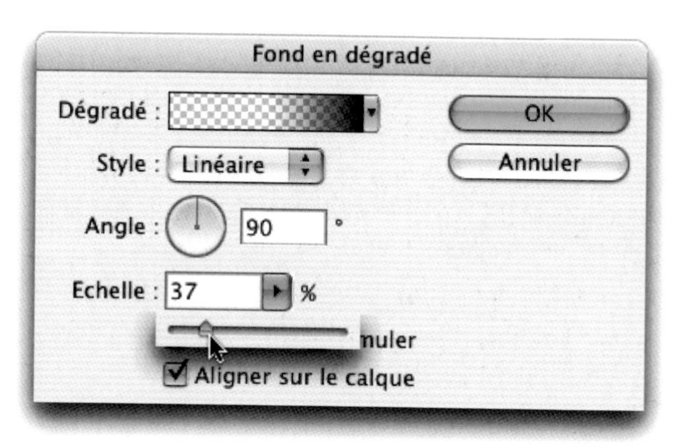

Etape 6

Par défaut, l'image est entièrement affectée par le dégradé. La partie supérieure du ciel est d'une couleur gris foncé, et le dégradé devient de plus en plus transparent vers le bas. Toutefois, si vous souhaitez obtenir un passage plus rapide du gris au transparent, réduisez la valeur du paramètre Echelle de la boîte de dialogue Fond en dégradé.

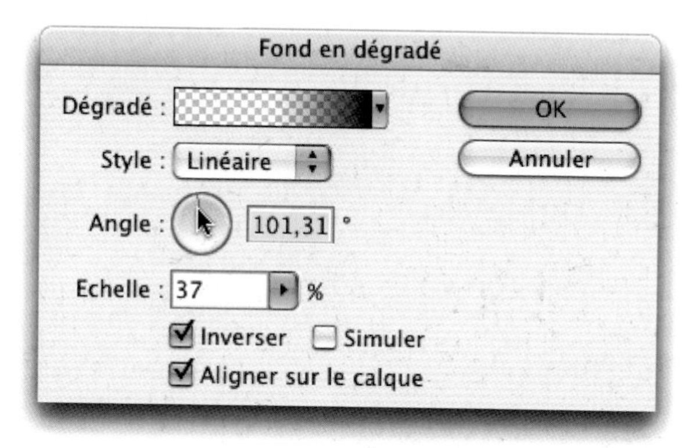

Etape 7

Si la photo ne présente pas une ligne d'horizon parfaitement droite (peut-être que le ciel est arrêté par des toits), ajustez le paramètre Angle en faisant glisser lentement son bouton de contrôle dans la direction de la ligne définie par l'horizon. Vous faites pivoter le dégradé. Quand le réglage paraît correct, cliquez sur OK.

Avant : L'exposition crée un ciel trop clair.

Après : La grange ne change pas, alors que le ciel s'obscurcit.

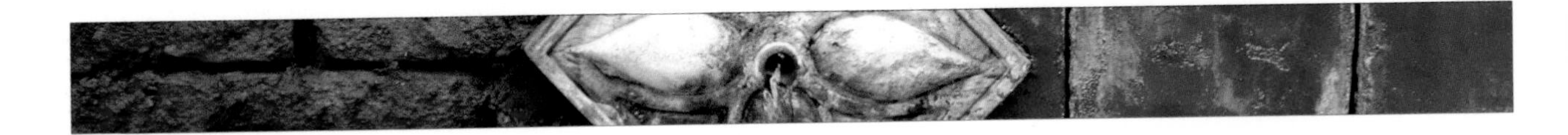

Application d'une perspective avec Point de fuite

Au Chapitre 9, « Suppression d'éléments », le filtre Point de fuite de Photoshop CS2 nous a permis de supprimer une personne placée en plein dans une perspective, chose très difficile à réaliser avec l'outil Tampon de duplication. Ce filtre permet également d'ajouter une photo dans une autre en respectant une perspective donnée.

Etape 1

Ouvrez la photo dans laquelle vous souhaitez placer un autre élément. Il s'agit ici d'un immeuble photographié en contre-plongée de trois quarts. Nous allons placer une photo dans un angle du bâtiment, en respectant la perspective. Commencez par ajouter un calque vide en cliquant sur l'icône Créer un nouveau calque de la palette Calques.

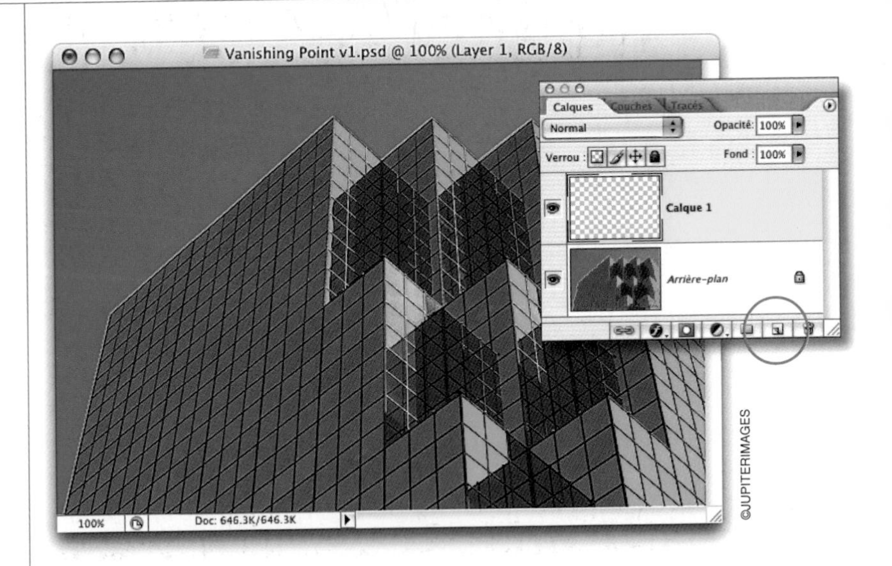

©JUPITERIMAGES

Etape 2

Ouvrez la photo à placer sur le côté de l'immeuble. Appuyez sur Cmd+A (Ctrl+A) pour en sélectionner la totalité. Ensuite, appuyez sur Cmd+C (Ctrl+C) afin de copier l'image dans le Presse-papiers. Fermez cette photo.

©SCOTT KELBY

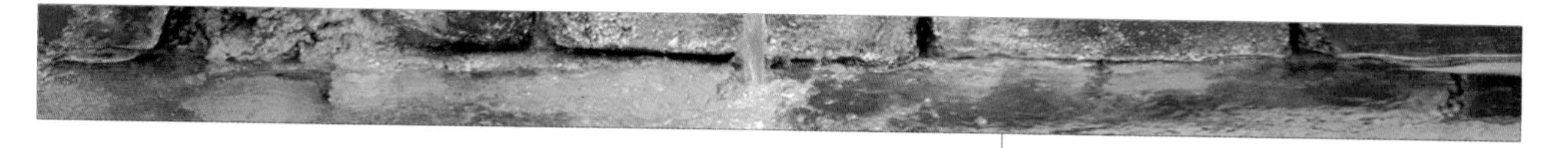

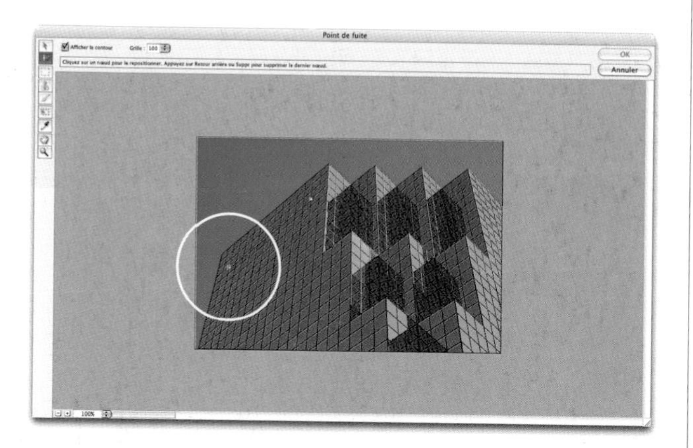

Etape 3

Cliquez sur Filtre > Point de fuite. Ici, vous devez indiquer à Photoshop où sera appliquée la perspective. Activez l'outil Création de plan de la boîte à outils, située sur le côté gauche. Cliquez une fois sur le côté gauche de la façade, à deux fenêtres du bord. Ensuite, glissez vers le côté gauche, et cliquez pour terminer le segment de droite.

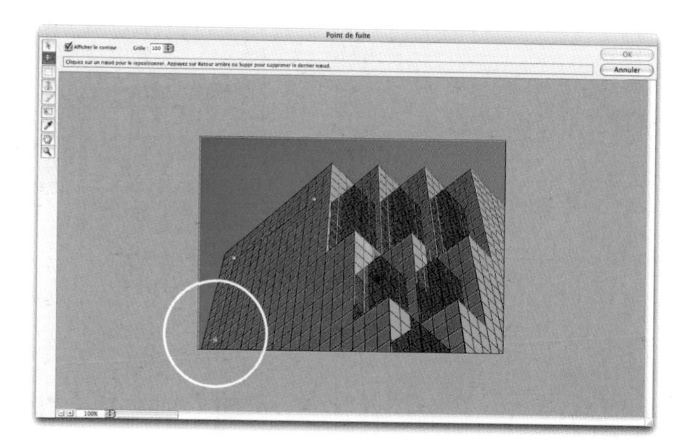

Etape 4

L'outil Création de plan fonctionne comme le Lasso polygonal. Par conséquent, définissez un nouveau segment de droite descendant vers le bas. Cliquez pour définir un nouvel angle. Pour respecter la perspective, aidez-vous des fenêtres du bâtiment.

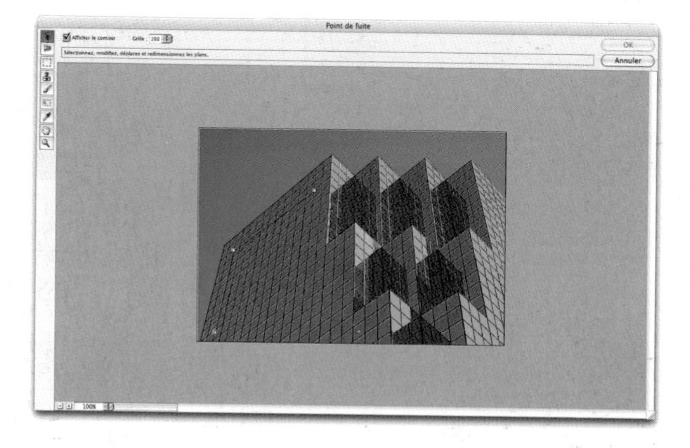

Etape 5

Lorsque vous définissez le segment de droite inférieur, le rectangle est automatiquement fermé, et une grille bleue apparaît. Cette couleur indique que la perspective est bonne. Si elle est jaune, ajustez les points de la grille jusqu'à ce qu'elle devienne bleue. Si ce quadrillage est rouge, la perspective est catastrophique : vous devez agir sur de nombreux points.

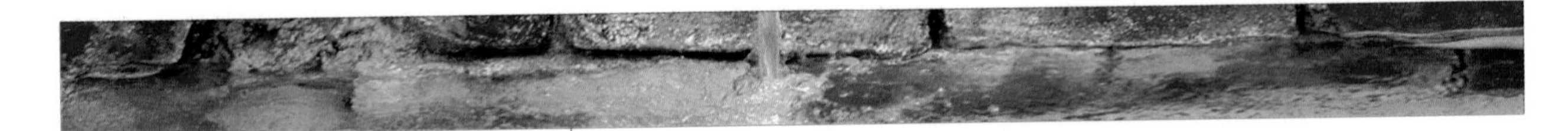

Etape 6

Une fois la grille en place, vous devez insérer la photo sur le bâtiment. Appuyez sur Cmd+V (Ctrl+V) pour coller l'image dans le Point de fuite. Dans cet atelier, la photo collée est trop grande pour s'ajuster aux bords de l'immeuble. Heureusement, l'option Point de fuite permet de la redimensionner avec la fonction Transformation manuelle. Appuyez sur Cmd+T (Ctrl+T) pour afficher le cadre de transformation.

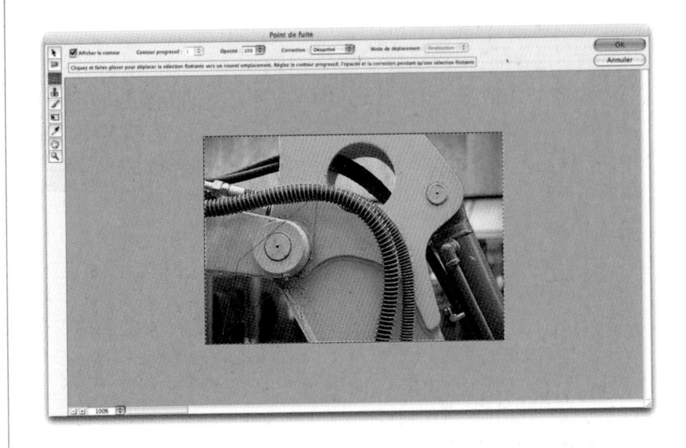

Etape 7

Tout en maintenant la touche Maj enfoncée, cliquez sur une poignée d'angle, et faites-la glisser vers l'intérieur de la photo pour lui donner la taille voulue. (Sachez que vous pouvez l'ajuster à tout moment.)

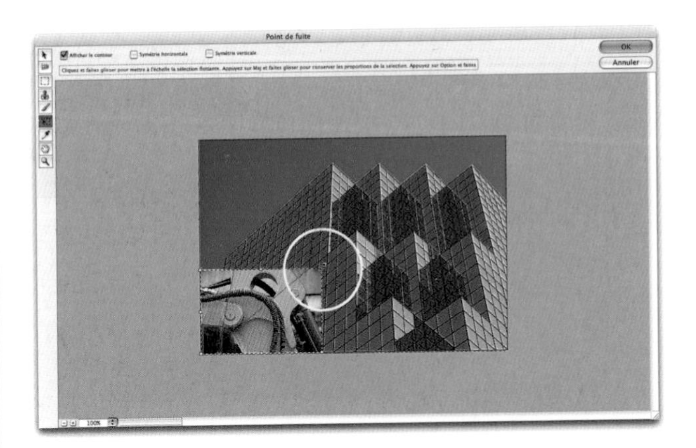

Etape 8

Cliquez au centre de la photo et faites-la glisser de manière à l'ajuster correctement sur la grille. Dès que la photo apparaît dans la grille, l'ajustement est automatique ; la perspective est parfaite. Puisque la Transformation manuelle est toujours accessible, cliquez sur une poignée d'angle et redimensionnez l'image de sorte que, cette fois, elle s'ajuste précisément à la zone définie par la grille.

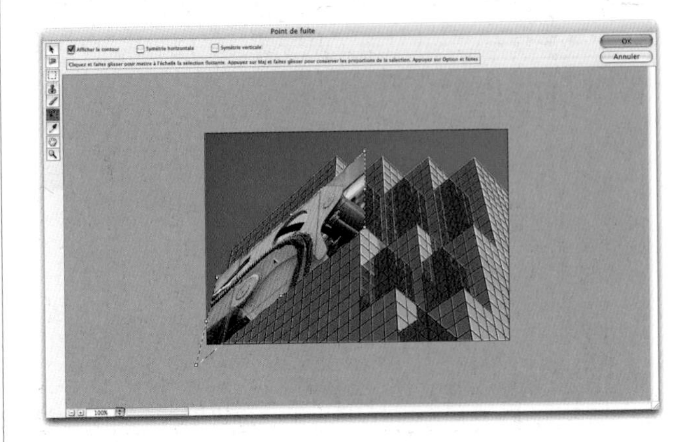

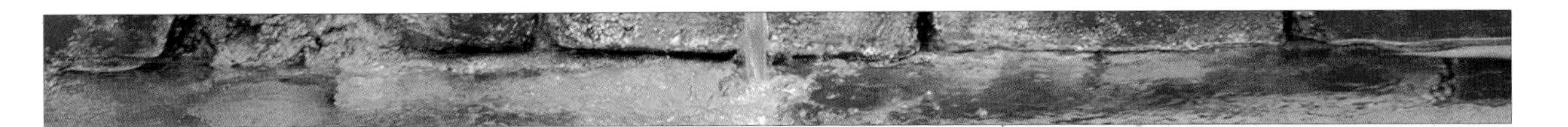

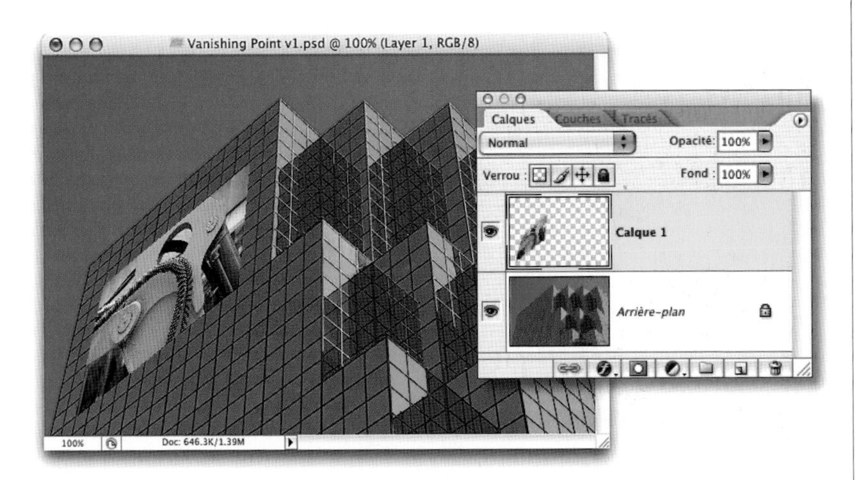

Etape 9

Cliquez sur OK. La perspective s'applique. L'intérêt est qu'elle soit sur un nouveau calque. Si elle était appliquée directement sur le calque Arrière-plan, vous ne disposeriez d'aucun contrôle supplémentaire, comme les modes de fusion, l'opacité, etc.

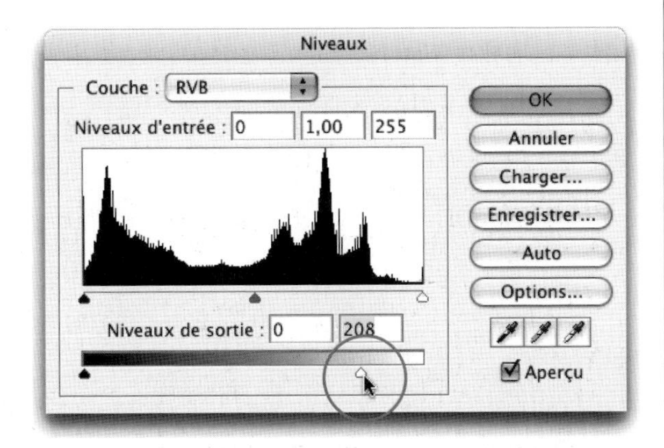

Etape 10

Pour que la photo ainsi collée s'accorde à la tonalité de l'image de fond, appuyez sur Cmd+L (Ctrl+L). Faites glisser le curseur blanc de la section Sortie vers la gauche pour assombrir légèrement l'image collée.

Etape 11

Cliquez sur OK pour entériner la manipulation. La photo s'ajuste à la perspective du bâtiment et à la tonalité globale de l'image.

Photo de Scott Kelby | Exposition : 1/200 s | Focale : 12 mm | Ouverture : f/4.0

La vie extra large
Création de panoramas

Avant d'entrer dans le vif du sujet, je souhaite donner une petite précision. De nombreux utilisateurs confondent *panorama* et *panoramique*. En matière de photo numérique, il faut bel et bien parler de panorama, c'est-à-dire d'images très larges qui représentent des scènes à 180°. Le panoramique n'a rien à voir. C'est un terme utilisé en musique et en cinématographie. Dans son acception musicale, il s'agit d'un principe de mixage qui permet de faire passer le son de droite à gauche et de gauche à droite des haut-parleurs. En matière de cinéma, il s'agit d'un déplacement de la caméra sur son axe, c'est-à-dire une rotation pouvant aller jusqu'à 360°. Fort de ces précisions, vous n'aurez plus d'excuses à employer un terme à la place de l'autre. Et, si vous souhaitez vraiment vous exprimer comme un professionnel de la photo et de la retouche, ou que vous hésitiez encore entre ces deux mots, parlez alors tout simplement de « pano ».

Assemblage manuel de panoramas

Le collage de photos aboutissant à un panorama est très facile à réaliser dans Photoshop. Pour en assurer la réussite, respectez ces deux principes : (1) utilisez un trépied pour garantir un alignement horizontal parfait ; (2) prévoyez un chevauchement d'environ 20 % entre deux segments du panorama. Commençons par une étude des panoramas manuels que nous enrichirons avec celle de la fonction Photomerge.

Etape 1

Ouvrez le premier segment du panorama. La photo présentée ci-contre est la première d'une série de trois que je vais raccorder.

©SCOTT KELBY

Etape 2

Dans le menu Image, choisissez Taille de la zone de travail (ou dans CS2 appuyez sur Cmd+Option+C [Ctrl+Option+C]). Dans mon exemple, le premier segment fait 5,083 po de large. Puisque je vais accoler deux autres photos à celle-ci, il me faut la largeur nécessaire pour insérer deux autres images de mêmes dimensions. L'option Relative étant cochée, entrez la valeur 10 po pour le paramètre Largeur. L'espace supplémentaire doit s'ajouter à droite : cliquez sur une case de gauche dans le diagramme Position (voir ci-contre). Ensuite, dans la liste Couleur d'arrière-plan de la zone de travail, choisissez Blanc.

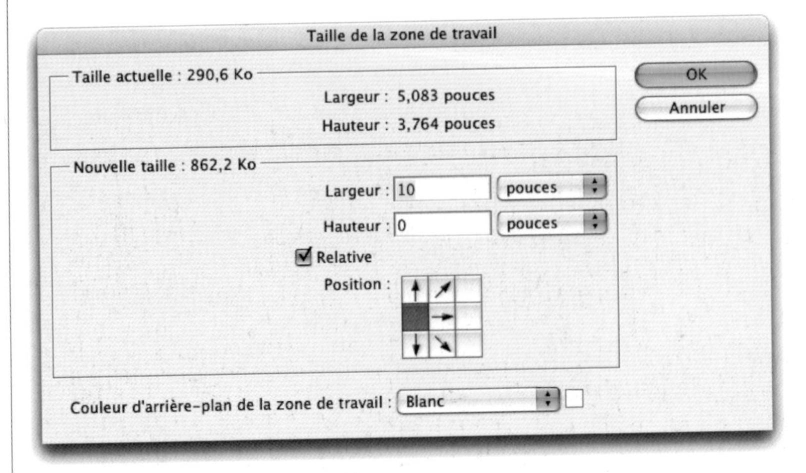

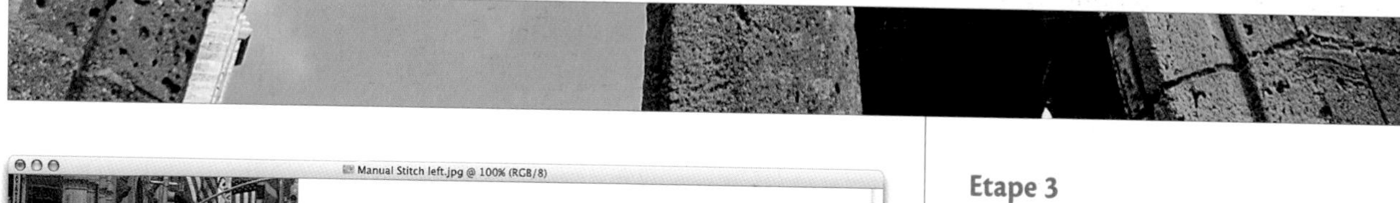

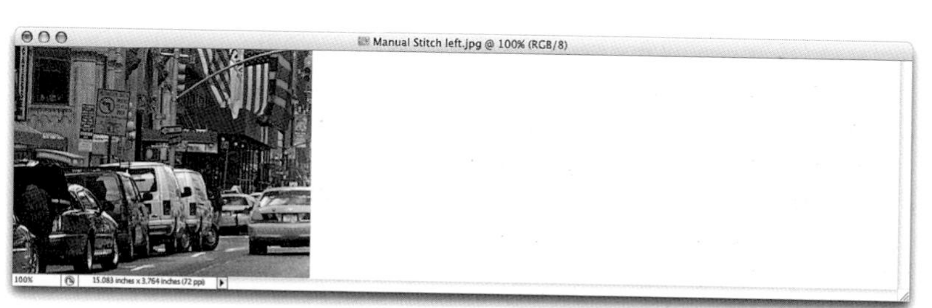

Etape 3

Cliquez sur OK. 10 po, soit 25,4 cm, d'espace blanc s'ajoutent à droite de la photo. (Si chez vous le document ne ressemble pas à celui de l'exemple, annulez à l'aide des touches Cmd+Z [Ctrl+Z], retournez à la boîte de dialogue Taille de la zone de travail, et cette fois vérifiez que vous cliquez bien dans la colonne de gauche.)

Etape 4

Ensuite, ouvrez le deuxième segment du panorama. Remarquez dans mon exemple que le taxi de gauche est également présent dans le premier segment de mon panorama. Cette redondance est indispensable, car ces objets communs aux deux photos vont nous servir de repère d'alignement.

Etape 5

Appuyez sur V pour activer l'outil Déplacement, et faites glisser le deuxième segment vers la fenêtre du premier. Lâchez la souris lorsque la deuxième photo recouvre partiellement la première.

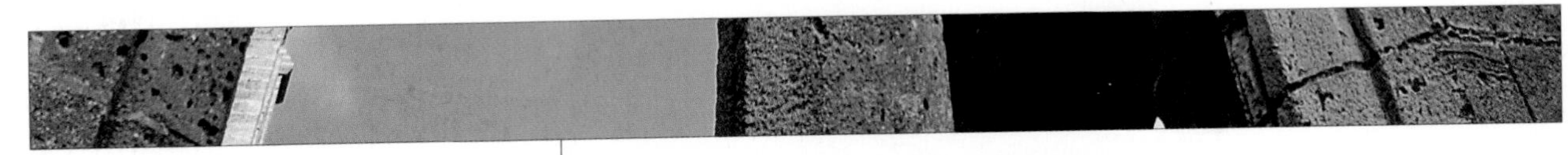

Etape 6

Dans la palette Calques, réduisez à 50 % environ l'opacité du calque du deuxième segment. Il est très important de rendre le calque semi-transparent pour raccorder les deux parties en les superposant, par glissement avec l'outil Déplacement, d'après un élément commun. Pour positionner plus précisément le deuxième calque, lâchez la souris et servez-vous des touches fléchées du clavier. Utilisez la flèche pointant vers la gauche pour aligner le taxi du calque supérieur sur celui du calque inférieur. La transparence du calque donne une impression de flou lorsque les deux copies des taxis sont très proches, mais le flou laisse place à une vue très nette dès que l'alignement est parfait.

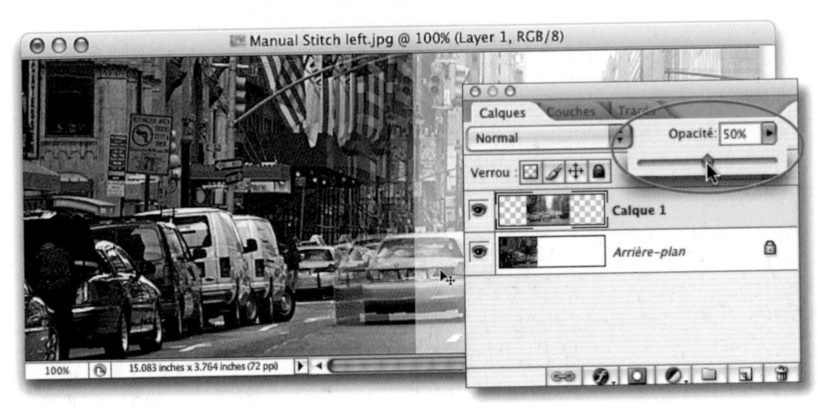

Etape 7

A présent, rétablissez à 100 % l'opacité du calque du haut dans la palette Calques, afin de vérifier le raccord. Pour un alignement sans faille, appliquez au calque supérieur le mode de fusion Différence. A l'aide des touches directionnelles du pavé, alignez l'image du calque supérieur jusqu'à ce qu'il n'y ait plus aucune couleur dans la zone de transition entre les deux images.

Etape 8

Continuez à décaler le calque pixel par pixel jusqu'à obtenir une section centrale totalement noire. L'absence d'autres couleurs atteste d'un alignement parfait.

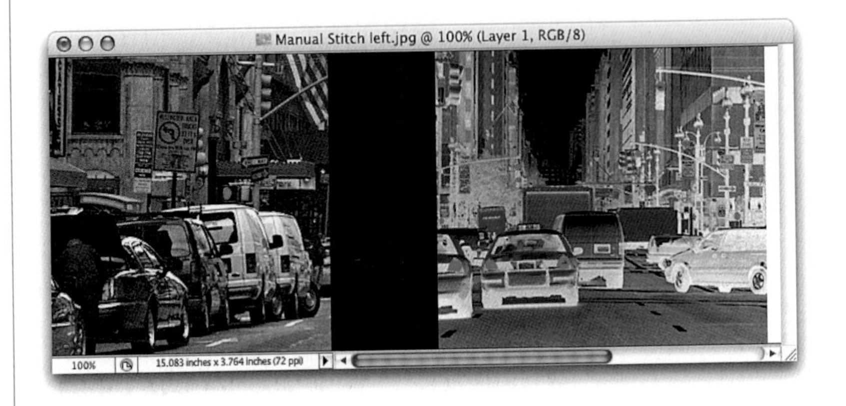

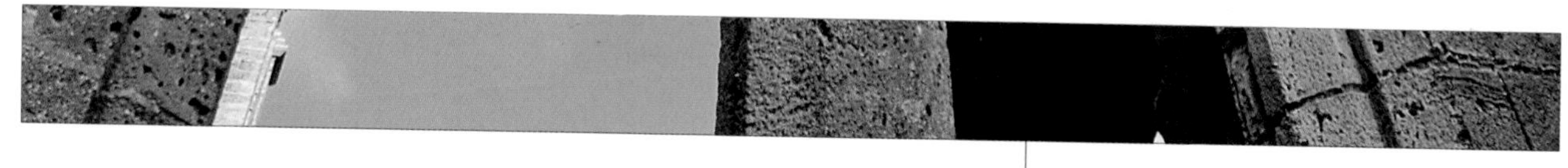

Etape 9

Dans la palette Calques, rétablissez le mode de fusion Normal. Vous constatez que les deux clichés n'en forment plus qu'un. (Ce résultat précis n'est possible que si vous photographiez à l'aide d'un trépied.)

Astuce : Si vous constatez la présence d'un bord très net sur le côté gauche du calque supérieur, appuyez sur E pour activer la Gomme. Définissez une forme de 200 pixels aux contours adoucis, et passez légèrement l'outil sur ce bord. Etant donné que les deux photos se superposent, vous éliminez le raccord de façon invisible.

©SCOTT KELBY

Etape 10

Ensuite, ouvrez le troisième segment du panorama.

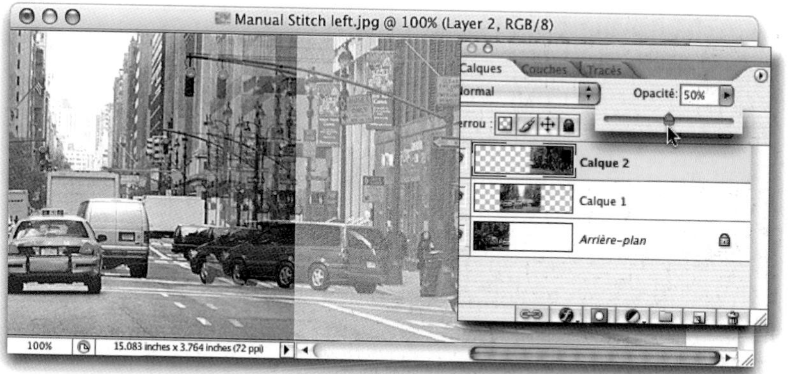

Etape 11

Répétez la même technique : faites glisser la troisième photo sur le panorama, réduisez à 50 % l'opacité de son calque et positionnez-le d'après un repère. (Dans cet exemple, le van en train de tourner sert de repère d'alignement.)

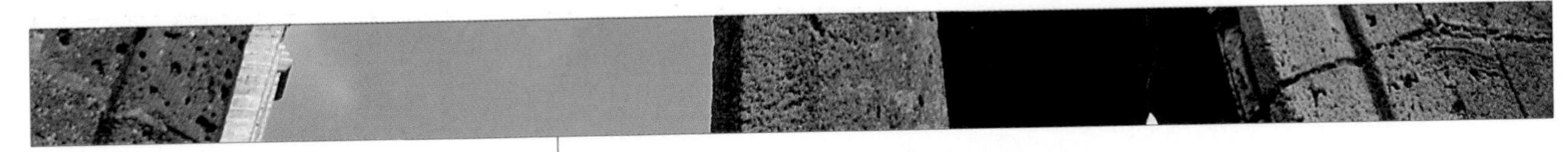

Etape 12

N'oubliez pas de terminer le positionnement à l'aide des touches fléchées du clavier pour un décalage plus précis. De même, après rétablissement de l'opacité à 100 %, utilisez l'outil Gomme avec une forme douce si vous notez une démarcation entre les deux photos.

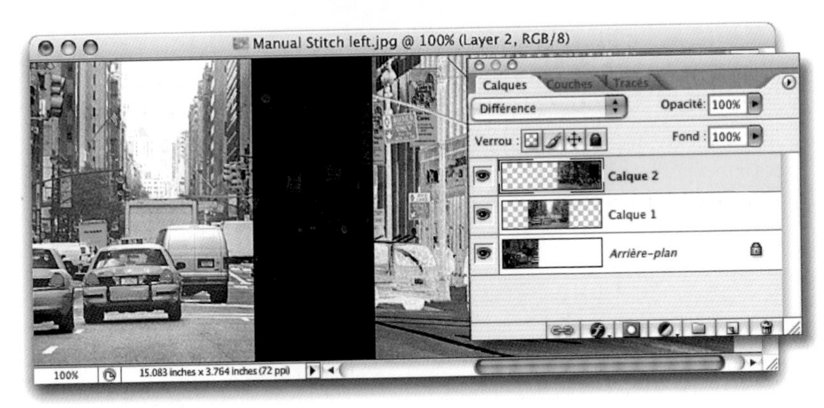

Etape 13

Voici les trois segments accolés dans Photoshop. J'avais surestimé mes besoins en ajoutant 10 po puisqu'il reste une zone blanche à droite du panorama. Ce détail est très facile à régler sans même recourir à l'outil Recadrage. Dans le menu Image, choisissez la commande Rogner. La partie blanche indésirable se trouvant à droite de l'image, activez l'option Couleur du pixel inférieur droit de la section Selon de la boîte de dialogue Rogner. Vous éliminez ainsi tous les pixels blancs autour de la photo.

Etape 14

Dans la boîte de dialogue Rogner, cliquez sur OK. Une fois que le blanc a disparu, le panorama est terminé. Dans cet exemple, nous avons bénéficié de conditions idéales : les photos ont été prises avec un trépied, ce qui facilite l'alignement, sans recourir à un objectif grand-angle qui produit des distorsions.

Assemblage automatique de panoramas avec Photomerge

Si vous avez préparé le panorama lors de la prise de vue (par l'emploi d'un trépied et le chevauchement des vues consécutives sur 20 à 30 %), vous pouvez exploiter la fonction Photomerge de Photoshop CS2, qui assemble automatiquement les photos du panorama. Si la préparation laisse à désirer, vous pouvez quand même utiliser Photomerge, mais vous effectuerez le positionnement manuellement.

©SCOTT KELBY

Etape 1

Ouvrez les photos à assembler en panorama avec Photomerge. Dans cet exemple, j'avais déjà trois clichés ouverts dans Photoshop.

Note : Ouvrez les images dans l'ordre de leur assemblage.

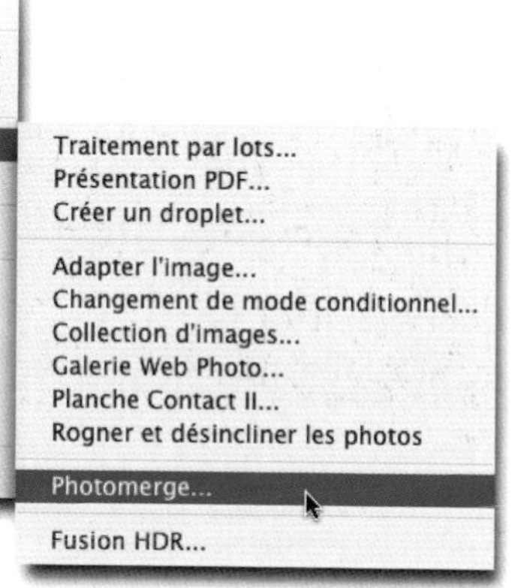

Etape 2

Photomerge est accessible par deux méthodes : (1) par le sous-menu Fichier > Automatisation de Photoshop (voir ci-contre) ; (2) directement par le menu Outils > Photoshop Photomerge.

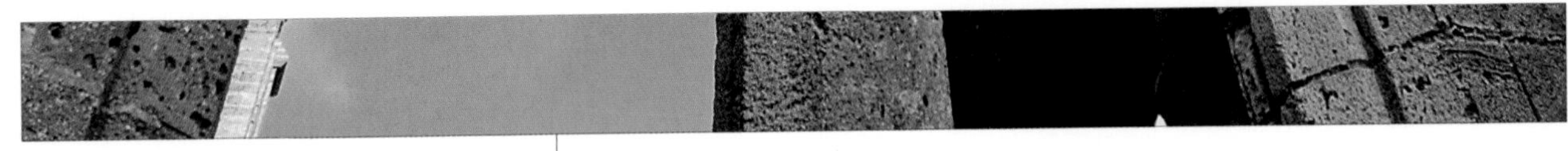

Etape 3

Si vous lancez Photomerge à partir du menu Automatisation de Photoshop, la boîte de dialogue illustrée ci-contre s'affiche, pour la sélection des fichiers à combiner en panorama. Les fichiers ouverts figurent dans la liste. Avec l'option Fichiers dans le menu Utiliser, vous pouvez choisir un dossier ou un groupe de fichiers à ouvrir. Assurez-vous que l'option Disposition automatique des images source est cochée si vous souhaitez un assemblage automatique. Cliquez sur OK.

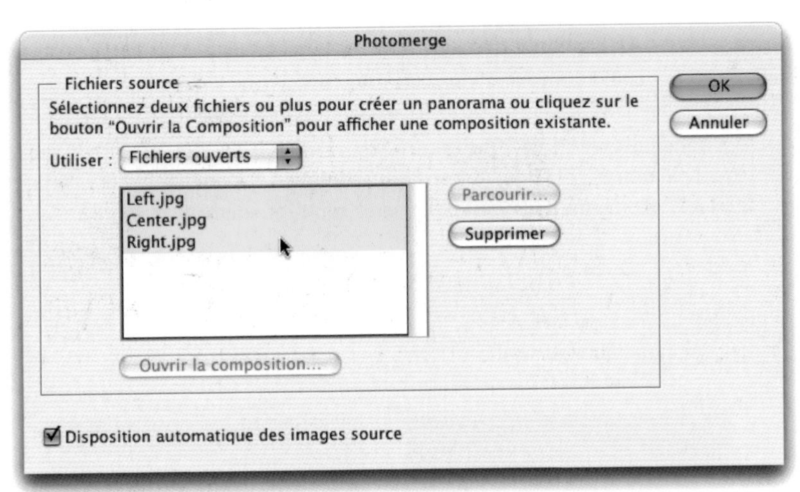

Etape 4

Si les photos du panorama ont été prises dans les conditions requises (selon les indications fournies en introduction de cette technique), Photomerge parvient en général à les assembler sans raccord visible (voir ci-contre).

Note : Par défaut, Photomerge produit une image aplatie, mais si vous préférez un fichier à calques (idéal pour réaliser des effets vidéo panoramiques), activez l'option Conserver comme calques dans l'angle inférieur droit de la boîte de dialogue.

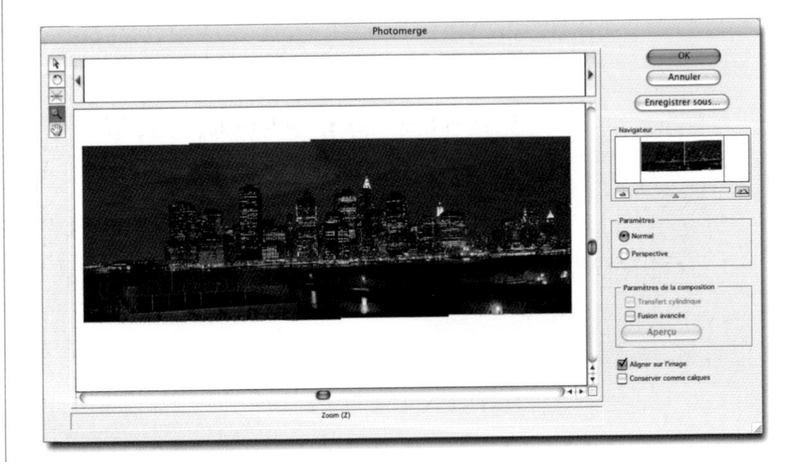

Etape 5

Essayez d'obtenir un meilleur résultat avec l'option Perspective, située dans la section Paramètres de la boîte de dialogue Photomerge. La perspective est alors respectée, mais elle génère un problème de cadrage qui sera réglé un peu plus tard. Cliquez sur OK.

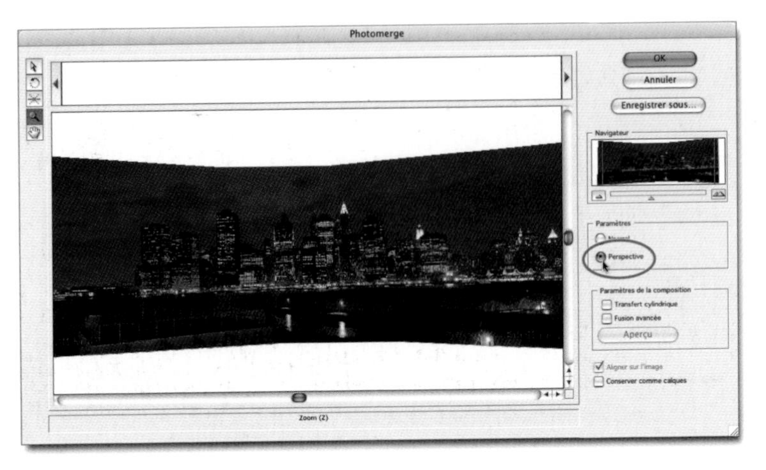

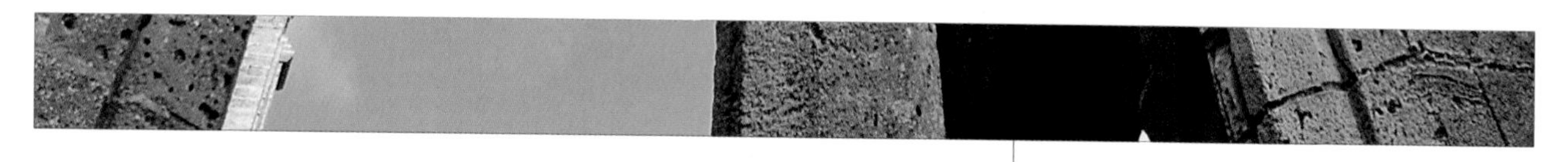

Etape 6

Dans le panorama ci-contre, la ligne d'horizon oblique vers la gauche. Plutôt que d'intervenir sur chaque section dans Photomerge, corrigez ce problème dans le panorama ainsi créé. Activez l'outil Mesure (sous la Pipette). Ensuite, tracez une ligne de gauche à droite sur l'horizon (qui se situe ici à la base des gratte-ciels de Manhattan).

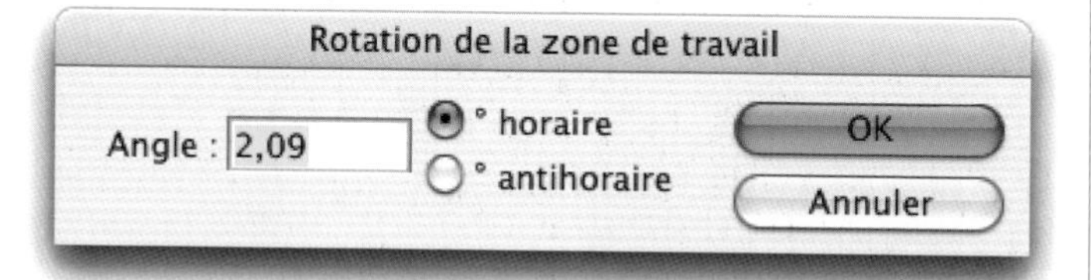

Etape 7

Cliquez sur Image > Rotation de la zone de travail > Paramétrée. L'angle de correction est déjà calculé. Cliquez sur OK pour redresser le panorama.

Etape 8

Le redressement est fait. Recadrez le panorama pour obtenir une photo impeccable.

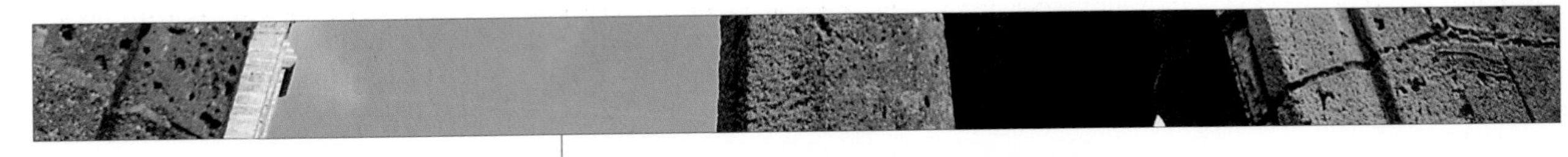

Etape 9

Appuyez sur la lettre C pour activer l'outil Recadrage. Définissez un rectangle parfait dont la partie centrale supérieure se situe à la limite du bord de l'image.

Etape 10

Appuyez sur Retour (Entrée) pour recadrer. Il ne reste plus qu'à accentuer l'image. Pour cela, cliquez sur Filtre > Renforcement > Netteté optimisée. Fixez la valeur de Gain à 60 %, et un Rayon de 1 %.

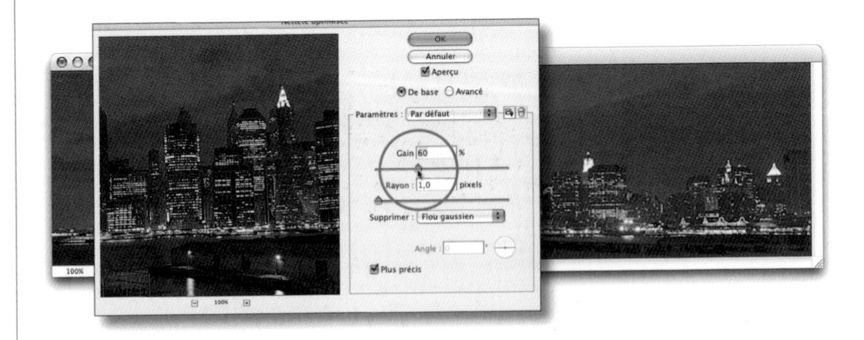

Etape 11

Lorsque vous cliquez sur OK, la netteté s'applique à la photo, réduisant les lumières vives de la ville par amplification du contraste. Cet assemblage fait partie des scénarii idéaux reposant sur l'utilisation d'un trépied. Mais la vie n'est pas toujours aussi simple.

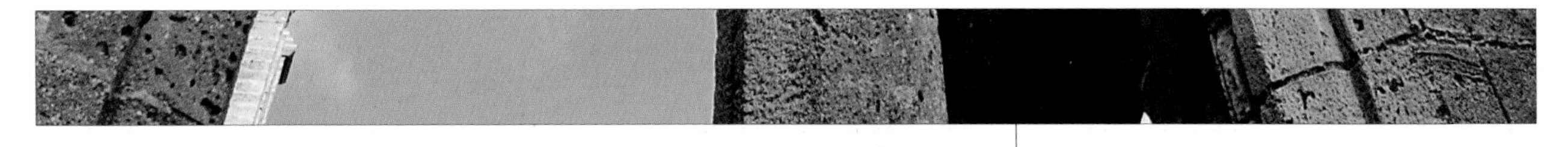

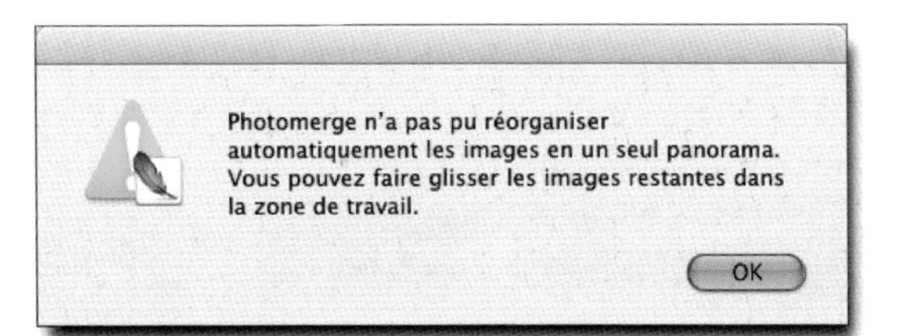

Etape 12

Quand vous tentez d'assembler des photos prises appareil au poing, Photomerge vous informe qu'il lui est impossible d'effectuer le montage espéré. Si ce problème est apparu dès l'étape 3, lisez la suite.

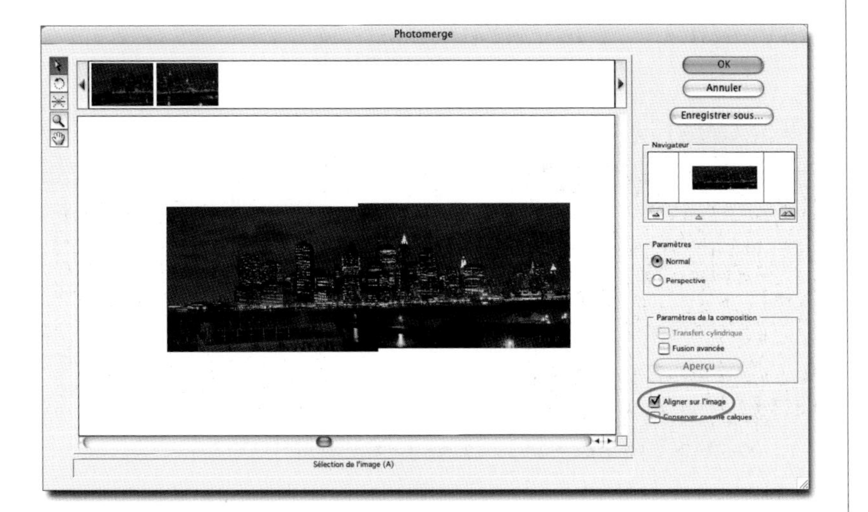

Etape 13

Fermez le message par un clic sur OK. Photomerge s'efforce de juxtaposer les images. Les segments qu'il ne peut pas fusionner s'affichent dans la partie supérieure de la fenêtre. Aidez Photomerge à réaliser un montage aussi précis que possible. Activez l'option Aligner sur l'image.

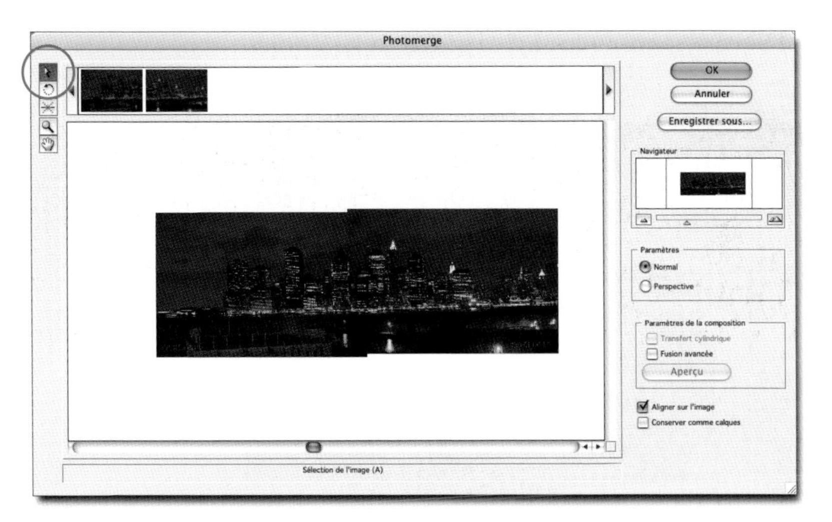

Etape 14

Avec l'outil Sélection de l'image, glissez-déposez les éléments dans la zone de fusion. Si Photomerge détecte une zone commune, il fait chevaucher les deux images sur cette partie spécifique. Là, il fusionne les bords visibles. Pour faire pivoter un segment, activez-le avec l'outil Sélection de l'image, puis appuyez sur R. Avec l'outil Rotation, faites glisser le segment à faire pivoter. Quand les images sont bien collées, cliquez sur OK. Il ne reste plus qu'à opérer un petit recadrage pour parfaire le panorama.

Corriger les problèmes d'exposition

Il peut arriver que l'un des segments de votre panorama soit plus clair ou plus foncé que l'autre. Leur juxtaposition rendra la fusion très visible. Pour éviter ce problème, prenez tous vos clichés avec la même valeur d'exposition en mémorisant ce paramètre dans votre appareil photo. Si vous oubliez de le faire ou ne pouvez pas y procéder, voici comment corriger ce problème dans CS2.

Etape 1

Ouvrez les segments qui présentent des différences d'exposition. Si vous ne parvenez pas à les déceler, exécutez Photomerge. La juxtaposition des deux images montrera une nette différence. Ci-contre, vous constatez que l'exposition du troisième segment à gauche diffère de celle des deux autres.

Etape 2

Cliquez sur Annuler pour quitter Photomerge sans valider le panorama. Ensuite, activez une photo correctement exposée.

Astuce : Lorsque vous photographiez des images destinées à des panoramas, désactivez l'exposition automatique et l'autofocus. Vous aurez une constance sur tous les segments de votre panorama.

Etape 3

Cliquez sur la photo présentant le problème d'exposition.

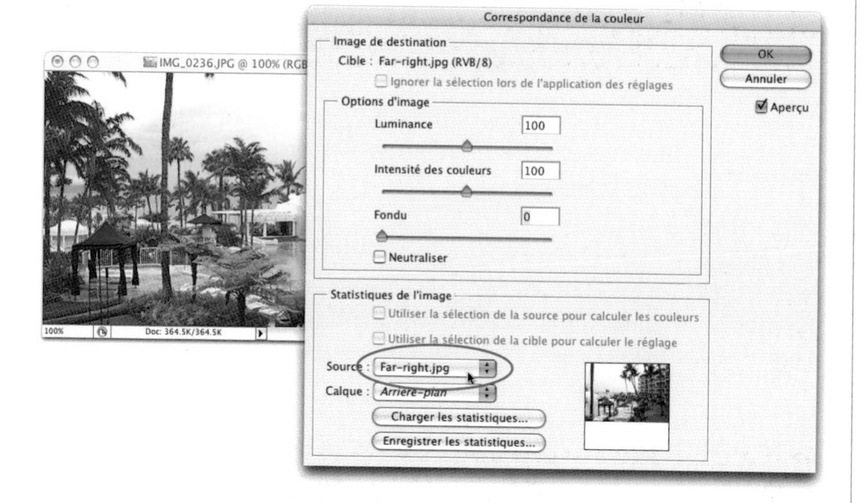

Etape 4

Cliquez sur Image > Réglages > Correspondance de la couleur. Dans la liste Source de la boîte de dialogue, choisissez le fichier correspondant à l'image présentant la bonne exposition. L'aperçu montre que la correspondance produit une image légèrement violette. Faites glisser le curseur Intensité des couleurs vers la gauche jusqu'à ce que la correspondance soit aussi précise que possible entre la source et la cible. Cliquez sur OK. La correspondance est établie.

Etape 5

Utilisez Photomerge pour fusionner les trois photos en un seul panorama. La correction préliminaire permet d'obtenir une fusion parfaite.

Assemblage avancé avec Photomerge

Lorsque les segments des panoramas sont photographiés avec un trépied, leur assemblage dans Photomerge est un jeu d'enfant. Cependant, malgré les précautions prises, l'appareil peut bouger légèrement, modifier l'exposition, ou créer d'autres problèmes qui empêchent une parfaite fusion des bords des images par Photomerge. Vous devez alors appliquer des techniques de fusion avancées.

Etape 1

Dans Adobe Bridge, sélectionnez les photos destinées au panorama. Ensuite, dans le menu Outils, choisissez Photoshop, puis Photomerge.

Note : Nous effectuerons des corrections chromatiques et des accentuations une fois le panorama créé.

Etape 2

Photomerge assemble les clichés. Ici, la disposition diagonale est évidente. En d'autres termes, l'assemblage est inexistant.

Note : Activez l'outil Zoom en appuyant sur Z, et cliquez dans la zone d'aperçu pour mieux apprécier l'assemblage.

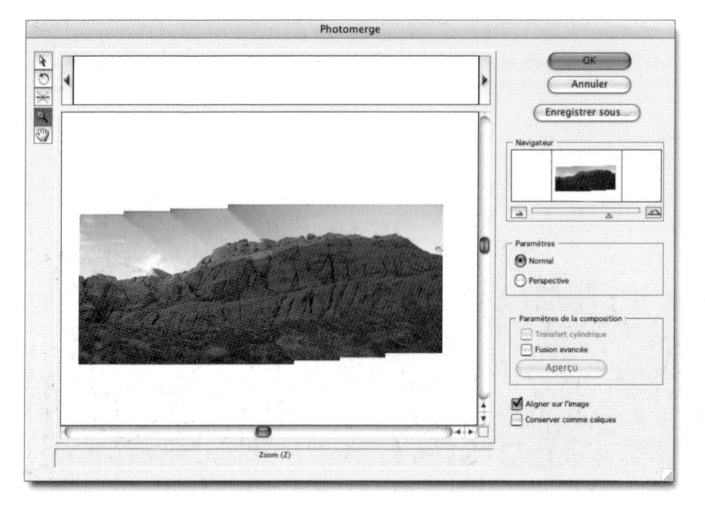

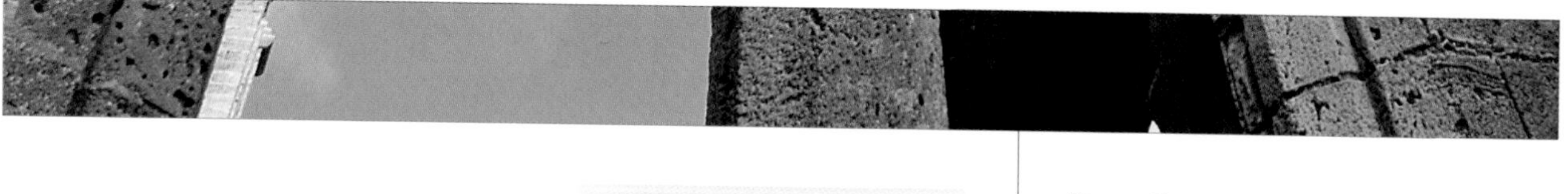

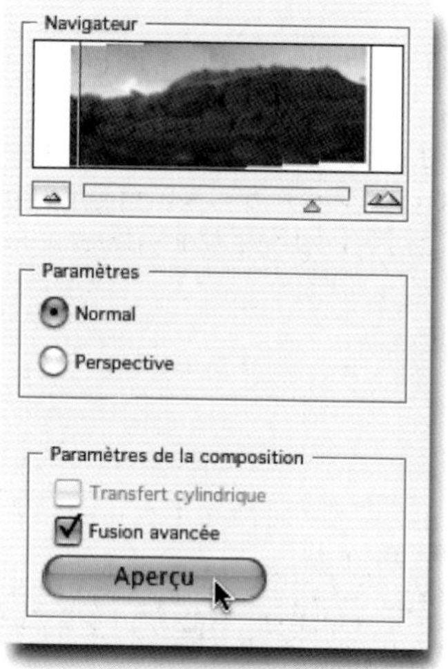

Etape 3

Sur le côté droit de la boîte de dialogue Photomerge, activez l'option Fusion avancée. Cliquez sur le bouton Aperçu. Rien ne se passe dans la zone d'affichage du montage.

Etape 4

L'assemblage est un peu meilleur, malgré des imperfections sur les bords supérieurs. Ignorons-les, car ces escaliers seront supprimés par un recadrage ultérieur. Concentrons-nous sur les variations tonales entre les quatre images. Quittez le mode Aperçu de manière à procéder aux modifications.

Etape 5

Cliquez sur OK pour créer le panorama. Dans le fichier, nous allons à présent supprimer l'effet d'escalier.

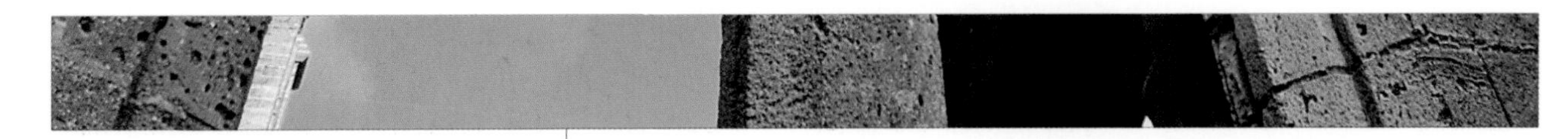

Etape 6

Appuyez sur C. Avec l'outil Recadrage, délimitez une zone qui englobe les parties principales de l'image et ignorent celles présentant un escalier.

Etape 7

Appuyez sur Retour (Entrée) pour recadrer. Malgré une apparence générale correcte, il reste pas mal de détails à régler, notamment l'angle et l'exposition.

Etape 8

Activez le Zoom et agrandissez la zone du rocher situé en haut, au centre de l'image. Deux zones ne sont pas parfaitement fusionnées. Pour corriger cela, utilisez le Tampon de duplication, afin de cloner un peu de ciel sur les couleurs du rocher légèrement étalées.

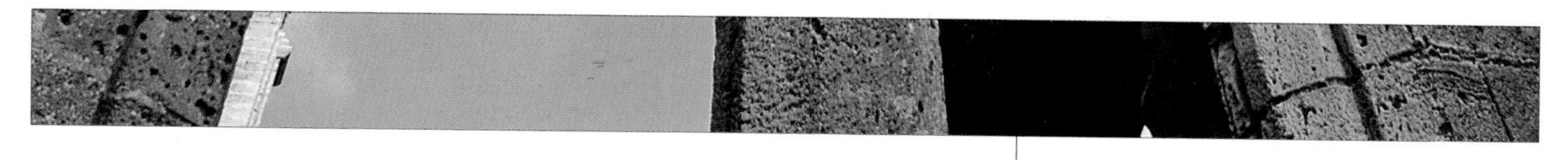

Etape 9

Appuyez sur S. Dans la Barre d'options du Tampon de duplication, cliquez sur la liste Forme. Choisissez une forme aux contours adoucis. Maintenant, tout en maintenant la touche Option (Alt) enfoncée, cliquez dans la partie du ciel à proximité du rocher qui pose problème. Clonez cette partie du ciel sur les teintes du rocher qui s'étale sur le ciel bleu. Grossissez cette zone, réduisez la taille de la forme, et clonez le ciel sur les bords du rocher.

Etape 10

Utilisez la même technique pour corriger les autres portions étalées des rochers. Une fois l'ensemble des corrections apportées, l'heure est venue d'ajuster le panorama.

Etape 11

Double-cliquez sur l'outil Zoom pour afficher l'image à 100 %. Ouvrez la boîte de dialogue Courbes à l'aide des touches Cmd+M (Ctrl+M) pour équilibrer la couleur globale de l'image (voir le Chapitre 6, « Les secrets de la correction chromatique »). Pour enrichir le bleu du ciel, appliquez la technique décrite au Chapitre 11, « Neutralisation de la densité », et choisissez d'aplatir l'image dans le menu local de la palette Calques. Enfin, appliquez le filtre Netteté optimisée de Photoshop CS2, avec un Gain de 58 % et un Rayon de 1 pixel.

Photo de Scott Kelby | Exposition : 1/100 s | Focale : 18 mm | Ouverture : f/3.5

Clair et net

Techniques professionnelles d'accentuation

Je reconnais que certaines techniques présentées ici ne sont pas d'un niveau professionnel. La première notamment, intitulée « Technique de base », n'est certes pas une technique pointue, mais de nombreux professionnels, que nous pourrions qualifier de « paresseux », s'en contentent pour renforcer la netteté de leurs images. Un jour pourtant, ils s'irritent de la présence de halos colorés et d'autres défauts générés par le filtre d'accentuation ; ils cherchent alors une méthode plus performante, capable d'éviter ces effets secondaires.

Ne cherchez pas plus loin, ce chapitre décrit les meilleures techniques, celles qu'utilisent aujourd'hui les photographes et retoucheurs de renom. Une fois ces techniques maîtrisées, il faut peu d'efforts pour réaliser un script qui demandera encore moins d'efforts pour appliquer une correction de netteté. C'est ainsi que l'on gagne en productivité. Chanceux lecteurs, je vous livre ici des méthodes d'accentuation soigneusement mises au point par des professionnels aussi consciencieux qu'astucieux.

Technique de base

Après la correction chromatique, juste avant l'enregistrement, vous aurez certainement envie d'accentuer la netteté de vos photos. Je la renforce dans tous mes clichés numériques, soit pour rétablir une partie de la netteté perdue dans la correction des couleurs, soit pour améliorer une photo un peu floue. Dans un cas comme dans l'autre, ce n'est jamais une opération superflue. Voici une technique de base pour renforcer la netteté de toutes les zones de l'image.

Etape 1

Ouvrez la photo à accentuer. L'affichage dans Photoshop varie selon le facteur de grossissement, et il est très important d'afficher la photo au facteur 100 %. Une fois la photo ouverte, double-cliquez sur l'outil Zoom pour définir un zoom de 100 % (vérifiez dans la barre de titre de la fenêtre du document, la valeur est encerclée dans l'exemple ci-contre).

Etape 2

Ouvrez le menu Filtre pour y choisir Renforcement puis Accentuation. Ce filtre reproduit une technique traditionnelle en labo photo qui sert à contraster les contours d'une image. Parmi les filtres de renforcement de Photoshop, Accentuation est le préféré des professionnels parce qu'il offre le plus de contrôle sur la procédure.

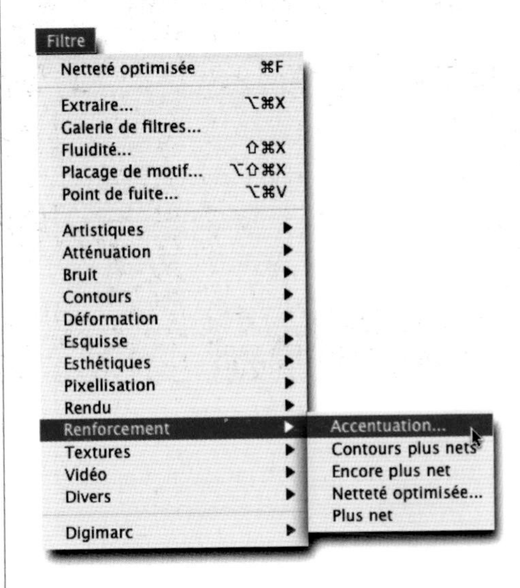

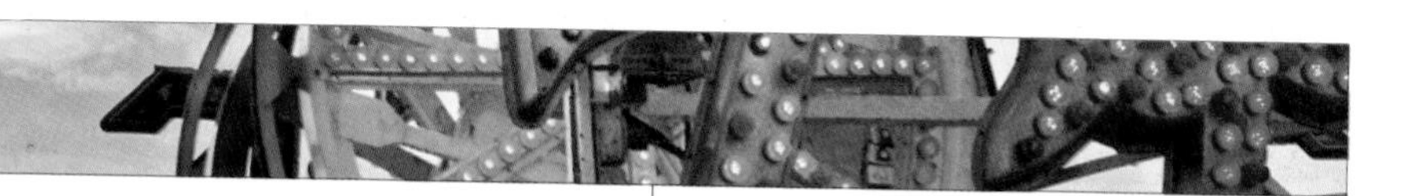

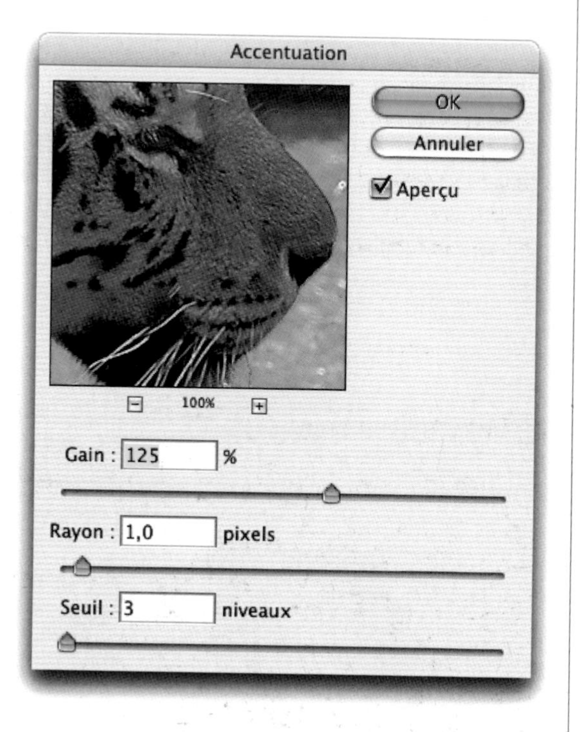

Etape 3

Dans la boîte de dialogue Accentuation, vous remarquez la présence de trois curseurs : Gain, qui détermine l'intensité de renforcement appliqué à la photo ; Rayon, qui définit le nombre de pixels à prendre en compte autour des contours contrastés ; Seuil, qui indique la différence de tonalité entre pixels voisins à partir de laquelle le filtre reconnaît un contraste à accentuer. Avec une faible valeur de Seuil, le filtre agit partout dans l'image pour une accentuation plus marquée. Quelles valeurs choisir ? Je vous indique d'excellentes valeurs repères ci-après. Pour l'instant, utilisez celles-ci : Gain 125 %, Rayon 1 et Seuil 3. Cliquez sur OK pour appliquer le filtre Accentuation à votre photo. Voyez la différence avant et après dans l'exemple ci-après.

Avant.

Après.

Accentuation de sujets aux contours flous

Les valeurs Gain 150 %, Rayon 1 et Seuil 10 conviennent très bien pour des images dont le sujet ne présente pas de contours très nets (fleurs, animaux à fourrure, personnes, arcs-en-ciel, etc.). Ce réglage produit un renforcement subtil, parfaitement adapté à ce type de sujets.

Accentuation de portraits

Lorsque vous accentuez des portraits en gros plan, essayez les paramètres suivants : Gain 75 %, Rayon 2, Seuil 3. C'est une autre manière d'appliquer une accentuation subtile à l'image.

Accentuation modérée

Ce type d'accentuation est bien adapté à des photos de produits, de décoration intérieure, d'architecture et de paysages. Essayez les valeurs Gain 225 %, Rayon 0,5, Seuil 0. Je suis presque sûr que le résultat vous plaira.

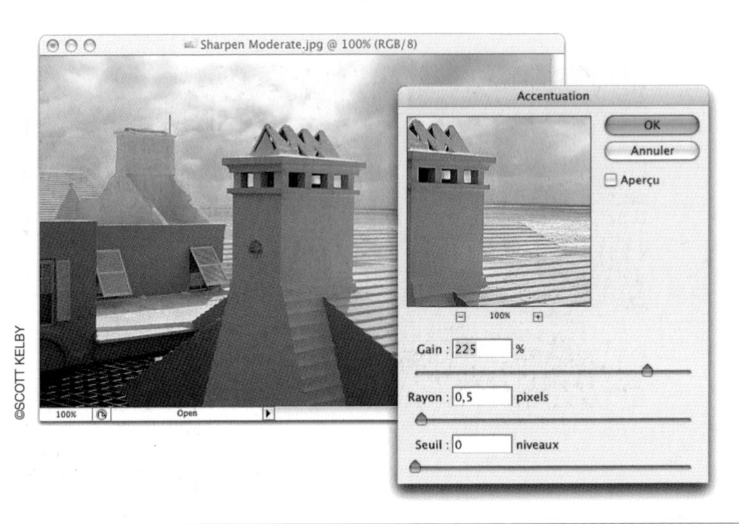

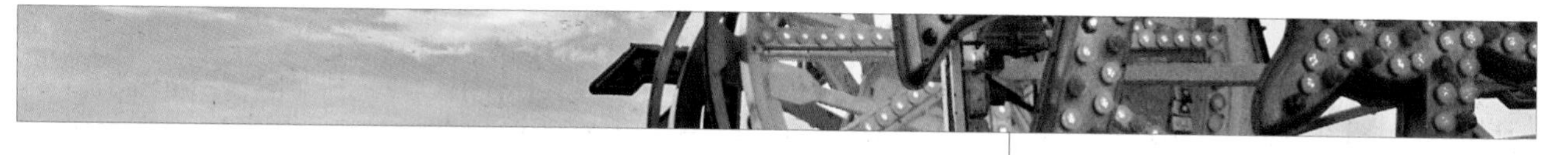

©SCOTT KELBY

Accentuation maximale

J'utilise les valeurs Gain 65 %, Rayon 4 et Seuil 3 dans deux situations uniquement : (1) la photo manque de mise au point et nécessite une accentuation intense des contrastes pour gagner en netteté ; (2) la photo comprend de nombreux objets aux contours très nets (immeubles, voitures, machines, etc.).

©SCOTT KELBY

Paramètres polyvalents

Mon réglage préféré pour le filtre Accentuation se définit avec les valeurs Gain 85 %, Rayon 1 et Seuil 4 ; je l'utilise à toutes les sauces. Ce réglage ne produit pas un renforcement trop intense, c'est pourquoi je l'apprécie autant sans doute. Il est assez subtil pour être utilisé deux fois dans l'image si la première application ne suffit pas, mais je suis en général satisfait par une seule application.

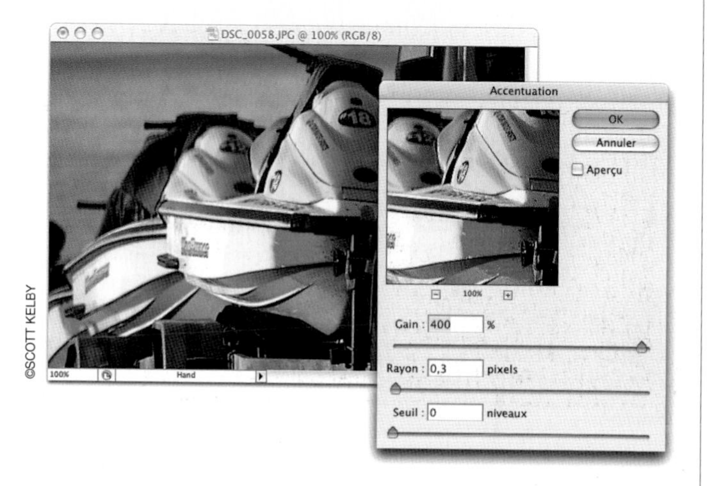

©SCOTT KELBY

Accentuation pour le Web

J'utilise le filtre avec les valeurs Gain 400 %, Rayon 0,3 et Seuil 0 pour les images Web qui semblent floues. (Quand on réduit la résolution de 300 ppp à 72 ppp pour une diffusion sur le Web, la photo perd en netteté.) Si l'effet du filtre paraît trop intense, essayez avec la valeur 200 % pour le Gain. J'emploie aussi ces valeurs, avec un Gain de 400 %, pour corriger les photos dont j'ai raté la mise au point. Ce réglage ajoute du bruit, mais il m'a permis d'exploiter des images qui, en l'état, auraient fini dans une corbeille à papiers.

Réglage personnalisé du filtre Accentuation

Si vous voulez faire des essais pour trouver les réglages d'accentuation qui vous conviennent, voici des plages de valeurs pour chaque paramètre.

Gain

Ce paramètre prend le plus souvent une valeur comprise entre 50 % et 150 %. Il ne s'agit pas d'une règle stricte mais d'une plage générale, car en dessous de 50 %, le filtre produit peu d'effet, et au-delà de 150 %, le résultat peut être catastrophique (selon les valeurs de Rayon et de Seuil). Il est donc sage de rester sous la barre des 150 %. (Dans cet exemple, j'ai adjoint au Gain un Rayon de 1 et un Seuil de 4.)

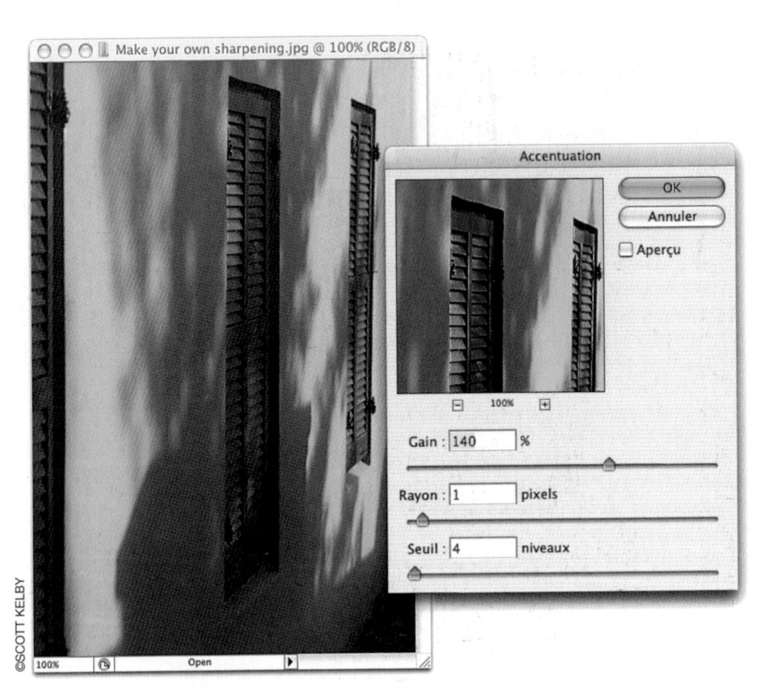

Rayon

La plupart du temps, vous définirez un rayon de 1 pixel, mais vous pourriez aller jusqu'à 2. Je vous ai indiqué plus haut une valeur de Rayon de 4 pixels pour une accentuation maximale en situation extrême. On m'a raconté l'histoire d'un gars de Cincinnati qui aurait monté cette valeur à 5, mais je n'en crois rien.

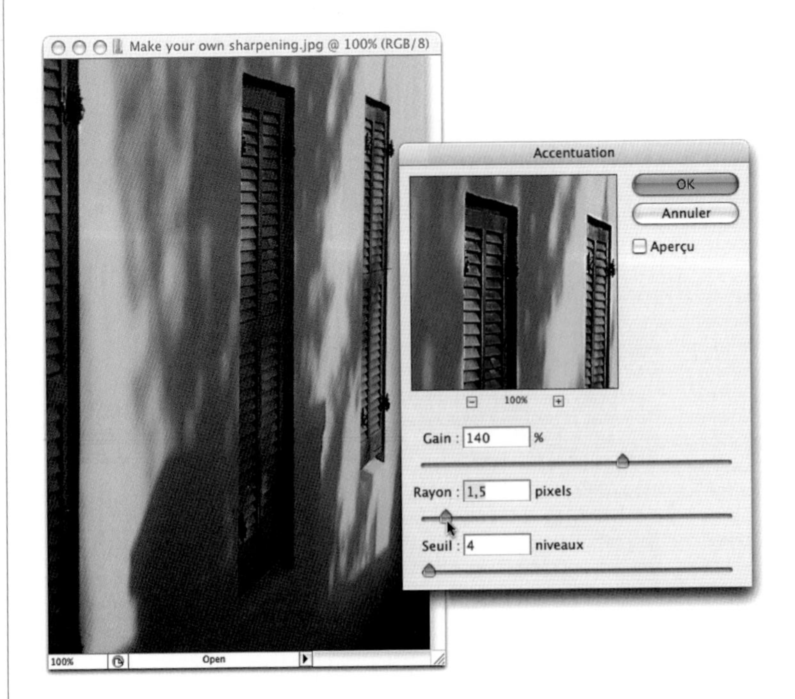

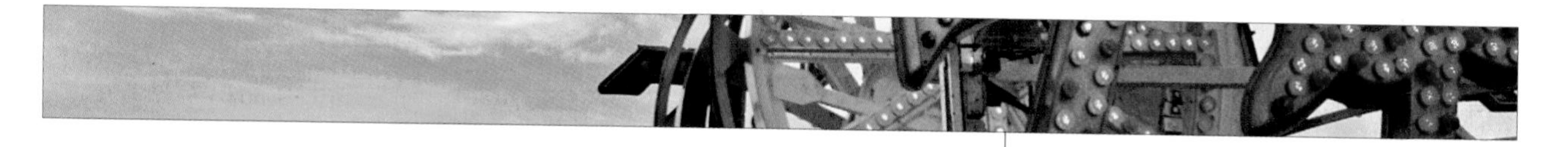

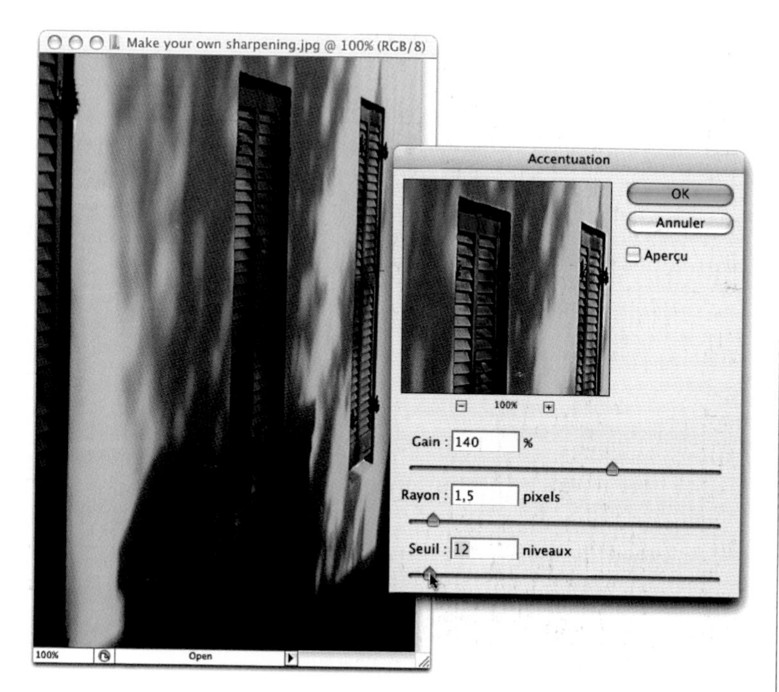

Seuil

Sans risque, vous pouvez définir une valeur de Seuil comprise entre 3 et 20 (3 produisant un effet plus intense, et 20 une accentuation plus subtile). Pour un renforcement plus marqué des contrastes, essayez la valeur 0, mais surveillez bien l'image, car le filtre risque de générer du bruit.

Accentuation en mode Lab

Cette technique de renforcement des contrastes est la méthode de prédilection des professionnels, car elle évite les effets de halos de couleur en cas d'accentuation intense. Justement, grâce à l'absence de ces défauts, il est possible de définir une accentuation plus forte.

Etape 1

Ouvrez la photo à renforcer en mode Lab. Activez la palette Couches où vous constatez que la photo RVB se compose de trois couches : Rouge, Vert et Bleu. La combinaison des données de ces trois couches produit une image RVB avec toutes ses couleurs (c'est l'image composite de la vignette couleur notée RVB).

Etape 2

Ouvrez le sous-menu Image > Mode pour y choisir Couleurs Lab. Observez maintenant la palette Couches : la composition de l'image a changé mais pas sa représentation à l'écran. Vous avez encore trois couches (en plus de la couche composite), mais il s'agit maintenant d'une couche Luminosité (luminosité et détails) et de deux couches de données chromatiques, notées « a » et « b ».

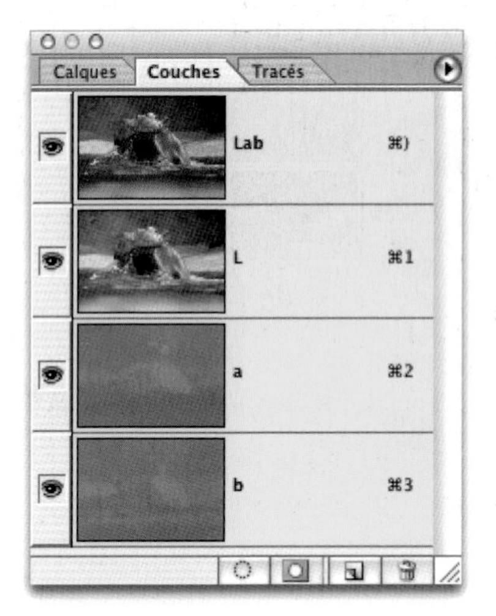

Etape 3

La conversion au mode Lab a séparé les détails (couche Luminosité) des données chromatiques (couches a et b). Cliquez sur la couche L pour l'activer. Vous allez lui appliquer (et à elle seulement) le filtre Accentuation. Vous éviterez ainsi les halos de couleur puisque vous n'agissez pas sur les couches de couleurs (bonne idée, n'est-ce pas ?).

Note : Si vous avez besoin de valeurs de référence pour appliquer le filtre Accentuation, reportez-vous au début du chapitre, à la section « Technique de base ». Toutefois, je recommande ici un Gain de 85 %, un Rayon de 1 pixel et un Seuil de 4.

Etape 4

Après accentuation de la couche Luminosité (avec une double application si vous le jugez nécessaire à l'aide du raccourci Cmd+F [Ctrl+F]), ouvrez le sous-menu Image > Mode pour y choisir Couleurs RVB et rétablir ainsi la photo en mode RVB. Essai concluant ? Songez-vous à appliquer cette technique à tous vos clichés numériques ? Je le fais moi-même, et j'effectue cette opération si souvent que j'ai automatisé la procédure par un script que je vous propose de créer à l'étape suivante.

Etape 5

Ouvrez une nouvelle photo RVB dans laquelle nous allons utiliser la même technique avec la couche Lab, mais cette fois ouvrez la palette Scripts (Fenêtre > Scripts) avant d'entamer la procédure. Elle sert à enregistrer une succession de commandes afin d'automatiser les opérations répétitives. Il suffit ensuite d'appuyer sur une seule touche pour appliquer la procédure complète à d'autres fichiers.

Etape 6

Dans le menu de la palette Scripts, choisissez Nouveau script pour afficher la boîte de dialogue illustrée ci-contre. Le champ Nom étant sélectionné, attribuez un nom à ce nouveau script. (J'ai nommé le mien « Accentuation en mode Lab ».) Puis, dans la liste Touche, choisissez une touche de fonction, F12 par exemple. Remarquez l'absence de bouton OK dans la boîte de dialogue Nouveau script. A la place, vous avez un bouton Enregistrer. Dès que vous quittez cette boîte de dialogue, Photoshop CS2 enregistre toutes vos opérations. Allez-y, cliquez sur Enregistrer.

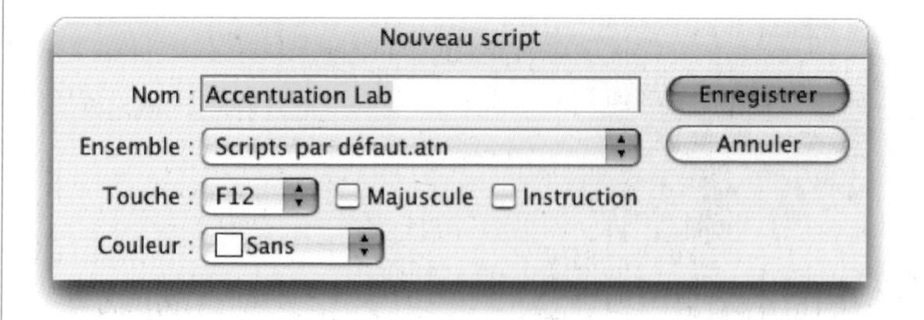

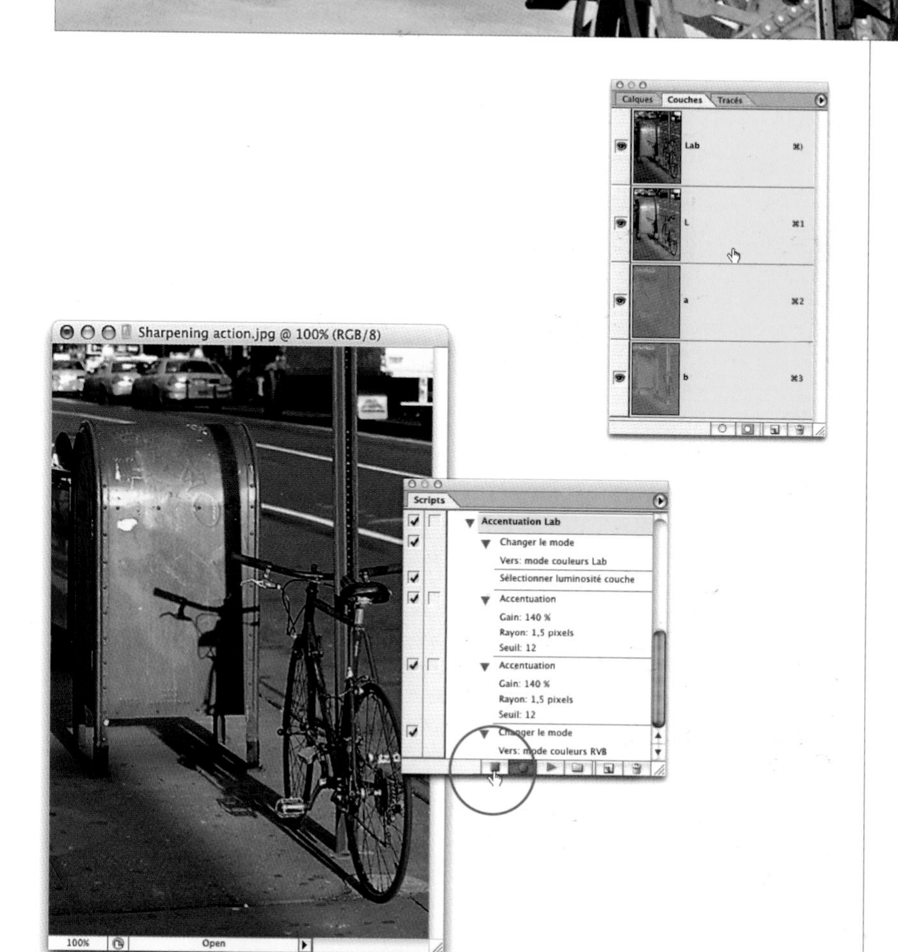

Etape 7

Convertissez votre photo en mode Lab, activez la couche Luminosité, puis appliquez le filtre Accentuation avec vos réglages préférés. Si vous avez tendance à doubler l'accentuation, lancez le filtre une seconde fois. Enfin, revenez en mode RVB.

Etape 8

A présent, cliquez sur le bouton Arrêter au bas de la palette Scripts (le premier bouton carré à gauche). Cela met fin à l'enregistrement du script. Remarquez dans la palette Scripts que vos interventions figurent dans l'ordre chronologique. De plus, un clic sur le triangle devant chaque étape affiche une description détaillée comprenant même les valeurs utilisées.

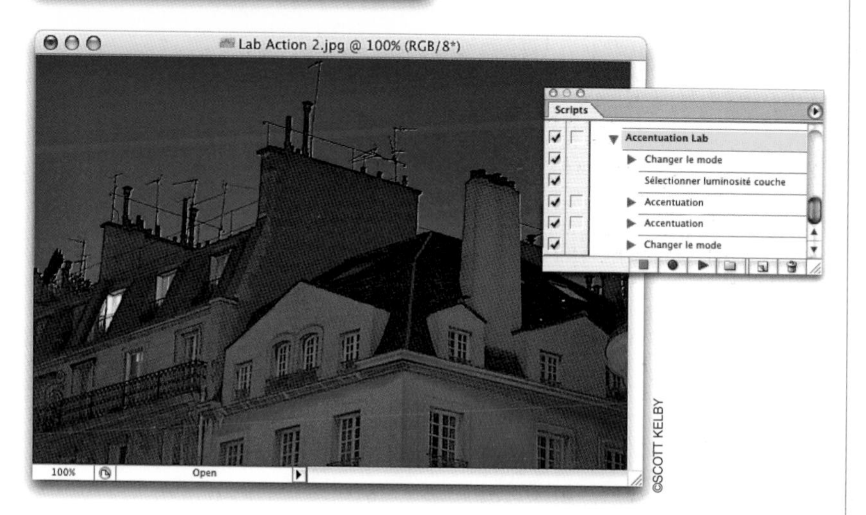

©SCOTT KELBY

Etape 9

Ouvrez une autre photo et appuyez sur la touche de fonction associée au script (F12 pour moi). Photoshop applique aussitôt le filtre Accentuation sur la couche L sans oublier les deux conversions de mode. L'opération est ultrarapide puisque tout s'effectue en coulisse, sans sélection manuelle ni affichage de boîtes de dialogue.

Etape 10

Voyons le script pour l'accentuation en mode Lab à l'œuvre. Imaginons que vous ayez une carte mémoire pleine de clichés réalisés avec un appareil étanche pour prises sous-marines. Les couleurs sont bonnes mais vous avez une quarantaine de photos à corriger en netteté. Vous pourriez les ouvrir une à une et appuyer sur F12 pour lancer le script, mais il existe une meilleure solution : Photoshop permet d'exécuter un script dans toutes les images d'un dossier, et toutes les opérations sont automatisées. Cette précieuse fonction s'appelle Traitement par lots. Ouvrez le sous-menu Fichier > Automatisation et choisissez Traitement par lots. Vous pourriez aussi ouvrir la boîte de dialogue Traitement par lots à partir du menu Outils > Photoshop d'Adobe Bridge. En haut de la boîte de dialogue, dans la partie Exécuter, choisissez le script à appliquer à toutes les photos du dossier. Dans le menu Script, choisissez Accentuation Lab, le script que vous venez d'enregistrer.

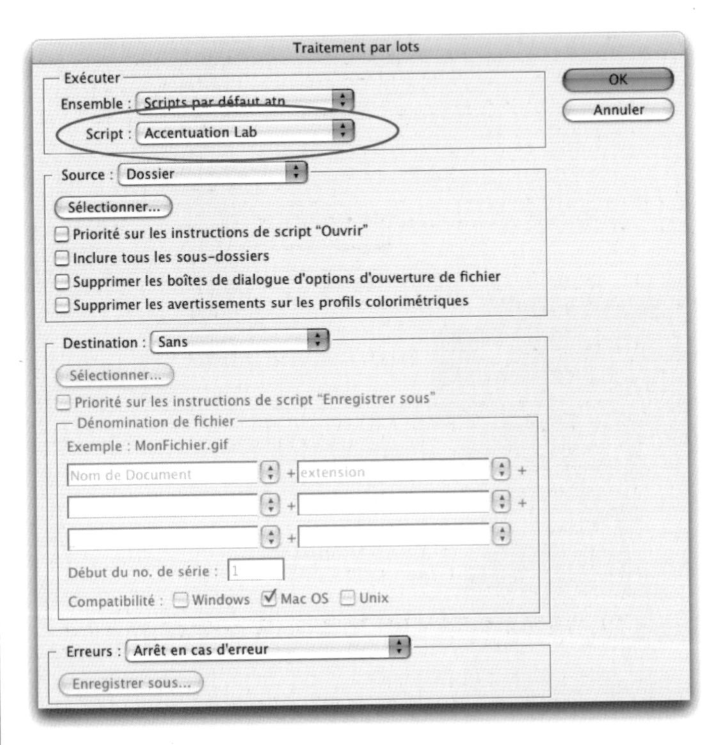

Etape 11

Dans la partie Source de la boîte de dialogue Traitement par lots, vous allez indiquer à Photoshop l'emplacement du dossier à traiter avec le script sélectionné. Ce dossier peut se trouver sur un disque dur, un CD ou le réseau. Ouvrez le menu Source et sélectionnez Dossier. Vous pourriez aussi choisir un groupe d'images dans Adobe Bridge ou importer des photos depuis une autre source. L'option Dossier étant activée, cliquez sur le bouton Sélectionner. Dans la boîte de dialogue qui apparaît, choisissez le dossier en question, puis cliquez sur Choisir (OK).

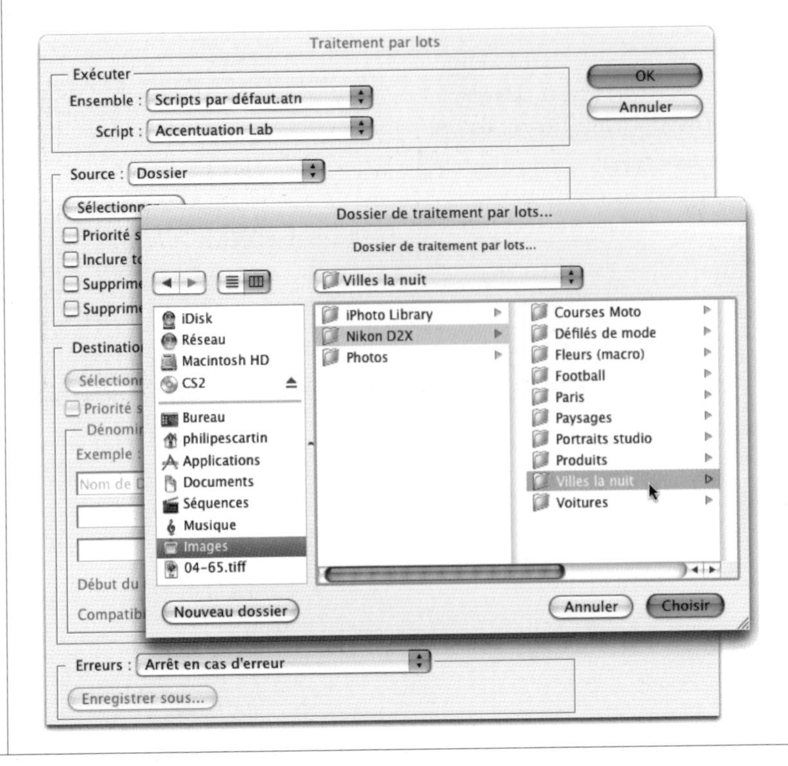

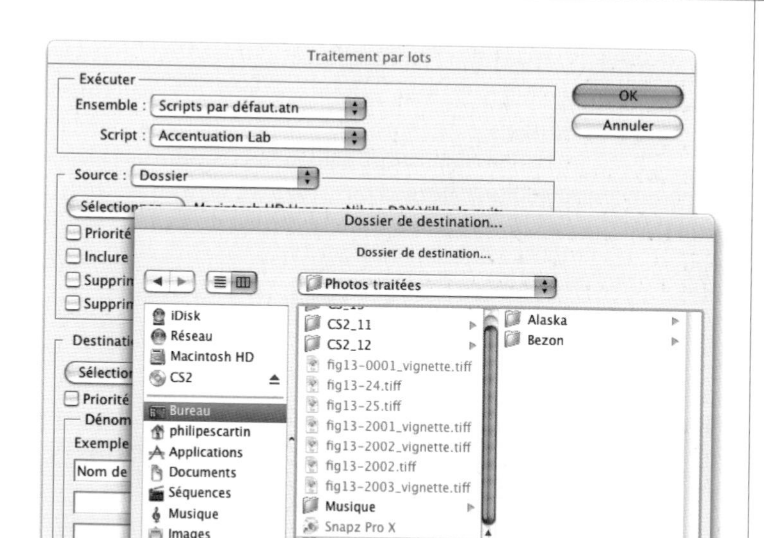

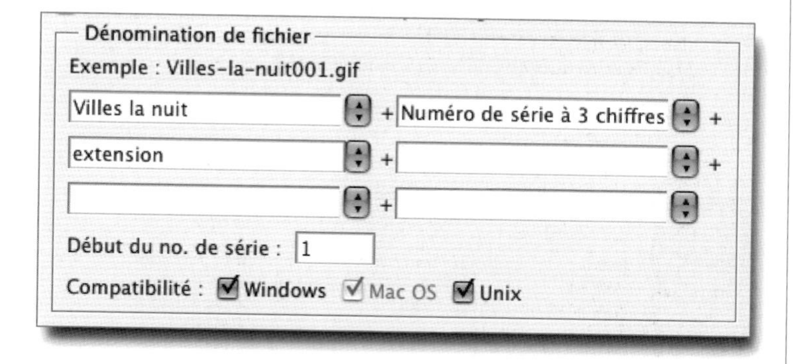

Etape 12

Dans Destination de la boîte de dialogue Traitement par lots, indiquez que faire des images après l'application du script d'accentuation en mode Lab. Avec l'option Enregistrer et fermer dans la liste Destination, les images traitées seront enregistrées dans leur dossier d'origine. Photoshop les ouvre, applique le script puis enregistre les fichiers avant de les fermer. Avec l'option Dossier, vous dirigerez les images traitées vers un autre dossier ; un clic sur le bouton Sélectionner permet de choisir où créer un dossier de destination. Une fois le choix effectué, cliquez sur Choisir (OK).

Etape 13

Si vous enregistrez vos photos corrigées, renommez-les. La structure du nom de fichier se définit dans les champs de la partie Dénomination de fichier (voir le Chapitre 2). Vous tapez dans le premier champ la racine commune à tous les noms de fichiers, et choisissez dans la liste du deuxième champ un système de numérotation automatique (l'ajout d'un numéro à un ou deux chiffres). Dans le troisième champ, vous pouvez choisir l'extension à ajouter (.jpg, .tif, etc.). Photoshop modifie le nom du fichier en plus d'y appliquer un script. En bas, vous visualisez une rangée de cases à cocher pour définir la compatibilité avec d'autres systèmes d'exploitation. Par précaution, j'active toutes les options : Mac, Windows et Unix. Je diffuse souvent mes images sur le Web sans savoir sur quel type de serveur elles seront téléchargées. Puis cliquez sur OK. Photoshop applique automatiquement le filtre Accentuation en mode Lab à vos photos et les enregistre.

Note : Voir le Chapitre 1 sur la manière dont Photoshop renomme les fichiers.

Accentuation nuancée en mode Luminosité

Voici une autre technique d'accentuation couramment employée par les professionnels, qui agit aussi au niveau de la luminosité. Cette solution et la méthode d'accentuation en mode Lab agissent toutes deux sur la luminosité, elles devraient donc produire la même chose en théorie. Certains prétendent qu'une méthode est préférable à l'autre. A vous d'essayer et de juger.

Etape 1

Ouvrez une photo nécessitant une dose modérée d'accentuation des contrastes. Ouvrez le sous-menu Filtre > Renforcement pour y choisir Accentuation. Appliquez le filtre directement à la photo RVB (sans passer par le mode Lab).

Note : Si vous ignorez quelles valeurs définir, reportez-vous au didacticiel intitulé « Technique de base » où je mentionne les réglages les plus courants employés par les professionnels.

Cliquez sur OK pour appliquer le filtre Accentuation.

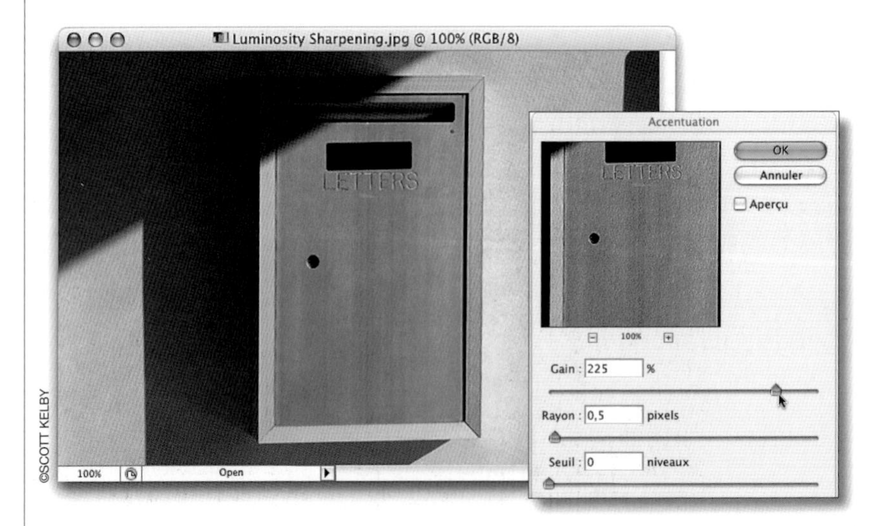

Etape 2

Ouvrez le menu Edition pour y choisir Estomper accentuation. Dans la liste Mode de la boîte de dialogue Atténuer, sélectionnez Luminosité (voir ci-contre). Lorsque vous cliquez sur OK, l'accentuation s'applique uniquement à la luminosité dans la photo, sans tenir compte des données chromatiques. Ce mode vous permet d'appliquer un gain d'accentuation plus fort sans générer de bavures colorées comme c'est souvent le cas. Voyez le résultat ci-après.

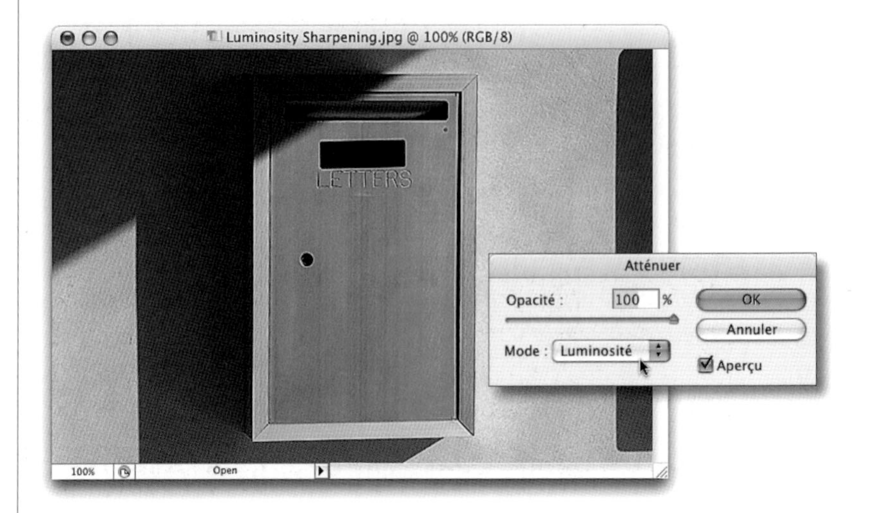

Accentuation avec le filtre Netteté optimisée de CS2

Voici les raisons qui laissent à penser que le nouveau filtre Netteté optimisée de CS2 va remplacer son homologue Accentuation : (1) il fait un travail bien plus propre en éliminant les halos chromatiques qui altèrent les images ; (2) il permet d'intervenir uniquement sur les tons clairs et les tons foncés ; (3) vous pouvez sauvegarder et réutiliser vos réglages ; (4) il dispose d'une fonction « Plus précis » qui applique plusieurs itérations de netteté ; (5) il est facile à mettre en œuvre et offre un aperçu plus grand.

©SCOTT KELBY

Etape 1

Ouvrez la photo à accentuer. (Sachez que dans les chapitres et sections où j'explique comment utiliser le filtre Accentuation, personne ne vous sanctionnera si vous y substituez le filtre Netteté optimisée.)

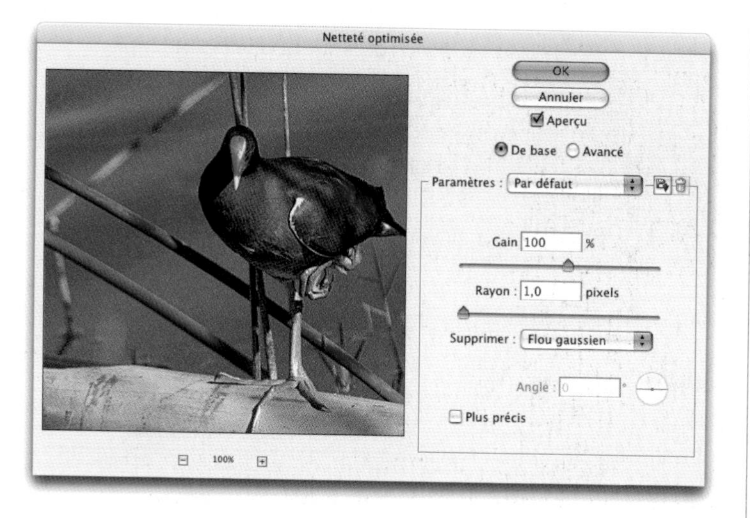

Etape 2

Dans le menu Filtre, choisissez Renforcement > Netteté optimisée. Par défaut, le filtre s'ouvre en mode De base, avec deux curseurs : Gain (qui contrôle l'intensité de l'accentuation) et Rayon (qui détermine le nombre de pixels affectés). Généralement, je laisse cette valeur sur 1, excepté si l'image est visiblement floue, où une valeur supérieure s'impose.

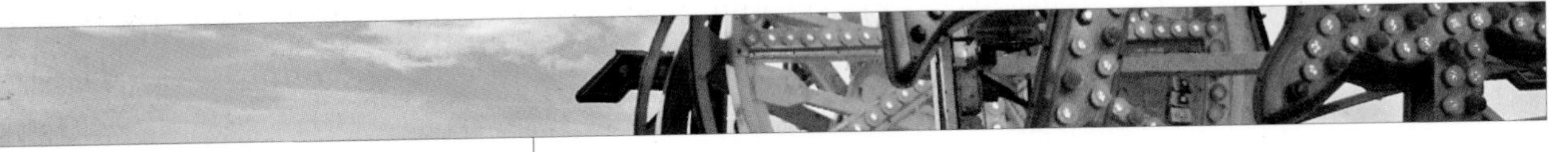

Etape 3

La liste Supprimer contient trois types de flous corrigeables par le filtre Netteté optimisée. Le Flou Gaussien (par défaut) a des performances équivalentes au filtre Accentuation dont il partage les mêmes algorithmes. Le Flou directionnel permet de corriger le flou en fonction de son angle, mais ses résultats ne sont pas flamboyant. Pour cette raison, je conseille le Flou de l'objectif. Etant donné qu'il détecte bien mieux les contours, il crée moins de halos chromatiques, et globalement il améliore la netteté de la plupart des clichés.

Etape 4

L'option « Plus précis », située en bas de la boîte de dialogue, améliore la netteté par application de plusieurs itérations de l'accentuation. J'active presque toujours ce paramètre.

Note : Si vous travaillez sur un gros fichier, l'option Plus précis ralentit le traitement de l'image. Il faudra faire preuve de patience.

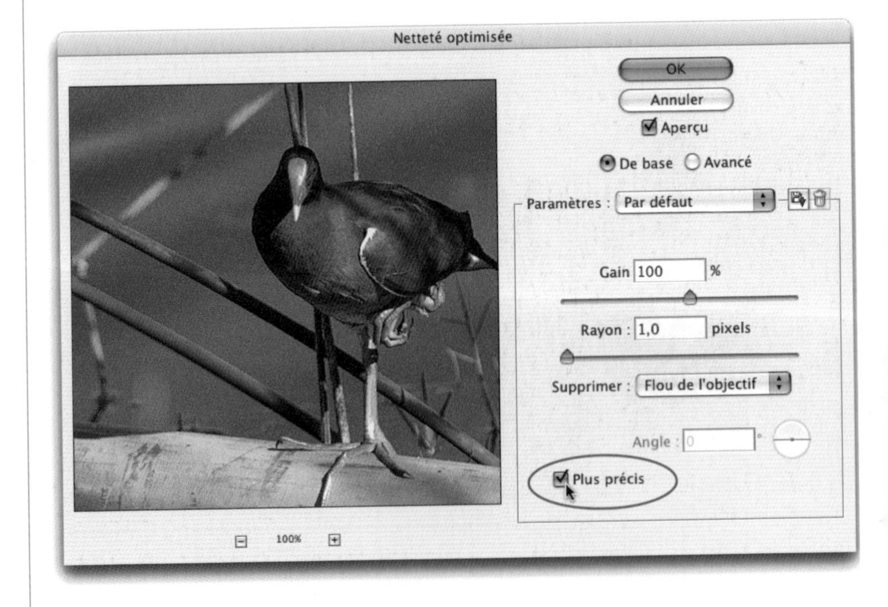

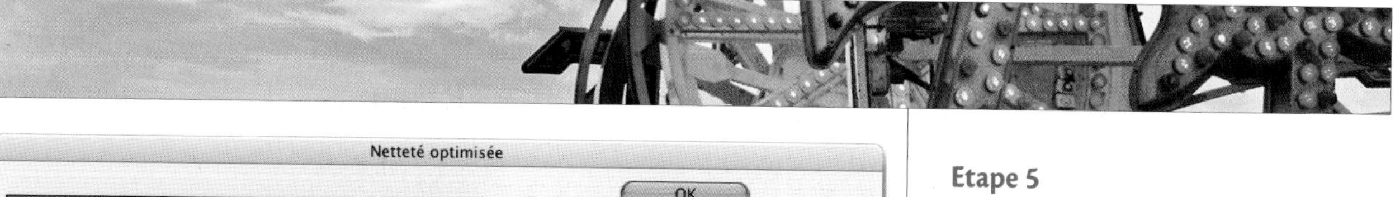

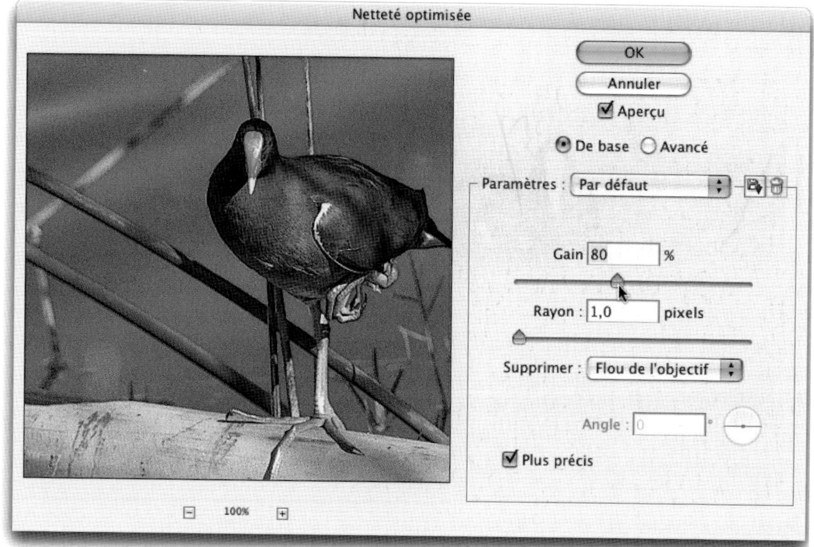

Etape 5

Je constate que ce filtre donne un résultat équivalent au filtre Accentuation avec une valeur Gain inférieure, surtout sur des images en basse résolution.

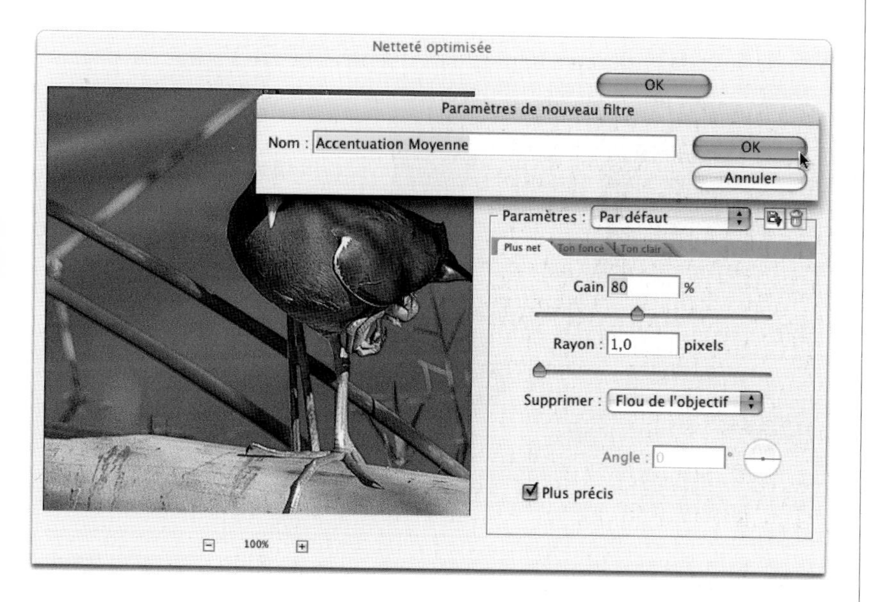

Astuce : Si vous appliquez toujours et encore les mêmes paramètres, cliquez sur la petite icône de disquette située à droite de la liste Paramètres. Dans la boîte de dialogue qui apparaît, donnez un nom à vos réglages et cliquez sur OK. Ce réglage est immédiatement disponible dans la liste Paramètres.

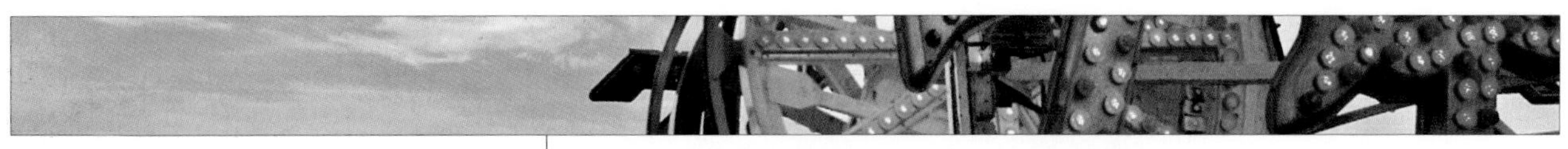

Etape 6

Vous pouvez limiter l'intensité de la netteté aux zones claires et foncées. Commencez par appliquer une accentuation standard, puis cliquez sur l'option Avancé. Deux nouveaux onglets s'affichent dans la section Paramètres, proposant des réglages qui visent l'intervention directe sur les tons clairs et foncés.

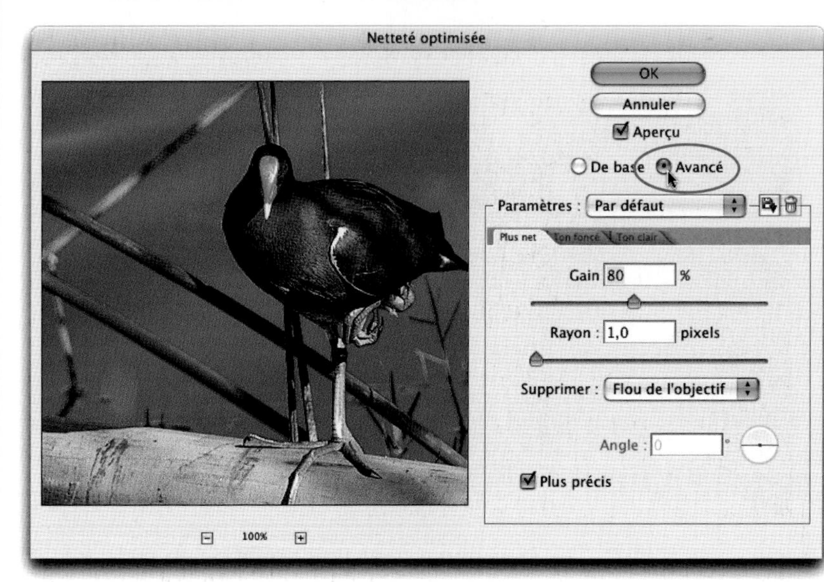

Etape 7

Cliquez sur l'onglet Ton clair. Faites glisser le curseur Estompage vers la droite pour réduire l'accentuation dans les zones claires de la photo. Cela permet de réduire les halos de ces parties. Les paramètres Gamme de tons et Rayon n'ont une incidence que si vous agissez sur le curseur Estompage.

Etape 8

L'onglet Ton foncé fonctionne de la même manière, mais il agit sur la netteté des zones sombres de l'image.

Avant.

Après (application du mode De base).

Accentuation des contours

Techniques avancées — Pour les PROS !

Cette technique de renforcement des contrastes n'exploite pas le filtre Accentuation, mais offre néanmoins un contrôle très précis sur la procédure, même après application du renforcement. Elle est idéale pour les images pouvant supporter une accentuation intense ou qui ont besoin d'une telle correction.

Etape 1

Ouvrez une photo à améliorer. Dupliquez le calque Arrière-plan par le raccourci Cmd+J (Ctrl+J). La copie prend le nom Calque 1 dans la palette Calques.

Etape 2

Ouvrez le sous-menu Filtre > Esthétiques pour y choisir Estampage. Le filtre Estampage va vous servir à accentuer les contours dans la photo. Vous pouvez conserver les valeurs par défaut pour les options Angle et Facteur (135 % et 100 %), mais pour un effet plus prononcé, augmentez la valeur de l'option Hauteur de 2 pixels (que vous pouvez pousser à 4 pour les images en haute résolution). Cliquez sur OK pour appliquer le filtre ; votre photo s'aplatit en un gris uniforme zébré de contours fluo. Pour supprimer la couleur des contours, appuyez sur Maj+Cmd+U (Maj+Ctrl+U) afin de désaturer le calque.

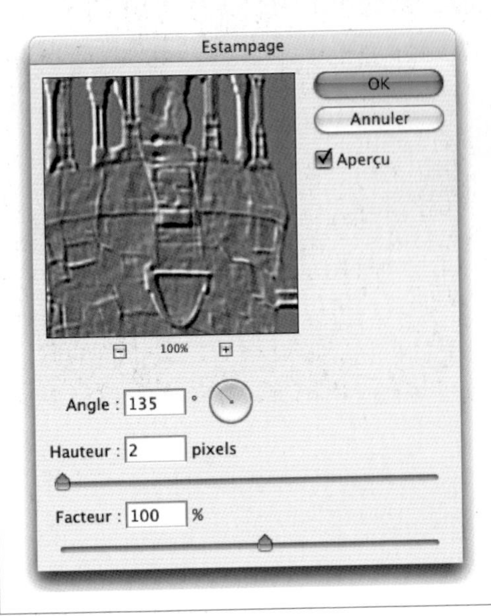

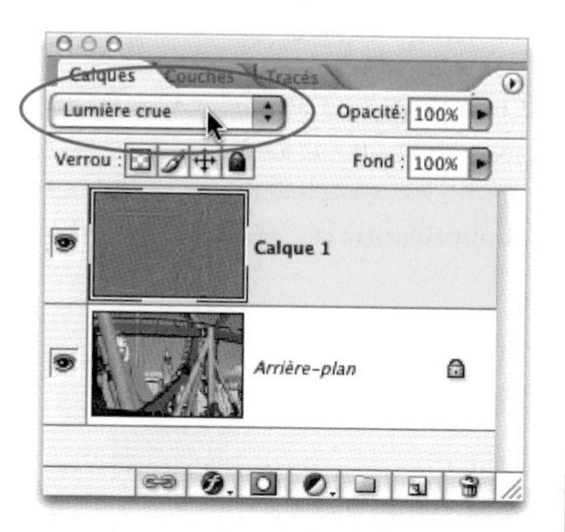

Etape 3

Dans la palette Calques, définissez le mode Lumière crue, ce qui élimine la teinte grise de ce calque mais laisse les contours accentués. La manipulation a pour effet de renforcer la netteté de l'image entière.

Etape 4

Si le renforcement des contrastes semble excessif, vous pouvez le nuancer en réduisant l'opacité du Calque 1 dans la palette Calques. Voyez ci-après le résultat avant et après.

Avant.

Après.

Accentuation extrême des contours

Cette technique de renforcement des contours est parfaite pour appliquer une accentuation intense sur un sujet particulier sans toucher aux autres zones de la photo. Il s'agit d'une nouvelle approche, car ici vous allez souligner les contours par une astuce qui permet de les entourer d'une sélection.

Etape 1

Ouvrez la photo RVB dans laquelle vous souhaitez accentuer certains contours (dans cet exemple, je cherche à renforcer le portail en fer forgé tout en conservant l'arrière-plan dans le flou). Appuyez sur Cmd+A (Ctrl+A) pour sélectionner la photo entière, puis appuyez sur Cmd+C (Ctrl+C) pour la copier en mémoire.

©SCOTT KELBY

Etape 2

Activez la palette Couches, et cliquez sur l'icône Créer une couche, en bas à droite. Une fois la nouvelle couche apparue, appuyez sur Cmd+V (Ctrl+V) pour y coller une version noir et blanc de la photo (voir ci-contre). Désélectionnez par le raccourci Cmd+D (Ctrl+D).

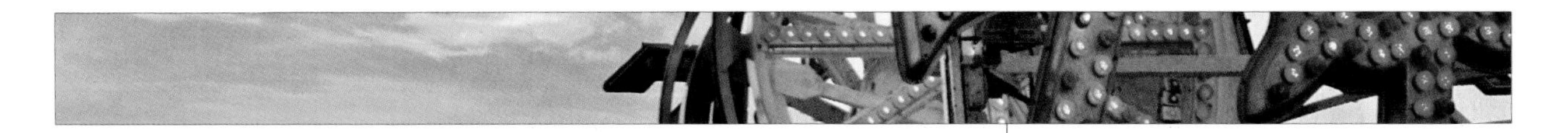

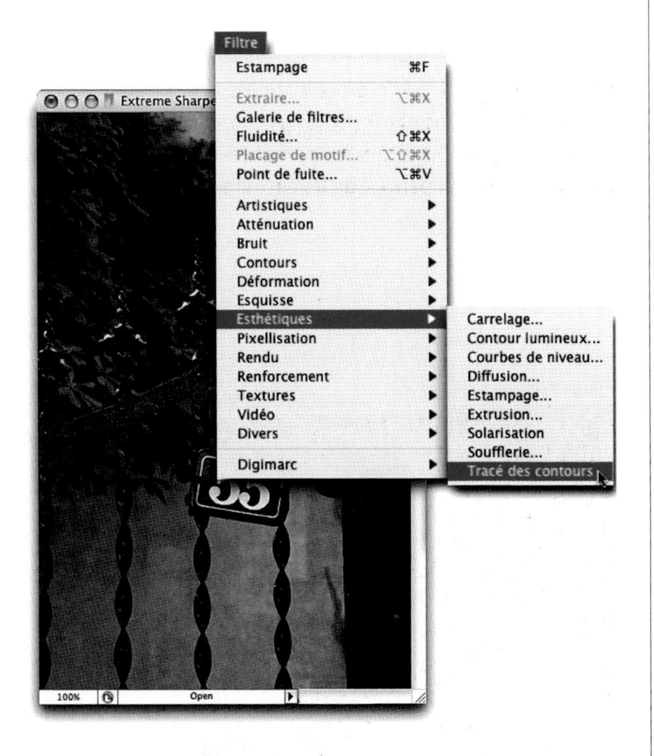

Etape 3

Ouvrez le sous-menu Filtre > Esthétiques pour y choisir Tracé des contours. Aucune boîte de dialogue n'apparaît. Le filtre s'applique automatiquement pour accentuer les contours visibles. Il se peut que le filtre renforce trop de contours ; vous pourriez avoir envie de nuancer l'effet pour limiter la correction aux contours les plus évidents.

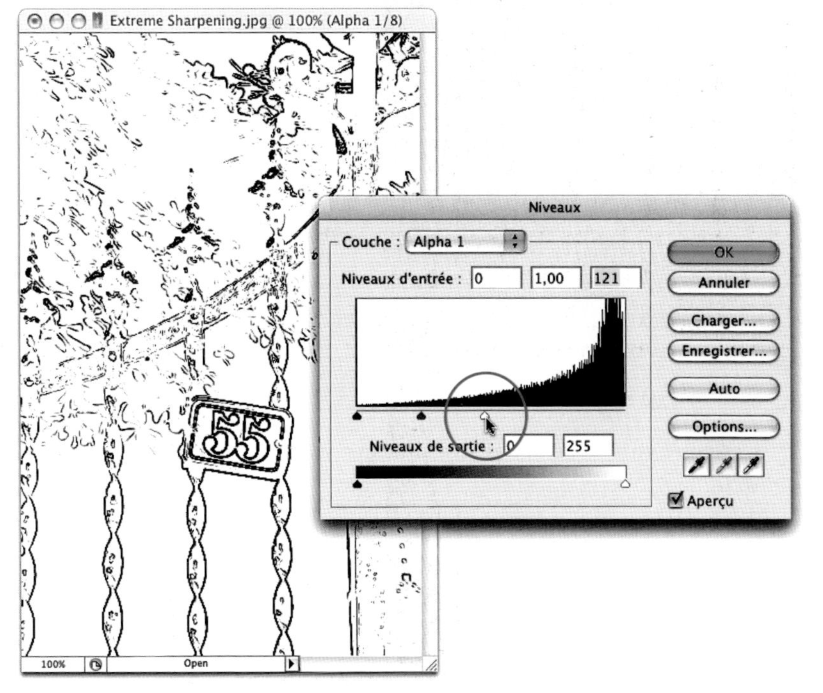

Etape 4

Appuyez sur Cmd+L (Ctrl+L) pour afficher la boîte de dialogue Niveaux. Ensuite, faites glisser vers la gauche la pointe de flèche blanche (tons clairs) des niveaux d'entrée. Ce réglage estompe les lignes grises, mal définies, qu'il ne faut pas renforcer. Dans cette technique, la définition des contours est une étape importante que nous allons poursuivre.

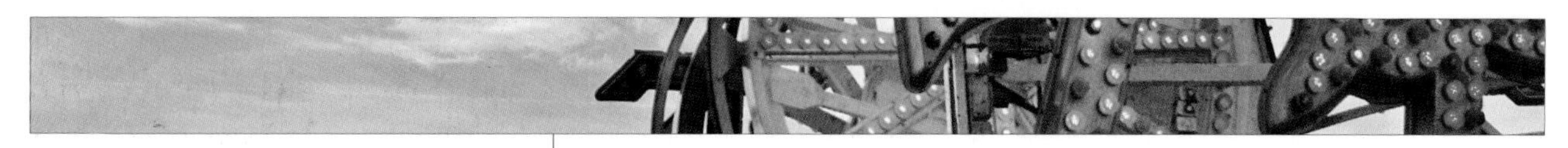

Etape 5

Suivez mes instructions même si elles vous semblent étranges. Je vais maintenant vous demander de rendre plus floues les lignes restantes (mais nous supprimerons le flou à l'étape suivante). Ouvrez le sous-menu Filtre > Atténuation pour y choisir Flou gaussien. Entrez la valeur 1 pixel et cliquez sur OK pour appliquer un léger flou à cette couche.

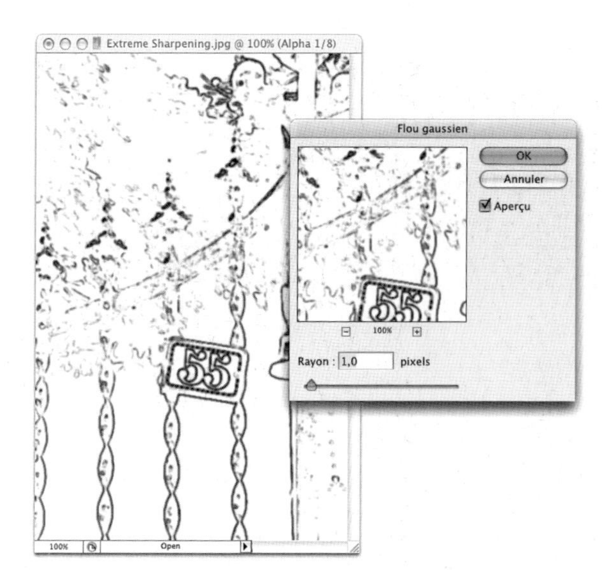

Etape 6

De nouveau, appuyez sur Cmd+L (Ctrl+L) pour ouvrir la boîte de dialogue Niveaux, qui cette fois va vous servir à éliminer le flou et donc à accentuer les contours. Il suffit de faire glisser les curseurs des niveaux d'entrée (curseur de gauche pour les valeurs sombres et curseur de droite pour les valeurs claires). Rapprochez-les du centre jusqu'à ce qu'ils rejoignent presque le curseur central des tons moyens ou jusqu'à voir disparaître l'effet de flou avec les lignes bien définies. Lorsque le résultat vous convient, cliquez sur OK.

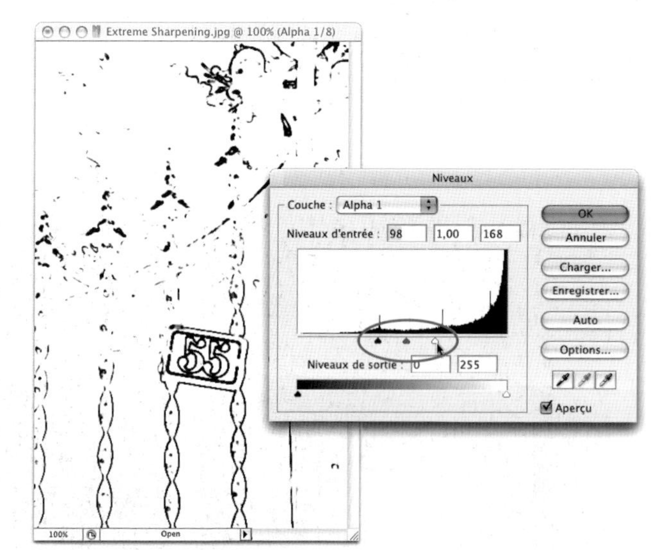

Etape 7

Dans la palette Couches, tout en maintenant enfoncée la touche Cmd (Ctrl), cliquez sur la couche Alpha 1 pour la convertir en sélection.

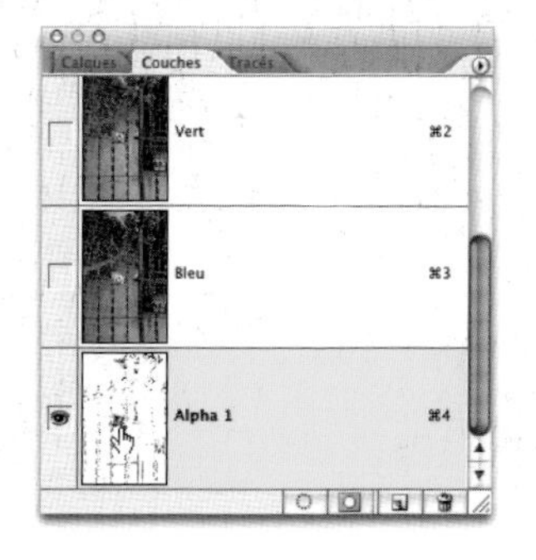

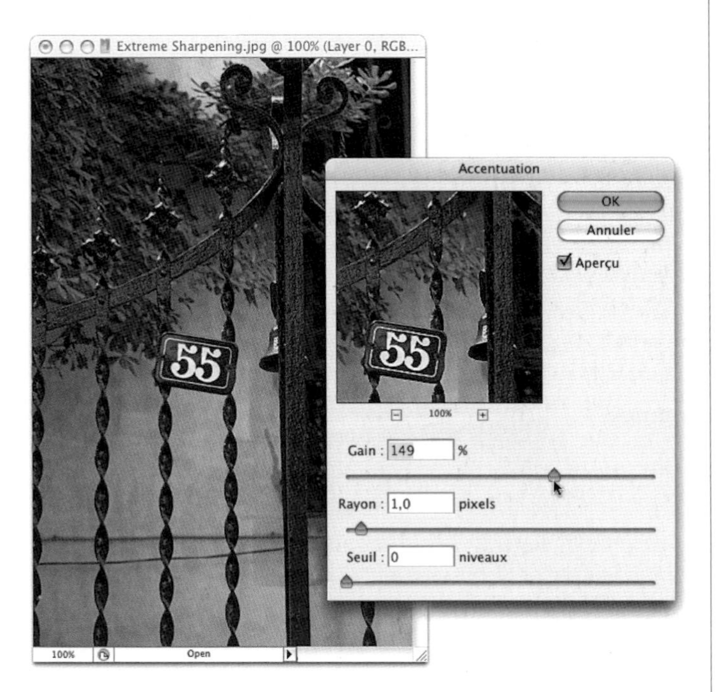

Etape 8

Dans la palette Couches, cliquez sur la couche composite RVB pour afficher la photo couleur (en conservant la sélection). La sélection se trouve autour des contours les plus évidents dans la photo. Cliquez sur Sélection > Intervertir. Appuyez sur Cmd+H (Ctrl+H) afin de masquer le contour de la sélection. A ce point, vous pouvez appliquer le filtre Accentuation avec un réglage intense : seules les zones sélectionnées seront renforcées mais l'arrière-plan restera flou. Désélectionnez en appuyant sur Cmd+D (Ctrl+D).

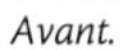

Avant.

Après.

Techniques avancées – Pour les PROS !

Accentuation d'un portrait féminin

Si vous avez besoin d'accentuer les contrastes dans un portrait féminin en gros plan, tout en conservant une peau d'aspect velouté, voici une technique utilisée par les retoucheurs et photographes de mode pour appliquer une accentuation sans faire ressortir les pores, rides et autres imperfections cutanées. La méthode est simple dans son principe mais efficace.

Etape 1

Ouvrez le portrait rapproché que vous souhaitez accentuer. Dupliquez le calque Arrière-plan à l'aide des touches Cmd+J (Ctrl+J).

Etape 2

Appliquez le filtre Accentuation à ce nouveau calque à partir du sous-menu Filtre > Renforcement. Fixez les valeurs suivantes : Gain 85 %, Rayon 1 pixel et Seuil 4 niveaux. L'accentuation durcit la texture de la peau mais nous corrigerons cela à l'étape suivante.

©JUPITERIMAGES

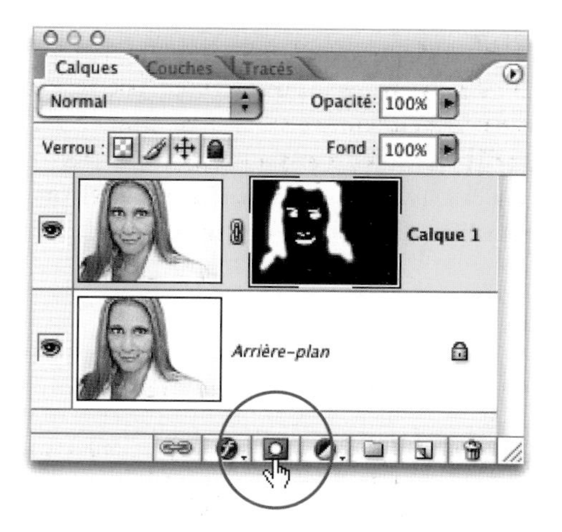

Etape 3

Maintenez la touche Option (Alt) enfoncée pendant que vous cliquez sur l'icône de masque de fusion au bas de la palette Calques. L'emploi de la touche Option (Alt) permet de remplir le masque de noir, ce qui cache l'effet du filtre qui lui est appliqué. Activez l'outil Pinceau (B) et choisissez une forme douce de taille moyenne. Définissez le blanc comme couleur de premier plan en appuyant sur D, puis dessinez sur les zones du portrait dont vous souhaitez accentuer les détails (bouche, yeux, cils, sourcils). L'effet du filtre réapparaît sous le passage du Pinceau. Prenez garde à ne pas déborder sur les zones de peau. Vous pourriez aussi passer le Pinceau dans la chevelure et sur d'autres zones à accentuer en dehors du visage. Voyez le résultat final.

Avant.

Après.

Photo de Scott Kelby | Exposition : 1/80 s | Focale : 70 mm | Ouverture : $f/4.4$

En travaux
Présentation de votre travail

« En travaux » est un groupe de musique peu connu du grand public. Il m'inspire le titre de ce chapitre bien plus que la fameuse chanson d'Henri Salvador « Le travail c'est la santé… », préférant largement la suite du couplet « rien faire c'est la conserver ». Si j'avais été un auteur soucieux de sa prose, j'aurais eu l'intelligence de mettre un intitulé du style « Comment montrer vos travaux » ou « Comment présenter votre travail ». C'est un chapitre fondamental dans une société où l'on préfère l'apparence à la qualité. Je fonde ma démonstration sur l'une de mes plus populaires sessions de formation à la Photoshop World Conference & Expo. Ne le dites pas à mes éditeurs ! Ils seraient capables de me demander un nouveau chapitre et ne manqueraient pas de faire état du poil que j'ai dans le creux de la main. Assez de digressions, entrons maintenant dans le vif du sujet.

Disposition des éléments d'une affiche

Au Chapitre 1, vous avez appris à classer, noter, trier, jeter, admirer, pester, déprimer, jurer, rire ou pleurer à propos de vos photos, avec les fonctions avancées d'Adobe Bridge. Ces classifications par attribution d'étoiles – guide Michelin du numérique – permettent de créer un portfolio de vos images. Vous allez disposer sur un document global des photos qui, d'ordinaire, ne seraient peut-être jamais sorties de la carte mémoire de votre appareil photo numérique.

Etape 1

Dans Photoshop, cliquez sur Fichier > Nouveau. Dans la liste Paramètre prédéfini, choisissez 8 × 10 (pouces), dans une résolution de 300 ppp. Cliquez sur OK.

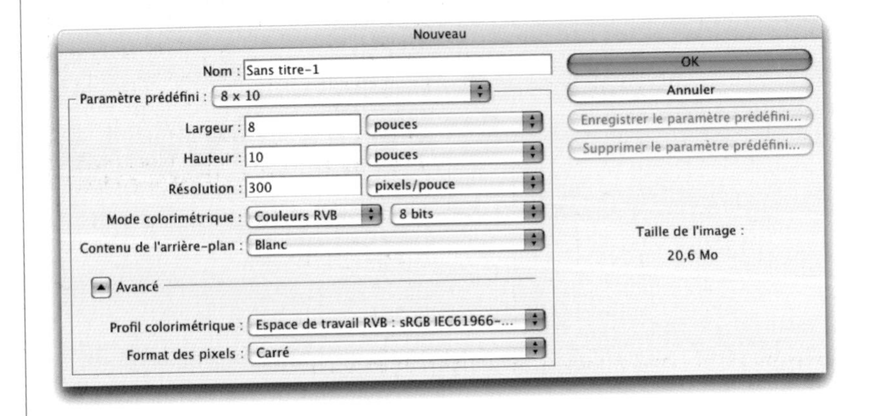

Etape 2

Maintenant, ouvrez les photos auxquelles vous avez attribuées trois étoiles.

©SCOTT KELBY

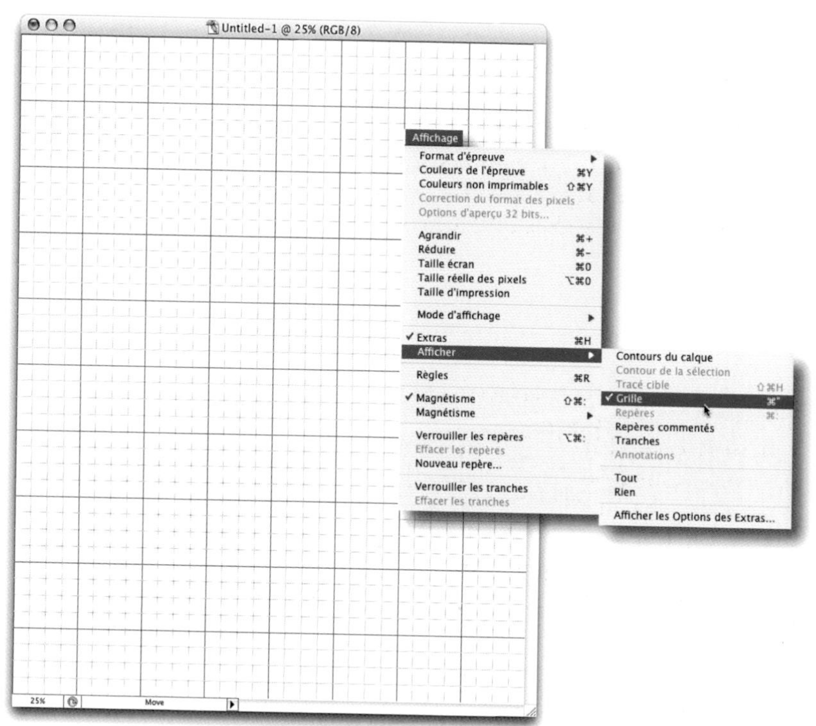

Etape 3

Activez le document sans titre 8 × 10. (S'il n'est pas visible, cliquez sur Fenêtre > Sans titre-1.) Ensuite, dans le menu Affichage, choisissez Afficher > Grille. Si la grille ne s'affiche pas, cliquez sur Affichage > Extras. Une grille apparaît. Elle va aider à l'alignement des photos dans le document. Cette grille ne s'imprime pas.

Etape 4

Activez la première photo à placer sur la grille. (Aidez-vous du menu Fenêtre.) L'important pour une bonne disposition est d'utiliser des photos carrées. Donc, appuyez sur M pour activer l'outil Recadrage. Ensuite, maintenez la touche Maj enfoncée et définissez une sélection parfaitement carrée sur l'image. (Encadrez une zone qui semble importante à faire figurer sur l'affiche.)

Etape 5

Activez l'outil Déplacement (V) et glissez-déposez la photo sur la grille du document 8 × 10. En fonction de l'original, la photo semblera très grosse (ou très petite). Vous devez la redimensionner de manière à faire tenir neuf photos sur cette grille.

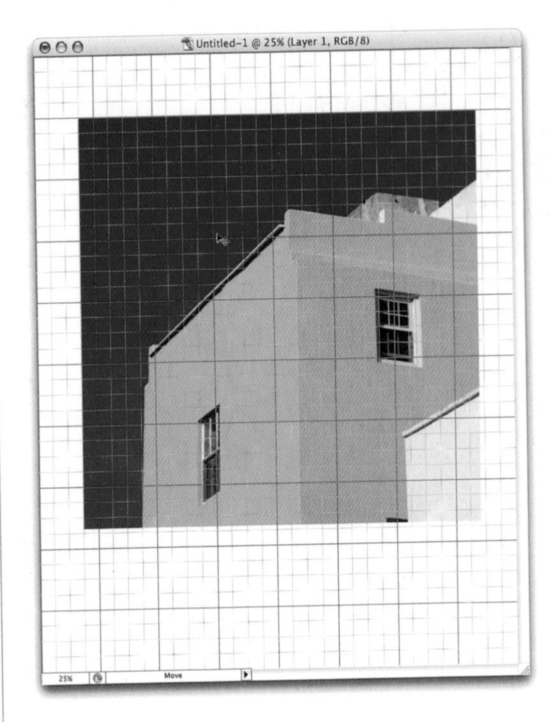

Etape 6

Appuyez sur Cmd+T (Ctrl+T) pour activer le mode Transformation manuelle. Maintenez la touche Maj enfoncée et cliquez sur la poignée de l'angle inférieur droit ; faites-la glisser vers l'intérieur pour dimensionner la photo. Dès que la taille correcte est atteinte, placez le pointeur de la souris dans le cadre de transformation, et positionnez la photo à trois carreaux du bord supérieur et du bord gauche du document. L'image doit couvrir 8 carreaux sur 8. Une fois la disposition effectuée, validez en appuyant sur Retour (Entrée). Allez-vous devoir exécuter toute cette procédure pour chaque cliché à mettre en page ? Non ! L'automatisation vous vient en aide.

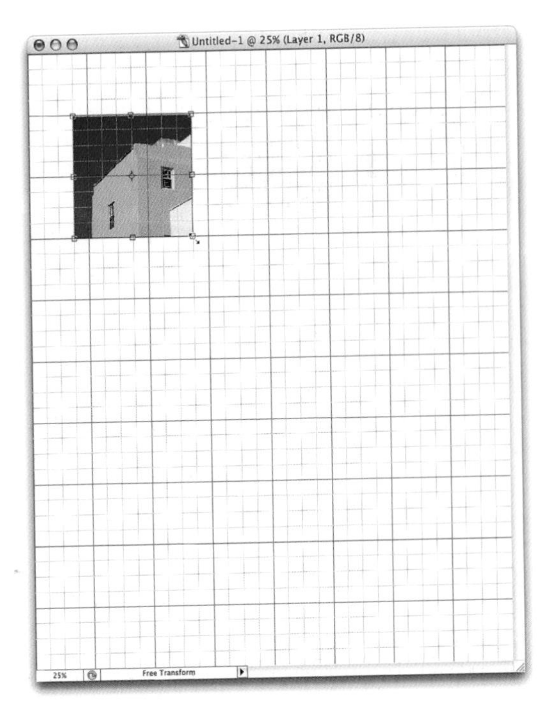

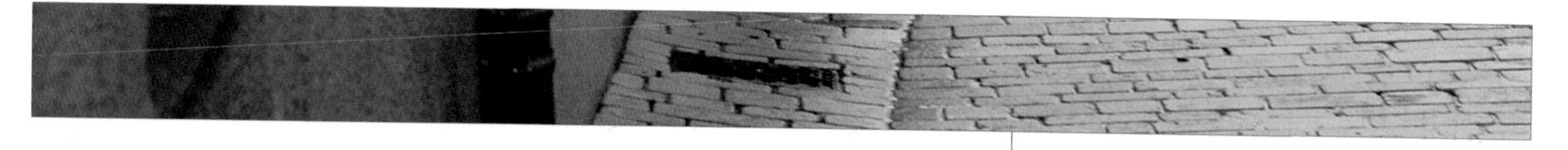

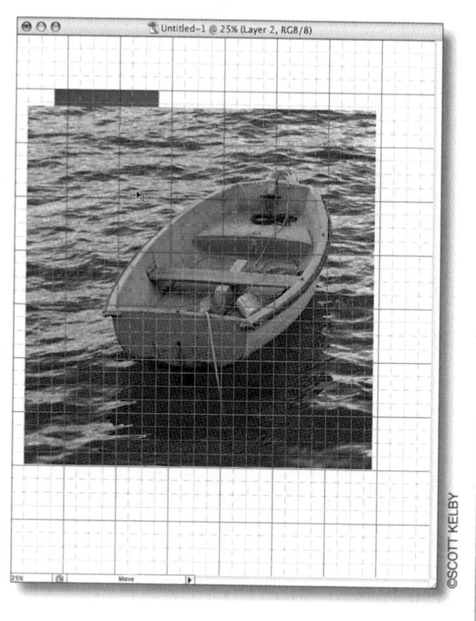

©SCOTT KELBY

Etape 7

Dans le menu Fenêtre, choisissez la deuxième photo à disposer sur la grille. Cette fois encore, activez l'outil Rectangle de sélection, appuyez sur Maj et tracez un carré autour du point central de la photo. Activez l'outil Déplacement et glissez-déposez la photo sur la grille du nouveau document.

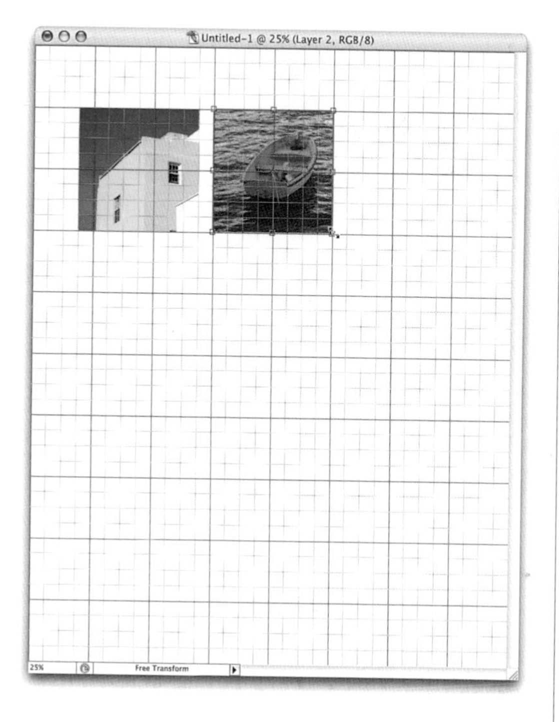

Etape 8

L'utilisation préalable de la Transformation manuelle permet de profiter de la fonction Répétition de la transformation. Une fois l'image placée sur la grille, appuyez sur Maj+Cmd+T (Ctrl+Maj+T). La photo est redimensionnée comme la précédente. Appuyez sur Retour (Entrée) pour valider la transformation. Ensuite, avec l'outil Déplacement, placez la photo sur la grille, à droite de la première.

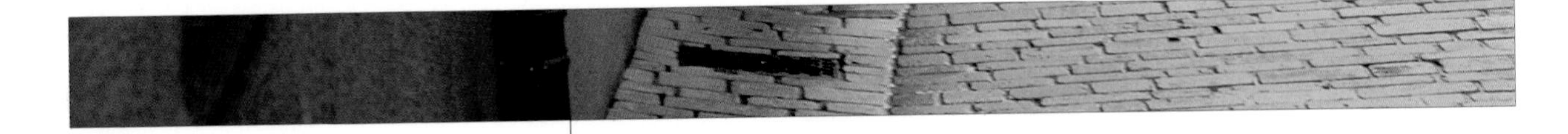

Etape 9

Répétez cette opération pour les autres images. Ouvrez les photos une à une, créez un carré de sélection, glissez-déposez le contenu de la sélection sur la grille et appuyez sur Cmd+Maj+T (Ctrl+Maj+T). Ensuite, positionnez la photo sur la grille en respectant un espace égal entre les images.

Note : Il se peut que la répétition de la transformation refuse de s'appliquer. Dans ce cas, recommencez l'opération dans sa totalité pour actualiser ses paramètres. De plus, étant donné que le redimensionnement se fonde sur la taille physique des images, la répétition de la transformation peut produire un résultat incorrect. Dans ce cas, corrigez avec la Transformation manuelle.

Etape 10

Une fois les neufs photos en place sur la grille, cliquez sur Affichage > Afficher > Grille pour la masquer. Pour créer une véritable affiche, entrez un titre dans sa partie inférieure (ici avec la police Gil Sans Light). J'ai finalisé le document en ajoutant la date et le nom de l'auteur en bas, à gauche et à droite, avec la police ITC Grimshaw Hand. Le plus difficile est d'obtenir une cohérence chromatique entre les photos disposées de la sorte.

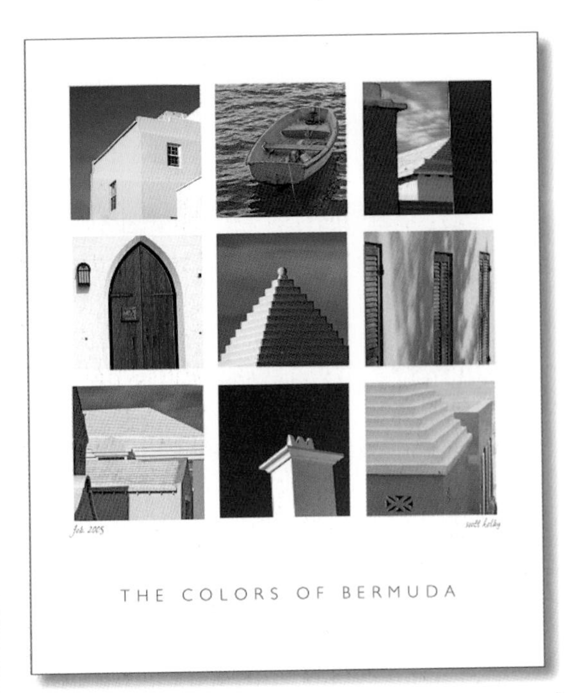

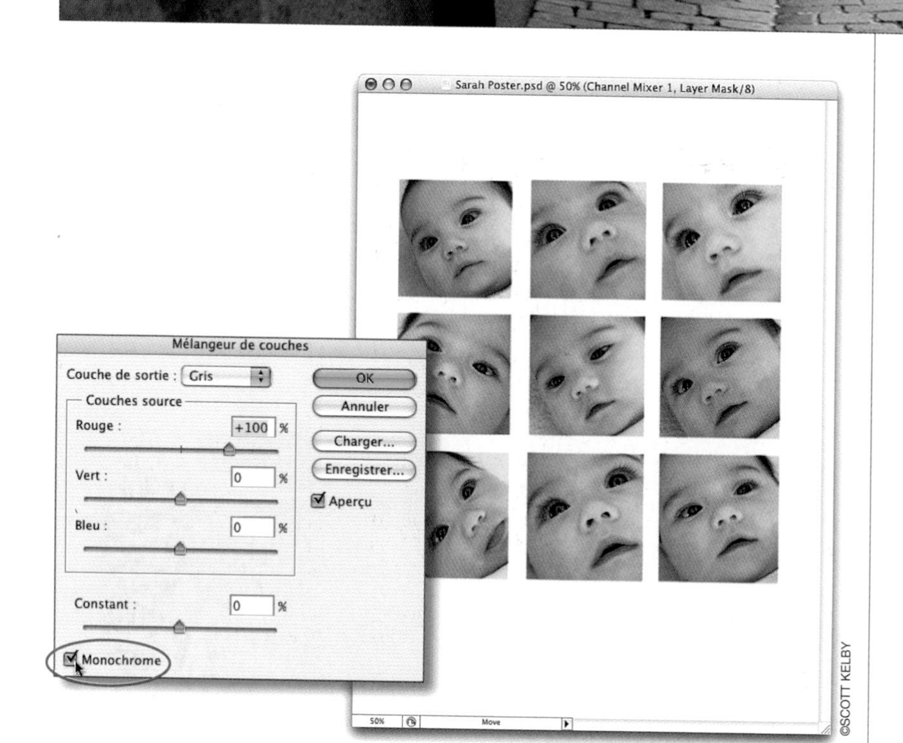

Etape 11

Dans ce nouvel atelier, neuf gros plans d'un bébé composent l'affiche. Le problème est que les photos paraissent fades à cause d'une neutralité des couleurs. Pour corriger cela, convertissez-les en noir et blanc. Vous obtenez une apparence plus artistique. Dans la palette Calques, créez un Calque de réglage de type Mélangeur de couches. Ensuite, dans la boîte de dialogue homonyme, cochez l'option Monochrome.

Etape 12

Cliquez sur OK. La composition est magnifique. Cette technique est fort utile lorsque vous juxtaposez des photos dont les couleurs sont discordantes. Dans ce cas, contentez-vous d'un simple mélange de couches monochromatique.

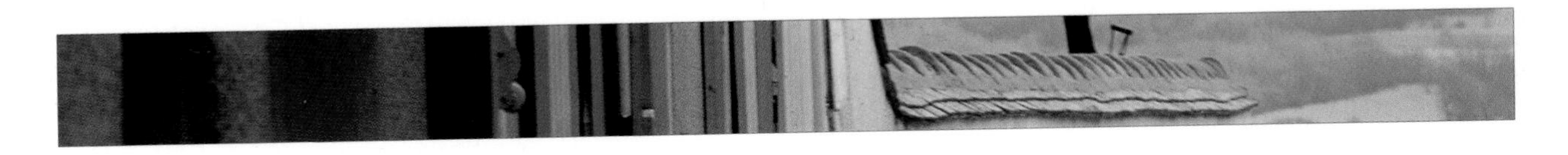

Encadrement numérique

Voici une superbe méthode de présentation des images sous forme d'une galerie en ligne (Web) ou de fichier PDF. A moindre coût, vous encadrez vos photos comme un professionnel.

Etape 1

Ouvrez la photo à encadrer. Appuyez sur D pour rétablir les couleurs de premier plan et d'arrière-plan par défaut. Ensuite, exécutez le raccourci Cmd+A (Ctrl+A) pour sélectionner l'intégralité de l'image. Appuyez sur Maj+Cmd+J (Maj+Ctrl+J) de manière à dupliquer le calque Arrière-plan sur un calque standard (Calque 1).

©SCOTT KELBY

Etape 2

Dans le menu Fichier, choisissez Taille de la zone de travail, ou appuyez sur Option+Cmd+C (Alt+Ctrl+C). Cochez la case Relative, sélectionnez la Couleur d'arrière-plan « Blanc », puis saisissez la valeur 4 pouces dans les champs Hauteur et Largeur. Cliquez sur OK pour ajouter un espace blanc autour de l'image.

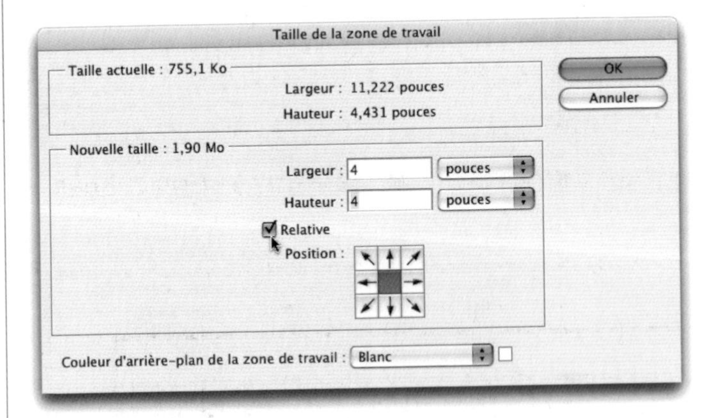

Etape 3

Maintenez la touche Cmd (Ctrl) enfoncée et cliquez sur l'icône Créer un calque de la palette Calques. Cela permet de placer le nouveau calque sous le Calque 1.

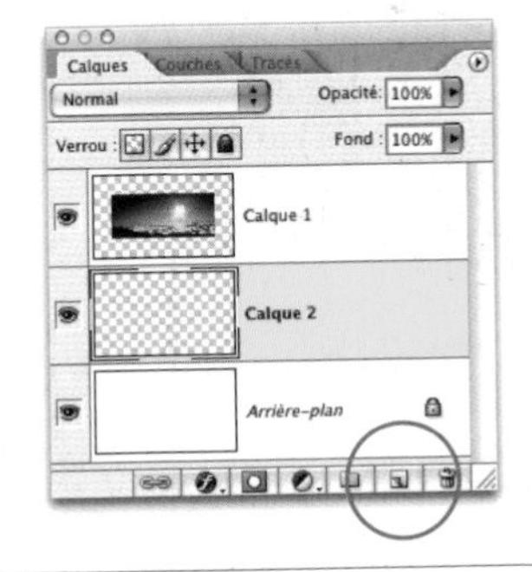

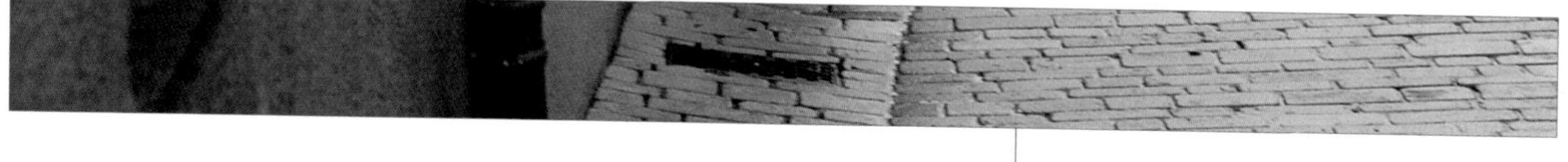

Etape 4

Appuyez sur M pour activer l'outil Rectangle de sélection. Tracez un cadre de sélection plus large que la photo (environ +2,5 cm). Cela détermine les contours du cadre. Ensuite, appuyez sur D puis sur X pour définir le blanc comme couleur de premier plan. Appuyez sur Option+Suppr (Alt+Retour arrière) pour remplir la sélection de blanc. Appuyez sur Cmd+D (Ctrl+D) pour désélectionner.

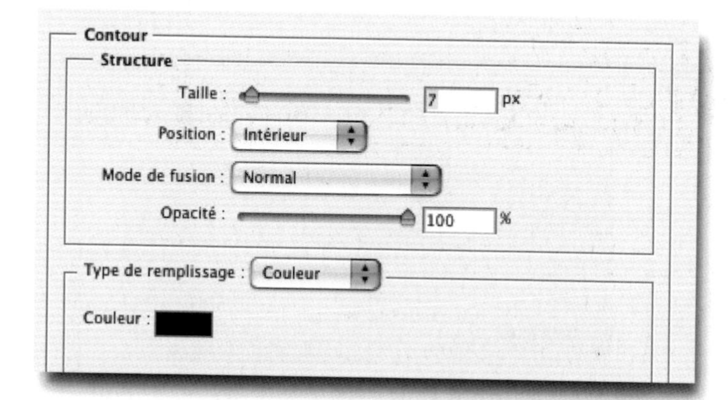

Etape 5

Rien ne semble se passer ! Pour créer le contour du cadre, cliquez sur l'icône Ajouter un style de calque, en bas de la palette Calques. Là, choisissez Contour. Dans la boîte de dialogue qui s'ouvre, fixez une Taille de 7, une Position Intérieur, et cliquez sur le nuancier Couleur pour définir une teinte noire dans le Sélecteur de couleurs.

Note : Avec des images en 300 ppp, vous devez augmenter la valeur du paramètre Taille.

Etape 6

Cliquez sur OK. Le contour du cadre est défini. Les angles sont droits car vous avez sélectionné Intérieur. Avec l'option Extérieur ils auraient été arrondis. Donnons maintenant un peu de profondeur à ce cadre.

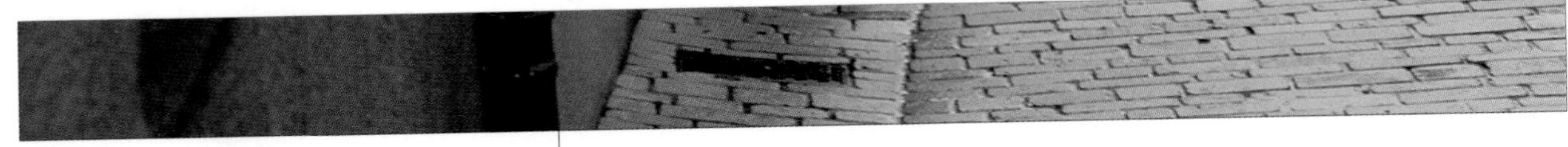

Etape 7

Ajoutez un Calque de réglage de type Ombre interne. Fixez l'Opacité à 50 %, décochez Utiliser l'éclairage global, réglez l'Angle à 131°, la Distance à 13 pixels et la Taille à 3. Cliquez sur OK. Cela ajoute une subtile ombre sur les côtés gauche et supérieur de la bordure du cadre.

Note : Avec des images en 300 ppp, vous devez augmenter la valeur du paramètre Taille.

Etape 8

Dans la palette Calques, cliquez sur Créer un calque. Vous allez ajouter une fine bordure à l'intérieur du cadre. Activez l'outil Rectangle de sélection et tracez une sélection légèrement plus grande que la photo. Remplissez-la en appuyant sur Option+Suppr (Alt+Retour arrière). Enfin, désélectionnez à l'aide des touches Cmd+D (Ctrl+D).

Etape 9

Ajoutez un Calque de réglage de type Lueur interne. Sélectionnez le Mode de fusion Normal, fixez l'Opacité à 20 %, puis cliquez sur le nuancier pour choisir le noir dans le Sélecteur de couleurs.

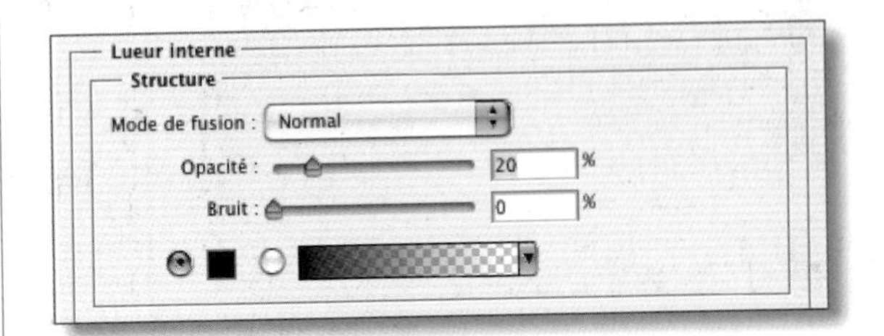

Etape 10

Cliquez sur OK. Une ombre très douce apparaît à l'intérieur du cadre principal. Pour parfaire le cadre, ajoutons une ombre portée. Activez le Calque 2.

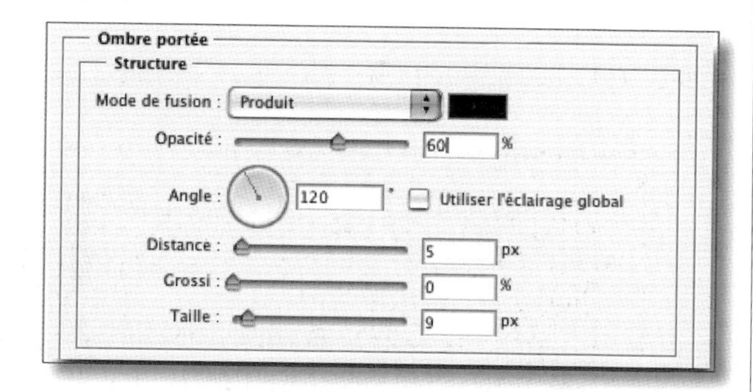

Etape 11

Ajoutez un Calque de réglage de type Ombre portée. Fixez l'Opacité à 60 %, désactivez Utiliser l'éclairage global, augmentez la taille à 9 pixels, puis cliquez sur OK.

Note : Avec des images en 300 ppp, vous devez augmenter la valeur du paramètre Taille.

Etape 12

Vous ajoutez ainsi une légère ombre portée en bas et à droite du cadre. Vous pouvez renforcer le contraste entre l'arrière-plan et le cadre. Dans cet atelier, j'ai activé le calque Arrière-plan. Ensuite, j'ai défini une couleur de premier plan gris clair, que j'ai appliquée à l'aide des touches Option+Suppr (Alt+Retour arrière). C'était la petite touche finale.

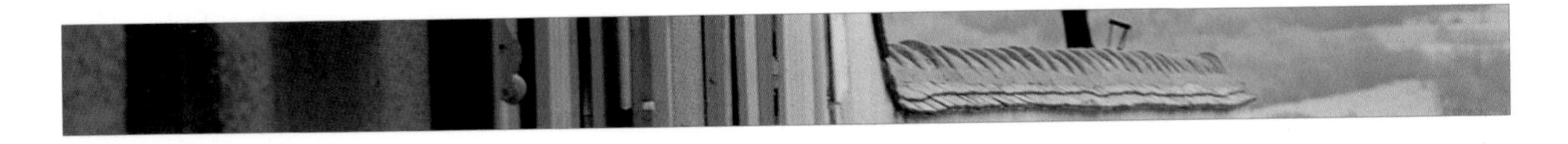

Création d'une affiche

Cet atelier explique comment créer une affiche digne des professionnels. La technique employée ici va permettre de créer ultérieurement d'autres affiches en un temps record.

Etape 1

Ouvrez la photo à présenter sous forme d'affiche.

©SCOTT KELBY

Etape 2

Dans le menu Image, choisissez Taille de la zone de travail, ou appuyez sur Option+Cmd+C (Alt+Ctrl+C). Activez l'option Relative et saisissez 1 (pouce) dans les champs Largeur et Hauteur (soit 2,54 cm). Dans la liste Couleur d'arrière-plan de la zone de travail, choisissez Blanc.

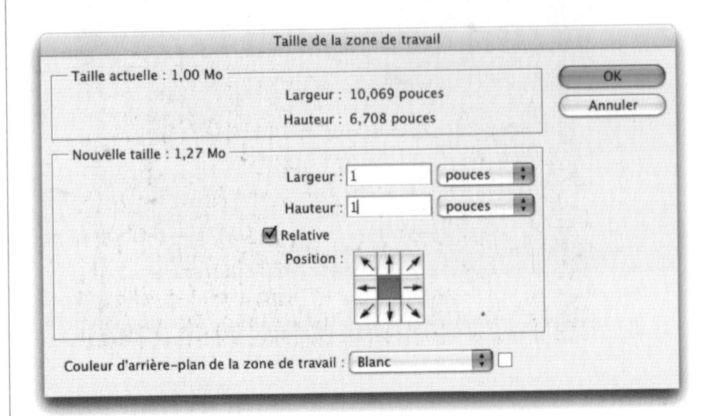

Etape 3

Lorsque vous cliquez sur OK, un espace blanc est ajouté autour de votre photo.

Taille de la zone de travail

Taille actuelle : 1,27 Mo
Largeur : 11,069 pouces
Hauteur : 7,708 pouces

Nouvelle taille : 1,43 Mo
Largeur : 0 pouces
Hauteur : 1 pouces
Relative
Position :

Couleur d'arrière-plan de la zone de travail : Blanc

OK
Annuler

Etape 4

Revenez dans la boîte de dialogue Taille de la zone de travail. Augmentez l'espace vide inférieur en saisissant 1 pouce dans le champ Hauteur, et en cliquant sur la flèche dirigée vers le haut de la section Position.

Etape 5

Cliquez sur OK pour ajouter un espace supplémentaire en bas de la photo.

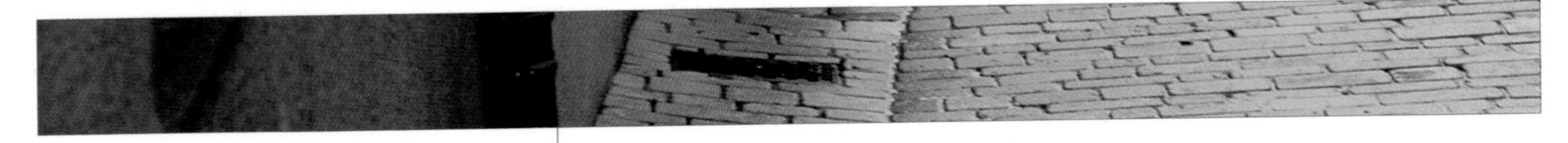

Etape 6

Dans cet espace, ajoutez du texte. Appuyez sur T pour activer l'outil Texte. Saisissez par exemple le nom du studio, le titre de l'affiche, etc. J'ai choisi la police Gil Sans Light tout en majuscule, avec une taille de 14 points. L'espacement entre les caractères donne un look très élégant. Pour cela, vous devez sélectionner le texte avec l'outil homonyme, puis ouvrir la palette Caractère (menu Fenêtre). Là, saisissez 800 dans le champ Approche. Validez le texte, puis réduisez l'Opacité de son calque à 60 %.

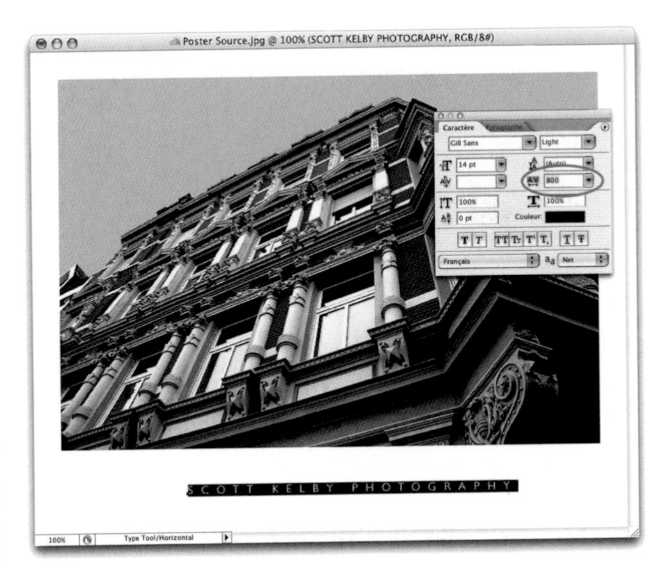

Etape 7

Pour centrer parfaitement le texte par rapport à l'image, activez le calque Arrière-plan. Maintenez la touche Maj enfoncée et cliquez sur le Calque de texte. Les deux calques sont actifs. Activez l'outil Déplacement (V). Dans sa Barre d'options, cliquez sur l'icône Aligner les centres dans le sens horizontal (voir ci-contre).

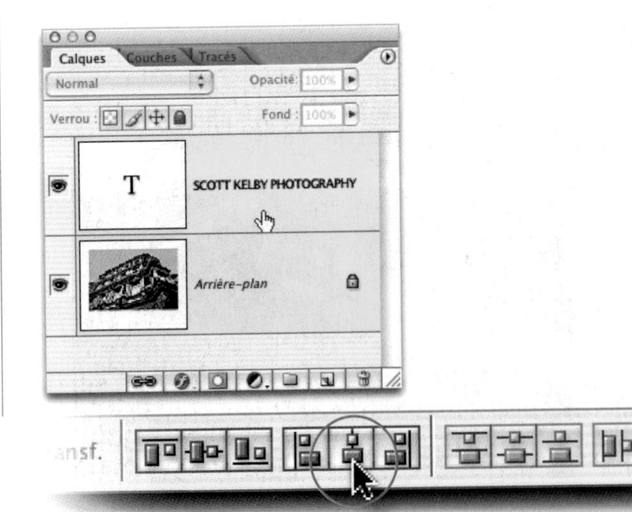

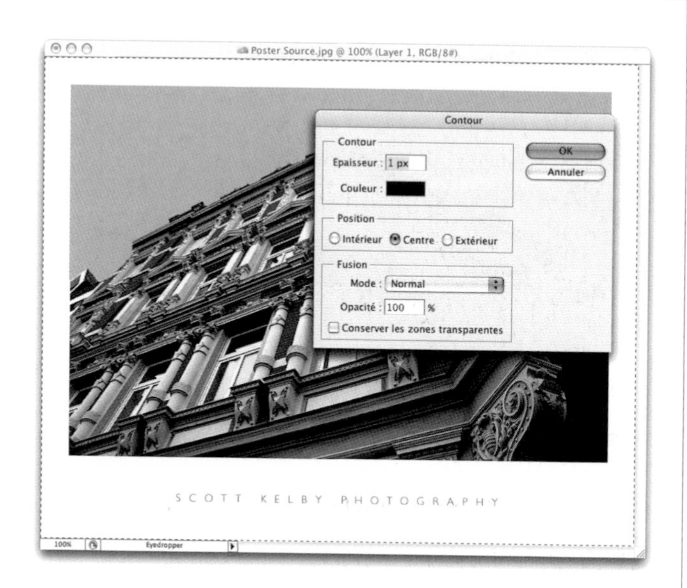

Etape 8

Ajoutons un léger contour. Cliquez sur Créer un calque dans la palette Calques. Appuyez sur Cmd+A (Ctrl+A) pour sélectionner toute l'image. Cliquez sur Edition > Contour. Dans la boîte de dialogue, choisissez la Couleur noire, fixez une Epaisseur de 1 pixel, activez la Position Centre, et cliquez sur OK. Désélectionnez à l'aide des touches Cmd+D (Ctrl+D).

Etape 9

Pour que ce bord fin soit moins visible, fixez l'Opacité de son calque à 30 %.

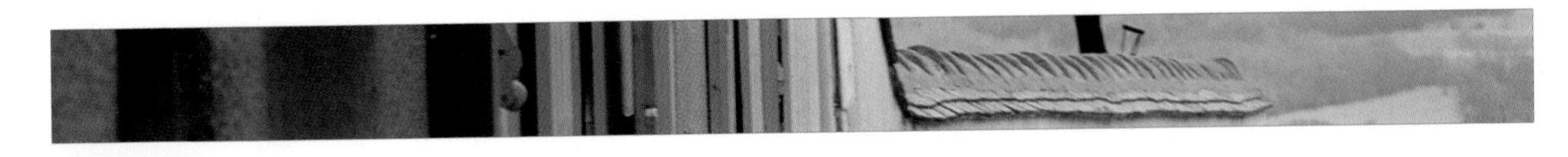

Création d'une affiche pour une galerie

Voici une technique améliorée fondée sur celle utilisée pour les affiches. Ici, vous allez convertir vos photos en noir et blanc avec le Mélangeur de couches. Si vous souhaitez effectuer une conversion en noir et blanc définitive, reportez-vous aux techniques du Chapitre 7.

Etape 1

Ouvrez la photo à préparer pour une affiche de galerie d'art. Appuyez sur D pour restaurer les couleurs noire et blanche par défaut. Ensuite, sélectionnez toute l'image à l'aide des touches Cmd+A (Ctrl+A). Appuyez sur Maj+Cmd+J (Maj+Ctrl+J) pour placer la photo sur son calque et remplir l'arrière-plan de blanc.

Etape 2

Vous devez ajouter un espace blanc autour de la photo. Dans le menu Image, choisissez Taille de la zone de travail, ou appuyez sur Option+Cmd+C (Alt+Ctrl+C). Activez l'option Relative, saisissez 3 pouces dans les champs Hauteur et Largeur, et optez pour Blanc dans la liste Couleur d'arrière-plan de la zone de travail. Cliquez sur OK. Ouvrez de nouveau cette boîte de dialogue. Cette fois, fixez une Hauteur de 1 pouce, et activez la position supérieure centrale (flèche dirigée vers le haut). Cliquez sur OK pour ajouter environ 2,54 cm d'espace vide sous la photo.

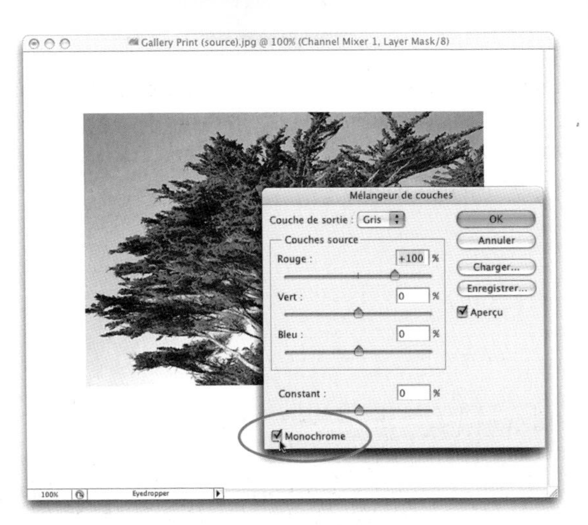

Etape 3

Convertissez la photo en noir et blanc en créant un Calque de réglage de type Mélangeur de couches. Cochez la case Monochrome et cliquez sur OK. Dans la palette Calques, cliquez sur Créer un calque pour en définir un nouveau au-dessus du calque Mélangeur de couches. Maintenez la touche Cmd (Ctrl) enfoncée et cliquez directement sur la vignette du Calque 1 pour créer une sélection autour de la photo.

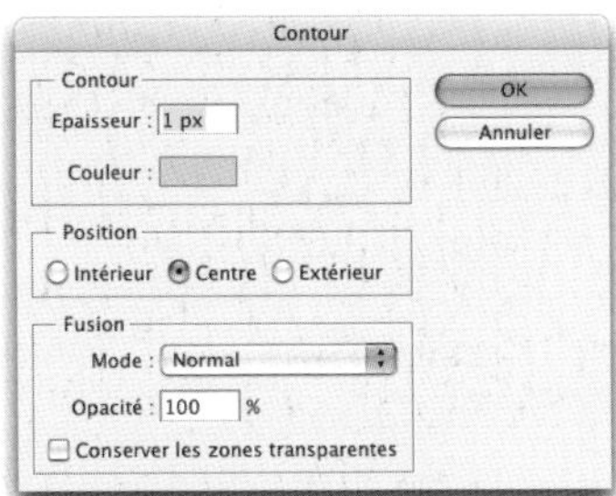

Etape 4

Dans le menu Edition, cliquez sur Contour. Fixez l'Epaisseur à 1 pixel, choisissez la Position Centre, et définissez une couleur gris clair. Cliquez sur OK. Vous venez de créer un trait fin autour de la photo. Désélectionnez à l'aide des touches Cmd+D (Ctrl+D). Activez l'outil Rectangle de sélection et tracez une sélection légèrement plus large que la photo.

Etape 5

Appuyez sur D pour restaurer les couleurs noire et blanche par défaut. Cliquez sur Edition > Contour et fixez une Epaisseur de 2 pixels. Laissez la Position Centre et cliquez sur OK. Un trait légèrement plus épais s'affiche à quelques centimètres de la photo. Désélectionnez à l'aide des touches Cmd+D (Ctrl+D). Finalisez le projet en ajoutant du texte sous la photo. J'ai écris le nom de la galerie avec la police Trajan Pro, l'adresse en Minion Pro, et le nom de l'artiste et la numérotation en Dear Joe Italic. Ensuite, j'ai fixé l'Opacité du calque à 50 %.

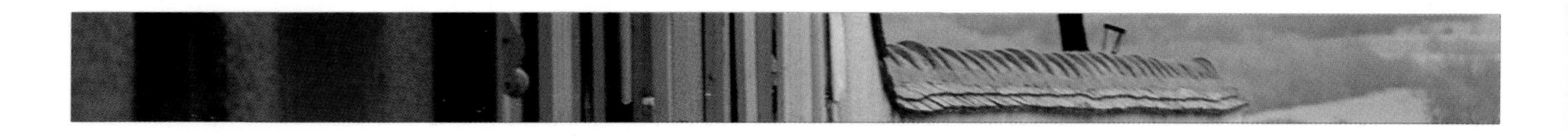

Encadrement d'une diapo

Cette technique très populaire permet de simuler le cadre d'une diapositive. Je l'utilise dans de nombreuses circonstances, de la galerie de photos en ligne aux cartes postales de studio, en passant par les photos de mariage.

Etape 1

Dans le menu Fichier, cliquez sur Nouveau. Créez un document de 9 × 7 pouces en 300 ppp. Ensuite, dans la palette Calques, cliquez sur Créer un calque. Activez l'outil Rectangle de sélection, appuyez sur Maj et tracez un carré au centre de l'image.

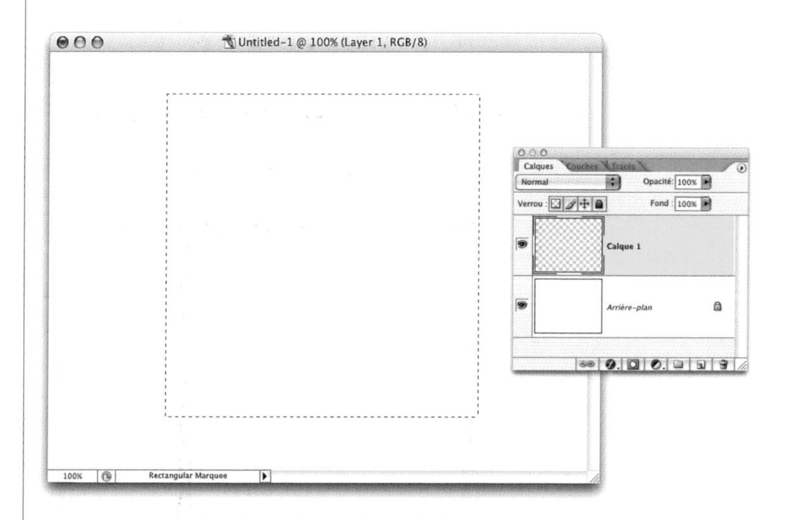

Etape 2

Appuyez sur D pour définir le noir comme couleur de premier plan. Ensuite, remplissez la sélection de noir avec Option+Suppr (Alt+Retour arrière). Maintenant, tracez un nouveau rectangle de sélection à l'intérieur du carré noir (voir ci-contre).

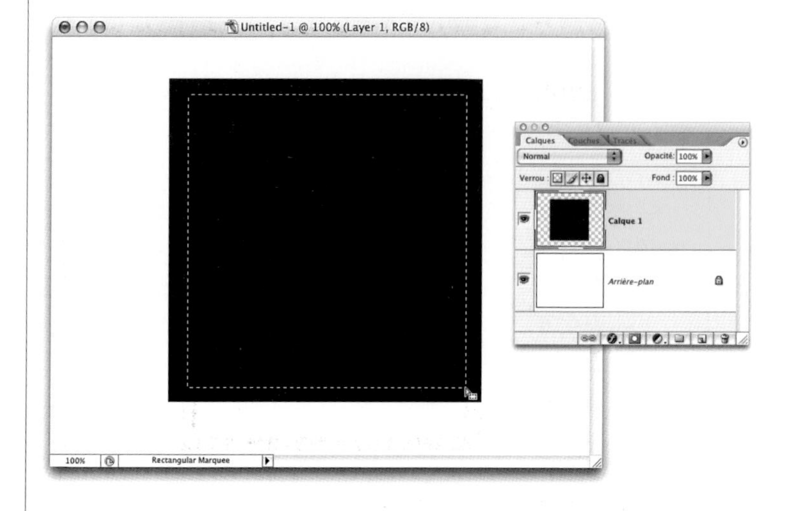

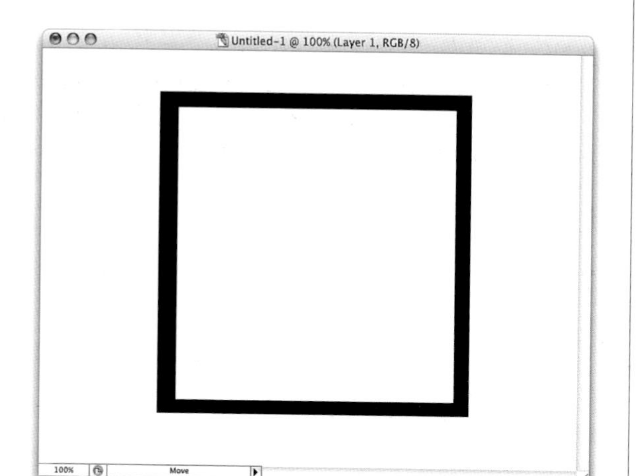

Etape 3

Appuyez sur Suppr (Retour arrière) pour faire un trou dans le carré noir. Ensuite, appuyez sur Cmd+D (Ctrl+D) pour tout désélectionner. Pour plus de réalisme, ajoutez du texte comme sur les bords des diapos (ou des négatifs). Cliquez sur la couleur de premier plan. Dans le Sélecteur de couleurs, définissez une couleur jaune kaki (R : 199, V : 185, B : 91).

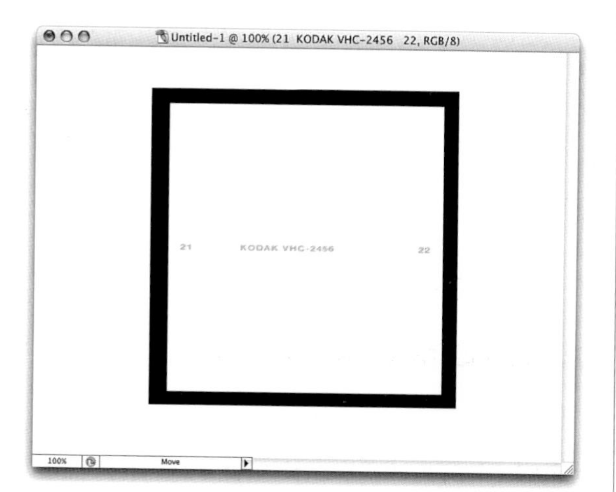

Etape 4

Appuyez sur T pour activer l'outil Texte. Dans la liste Police de la Barre d'options, choisissez Helvetica Bold ou Arial Bold. Dans la liste Taille (ou Définir le corps), choisissez une petite taille. Si nécessaire, ajustez le crénage et l'approche dans la palette Caractère (accessible *via* le menu Fenêtre). Maintenant, cliquez à proximité du cadre et saisissez n'importe quel chiffre (j'ai saisi 21). Appuyez sur la Barre d'espacement 8 ou 9 fois, saisissez « Kodak VHC-2456 », et appuyez de nouveau 8 ou 9 fois sur cette même barre. Tapez un numéro séquentiel à deux chiffres (par exemple 22). Appuyez sur Entrée pour valider la saisie.

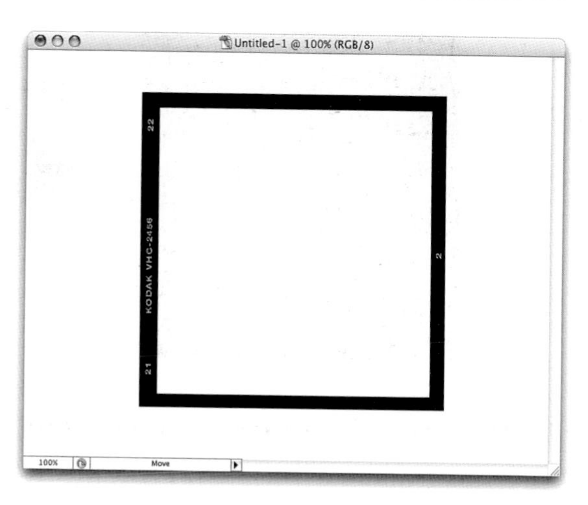

Etape 5

Cliquez sur Edition > Transformation > Rotation 90° antihoraire. Le texte bascule à la verticale. Avec l'outil Déplacement (V), placez le texte sur le bord gauche du cadre. Activez de nouveau l'outil Texte, saisissez « 2 », appuyez sur Entrée, effectuez une rotation antihoraire de 90°, et placez le chiffre sur le bord droit du cadre.

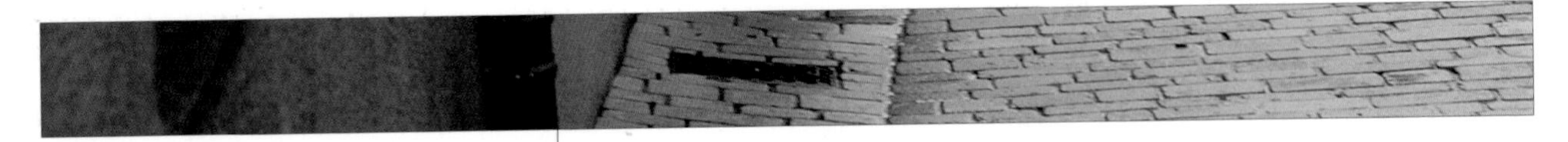

Etape 6

Cliquez sur Créer un calque (palette Calques). Appuyez sur Maj+L pour activer l'outil Lasso polygonal. Sur le côté droit du cadre, créez un triangle dirigé vers le haut et placez-le en dessous du chiffre 2. Appuyez sur Option+Suppr (Alt+Retour arrière) pour remplir avec la couleur de premier plan. Appuyez sur Cmd+J (Ctrl+J) pour dupliquer le calque. Avec l'outil Déplacement, faites glisser ce second triangle à proximité du coin supérieur droit du cadre. Vous pouvez fusionner les calques du texte et des triangles. Masquez le calque Arrière-plan, puis, dans le menu local de la palette Calques, exécutez la commande Fusionner les calques visibles.

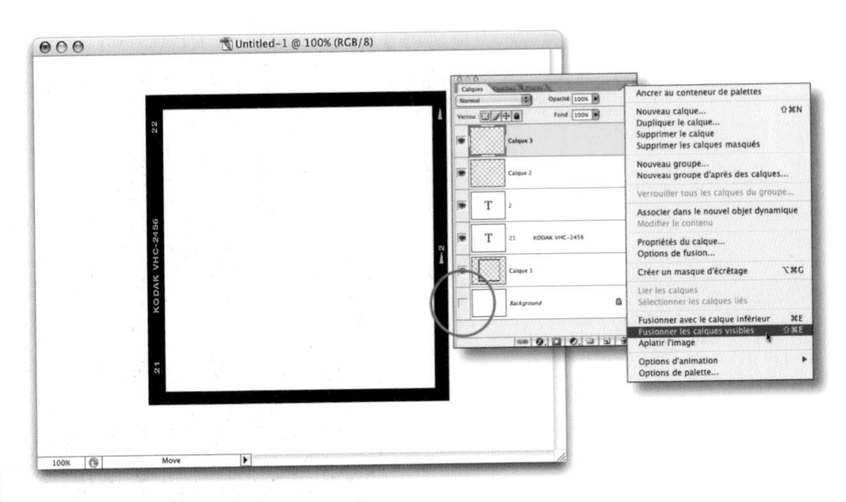

Etape 7

Ouvrez la photo. Activez le document contenant le cadre et, avec l'outil Déplacement, faites-le glisser dans la photo. Appuyez sur Cmd+T (Ctrl+T) pour basculer en mode Transformation manuelle. Maintenez la touche Maj enfoncée et redimensionnez le cadre à la taille du document (si nécessaire appuyez sur Cmd+0 [zéro] [Ctrl+0] pour afficher le cadre de redimensionnement). Cliquez dans le cadre et placez-le en position. Placez le pointeur de la souris en dehors du cadre de transformation. Cliquez et faites légèrement pivoter le cadre. Validez en appuyant sur Retour (Entrée).

©SCOTT KELBY

Etape 8

Appuyez deux fois sur Cmd+J (Ctrl+J) pour créer deux nouveaux cadres sur de nouveaux calques. La Transformation manuelle étant active, faites pivoter les objets dans le sens opposé aux précédents éléments. Validez par Retour (Entrée).

Note : Faites en sorte que les cadres se chevauchent très légèrement.

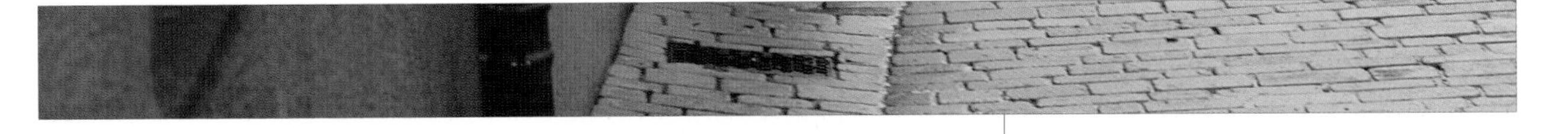

Etape 9

Activez l'outil Lasso polygonal. Cliquez dans l'un des cadres et tracez une sélection sur les contours comme ci-contre. De segment de droite en segment de droite, la sélection est effectuée. Ne sélectionnez pas les zones de chevauchement. Revenu au point de départ de la sélection, cliquez pour la fermer. Ouvrez le menu Sélection et choisissez Intervertir. Tout est sélectionné excepté le cadre.

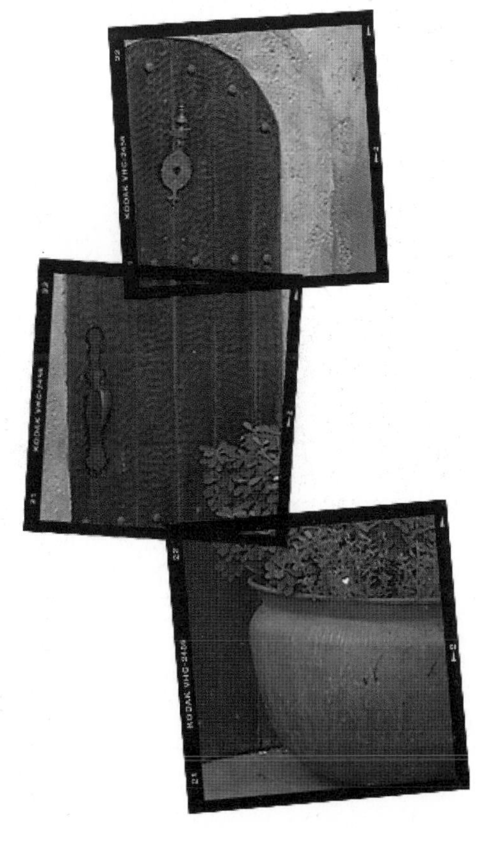

Etape 10

Dans la palette Calques, cliquez sur le calque Arrière-plan. Ensuite, pressez Suppr (Retour arrière) pour effacer tout ce qui entoure les cadres. On a ainsi l'impression que l'image se décompose en trois parties, chacune reposant sur une diapositive. Désélectionnez à l'aide des touches Cmd+D (Ctrl+D).

Photo de Scott Kelby | Exposition : 1/8 s | Focale : 60 mm | Ouverture : $f/4.4$

The show must go on

Présentation aux clients

Ce tube du groupe Queen des années 80 est aussi un leitmotiv du milieu artistique. Quel que soit le malheur qui frappe un artiste, il doit assurer le spectacle. Rassurez-vous, ce chapitre n'est pas aussi douloureux que peut le laisser penser son titre, mais en revanche il partage un point commun avec le milieu du show-biz : vous devez faire état de votre talent auprès de vos clients, et ce en toutes circonstances. La différence avec le précédent chapitre tient à la nature même des travaux réalisés. Ils ne se destinent pas à vos amis, parents, enfants et autres personnes de votre entourage quotidien, mais à vos commanditaires. Vous allez apprendre à montrer vos œuvres à vos clients sous une forme professionnelle. Votre travail doit être terminé et « facturable ». Le plus important ici est de ne pas perdre de temps à réaliser des choses impossibles à présenter correctement. Un exemple ? Bien sûr ! Vous passez des heures à assembler les photos d'un panorama qui, au final, est bien trop large pour être imprimé sur une seule feuille de votre book. Dommage !

Insertion d'un filigrane et d'une mention de copyright

Ces deux opérations sont primordiales si vous placez vos épreuves sur le Web à la disposition du client. Nous commencerons par insérer un filigrane transparent, ce qui autorise la diffusion d'épreuves de haute résolution sans crainte d'un emploi frauduleux. Ensuite, nous compléterons les informations de copyright qui suivront la photo si elle est publiée sur le Web.

Etape 1

Ouvrez l'image dans laquelle vous voulez ajouter un filigrane. Dans la boîte à outils, activez l'outil Forme personnalisée (voir ci-contre), ou appuyez sur Maj+U jusqu'à ce que cet outil soit actif.

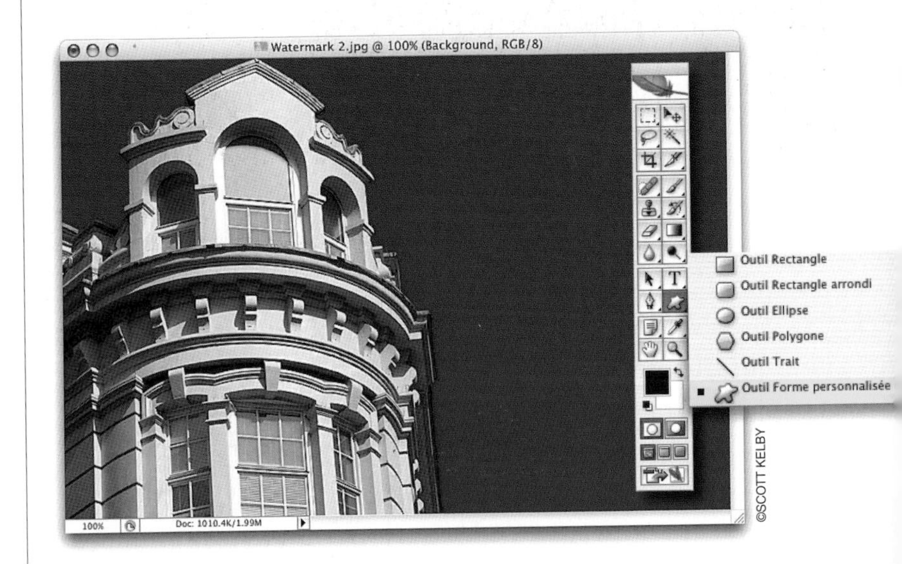

Etape 2

Une fois l'outil activé, dans la Barre d'options, cliquez sur la miniature de la forme pour afficher une palette de formes. Sélectionnez le symbole Copyright, qui se trouve dans la palette par défaut.

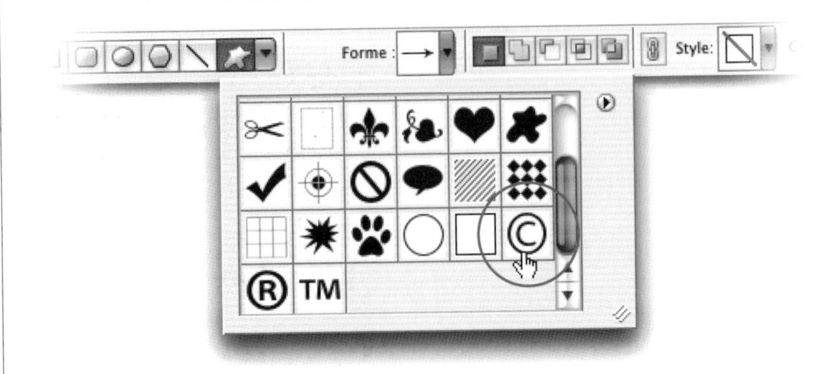

Etape 3

Ajoutez un calque vide d'un clic sur le bouton Créer un calque, au bas de la palette Calques. Appuyez sur la touche D pour activer le noir comme couleur de premier plan, puis faites glisser l'outil dans la photo pour y tracer le symbole Copyright. Je vous laisse seul juge de la taille et de la position du filigrane.

Note : Si l'outil produit un calque de forme ou un tracé, annulez. Avant de recommencer, sélectionnez l'option Pixels de remplissage (troisième icône du premier groupe à gauche).

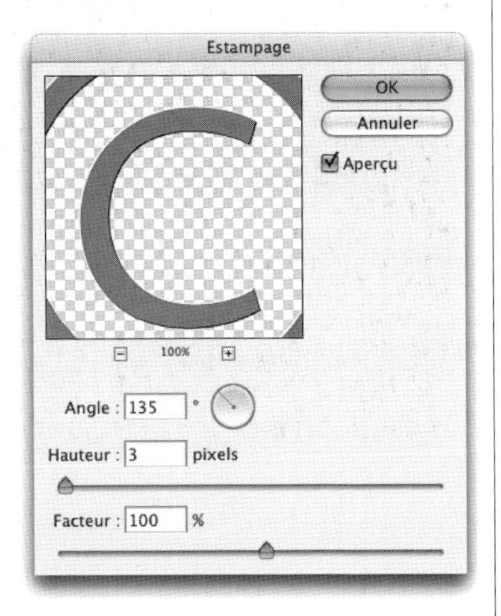

Etape 4

Ouvrez le sous-menu Filtre > Esthétiques pour y choisir Estampage. Appliquez le filtre Estampage avec les valeurs par défaut : Angle 135°, Hauteur 3 pixels et Facteur 100 % (augmentez la Hauteur à 5 pixels pour un effet plus prononcé). Cliquez sur OK.

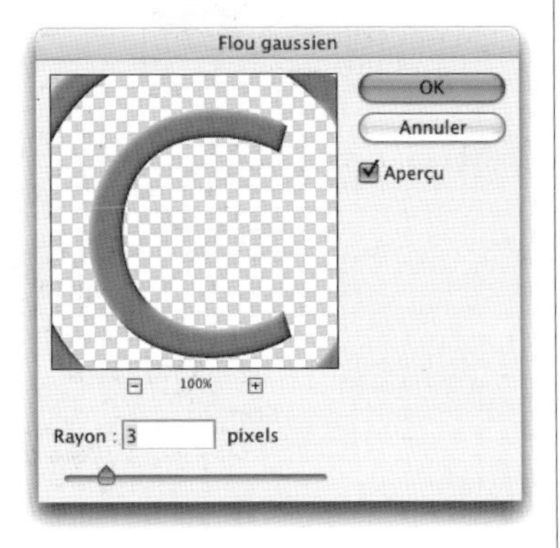

Etape 5

Pour adoucir les bords du symbole Copyright, activez l'option Verrouiller les pixels transparents dans la palette Calques (la première icône après le Verrou), puis appliquez un flou gaussien avec un rayon de 2 ou 3 pixels (Filtre > Atténuation > Flou gaussien).

Etape 6

Dans la palette Calques, appliquez le mode de fusion Lumière crue au calque du symbole, ce qui rend le filigrane transparent.

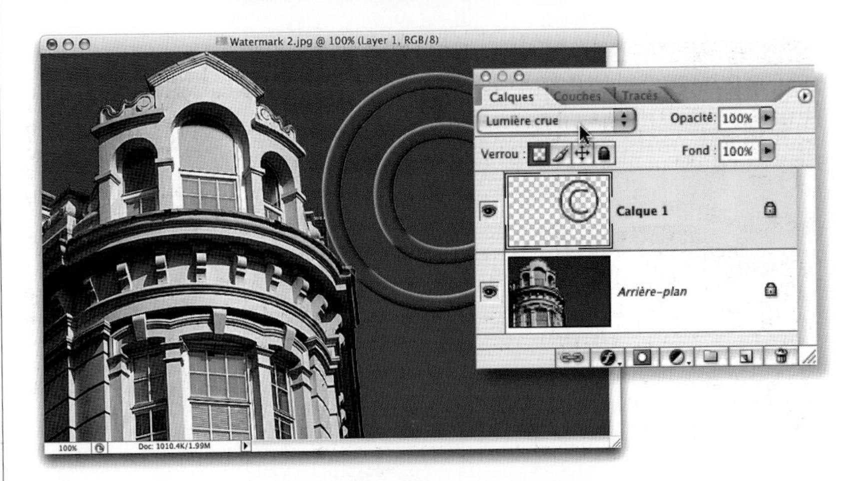

Etape 7

Activez l'outil Texte (T). Cliquez à l'emplacement du document où doit s'afficher le nom de votre studio de création, puis saisissez-le.

Note : Sélectionnez le texte avec l'outil Texte, et ouvrez la palette Caractère si vous souhaitez changer la police proposée par défaut.

Une fois le texte saisi, appuyez sur Entrée.

Etape 8

Vous allez appliquer au texte le même filtre qu'au logo de copyright. Pour cela, il faut d'abord convertir le calque de texte en calque standard. Maintenez enfoncée la touche Ctrl (clic droit) pendant que vous cliquez sur le calque de texte dans la palette Calques, puis choisissez Pixelliser le calque dans le menu contextuel (voir ci-contre).

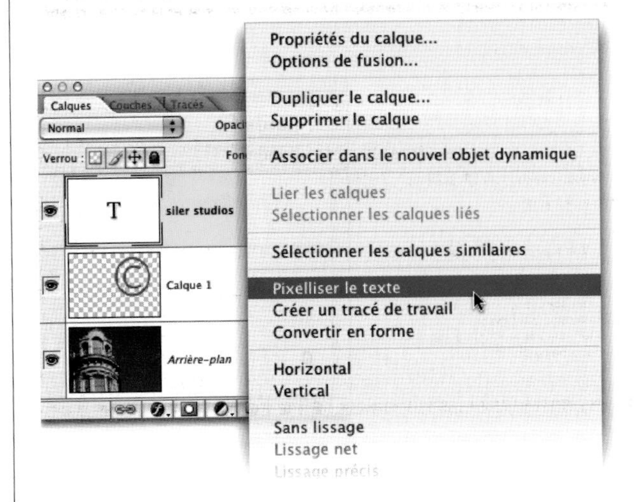

Etape 9

Appliquez le filtre Estampage au calque de texte pixellisé, puis changez son mode de fusion pour Lumière crue pour rendre le texte transparent. Enfin, fixez aux alentours de 40 % l'opacité des deux calques en filigrane pour un effet plus subtil. La prochaine étape explique comment insérer cette information dans le fichier.

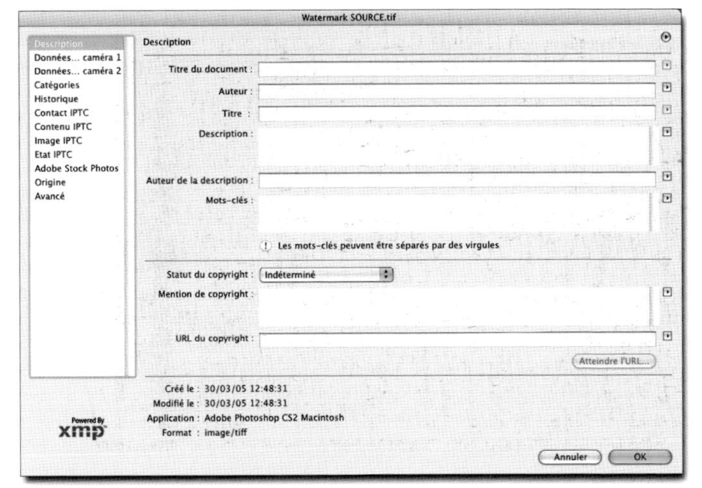

Etape 10

Choisissez Fichier > Informations pour afficher la boîte de dialogue illustrée ci-contre. C'est ici que vous entrez les informations à intégrer au fichier. Cette intégration est compatible avec tous les formats de fichiers Macintosh (à l'exception du GIF), mais pour Windows, seuls les principaux formats l'acceptent (TIFF, JPEG, EPS, PDF et PSD).

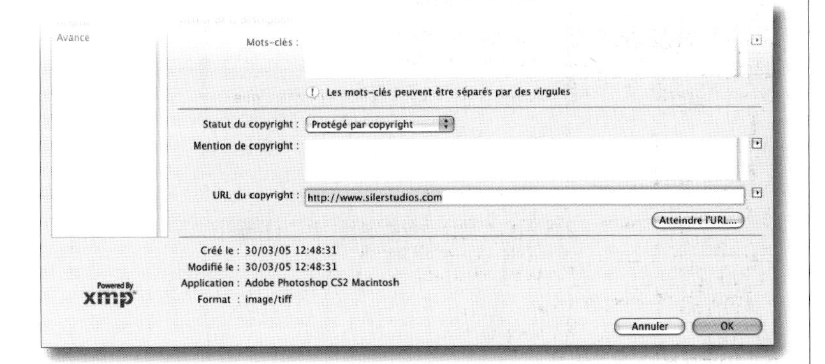

Etape 11

Dans la boîte de dialogue Informations, sélectionnez l'option Protégée par copyright dans la liste Statut du copyright. Définissez votre mention de copyright puis tapez l'adresse de votre site Web dans le champ URL du copyright. Ainsi, les personnes qui découvrent votre fichier dans Photoshop peuvent ouvrir la boîte de dialogue Informations et cliquer sur le bouton Atteindre l'URL pour accéder à votre site avec leur navigateur. Cliquez sur OK pour insérer l'info.

Etape 12

Photoshop ajoute automatiquement le symbole Copyright devant le nom de fichier dans la barre de titre (voir ci-contre). Le même symbole s'ajoute aussi devant la taille du fichier, dans la barre d'informations en bas à gauche de la fenêtre de document. Enfin, aplatissez l'image par la commande Aplatir l'image dans le menu de la palette Calques.

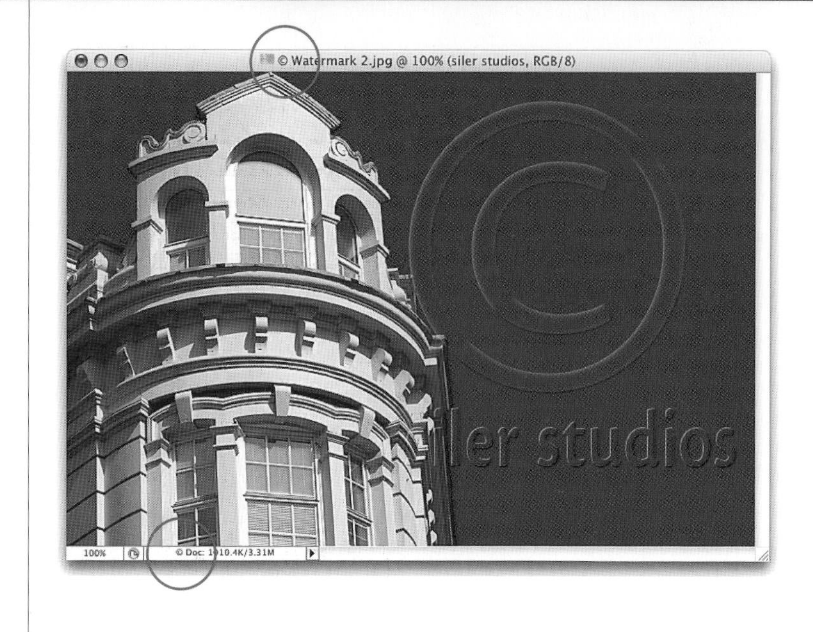

Etape 13

Maintenant, vous pouvez automatiser toute la procédure à l'aide d'un script. Ouvrez une nouvelle photo, affichez la palette Scripts et cliquez sur le bouton Commencer un nouveau script. Dans la boîte de dialogue Nouveau script, attribuez un nom au script et sélectionnez une touche de fonction à y associer.

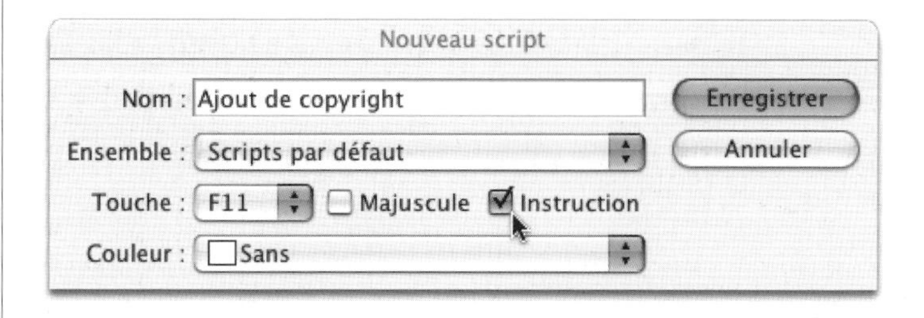

Note : Ici, j'assigne l'exécution du script à la touche de fonction F11, mais vous pouvez très bien en choisir une autre.

Etape 14

Cliquez sur le bouton Enregistrer (voir ci-contre) et répétez la procédure complète pour l'insertion en filigrane du symbole et d'une mention de copyright. Répétez les étapes 1 à 11. (Nous arrêtons à l'étape 11, car vous aurez peut-être besoin de repositionner le copyright ; sinon, passez à la 12 en aplatissant l'image).

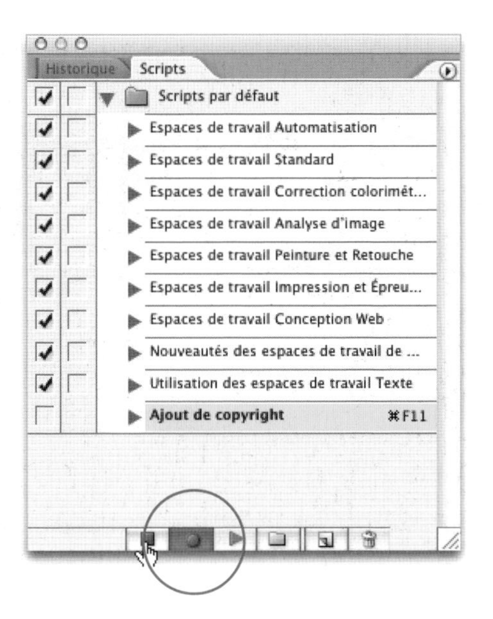

Etape 15

Lorsque vous avez terminé, cliquez sur le bouton Arrêter au bas de la palette Scripts, que vous pouvez fermer puisque c'est maintenant possible d'appliquer le filigrane complet en appuyant sur la touche de fonction choisie dans la boîte de dialogue Nouveau script.

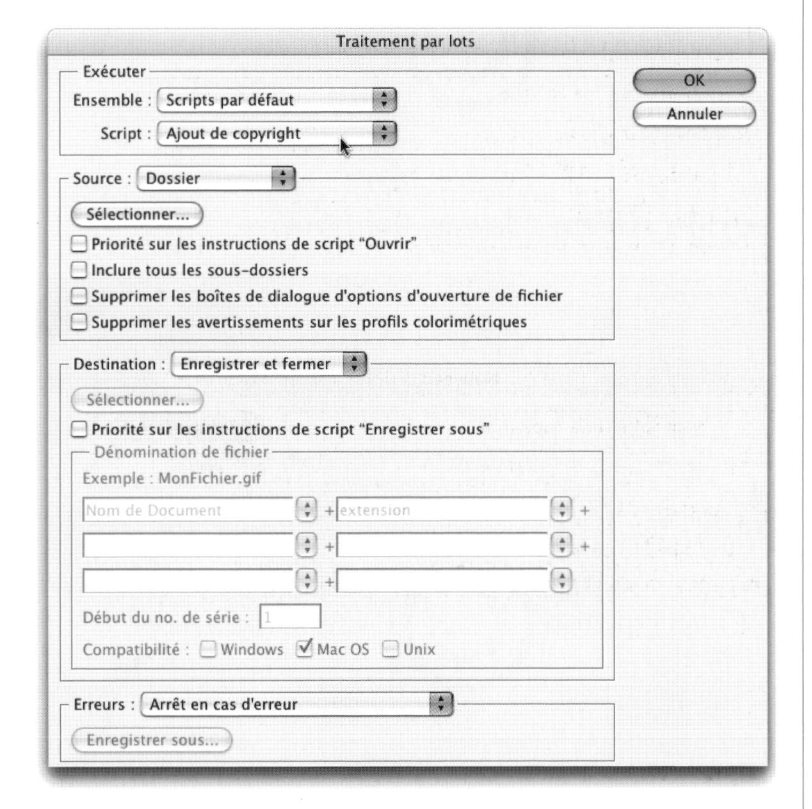

Etape 16

Si vous souhaitez appliquer ce script à toutes les photos d'un dossier, ouvrez le sous-menu Fichier > Automatisation pour y choisir Traitement par lots (qui permet de sélectionner un script à appliquer au dossier entier). Dans la partie Exécuter (en haut), choisissez votre script d'ajout de copyright (voir ci-contre). Dans la partie Source, cliquez sur le bouton Sélectionner pour atteindre le dossier des photos puis, sous Destination, choisissez Enregistrer et fermer. Cette procédure automatisée applique en filigrane le symbole de copyright et votre nom, insère vos informations de copyright, puis enregistre et ferme les documents. Si vous préférez les renommer ou les enregistrer dans un autre fichier, choisissez l'option Dossier dans la liste Destination.

Création d'une forme d'outils pour copyright

Voici une solution express pour appliquer un filigrane de copyright à une image. Je dois cette astuce au portraitiste (et grand spécialiste de Photoshop) Todd Morrison. Je le remercie de bien vouloir partager cette ingénieuse technique avec vous.

Etape 1

Créez un document vierge puis cliquez sur l'icône de nouveau calque au bas de la palette Calques, ce qui ajoute un calque vide. Activez l'outil Forme personnalisée (dans le menu complémentaire, accessible sous l'outil Texte dans la boîte à outils, ou à l'aide des touches Maj+U). Dans la Barre d'options, cliquez sur la troisième icône (Pixels de remplissage) qui crée le symbole sous forme de pixels plutôt que de tracé vectoriel. Appuyez sur Entrée pour afficher le Sélecteur de formes. Cliquez sur le symbole du copyright. Appuyez sur D pour définir le noir comme couleur de premier plan, et tracez un C au centre de l'image.

Etape 2

Activez l'outil Texte (T) et saisissez vos informations de copyright. L'outil Texte devrait générer un nouveau calque au-dessus du symbole Copyright. Pour la mise en forme du texte, sélectionnez l'option d'alignement Texte centré et tapez plusieurs espaces entre la date de copyright et le nom de votre société. Cette disposition vous permet de placer le symbole de copyright au centre du texte (comme dans l'exemple ci-contre).

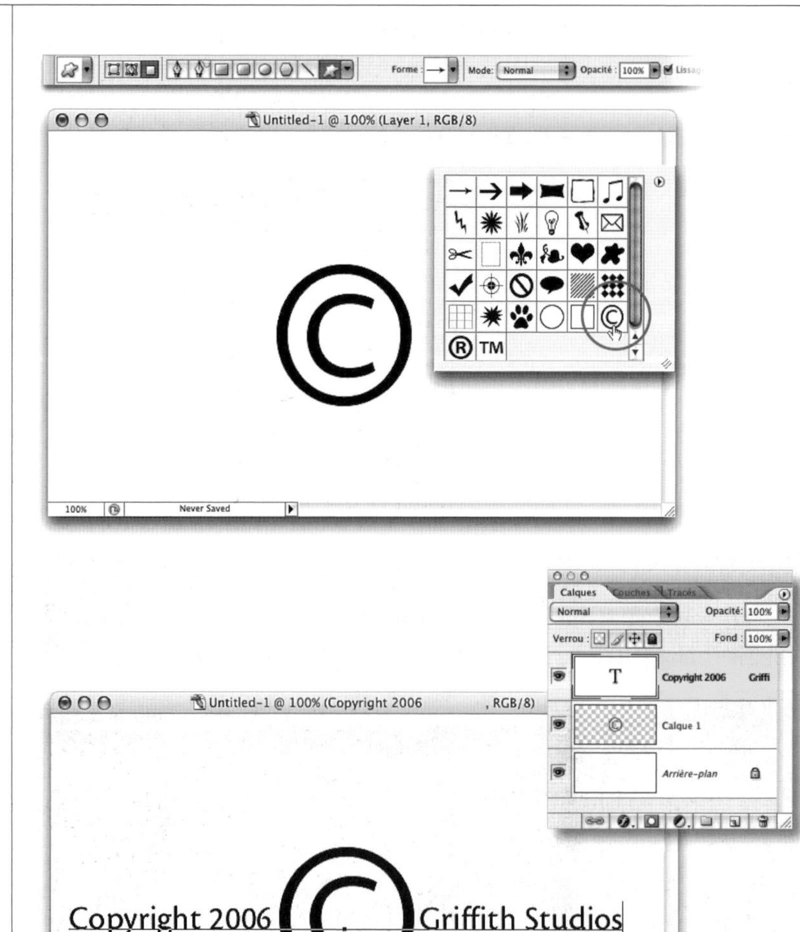

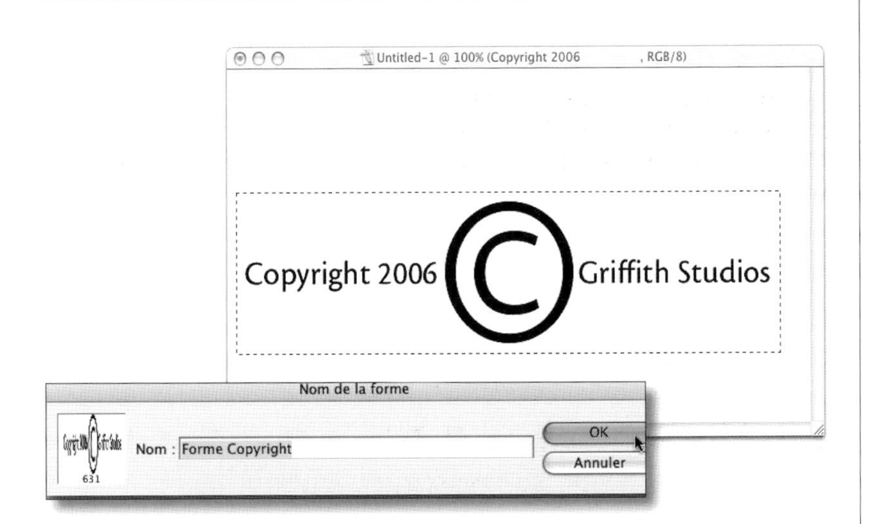

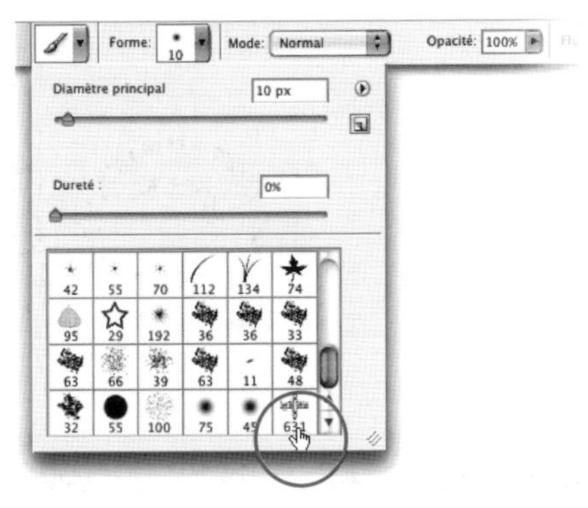

Etape 3

Activez le Rectangle de sélection et entourez d'une sélection le texte et le symbole (voir ci-contre). Puis, choisissez la commande Edition > Définir une forme prédéfinie. Dans la boîte de dialogue Nom de la forme, attribuez un nom à la forme, puis cliquez sur OK. Le texte se transforme en forme d'outil personnalisée, accessible dans la palette de formes prédéfinies.

Note : L'aperçu de la forme dans la boîte de dialogue Nom de la forme risque de paraître déformé. Ne vous inquiétez pas, la forme elle-même ne subit aucune déformation.

Etape 4

Activez le Pinceau, puis déroulez la palette de formes dans la Barre d'options. Faites défiler jusqu'au bas de la liste où doit se trouver votre nouvelle forme d'outil représentant un logo et du texte. Cliquez sur cette forme pour l'activer.

Etape 5

Puisque vous disposez désormais d'une forme d'outil personnalisée pour dessiner le symbole de copyright, utilisez-la. Ajoutez un calque vide, activez le Pinceau puis sélectionnez la forme pour copyright avant de cliquer une fois dans la photo à l'emplacement prévu pour cette mention. Ensuite, réduisez l'opacité à hauteur de 20 % dans la palette Calques, afin de rendre le texte transparent (comme dans l'exemple ci-contre). Retenez deux choses : (1) si la photo est sombre, tapez le texte avec le blanc comme couleur de premier plan ; (2) vous pouvez changer la taille de la forme par glissement du curseur Diamètre principal dans la palette de formes.

Insertion d'un filigrane digital Digimarc

Digimarc est un système de marquage par filigrane numérique qui insère les informations de copyright directement par l'application du filtre Digimarc, au bas du menu Filtre. Le système est plutôt astucieux, et il nécessite cependant un abonnement annuel au service Digimarc, abonnement que vous pouvez contracter en ligne directement à partir de la boîte de dialogue du filtre. Voici la procédure à suivre.

Etape 1

Ouvrez une photo à marquer d'un filigrane numérique. Celui-ci va s'appliquer directement à la photo et ne sera pas perceptible (sauf sur un fond uni).

Etape 2

Cette opération doit s'effectuer juste avant d'enregistrer le fichier. Effectuez toutes vos corrections de couleur, retouches, accentuations et effets spéciaux avant d'entamer l'insertion du filigrane. De plus, le filtre Digimarc ne s'applique qu'à des images aplaties. Si vous travaillez sur un document multicalque, dupliquez-le (par la commande Image > Dupliquer) puis aplatissez-le par la commande Aplatir l'image du menu de la palette Calques (voir ci-contre).

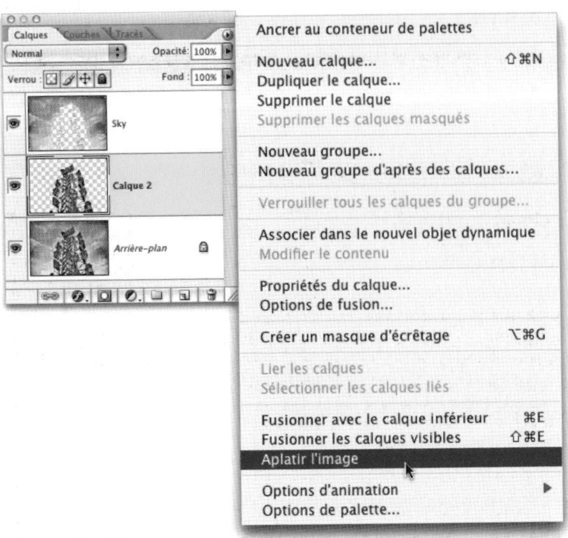

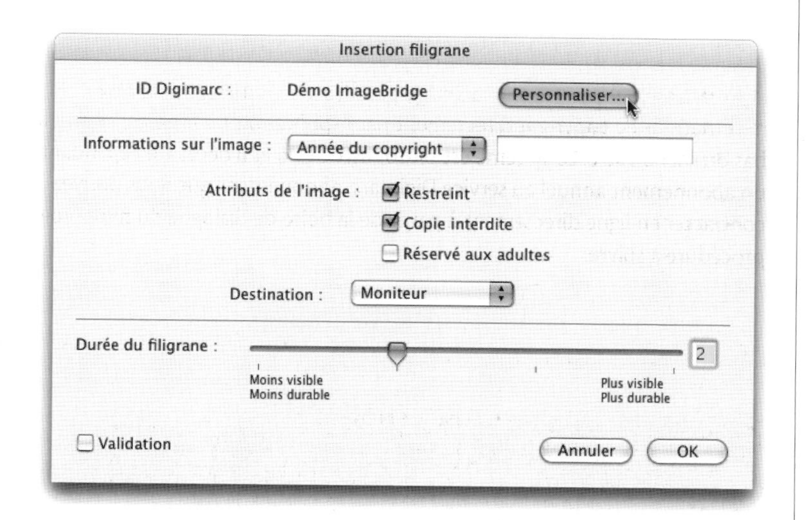

Etape 3

Ouvrez le sous-menu Filtre > Digimarc pour y choisir Insertion filigrane. Je présume que vous ne possédez pas de compte Digimarc. Par conséquent, cliquez sur Personnaliser. Par contre, si vous avez un compte, cliquez sur ce même bouton ; on vous demande de saisir votre ID et votre PIN.

Personnaliser ID créateur

ID Digimarc :

PIN :

OK

Annuler

Cliquez sur le bouton Infos pour plus de renseignements sur le filigranage et pour obtenir votre propre ID créateur par Internet ou contactez Digimarc Corporation au :

Infos

URL : http://www.digimarc.com/register

Email : mypicturemarc@digimarc.com

Etape 4

C'est dans la boîte de dialogue Personnaliser ID créateur que vous tapez votre ID Digimarc et votre PIN. Si vous n'avez pas de compte (mais une connexion Internet), cliquez sur le bouton Infos, ce qui vous conduit au site Web de Digimarc où vous pouvez choisir une formule d'abonnement, à partir de 49 dollars, correspondant à vos besoins. Vous trouverez tous les renseignements sur le site.

Personnaliser ID créateur

ID Digimarc : 33333333

PIN : 00

OK

Annuler

Cliquez sur le bouton Infos pour plus de renseignements sur le filigranage et pour obtenir votre propre ID créateur par Internet ou contactez Digimarc Corporation au :

Infos

URL : http://www.digimarc.com/register

Email : mypicturemarc@digimarc.com

Etape 5

Sur le site de Digimarc, la procédure d'enregistrement est très simple (comme sur tous les sites de commerce en ligne), et juste après avoir cliqué sur le bouton d'envoi (n'oubliez pas de communiquer vos coordonnées bancaires), vous obtenez un ID Digimarc et un numéro de PIN. Entrez ces deux données dans la boîte de dialogue Personnaliser ID créateur (voir ci-contre).

Etape 6

Cliquez sur OK pour revenir à la boîte de dialogue Insertion filigrane. Sous Infos image pour Année du copyright, précisez l'année pour laquelle la photo est protégée. Sous Attributs image, cochez les mentions à insérer au fichier. Il faut aussi choisir une option pour Sortie cible, ce qui détermine l'intensité d'application du filigrane (les photos destinées au Web, par exemple, qui subiront une lourde procédure de compression reçoivent un filigrane plus résistant que celles enregistrées en TIFF ou PSD). Observez l'échelle sous Durée du filigrane ; la position du curseur détermine la visibilité du filigrane en relation avec sa durée.

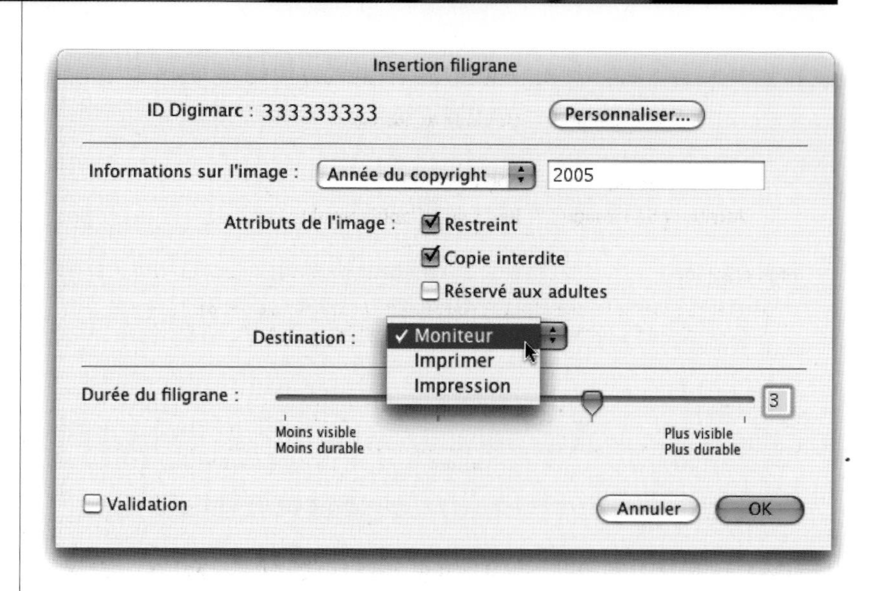

Etape 7

Cochez l'option Validation, en bas à gauche, si vous souhaitez vérifier immédiatement l'intensité du filigrane après son application.

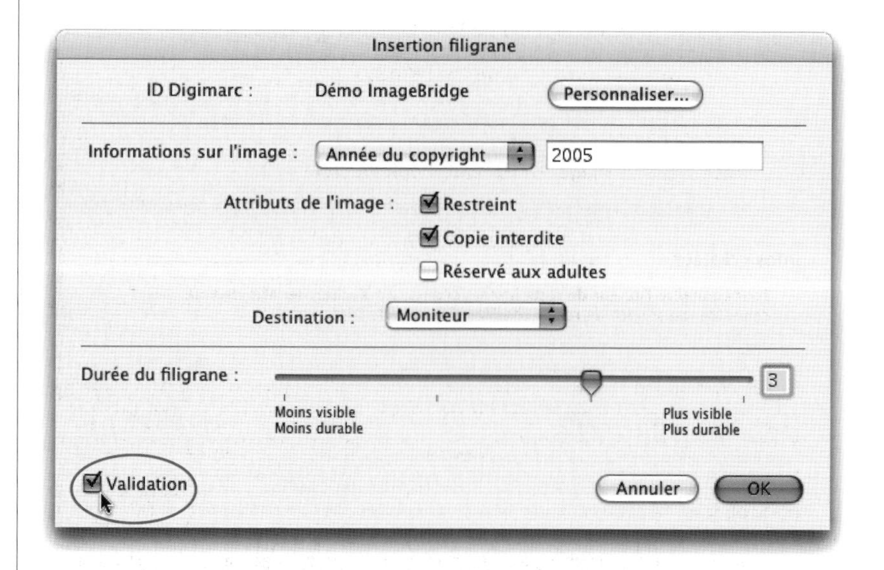

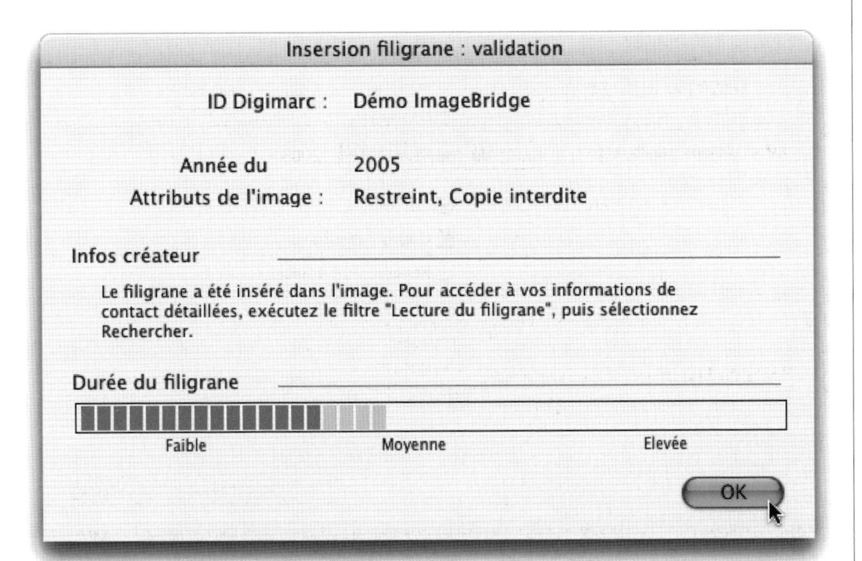

Etape 8

Cliquez sur OK (l'option Validation étant activée), et le filtre Digimarc vérifie aussitôt l'intensité et l'efficacité du filigrane. Cliquez sur OK dans cette dernière boîte de dialogue, et la procédure est terminée : un symbole de copyright s'affiche devant le nom du fichier ouvert dans Photoshop. De plus, l'URL de votre site Web, vos coordonnées et une mention de copyright sont intégrées au fichier. Vous pouvez maintenant enregistrer le fichier. (Remarque : si vous enregistrez au format JPEG, choisissez une qualité de compression supérieure à 4 pour préserver le filigrane.)

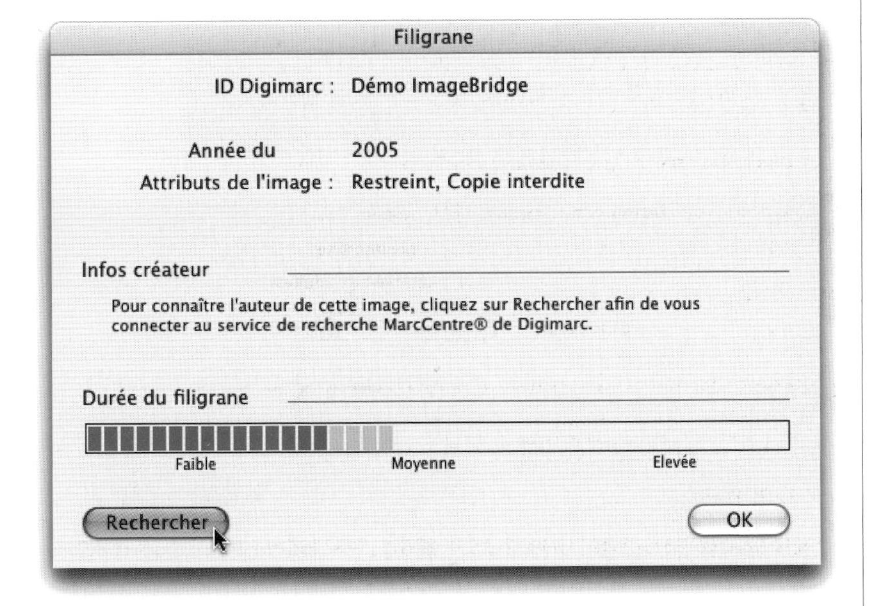

Etape 9

Les informations de copyright étant intégrées, si quelqu'un ouvre votre photo protégée dans Photoshop, le filigrane est détecté. Il est possible de vérifier le contenu d'un filigrane grâce à la commande Filtre > Digimarc > Lecture du filigrane (voir ci-contre). Vous obtenez l'affichage de la boîte de dialogue Filigrane qui indique que la photo est protégée par copyright et mentionne les éventuelles restrictions. Dans l'angle inférieur gauche de la boîte de dialogue se trouve un bouton nommé Rechercher. Si la personne qui a téléchargé votre photo clique sur ce bouton, son navigateur la conduit directement sur vos informations de copyright avec vos coordonnées. Très pratique, n'est-ce pas ?

Présentation de votre travail sur ordinateur

J'utilise toujours cette technique pour présenter mon travail sur écran à un client, car elle élimine d'emblée les menus et palettes de Photoshop. Ainsi, l'attention se concentre sur l'image sans interférence des menus et palettes du logiciel. De plus, chaque photo se présente joliment centrée sur fond noir, comme dans une expo.

Etape 1

Ouvrez la photo à présenter à un client.

©SCOTT KELBY

Etape 2

Appuyez deux fois sur F, puis sur Tab. La première frappe sur F centre l'image dans l'écran, encadrée de gris. A la seconde frappe sur F, vous passez en mode Plein écran : l'arrière-plan devient noir et la barre de menus de Photoshop disparaît. Enfin, la touche Tab masque la boîte à outils, la Barre d'options et les éventuelles palettes ouvertes. Vous obtenez la même présentation que dans l'exemple ci-contre.

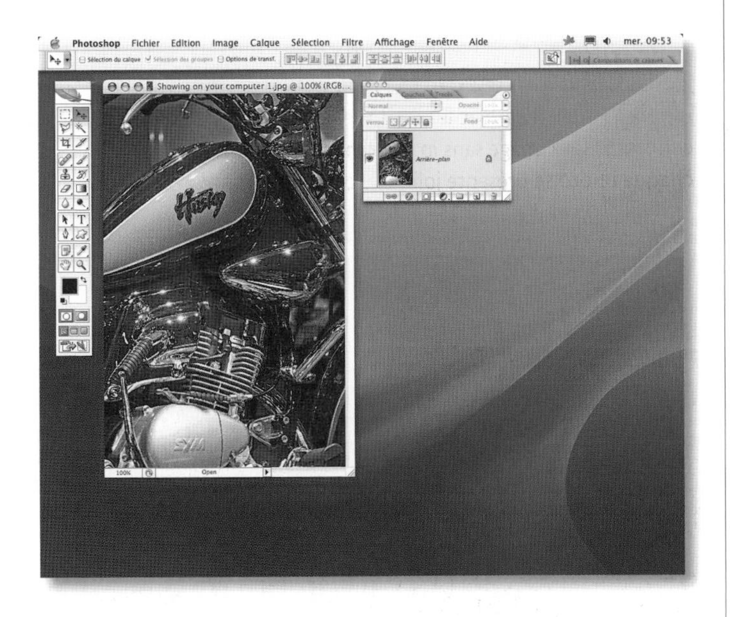

Etape 3

Pour revenir instantanément à l'affichage habituel, appuyez de nouveau sur F puis sur Tab. Retenez ces deux raccourcis très pratiques. Nous allons les exploiter pour réaliser un diaporama directement dans Photoshop.

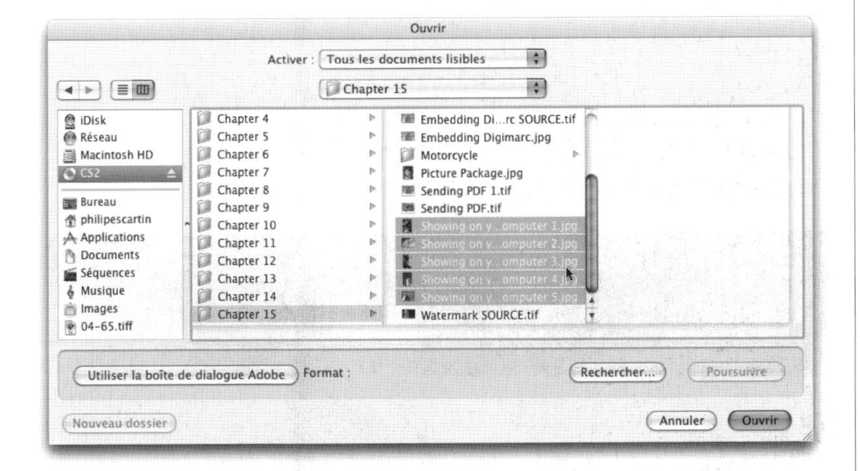

Etape 4

Lancez la commande Fichier > Ouvrir. Dans la boîte de dialogue Ouvrir, sélectionnez la première photo à ouvrir, et maintenez enfoncée la touche Cmd (Ctrl) pendant que vous cliquez sur les autres photos à ouvrir. Si les fichiers à ouvrir sont adjacents, maintenez la touche Maj enfoncée pendant que vous cliquez sur le premier puis le dernier fichiers de la série.

Etape 5

Cliquez sur le bouton Ouvrir et Photoshop ouvre toutes les photos les unes après les autres, comme ici.

Etape 6

Toutes les photos du diaporama étant ouvertes, maintenez enfoncée la touche Maj et cliquez sur le bouton Mode Plein écran au bas de la boîte à outils (voir ci-contre). Cette opération centre la première photo sur fond noir, mais les palettes sont encore visibles : appuyez sur Tab pour les faire disparaître.

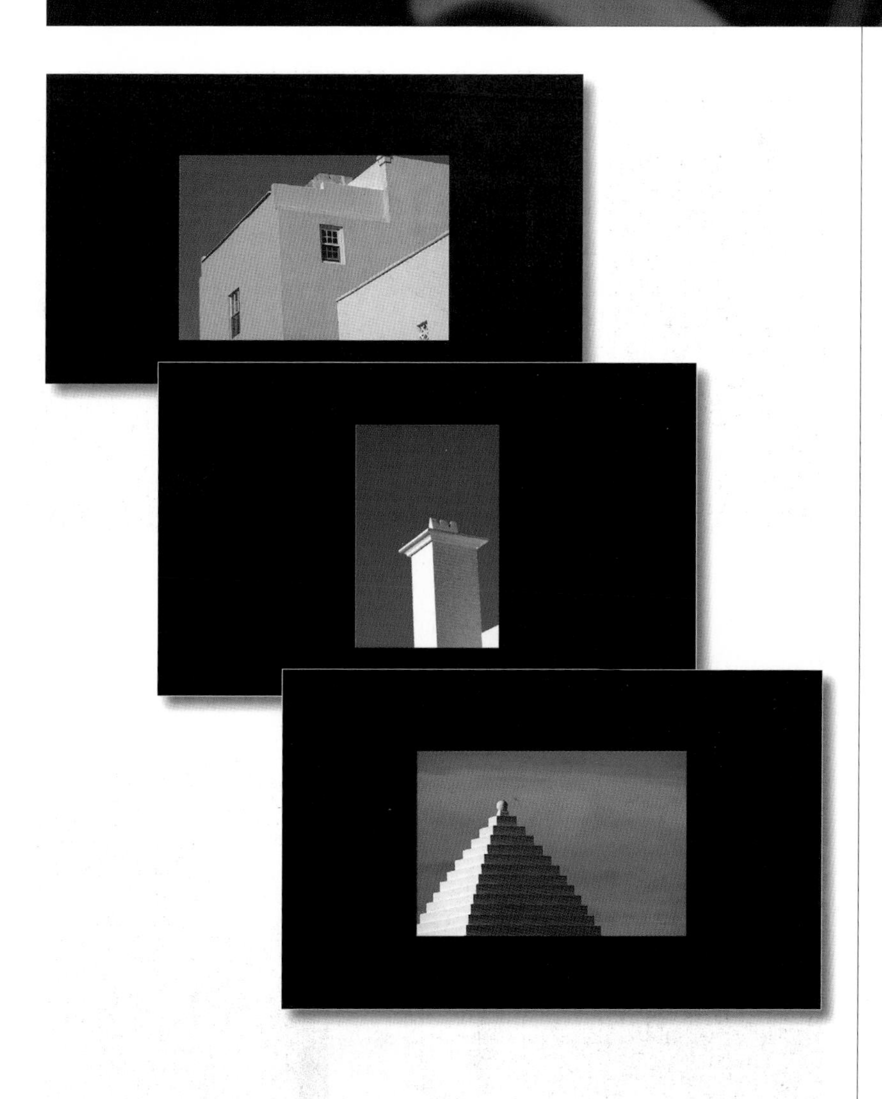

Etape 7

Une fois les palettes masquées, le diaporama est prêt. Pour afficher l'image suivante, appuyez sur Ctrl+Tab. Puisque vous avez appuyé sur Maj en passant au mode Plein écran, l'image précédente est aussitôt masquée dès qu'apparaît la suivante. Faites défiler les autres photos par le raccourci Ctrl+Tab. Le diaporama défile en boucle.

Etape 8

Une fois le diaporama terminé, appuyez sur Tab pour afficher la boîte à outils. Maintenez enfoncée la touche Maj et cliquez sur le bouton Fenêtres standard pour revenir au mode d'affichage normal.

Vérification des épreuves en ligne

La possibilité de soumettre en ligne les images au client est un service très apprécié des professionnels. Photoshop propose justement une fonction qui se charge non seulement d'optimiser les photos pour le Web mais aussi de construire un document HTML complet avec des miniatures, des liens conduisant à la version grand format des photos, un lien de messagerie, etc. Il vous suffit de transférer ce document vers un serveur Web et de communiquer à votre client l'adresse de ce nouveau site Web.

Etape 1

Réunissez dans un nouveau dossier toutes les épreuves à soumettre au client par une consultation en ligne.

Etape 2

Ouvrez Adobe Bridge par la commande Fichier > Parcourir ou par le bouton Passer à Bridge, à l'extrémité droite de la Barre d'options. Dans le Bridge, tout en maintenant la touche Cmd (Ctrl) enfoncée, cliquez sur chaque image à insérer dans la page Web. Dans le menu Outils, choisissez Galerie Web Photo (voir ci-contre).

Note : Vous pouvez créer cette galerie directement dans Photoshop. Il suffit de cliquer sur Fichier > Automatisation > Galerie Web Photo.

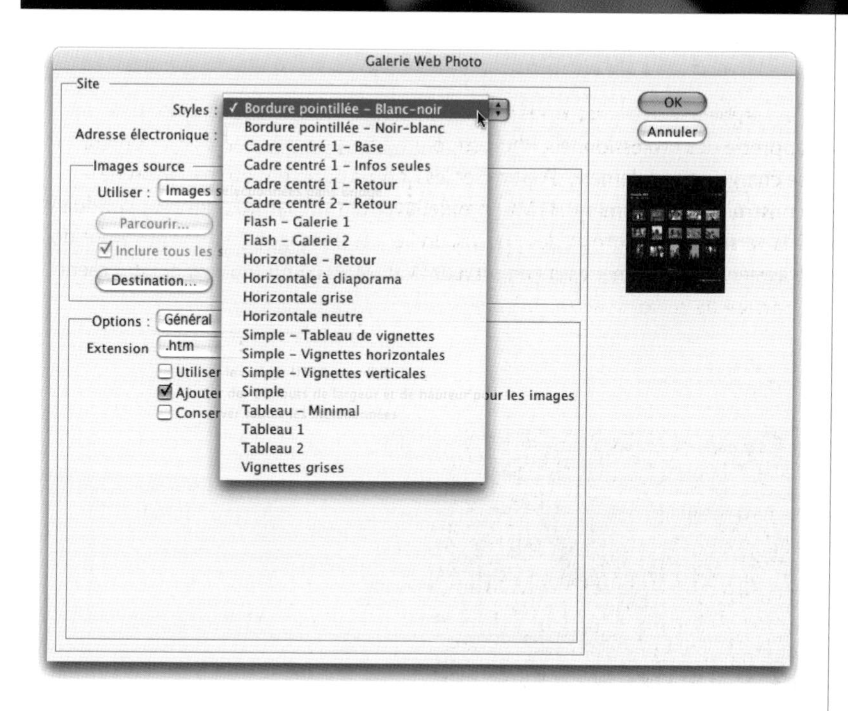

Etape 3

La boîte de dialogue Galerie Web Photo apparaît. Elle présente, en haut, une liste de styles pour le choix d'une mise en page prédéfinie. Un aperçu du modèle sélectionné s'affiche à droite. Dans cet exemple, j'ai sélectionné Bordure pointillée – Blanc – noir, qui compose un site Web avec une série de vignettes en colonnes et rangées sur un fond noir. Sous la liste Styles, le champ Adresse électronique permet de saisir une adresse e-mail qui apparaîtra en évidence dans la page, de sorte que le client puisse vous contacter facilement pour vous informer de ses choix après la consultation des épreuves en ligne.

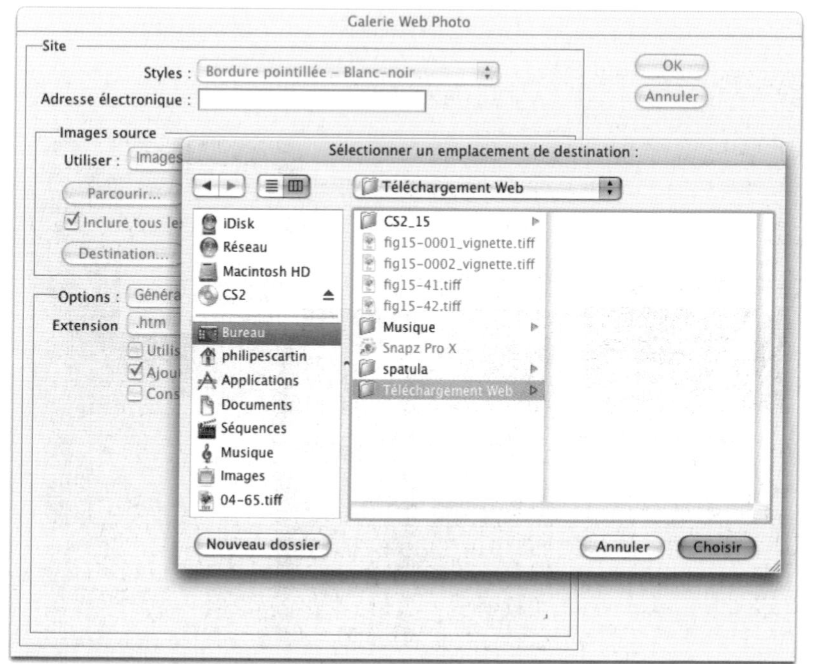

Etape 4

Dans la partie Images source de la boîte de dialogue Galerie Web Photo, spécifiez l'emplacement du dossier contenant les photos à soumettre en ligne (dans cet atelier, il s'agit des Images sélectionnées dans le Bridge). Lorsque vous cliquez sur Destination, une boîte de dialogue vous permet de naviguer jusqu'au dossier où vous allez enregistrer vos images. Optez pour celui créé à l'étape 1 et cliquez sur Choisir.

Note : Bien que nous ayons choisi des images dans le Bridge, vous pouvez très bien créer une galerie Web photo avec les images d'un dossier sur votre disque dur. Pour cela, choisissez Dossier dans la liste Utiliser de la section Images source.

Etape 5

Dans la partie Options de la boîte de dialogue, choisissez Bannière puis définissez les titres et sous-titres du site (voir ci-contre.)

Options : Bannière
Nom du site : Kelby Photography
Photographe : Scott Kelby
Coordonnées du contact : 813-433-5000
Date : 1/06/05

Etape 6

Ensuite, choisissez Grandes images dans le menu Options. Les options de la série Grandes images déterminent les dimensions et la qualité des images affichées en grand format sur vos pages Web. Sélectionnez dans les attributs de titres les mentions à faire figurer sous chaque photo. Remarque : cette fonction n'est opérationnelle que si vous avez pris la peine de compléter les informations de copyright à partir de la commande Fichier > Informations.

Options : Grandes images
Ajouter des liens numériques
Redimensionner les images : Moyenne 350 pixels
Conserver : Les deux
Qualité JPEG : Moyenne 5
Taille de fichier : petite grande
Taille du cadre : 0 pixels
Titres avec : Nom de fichier Titre
Description Copyright
Auteurs et remerciements
Police : Helvetica
Corps : 3

Etape 7

Activez maintenant les options Protection. Dans le menu Contenu, sélectionnez Texte personnalisé. Les autres champs de texte deviennent alors disponibles pour la définition d'une portion de texte à afficher en travers des photos grand format. Vous pourriez ajouter la mention « Copie d'épreuve », « Copie interdite » ou « Défense d'imprimer ». Libre à vous de choisir la police et les attributs de taille, couleur, d'opacité, de position et rotation.

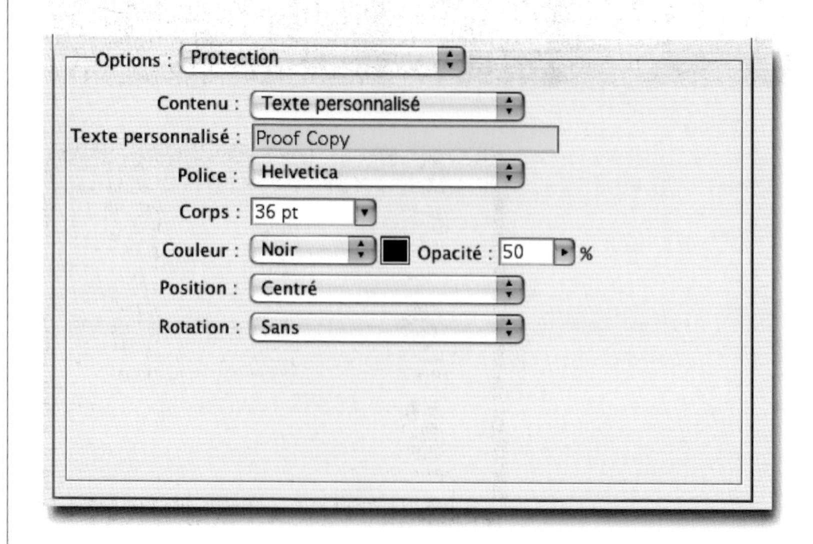

Astuce : Voici comment se présente le texte que vous ajoutez par cette méthode.

Etape 8

Cliquez sur OK et Photoshop se charge de tout : redimensionnement des photos, ajout de votre texte personnalisé, réalisation des vignettes, etc. Au final, votre navigateur s'ouvre sur votre nouvelle page Web, créée automatiquement. Voyez dans cet exemple, le nom du site apparaît dans l'angle supérieur gauche (tel qu'il est défini dans les options Bannière). Votre contact figure en bas à gauche. Si vous cliquez sur une vignette, l'image correspondante s'affiche dans le navigateur Web. Pour passer à l'image suivante, cliquez sur la flèche affichée dans le coin inférieur droit. Pour revenir à la précédente, cliquez sur la flèche du coin inférieur gauche.

Etape 9

Photoshop génère automatiquement tous les fichiers et dossiers nécessaires (voir ci-contre) pour réaliser un site Web fonctionnel avec une page d'accueil (index.htm). Tous ces fichiers se trouvent groupés dans le dossier de destination, prêts pour le transfert vers un serveur Web.

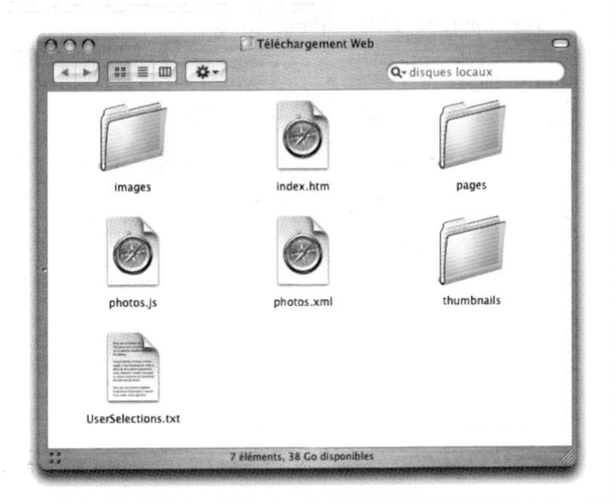

Note : Si votre navigateur Web ne s'ouvre pas automatiquement, ouvrez l'index de ce document directement depuis le navigateur. La galerie s'affichera sans problème.

Impression de divers formats sur une page

Pour la livraison au client des photos imprimées, vous pouvez épargner du temps et de l'argent en réalisant une collection d'images qui vous permet d'imprimer la même photo en plusieurs formats courants sur une seule page. La procédure est automatisée dans Photoshop. Il vous suffit d'ouvrir la photo à imprimer et de choisir les formats, puis éventuellement de découper la feuille.

Etape 1

Ouvrez la photo à imprimer en plusieurs tailles sur une page, puis choisissez la commande Fichier > Automatisation > Collection d'images. (Vous pouvez accéder à cette commande à partir du menu Photoshop d'Adobe Bridge.) La partie Image source sert à choisir la photo à imprimer. Par défaut, la fonction est réglée pour utiliser le document actif, noté Document de premier plan, mais vous pouvez sélectionner un fichier ou un dossier entier à partir du menu Utiliser. Par défaut, Photoshop propose l'impression sur une page de format 8 × 10 po, mais vous disposez aussi des formats 10 × 16 et 11 × 17.

Note : Si, dans le champ Résolution, l'unité de mesure est pixels/cm, celle de la liste Format est exprimée en cm. Si vous optez pour une résolution en pixels/pouces, l'unité de mesure de la liste Format s'exprime en pouces.

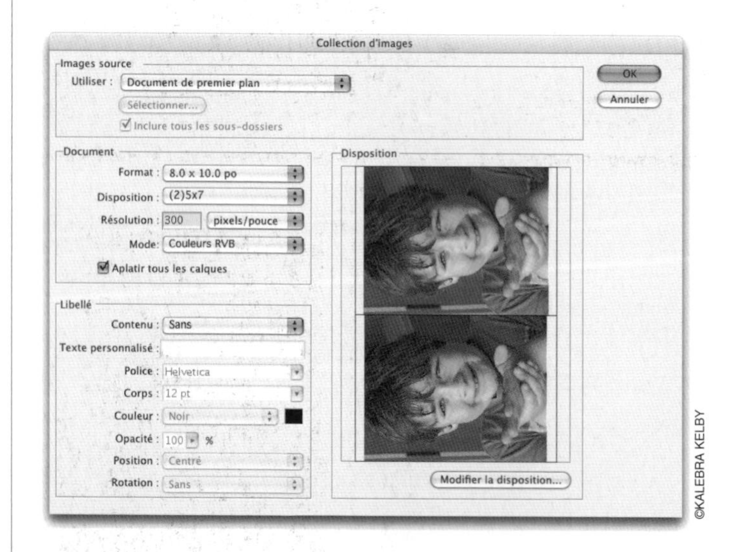

©KALEBRA KELBY

Etape 2

Définissez le nombre d'exemplaires et les formats dans la liste Disposition. Dans l'exemple ci-contre, j'ai choisi la disposition (1) 5 × 7 (2) 2,5 × 3,5 et (4) 2 × 2,5. Un aperçu de la disposition sélectionnée s'affiche à droite.

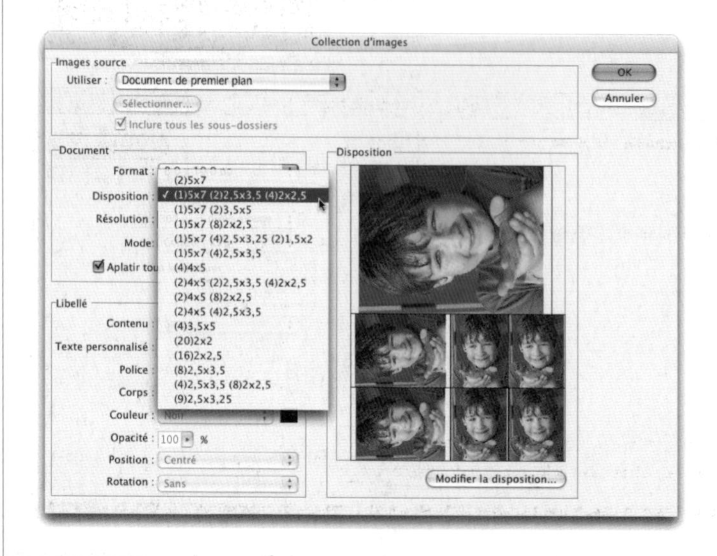

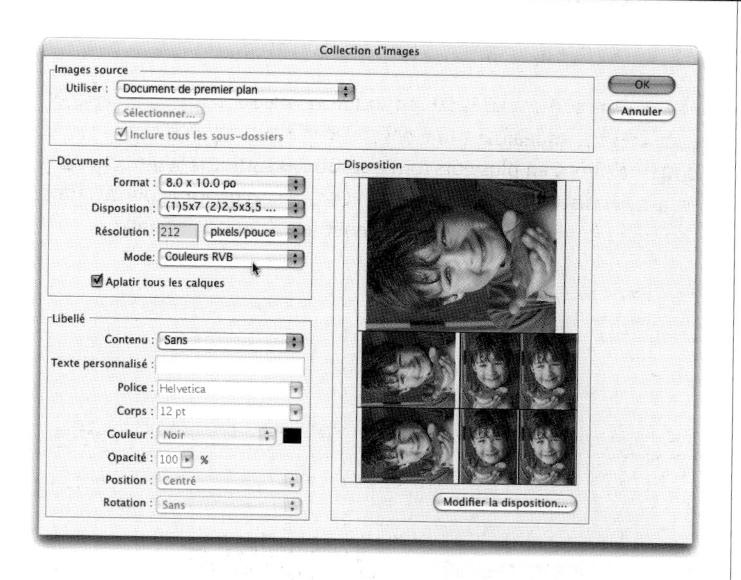

Etape 3

Vous pouvez aussi choisir la résolution de sortie. Saisissez-la dans le champ homonyme. Dans cet atelier, je la fixe à 212 ppp. Une résolution supérieure s'impose pour une impression professionnelle. Puisque j'imprime sur un périphérique jet d'encre, je choisis Couleurs RVB dans la liste Mode. La partie inférieure gauche sert à définir un texte d'accompagnement, mais prenez garde, car ce texte personnalisé s'imprime en travers des images. Réservez cette fonction aux épreuves et surtout pas pour l'impression à livrer au client.

Note : Comme dans la fonction Galerie Web Photo, les informations prédéfinies à insérer proviennent de la boîte de dialogue Fichier > Informations.

Etape 4

Cliquez sur OK et Photoshop redimensionne, fait pivoter et compile vos photos en un document (voir le résultat ci-contre). Les photographes se plaignent souvent que la fonction Collection d'images ne prévoie pas l'ajout d'une bordure blanche autour des photos. Nous avons une solution à l'étape suivante.

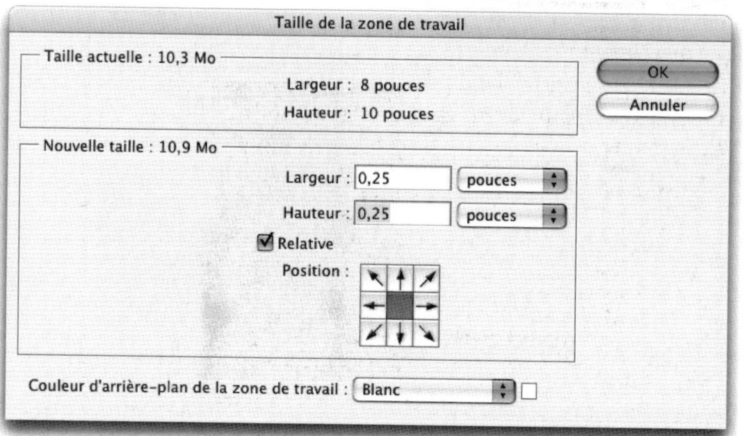

Etape 5

Pour obtenir cette bordure blanche, il faut l'ajouter manuellement. Activez l'image source de la collection. Appuyez sur D pour définir le blanc comme couleur d'arrière-plan. Exécutez la commande Image > Taille de la zone de travail, ou appuyez sur Option+Cmd+C (Alt+ctrl+C). Cochez l'option Relative, puis définissez le nombre de centimètres ou de pouces à ajouter en Largeur et en Hauteur (ici j'ajoute un quart de pouce).

Etape 6

Cliquez sur OK, et la photo s'encadre d'une bordure blanche. A ce stade, vous pouvez lancer la commande Fichier > Automatisation > Collection d'images.

Etape 7

La fenêtre Collection d'images a conservé en mémoire vos précédents paramètres. Cliquez sur OK pour lancer la procédure. Voici comment se présente la page produite par la fonction Collection d'images lorsque la photo comprend une bordure. Comparez avec le résultat sans bordure à la page précédente. Enfin, n'oubliez pas, puisque le format d'impression inclut la bordure, la photo s'en trouve légèrement réduite à l'impression finale.

Etape 8

La fonction Collection d'images donne la possibilité d'utiliser plusieurs images sur la page. Vous pourriez, par exemple, changer l'une des photos en 2,5 × 3,5 pour une autre photo (sans toucher au reste de la disposition). Pour ce faire, cliquez sur la vignette de l'image à remplacer.

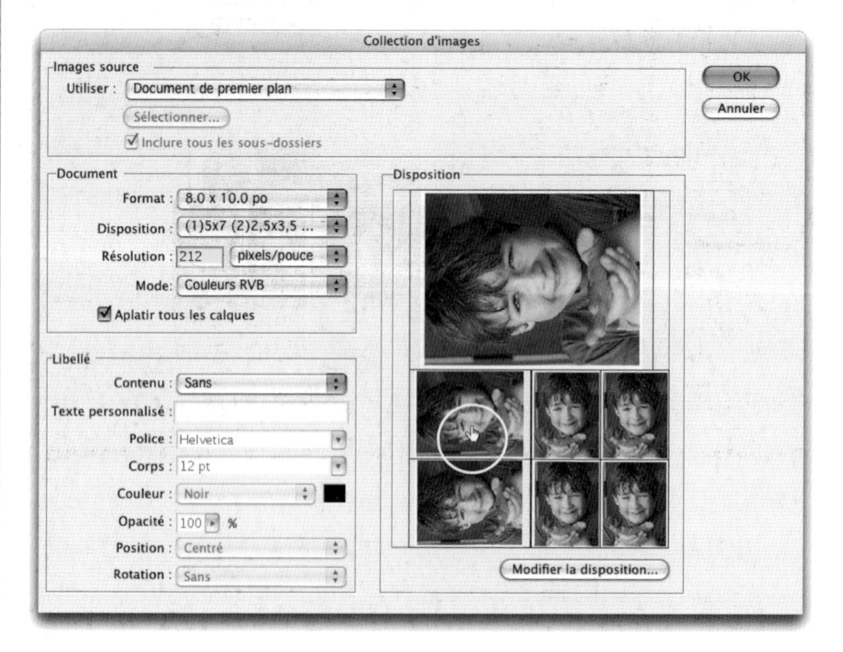

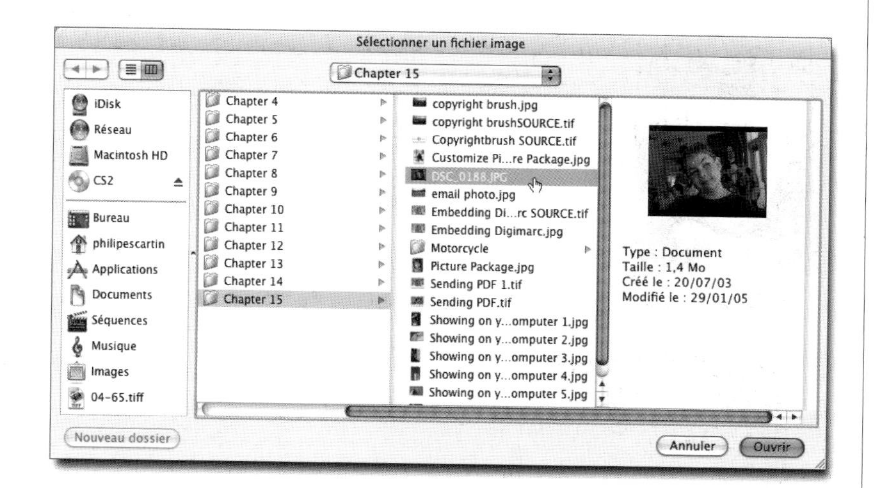

Etape 9

Un clic sur une miniature ouvre une boîte de dialogue pour la sélection d'un fichier graphique. Naviguez jusqu'à la photo à inclure ici.

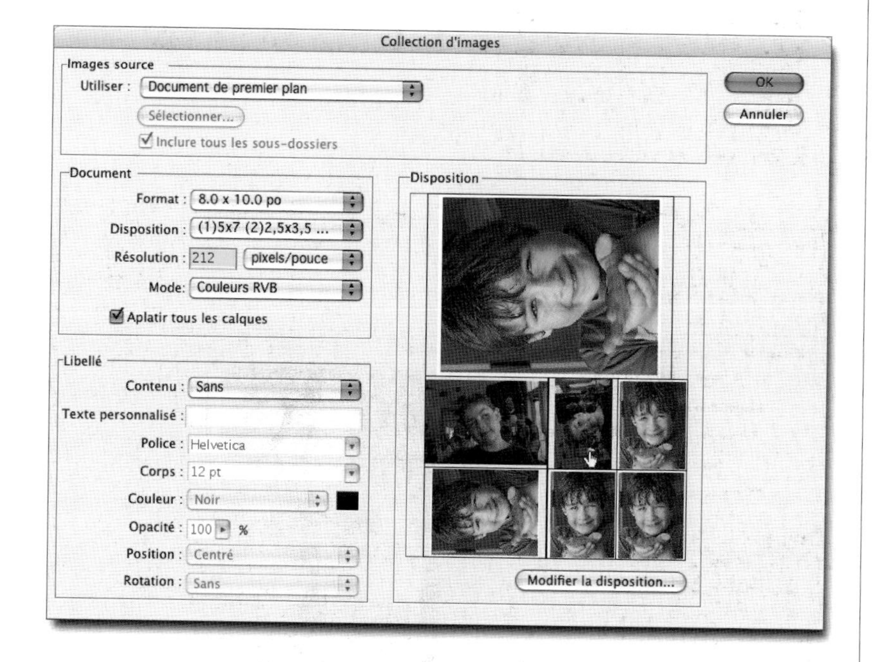

Etape 10

Cliquez sur le bouton Ouvrir et la photo sélectionnée vient s'insérer à la Collection d'images (voir ci-contre). Selon le même procédé, vous pouvez remplacer d'autres photos. Dès que la collection contient les images souhaitées, cliquez sur OK. Ensuite, imprimez le document.

Personnalisation des dispositions

Techniques avancées — Pour les PROS !

La Collection d'images est une fonction bien pratique, mais il arrive toujours un moment où l'on ne trouve pas la disposition qu'il faudrait dans la liste de dispositions prédéfinies. Dans la version 7, il était possible de modifier le fichier texte qui définit cette liste, mais l'opération était délicate. Dans Photoshop CS2, c'est beaucoup plus facile grâce à un utilitaire visuel.

Etape 1

Ouvrez une photo quelconque, qui va juste servir à la composition d'un modèle, puis choisissez la commande Fichier > Automatisation > Collection d'images. (Cette fonction est aussi accessible *via* le menu Outils > Photoshop d'Adobe Bridge.) Dans la boîte de dialogue Collection d'images, cliquez sur le bouton Modifier la disposition dans l'angle inférieur droit.

©KALEBRA KELBY

Etape 2

Dans la boîte de dialogue Modifier la disposition de la collection d'images, attribuez un nom à votre disposition dans l'angle supérieur gauche sous Disposition. Ce nom figurera dans la liste de dispositions prédéfinies de la boîte de dialogue Collection d'images. Sélectionnez le format de la page et l'unité de mesure (voir ci-contre).

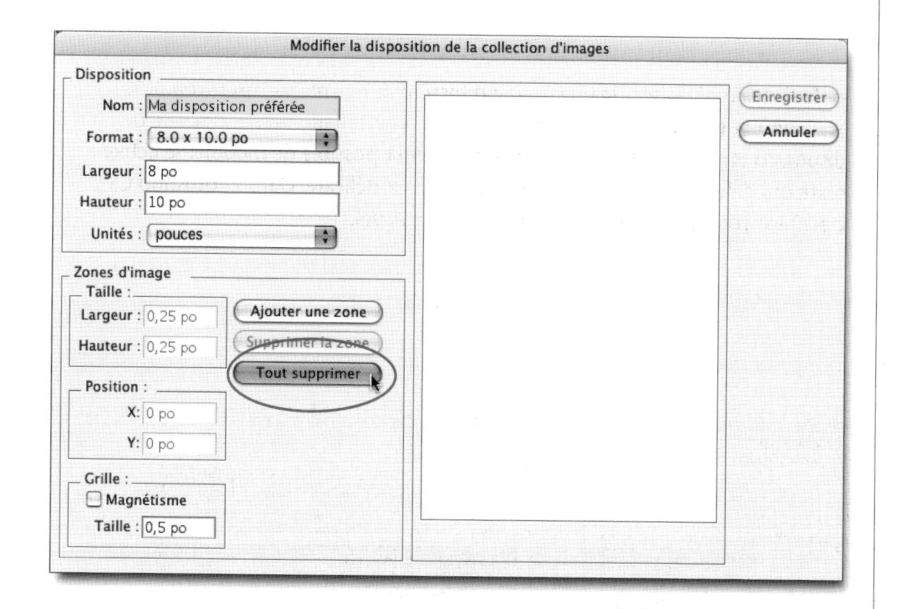

Etape 3

Pour adapter un modèle existant, sélectionnez cette disposition avant d'accéder à l'éditeur de dispositions. Si vous préférez démarrer sur un modèle vierge, cliquez sur le bouton Tout supprimer pour supprimer tous les cadres, ou zones, de l'aperçu.

Note : Adobe appelle cela des « zones ». Gardons ce terme pour paraître des plus branchés aux séminaires Photoshop !

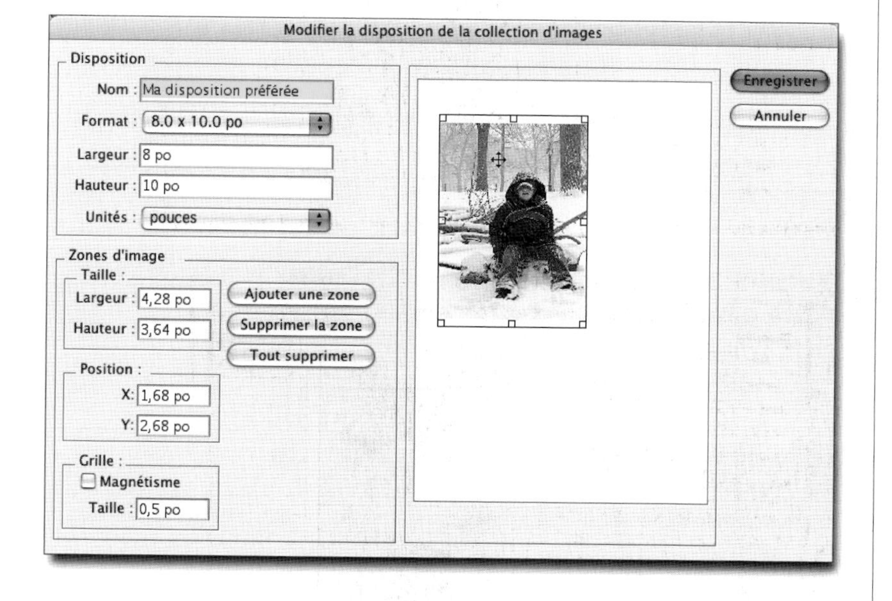

Etape 4

Cliquez sur le bouton Ajouter une zone pour insérer votre premier cadre (voir ci-contre). Ensuite, cliquez sur l'image. Un cadre de transformation apparaît autour de la photo. Il permet de redimensionner la zone par glissement des poignées du cadre. Pour déplacer la zone dans l'aperçu, cliquez au milieu du cadre et faites-le glisser.

Etape 5

Puisque la fonction Collection d'images sert avant tout à présenter plusieurs copies d'une même image, il est logique d'y trouver un raccourci pour la duplication de zones. Appuyez sur Option (Alt) pendant que vous cliquez à l'intérieur du cadre de transformation d'une zone. Cela ouvre le menu illustré ci-contre qui permet de dupliquer la zone, la supprimer ou la copier en trois formats prédéfinis (comme dans l'exemple ci-contre). Le choix d'un autre format ne modifie pas la zone en cours mais définit les dimensions de la copie.

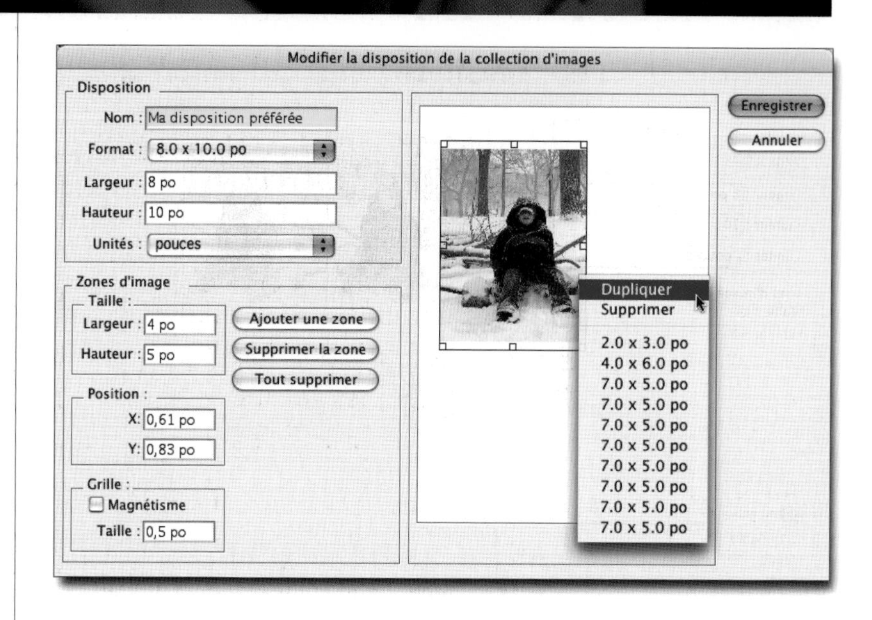

Astuce : Ne cherchez pas de commande pour retourner la miniature ou la faire pivoter. Si vous souhaitez changer l'orientation d'une photo du mode Portrait à Paysage, l'opération se fait manuellement : cliquez sur une poignée d'angle et faites glisser le cadre jusqu'à inverser ses proportions, plus large que haut. L'éditeur de dispositions fait pivoter la photo, c'est aussi simple que cela.

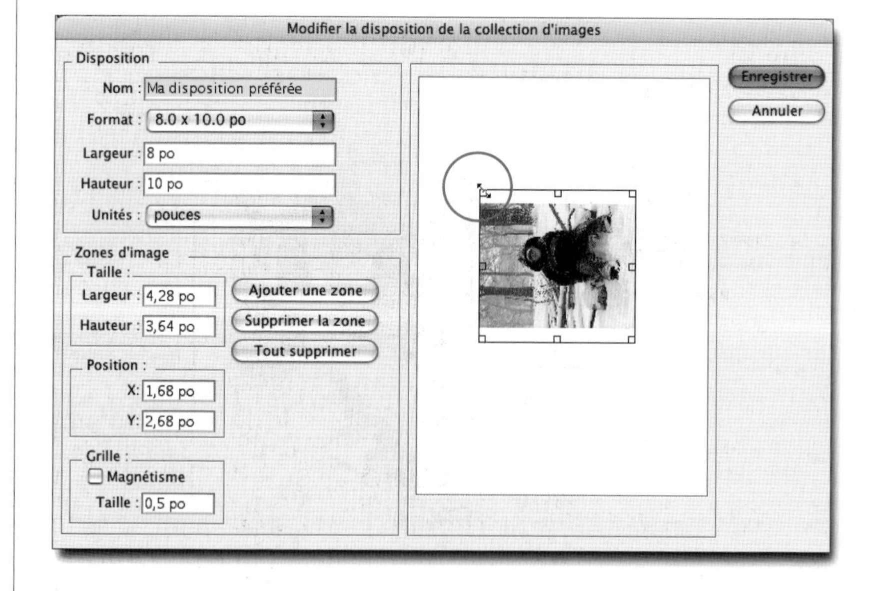

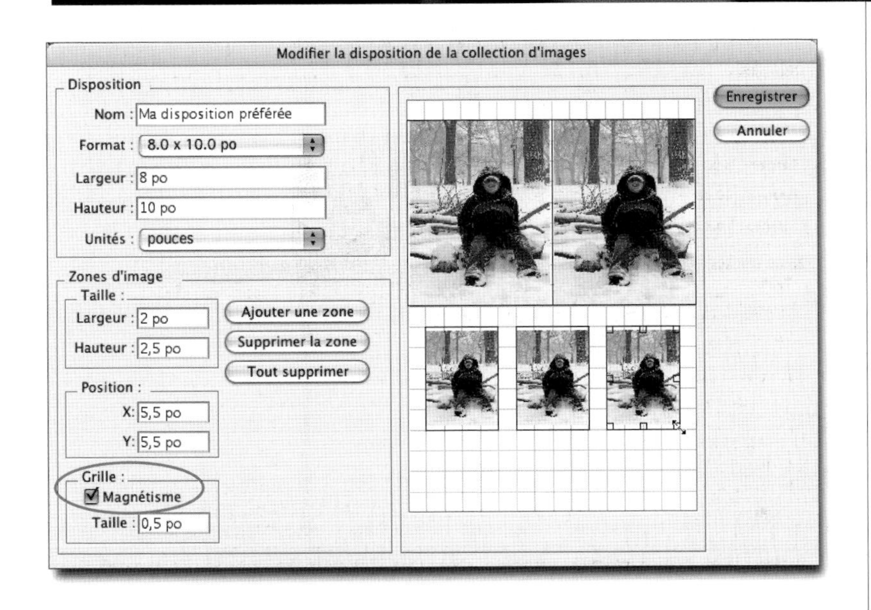

Astuce : Durant la composition d'un modèle, vous pourriez afficher une grille pour faciliter le positionnement. Activez la grille en cochant l'option Magnétisme dans l'angle inférieur gauche. Cette fonction permet un alignement rigoureux le long du quadrillage.

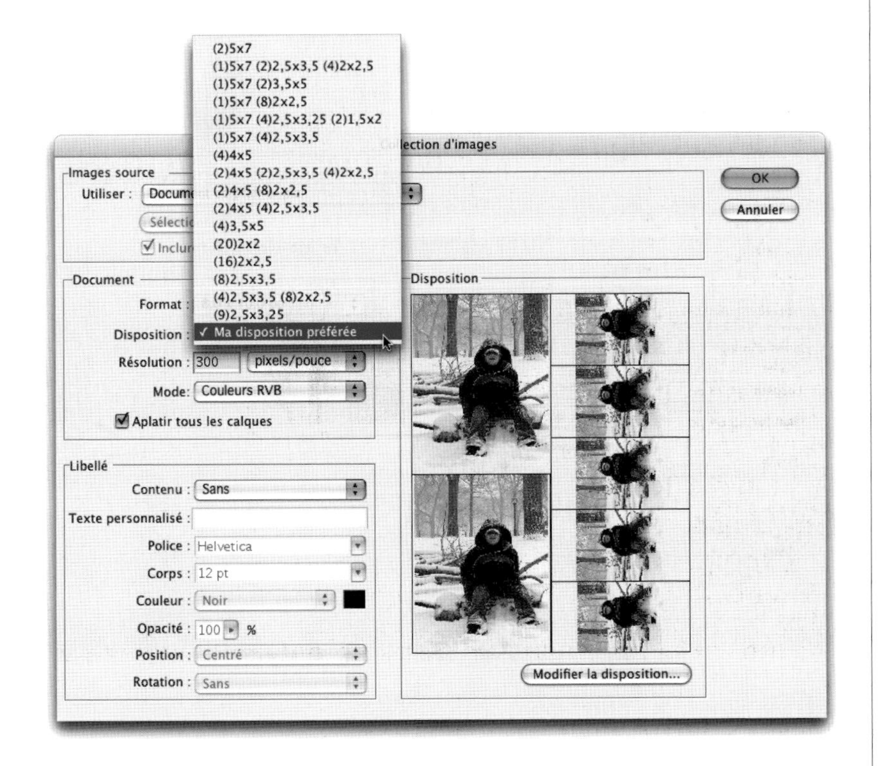

Etape 6

Cliquez sur OK et vous obtenez une boîte de dialogue classique pour l'enregistrement de la disposition. Choisissez ici le nom du fichier (ce n'est pas le nom qui apparaît dans la liste de la boîte de dialogue Collection d'images). Préférez un nom facile à identifier si vous décidez un jour de le supprimer. Cliquez sur Enregistrer, et le nom de votre nouvelle disposition vient s'ajouter à la liste Disposition, où vous pourrez venir la sélectionner à tout moment.

Envoi de photos par e-mail

Aussi surprenant que cela puisse paraître, l'envoi de photos par messagerie électronique fait partie des questions récurrentes dans les séminaires. Il n'existe pas, il est vrai, de manuel d'instructions dédié à cette opération. Un tel guide ne serait pas superflu, surtout pour les photographes qui persistent à m'envoyer des images en haute résolution qui prennent des heures à télécharger ou sont refusées à cause des restrictions de poids sur le serveur. Mes conseils profiteront à tous.

Etape 1

Ouvrez la photo à envoyer par messagerie. La suite des opérations dépend des compétences techniques du destinataire. Si vous envoyez la photo à un ami ou un proche, assurez-vous que le fichier se télécharge rapidement, et surtout que l'image s'affiche directement dans la fenêtre du message. Je rencontre souvent des clients qui ne savent pas télécharger les pièces jointes à leur courrier électronique. Si la photo n'apparaît pas dans le corps du message, ils sont perdus ; et même s'ils parviennent à télécharger le fichier, ils n'ont pas forcément le logiciel graphique adéquat. En bref, insérez la photo bien en vue dans le message.

Etape 2

Dans le menu Image, choisissez Taille de l'image, ou appuyez sur Option+Cmd+I (Alt+Ctrl+I). Pour un envoi à des proches, préférez la résolution 72 ppp et une dimension physique inférieure à 20 cm de large ou 8 pouces (il faut faire tenir la photo dans la fenêtre du message). Avec ces réglages, vous avez la certitude que la photo se télécharge vite et remplit la fenêtre sans déborder.

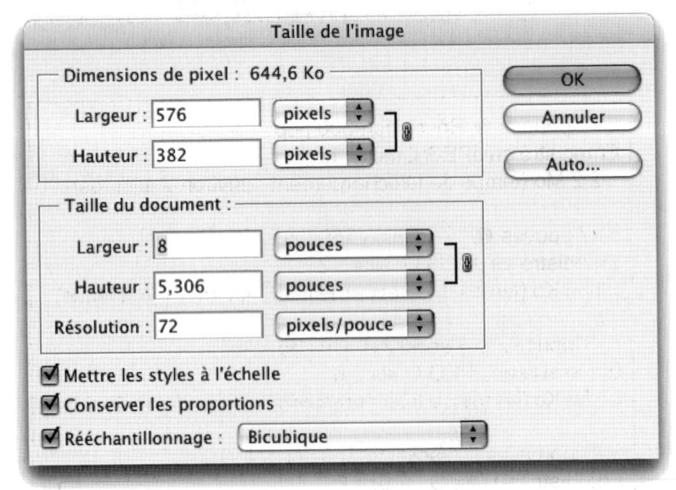

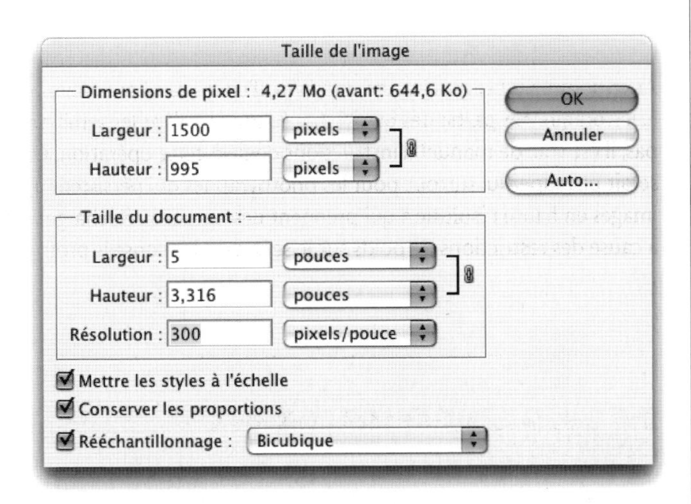

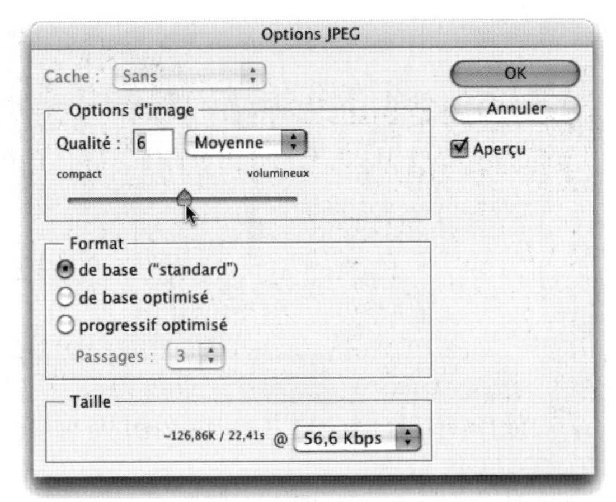

5×7 pouces @ Résolution 300 ppp
Enregistré en JPEG Qualité 12
= 2,2 Mo (temps de téléchargement : environ 7 minutes)

5×7 pouces @ Résolution 150 ppp
Enregistré en JPEG Qualité 12
= 656 Ko (temps de téléchargement : moins de 2 minutes)

5×7 pouces @ Résolution 300 ppp
Enregistré en JPEG Qualité 6
= 253 Ko (temps de téléchargement : moins de 1 minute)

5×7 pouces @ Résolution 150 ppp
Enregistré en JPEG Qualité 6
= 100 Ko (temps de téléchargement : environ 18 secondes)

Etape 3

Si vous envoyez la photo à un client qui sait comment télécharger le fichier et l'imprimer, préférez une résolution plus élevée, de 150 à 300 ppp. Dans ce cas, les dimensions physiques de la photo importent peu puisque le client va enregistrer et imprimer le fichier (c'est pour l'affichage écran, que la résolution de 72 ppp suffit).

Etape 4

En règle générale, on choisit le format JPEG pour l'envoi de photos par messagerie. Pour enregistrer le fichier en JPEG, choisissez la commande Fichier > Enregistrer sous. Dans la boîte de dialogue Enregistrer sous, sélectionnez JPEG puis cliquez sur Enregistrer. Vous obtenez la boîte de dialogue Options JPEG. Ce format compresse le fichier tout en conservant un niveau de qualité correct. Choisissez le niveau de qualité, mais retenez : plus le niveau de qualité est élevé, plus le fichier est lourd et plus il prend de temps à télécharger.

Etape 5

L'objectif est d'envoyer au client une photo légère (rapide à télécharger) qui se présente le mieux possible. (Pour rappel, plus le fichier est léger, plus la qualité est basse). Il faut donc trouver un compromis entre poids du fichier et qualité d'image. Le tableau ci-contre met en évidence la correspondance entre le poids d'un gros fichier et son temps de téléchargement pour une photo de 5 × 7 enregistrée en différentes résolutions et intensité de compression JPEG. Il est difficile de faire mieux que dans le dernier cas de figure : dix-huit secondes de téléchargement avec un modem classique.

Envoi d'une présentation PDF

Photoshop CS2 propose une fonction capable de réaliser un diaporama qui sera compressé au format PDF pour en faciliter l'envoi au client. Vous ne tarderez pas à trouver de multiples occasions d'exploiter cette fonction.

Etape 1

Ouvrez les photos à utiliser dans la présentation PDF (la fonction peut considérer les photos ouvertes dans Photoshop CS ou le dossier que vous spécifiez. Pour l'exemple, ouvrons quelques photos).

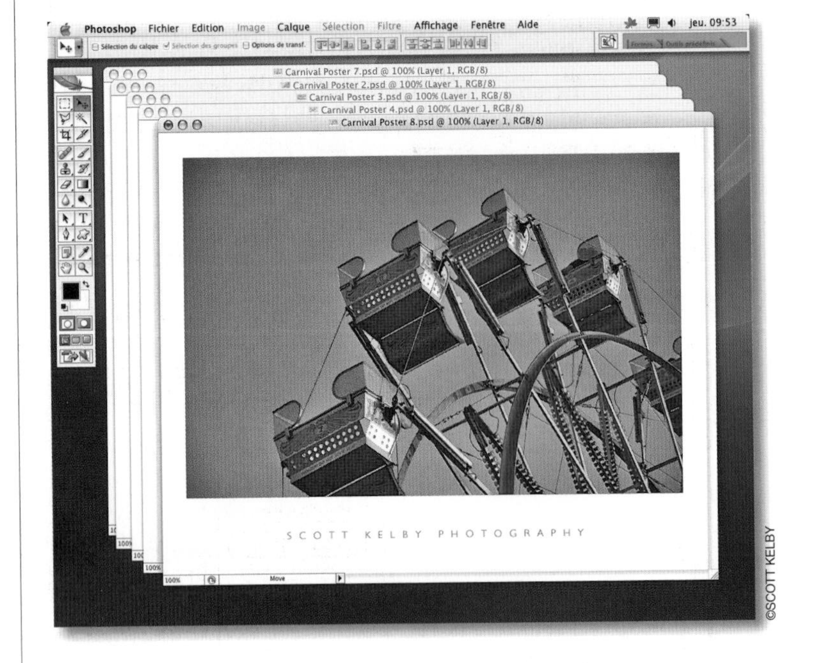

Etape 2

Il existe deux méthodes pour accéder à la fonction Présentation PDF : (1) ouvrez le sous-menu Fichier > Automatisation pour y choisir Présentation PDF, comme ici ; (2) ou sélectionnez Présentation PDF dans le menu Outils > Photoshop d'Adobe Bridge.

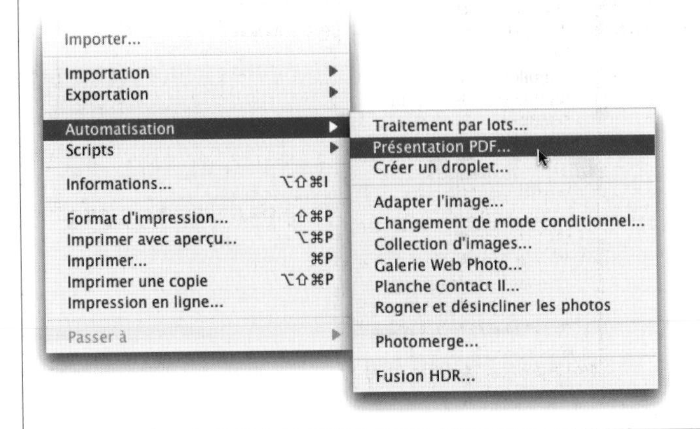

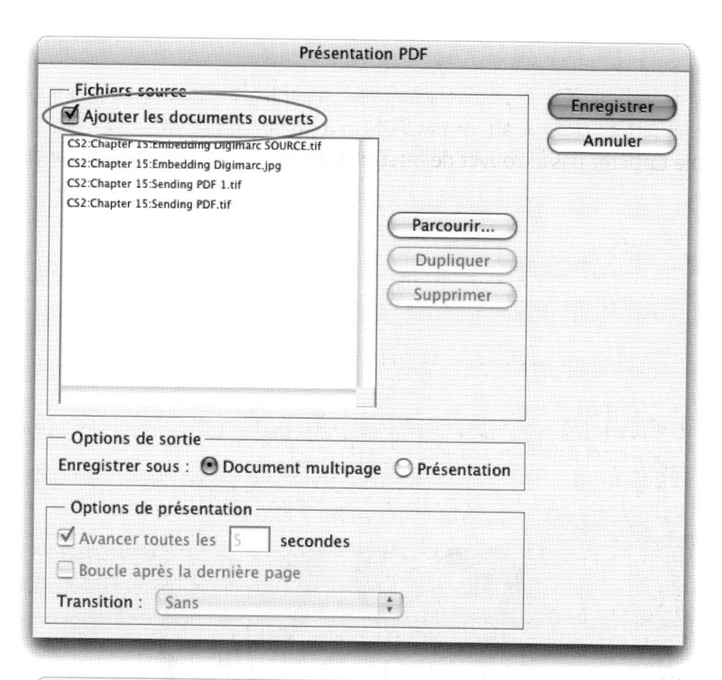

Etape 3

Vous ouvrez la boîte de dialogue Présentation PDF. Pour créer une présentation à partir des photos ouvertes, cochez l'option Ajouter les fichiers ouverts, et la liste des fichiers ouverts s'affiche. Par défaut, la fonction exploite tous les fichiers de cette liste. Si vous ne souhaitez pas inclure l'une des photos ouvertes, sélectionnez le fichier correspondant dans la liste puis cliquez sur le bouton Supprimer.

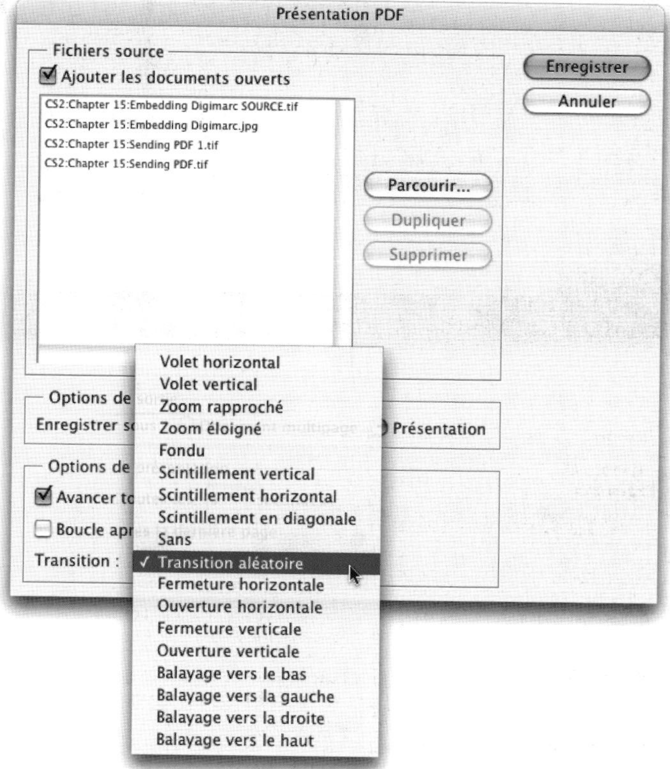

Etape 4

Dans la partie Options de sortie, activez Présentation. Dans la liste Transition, choisissez la manière dont les images (ou diapositives) vont passer de l'une à l'autre. La meilleure façon de les essayer toutes consiste à réaliser un diaporama test avec l'option Transition aléatoire (voir ci-contre). Vous verrez ainsi défiler les différents effets de transition, à la recherche du style qui vous convient. Parmi ces options, vous pouvez également définir la durée d'affichage des images et une lecture en boucle.

Etape 5

Lorsque vous cliquez sur le bouton Enregistrer, la boîte de dialogue Enregistrer s'affiche. Nommez la présentation PDF. Choisissez un dossier de stockage et cliquez sur Enregistrer. Cela ouvre une nouvelle boîte de dialogue.

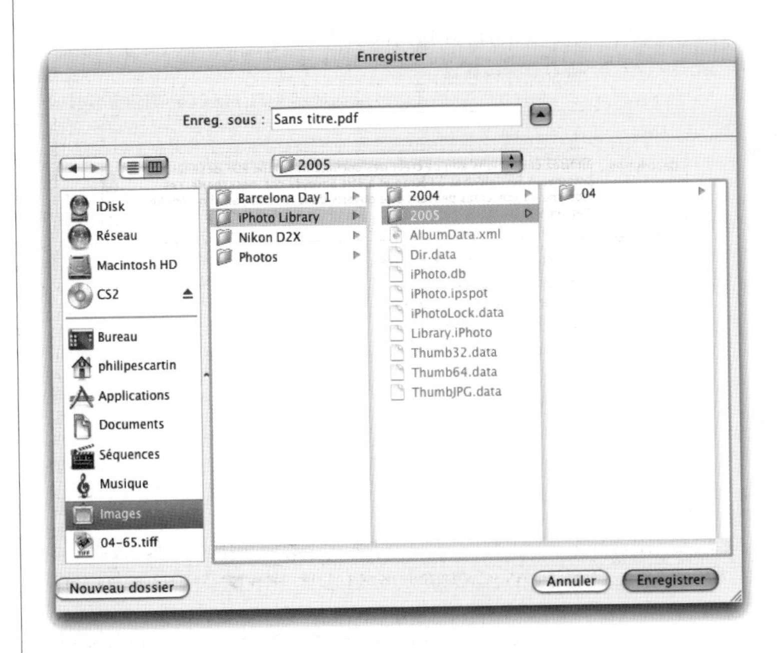

Etape 6

Dans la boîte de dialogue Enregistrer le fichier Adobe PDF, déroulez la liste Paramètre prédéfini Adobe PDF. Choisissez Taille de fichier minimale puisque vous envoyez ce document par e-mail. Vous pouvez également activer l'option Afficher le PDF après l'enregistrement (dans la section Options). Cet affichage est facultatif mais il permet de s'assurer du bon fonctionnement de la présentation avant son envoi.

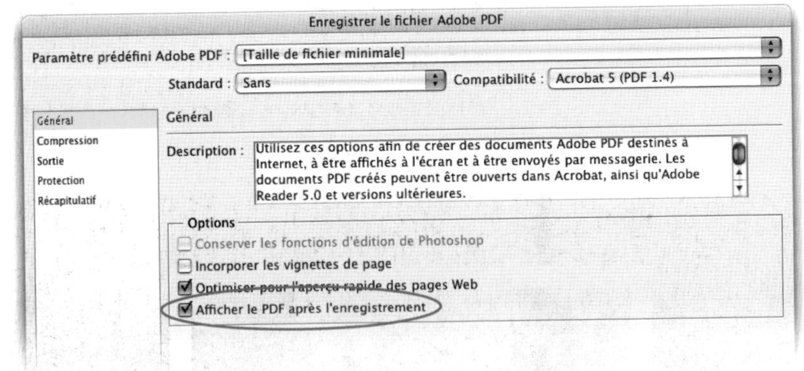

Etape 7

Ensuite, cliquez sur Compression dans la liste située à gauche. Par défaut, elle affiche les options de compression JPEG. Puisque vous avez opté pour une Taille de fichier minimale, le paramètre Qualité de l'image affiche Moyenne-Faible. Bien que ce réglage ne produise pas la meilleure qualité d'image, il permet d'envoyer un fichier PDF peu volumineux. (N'oubliez pas qu'il s'agit simplement d'un contrôle des épreuves par votre client.)

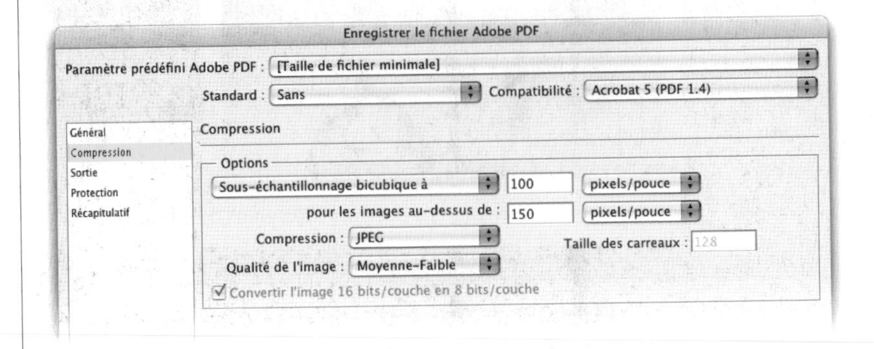

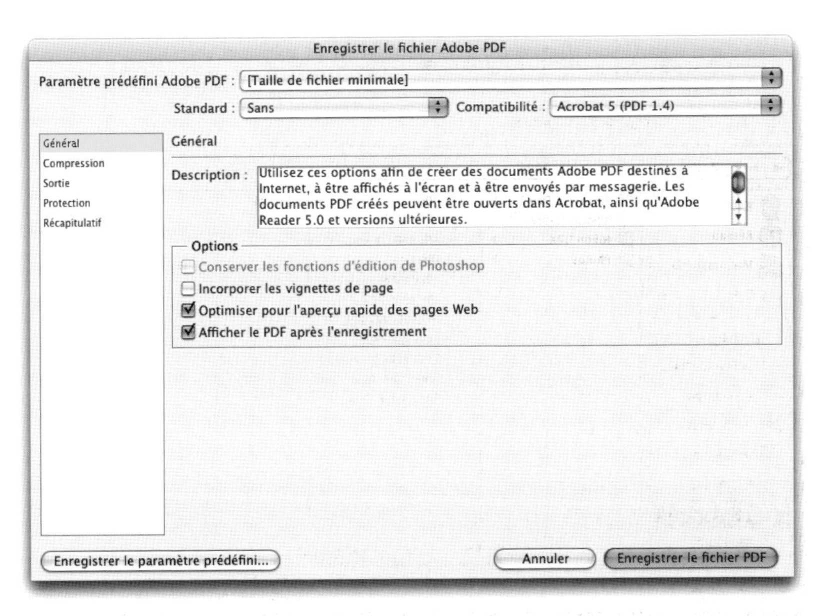

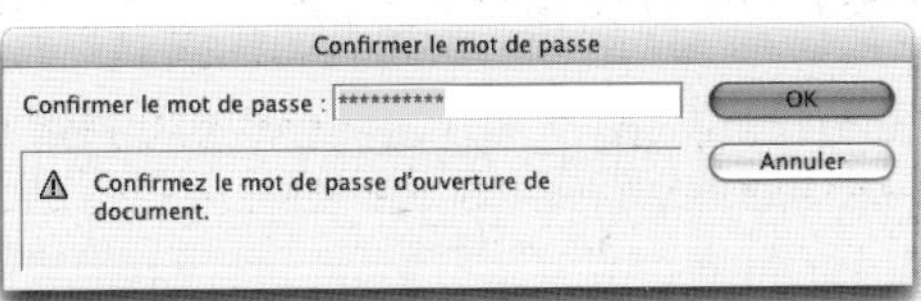

Etape 8

Cliquez sur Protection (liste de gauche). Puis vous envoyez vos images par voie électronique, il est important de les protéger. Je conseille d'activer l'option Exiger un mot de passe pour l'ouverture du document, puis de saisir ce mot de passe dans le champ Mot de passe d'ouverture. Ensuite, dans la liste Impression autorisée, choisissez Sans. Ainsi, vous vous protégez. Votre client ne pourra pas imprimer le document PDF sur son imprimante jet d'encre, ou copier les photos du PDF pour les placer dans une autre application à des fins d'impression. Vous êtes alors certain d'être payé pour votre travail. Aucun détournement n'est possible.

Voici la première diapositive d'une présentation PDF.

Etape 9

Lorsque vous cliquez sur le bouton Enregistrer, un message demande confirmation du mot de passe. Saisissez-le et cliquez sur OK. CS2 crée la présentation PDF. Ensuite, envoyez-la par e-mail. Lorsque votre client ouvrira le fichier PDF, il lui sera impossible de l'imprimer ou de le modifier avec les options d'Adobe Reader.

Note : Pour quitter la présentation et revenir à Adobe Reader, appuyez sur la touche Esc (Echap).

Index

D

E

R

S

T

V

W

Y

Z

COLOPHON

Ce livre a été entièrement produit et conçu sur des ordinateurs Macintosh, dont un Power Mac G4 à 733 MHz, un Power Mac G4 biprocesseur à 1,25 GHz, un Power Mac G4 biprocesseur à 500 MHz, un Power Mac G4 à 400 MHz et un iMac. Nous avons utilisé des moniteurs LaCie, Sony et Apple.

La mise en page a été réalisée avec Adobe InDesign CS. Les titres de chaque technique sont écrits dans la police CronosMM700 Bold dans une taille de 20 points, avec une échelle réglée à 95 %. Le corps du texte est écrit dans la police CronosMM408 Regular de 10 points, avec un interlignage de 13 et une échelle réglée à 95 %.

Les captures d'écran ont été réalisées avec Snapz Pro X et mises en page dans InDesign. L'ouvrage a été imprimé avec une linéature de 150, et toutes les épreuves internes ont été tirées sur une imprimante Xerox Tektronik Phaser 7700.

RESSOURCES PHOTOSHOP COMPLEMENTAIRES

ScottKelbyBooks.com
Pour découvrir les autres ouvrages de Scott Kelby, visitez le site www.scottkelbybooks.com.

National Association of Photoshop Professionnals (NAPP)
L'association des utilisateurs de Photoshop et la ressource mondiale incontournable pour les formations, l'enseignement et les informations concernant ce logiciel.

www.photoshopuser.com

KW Computer Training Videos
Scott Kelby apparaît dans une série de plus de vingt vidéos et DVD de formation à Photoshop, traitant chacun d'un sujet spécifique et disponibles auprès de KW Computer Training. Visitez le site Web ou téléphonez au 813-433-5000 pour toute commande ou information.

www.photoshopvideos.com

Adobe Photoshop Seminar Tour
Venez aux séminaires Adobe Photoshop animés par Scott Kelby. Pour en connaître les dates et les villes, visitez notre site Web.

www.photoshopseminars.com

Photoshop World Conference & Expo
La convention des utilisateurs d'Adobe Photoshop est devenue l'un des plus grands événements mondiaux exclusivement consacrés à ce programme. Scott Kelby en est le président technique et le directeur de l'enseignement ; il y apparaît en tant que formateur.

PlanetPhotoshop.com
Le nec plus ultra des sites consacrés à Photoshop. Vous y trouverez des infos, des didacticiels et des articles quotidiens. Le site est une ressource inépuisable constamment mise à jour où vous trouverez des liens vers d'autres informations et sites Web.

www.planetphotoshop.com

Photoshop Hall of Fame
Créé en hommage à tous ceux qui ont contribué artistiquement et commercialement à Adobe Photoshop, et qui ont eu un impact décisif sur l'application et la communauté des utilisateurs.

www.photoshophalloffame.com

Les notes de Scott Kelby
Vous obtiendrez la réponse aux cent questions les plus posées sur l'utilisation de Photoshop. Ce plug-in s'installe dans le programme. A partir du menu How do I ?, posez votre question ; la réponse s'affiche dans une boîte de dialogue conviviale.

www.kelbysnotes.com

Le magazine Layers
Le magazine qui fait autorité en matière de design, de vidéo et de photo numérique, ainsi que de formations. Vous y trouverez des informations sur les produits, des astuces efficaces, des raccourcis cachés et des didacticiels qui vous aideront à travailler en numérique. Scott Kelby, l'auteur Photoshop le plus lu en 2004, en est le rédacteur en chef.

www.layersmagazine.com

Photoshop CS Astuces & Secrets inédits *(Photoshop CS Down & Dirty Tricks)*, **Peachpit Press, 2004**
Scott est également l'auteur de ce best-seller qui regroupe une impressionnante collection de techniques, incluant des effets que vous admirez tous les jours dans les magazines, à la télévision, au cinéma et sur le Web.

www.scottkelbybooks.com